FRITZ STRICH

GOETHE UND DIE WELTLITERATUR

FRITZ STRICH

GOETHE
UND DIE
WELTLITERATUR

A. FRANCKE AG VERLAG BERN

Printed in Switzerland

Copyright 1946 bei A. Francke AG., Verlag, Bern

Druck: Fritz Pochon-Jent AG., Bern

INHALT

VORWORT

Die ersten Studien zu diesem Buche liegen schon weit zurück. Als ich nach dem Weltkrieg 1914/18 von der Londoner Universität zu einer Reihe von Vorträgen eingeladen wurde, sprach ich dort zum erstenmal über das Thema: Goethe und die Weltliteratur, weil es mir damals das angemessenste für einen Wissenschaftler zu sein schien, der durchaus auf streng wissenschaftlichem Boden bleiben, aber seine Wissenschaft in den Dienst der Völkerversöhnung stellen wollte. Es hat mich seitdem nicht wieder losgelassen, wurde in Vorlesungen ausgebaut, und als ich 1929 nach der Schweiz berufen wurde, fand ich hier, in meiner zweiten Heimat, die günstigste Luft und den fruchtbarsten Boden für die Entwicklung des heranreifenden Werkes. Es war mir, als sei meine weltliterarische Arbeit die beste Vorbereitung für meinen Eintritt in dies Land gewesen. Wenn Goethe unter der Weltliteratur den geistigen Raum verstand, in dem die Völker durch ihre Literaturen einander kennen, dulden, achten und verstehen lernen und in gemeinsamer Bemühung zu höheren Stufen der menschlichen Kultur emporzusteigen suchen, so fand ich hier schon in der Natur, mit ihrer Allumfassung der verschiedensten Landschaftstypen, vom heroischen bis zum idyllischen, vom südlichen bis zum nordischen, gleichsam eine « Weltnatur », einen natürlichen Raum, in dem die Völker sich begegnen können, und wenn die großen Schöpfungen der Weltliteratur im Boden eines Volkes wurzeln, jedoch mit ihren Kronen in den ewigen und allgemeinen Menschenraum emporragen, so konnte ich auch dies nun an den Schöpfungen der Natur erleben. Als Goethe auf seiner zweiten Reise in die Schweiz den Aufstieg zum Jura begann, da erzählte man ihm viel von den Herrschaften und Ländern, die man von oben würde unterscheiden können, und in solchen Gedanken betrat er den Gipfel. Aber ein anderes Schauspiel war ihm bereitet: «Nur die hohen Gebirgsketten waren unter einem klaren und heiteren Himmel sichtbar, alle niederen Gegenden aber mit einem weißen, wolkigen Nebelmeer überdeckt, das sich von Genf bis nordwärts an den Horizont erstreckte und in der Sonne glänzte. Daraus stieg ostwärts die ganze reine Reihe aller Schnee- und Eisgebirge, ohne Unterschied von Namen der Völker und Fürsten, die sie zu besitzen glauben, nur einem großen Herrn und dem Blick der Sonne unterworfen, der sie schön rötete. »

Über dieser Natur aber fand ich jene geistige Atmosphäre, wie sie nur der Schweiz eigen ist, die seit je zwischen den europäischen Literaturen, Italiens, Frankreichs, Deutschlands, Englands, sich als Vermittlerin betätigt und wie mit ihren Pässen den natürlichen, so auch den geistigen Weg von Volk zu Volk gebildet hatte, und so empfand ich, daß ich mich mit meinen weltliterarischen Bemühungen zwanglos in diese alte Tradition einfügte. Aber es war ja nicht nur Tradition, sondern auch lebendige Gegenwart. Hier konnte ich drei Völker mit drei Sprachen friedlich nebeneinander und miteinander, unter einem Dache, nach gleichem Rechte und Gesetze lebend, sehen, einen Mikrokosmos gleichsam, der da zeigt, daß die Völker verschiedensten Stammes und verschiedenster Sprache in friedlicher Gemeinschaft miteinander bestehen und wirken können. Fanden sich doch auch auf diesem Boden der Schweiz die Vertreter aller Nationen zusammen, um zu beraten, wie jeder Krieg auszuschalten und ein ewiger Friede zu stiften sei. Noch nie vorher war mir der Gedanke des Bundes, der mir aus Goethes geistiger Welt entgegengeleuchtet hatte, so leibhaftgegenwärtig vor Augen getreten wie hier, und nie noch war mir ein Volksgeist begegnet, der die Treue zur Heimat so selbstverständlich mit weltbürgerlichem Sinn und Weltoffenheit verbindet. So konnte ich die Hoffnung haben, daß mein bescheidenes Werk in dieser Luft, auf diesem Boden, bald zur Reife kommen könnte. Als ich 1932 zur Goethefeier nach Weimar eigeladen wurde, war es selbstverständlich, daß ich dort wieder über dieses Thema: Goethe und die Weltliteratur, sprach.

Aber damals schon in Weimar taten sich düstere Zeichen kund, und schon damals mußte man den Eindruck haben, daß es wirklich eine Totenfeier, die Feier eines toten Goethe war. Ganz kurz darauf brach denn auch die Katastrophe über die Welt herein, Alles, was Goethe als das Ziel der Weltliteratur verkündigt hatte, stürzte in Trümmer, und es war Goethes Volk, welches dies über die Menschheit brachte! Man wird verstehen, daß ich seitdem nicht an die Veröffentlichung meines Buches mehr dachte. Es schien mir sinnlos zu sein, die schreienden Dissonanzen und den Donner der Kanonen mit Goethes Stimme übertönen zu wollen. Sie wäre echolos verhallt.

Nun ist der Frieden da; aber welch ein Frieden? Wir stehen heut in einem Augenblick der Geschichte, in welchem alles verloren und alles gewonnen werden kann, in einem Augenblick der unbegrenzten Möglichkeiten, und damit scheint mir auch der Augenblick gekommen, daß Goethe, dieser größte Europäer und Weltbürger, sich in seiner ganzen Vorbildlichkeit erhebe und das von Grund auf neu zu bauende Völkerhaus mit seinem Friedensgeist erfülle, ohne den es ja doch wieder zusammenstürzen müßte.

In diesem Sinne bitte ich es zu verstehen, wenn ich sage, daß dieses Buch ein durchaus wissenschaftlich-historisches und doch nicht Wissenschaft um ihrer selbst willen sein möchte.

Vollständigkeit auch nur annähernd zu erreichen, war von vornherein ausgeschlossen und lag auch gar nicht in meiner Absicht. Ich füge mich der von Natur gegebenen Begrenzung, nur das ins Auge zu fassen, was in Goethes eigenen Blickkreis trat und für die Entstehung seiner Weltliteraturidee und ihr Wesen von Bedeutung wurde. Manche Literaturen schieden damit von selber aus, die großen Literaturen Englands, Frankreichs, Italiens, Rußlands mußten ins Zentrum treten, der Norden, Spanien und Polen sich anschließen, weil sich für Goethe wichtige Beziehungen schon in seinen Lebzeiten zu ihnen herstellten. Ich mußte auch aus gleichem Grunde den Blick über Europa hinaus nach Asien und Amerika richten. Was über Goethes Tod hinausreicht, möchte nur als gelegentlicher Exkurs betrachtet werden, und erst im letzten Kapitel: « Ausblick » wird die Darstellung von Bild und Wirkung Goethes in der Weltliteratur bis zum Goethe- jahr 1932 in großen Zügen fortgeführt.

Man kann sich denken, daß bereits eine große Spezialliteratur über mein Thema besteht. Eine Bibliographie zu geben, war schon aus Raumgründen unmöglich. Ich möchte daher an dieser Stelle nur allgemein zum Ausdruck bringen, daß ich alles, was für die Absicht meines Buches notwendig war, mit Dankbarkeit gebraucht habe. Aber ich bitte, den Sinn meiner Arbeit in der Zusammenschau und darin zu sehen, daß alles unter den Gesichtspunkt der Goetheschen Welt- literaturidee gestellt worden ist, wodurch auch jedes Detail in neue Beleuchtung trat.

Ich wollte zeigen, wie diese Idee sich bildete, was ihr Sinn und Ziel war, und wie es zu dieser Idee auch dadurch kam, daß er erlebte, was er an segensreicher Bildung durch fremde Literaturen empfing und was er selbst in ihnen weckte. Ich wollte auch darstellen, welchen

Umfang seine Tätigkeit für die Verwlrklichung seiner Idee annahm. Das war die Aufgabe, die ich mir stellte. Von Goethe aus sah ich mit seinen Augen nach allen Himmelsrichtungen in die Welt und ging seinen Spuren nach allen Seiten nach, und so sind auch dadurch, so hoffe ich wenigstens, neue Resultate erzielt worden. Es sollte sich erweisen, daß Goethe nicht als Eigentum eines Volkes in Anspruch genommen werden darf, sondern erst dann die von seiner eigenen Natur ihm vorgeschriebene Sendung erfüllt, wenn man ihn als allgemeinen Weltbesitz und geistiges Völkerband erkennt. Er war es einst und möge es wieder werden.

Zum Schluß möchte ich der treuen, stets bereiten Helferin am Werk: Fräulein Dr. Gertrud Sattler, meinen herzlichsten Dank für all ihre freundlichen Bemühungen aussprechen.

B e r n , im Herbst 1945.

ERSTER TEIL

GOETHES IDEE
DER WELTLITERATUR

Die Idee

Wenn man die zum erstenmal von Goethe geprägte Wortverbindung «Weltliteratur» auch nur hört, so löst es schon ein befreiendes Gefühl aus, ein Gefühl der Öffnung und der Weitung, als trete man in einen Raum, in dem es leichter zu atmen ist. Denn, mag dieses Wort auch noch so unbestimmt und verschwimmend sein, es hat doch auf jeden Fall etwas mit der Aufhebung geistiger Grenzen und Schranken zwischen den Völkern zu tun, und es wird zu den Aufgaben dieses Buches gehören, daß sich das Gefühl dieser Art allmählich zur Klarheit und Erkenntnis und damit zu doppelt befreiender und lösender Wirkung steigere.

Gewiß wird auch die Trauer uns immer begleiten, wenn wir von Goethes hoffnungsreicher Verkündigung hören und immer daran denken müssen, wie ja doch niemals die Verwirklichung geschah. Aber auch das darf uns nicht irre werden lassen an der Goetheschen Idee. Denn sie ist eine jener Forderungen des menschlichen Geistes, die er trotzdem, trotz alle alledem zu stellen hat, nach deren Verwirklichung er streben muß, und mag der Widerstand der stumpfen Welt auch noch so stark und noch so lang sein. Die Goethesche Idee ist heut lebendiger denn je. Denn was ist denn im geistigen Sinn lebendig? Nicht das, was gerade heute wirklich ist, sondern was da werden soll und will.

Stellen wir uns nun zuerst die Frage, was der Sinn dieses magischen Wortes ist. Man kennt es allgemein aus jenen unzähligen Geschichten der Weltliteratur. Aber hier ist es im Grunde völlig inhaltlos. Denn es bezeichnet lediglich die Zusammenstellung aller Nationalliteraturen, der französischen, englischen, deutschen, italienischen, russischen, chinesischen, die in solchen Werken einfach nacheinander abgehandelt werden, und was hier überhaupt das Recht zur Zusammenfassung unter dem einen Namen der Weltliteratur gibt, das ist die Gleichheit des Einbandes und des Verlages, weiter nichts.

So jedenfalls hat Goethe die Weltliteratur nicht verstanden, und in diesem Sinn, oder in dieser Sinnlosigkeit scheidet das Wort aus jedem ernsthaften Gebrauche aus.

Aber man kennt es auch in anderer Bedeutung noch. Ein Werk, so sagt man, etwa Homer, Dantes Göttliche Komödie, Hamlet, Don Quichote, Faust, gehört der Weltliteratur an, ein anderes nicht. Was will man damit sagen? Dies gewiß, daß solch ein dichterisches Werk die Grenzen der Nation, in der es entstand, die Grenzen der Sprache, in der es geschrieben wurde, überschritten hat. Daß es wenigstens in die wichtigsten Kultursprachen übersetzt wurde und zum gemeinsamen Eigentum der Völker, zum allgemeinen Schatz der menschlichen Bildung gehört. Daß es sich also übernationale Gültigkeit errungen hat. Aber man meint noch mehr. Denn vieles hat die Grenzen der Nationen überschritten, wurde übersetzt und überall gelesen, und gehört doch nicht der Weltliteratur in diesem Sinne an. Denn oft sind es die minderwertigsten Produktionen der Unterhaltungsliteratur, der Sensationsliteratur, die sich die Welt erobern, reine Modeerscheinungen, die ebenso schnell wieder aus dem übernationalen Bestand der Literatur verschwinden, wie sie in ihm auftauchten. Welcher deutsche Dichter hat wohl zur Goethezeit den weitesten Welterfolg gehabt? Die Antwort müßte lauten: Gewiß nicht Goethe, sondern Kotzebue, und doch würde niemand heute sagen, daß Kotzebue der Weltliteratur angehöre. Aber auch ein so unendlich liebenswürdiger Dichter, wie Salomon Geßner, der wirklich in alle Sprachen übersetzt, überall gelesen, nachgeahmt, bewundert und gepriesen wurde, gehört der Weltliteratur nicht an. Denn etwas fehlt: Die Dauer in der Zeit. Wenn wir in unserem Sprachgebrauch von Weltliteratur reden, so meinen wir den literarischen Bestand, der sich nicht nur eine übernationale, sondern auch eine überzeitliche Gültigkeit errang, und nicht nur eine, wenn auch noch so weit verbreitete, Modeerscheinung war. Die Welt ist Raum und Zeit zugleich, und nur was dem Weltraum und der Weltzeit angehört, das gehört der Weltliteratur. Die Zeit aber ist das regulierende Prinzip in der Geschichte, welches die Spreu vom Weizen sondert, die Mode vom wahrhaftigen Wert. Weltliteratur wäre demnach jene auserlesene Literatur, die sich eine übernationale und überzeitliche Gültigkeit errungen hat. Das ist ein durchaus haltbarer und gehaltvoller Begriff. Aber wie die meisten Worte der menschlichen Sprache, wie alle, darf man sagen, so ist auch dieses Wort Goethescher Prägung von großer Vieldeutigkeit, und Goethe hat darunter etwas ganz anderes verstanden, als was wir in unserem gewöhnlichen Sprachgebrauch darunter verstehen. Diese schicksalhafte Vieldeutigkeit der Sprache, diese babylonische Sprachverwirrung, ist ja wohl zum guten Teile daran schuld, daß die Menschen sich so schwer verstehen und so viel aneinander vorbeireden. Denn jeder versteht unter einem Wort etwas anderes als der andere, und darum scheint es zunächst die nötigste Aufgabe zu sein, den Goetheschen Begriff der Weltliteratur von jedem anderen möglichst klar zu sondern.

Es gibt da etwa noch einen, und zwar in der Literaturwissenschaft besonders gültigen, ja den eigentlich wissenschaftlichen Begriff der Weltliteratur, der wieder etwas ganz anderes bedeutet als das, was man im gewöhnlichen Sprachgebrauch darunter versteht, und der zum Ausdruck bringen will, daß es sich bei einem Vergleich der verschiedenen Nationalliteraturen ergebe, die Verschiedenheit der Sprachen rechtfertige es noch nicht, eine Trennung in Nationalliteraturen vorzunehmen. Vielmehr zeigen die verschiedenen Literaturen eine solche Ähnlichkeit in ihrem historischen Ablauf, in der Aufeinanderfolge der Zeitstile, eine solche Ähnlichkeit in Ideen, Motiven und Gestalten, ob sie nun durch Wanderung von Volk zu Volk oder aus einer allgemein menschlichen Ähnlichkeit der Nationen zu erklären ist, ferner eine solch gegenseitige Beeinflussung und Verflechtung ineinander, daß man keine Literatur isoliert betrachten und verstehen kann, sondern sie zusammen als eine unlösliche Einheit, eine Weltliteratur in diesem Sinne zu betrachten hat. Auch das gibt unserem vieldeutigen Wort wenigstens einen greifbar-faßlichen und diskutablen Gehalt, wenn er auch nichts mit übernationaler und überzeitlicher Gültigkeit zu tun hat. Aber die Goethesche Idee ist auch diese nicht, und wenn man bedenkt, daß schließlich Goethe der Schöpfer des Wortes war, so ist zu fragen, ob es nicht gut und praktisch wäre, sich auf seinen Wortgebrauch zu einigen, und für jene andersartigen Ideen andere Ausdrücke zu finden, um so die Mißverständlichkeit zu vermeiden. Was dem geistigen Leben fehlt, ist Einigung, und Sprachverwirrung spielt dabei wesentlich mit. Wieviel unnützer und überflüssiger Streit könnte durch sprachliche Klärung vermieden werden. In unserem Falle aber sollte die Einigung gar nicht so schwer fallen, weil es schließlich eine Einigung auf Goethe wäre.

Freilich, auch sie würde sofort auf ein gewisses Hindernis stoßen, denn nie und nirgends hat Goethe selbst etwa systematisch, eindeutig und mit klaren Worten gesagt, was er unter Weltliteratur, die er verkündigte, forderte, erhoffte und schon « anmarschieren » sah, verstanden wissen wollte. Ja, er ging offenbar geflissentlich einer prägnanten Formulierung und Verdeutlichung aus dem Wege. Man ist

daher genötigt, die vielen Andeutungen, wie sie in Goetheschen Artikeln
Rezensionen, Einleitungen, Gesprächen, Tagebüchern und Briefen
niedergelegt sind, zu sammeln, sie in Beziehung zu Goethes gesamter
Gedankenwelt zu setzen und aus ihr zu ergänzen, sie mit seiner literarischen Tätigkeit im letzten Jahrzehnt seines Lebens, das dem
Dienste der Weltliteratur geweiht war, zu vergleichen, und so ein
klares Bild zu gewinnen. Das Material soll am Ende dieses Buches vorgelegt werden. Hier sei sofort mit dem Resultat begonnen.

Weltliteratur also ist nach Goethe die zwischen den Nationalliteraturen
und damit zwischen den Nationen überhaupt vermittelnde und ihre
ideellen Güter austauschende Literatur. Sie umfaßt alles, wodurch sich
die Völker auf literarischem Wege gegenseitig kennen, verstehen,
beurteilen, schätzen und dulden lernen, alles, was sie auf literarischem
Wege einander näherrückt und verbindet. Sie ist ein literarischer
Brückenbau über trennende Ströme, ein geistiger Straßenbau über
trennende Gebirge. Sie ist ein geistiger Güteraustausch, ein ideeller
Handelsverkehr zwischen den Völkern, ein literarischer Weltmarkt,
auf den die Nationen ihre geistigen Schätze zum Austausch bringen.
Solcher Bilder aus der Welt des Handels und Verkehrs hat Goethe
selbst sich zur Verdeutlichung seiner Idee besonders gern bedient.

Weltliteratur: Sie ist der geistige Raum, in welchem die Völker mit der
Stimme ihrer Dichter und Schriftsteller nicht mehr nur zu sich selbst
und von sich selbst, sondern zu einander sprechen. Sie ist ein Gespräch
zwischen den Nationen, eine geistige Teilnahme aneinander, ein wechselseitiges Geben und Empfangen geistiger Güter, eine gegenseitige
Förderung und Ergänzung in den Dingen des Geistes.

Welche Mittel und Wege aber stehen einer zwischen den Völkern vermittelnden und wegbahnenden Literatur zu Gebote?

Der wichtigste Weg und damit der wesentlichste Bestand einer allgemeinen Weltliteratur ist natürlich die Übersetzungsliteratur. Durch
sie vollzieht sich in erster Linie der geistige Güteraustausch zwischen
den Völkern, und so ist, sagt Goethe einmal, jeder Übersetzer anzusehen, daß er sich als Vermittler dieses allgemein-geistigen Handels
bemüht und den Wechseltausch zu befördern sich zum Geschäft macht.
Denn was man auch von der Unzulänglichkeit des Übersetzens sagen
mag, so ist und bleibt es doch eines der wichtigsten und würdigsten
Geschäfte in dem allgemeinen Weltverkehr. Der Koran sagt: Gott
hat jedem Volke einen Propheten gegeben in seiner eigenen Sprache.
So ist jeder Übersetzer ein Prophet in seinem Volke.[1]

Aber Weltliteratur ist nicht etwa damit erschöpft. Ja, schon die Übersetzungen selbst stellen wieder eine weltliterarische Aufgabe. «Nun
aber», schreibt Goethe an Carlyle in bezug auf eine englische Übersetzung seines Tasso, «möchte ich von Ihnen wissen, inwiefern dieser
Tasso als Englisch gelten kann. Sie werden mich höchlich verbinden,
wenn Sie mich hierüber aufklären und erleuchten; denn eben diese
Bezüge vom Original zur Übersetzung sind es ja, welche die Verhältnisse von Nation zu Nation am allerdeutlichsten aussprechen und
die man zur Förderung der vor- und obwaltenden allgemeinen Weltliteratur vorzüglich zu kennen und zu beurteilen hat.» [2]
Alles demnach, was die Verhältnisse von Nation zu Nation ausspricht,
gehört zur Weltliteratur, und so ist ein wesentlicher Weg der geistigen
Vermittlung zwischen den Völkern nächst der Übersetzungsliteratur
auch die das fremde Gut dem eignen Volk verständlich machende,
interpretierende und kritisch beurteilende Literatur, die notwendig ist,
wenn die Nationen ein Bild voneinander gewinnen und sich wirklich
kennenlernen wollen. Das wird besonders die Aufgabe der Zeitschriften
sein, denen in der Weltliteratur eine gewaltige Rolle zukommt, der
Zeitschriften oder Revuen, die sich mit der Bekanntmachung fremder
Literaturen, ihrer Interpretation und ihrer Beurteilung beschäftigen.
Die hier entworfenen Bilder eines fremden Volkes aber müssen nun
wieder diesem Volke selbst bekanntgemacht werden, damit es wisse
und erfahre, wie es von andern Völkern gesehen und beurteilt wird, wie
fremde Nationen zu ihm stehen, damit es sich im Spiegelbild des
anderen Geistes sehen und selbsterkennen kann. So hat denn Goethe in
seinem eigenen, weltliterarischen Organ, der Zeitschrift «Kunst und
Altertum», nicht nur von fremden Literaturen berichtet, sondern auch
dem deutschen Publikum fortlaufend mitgeteilt, wie er selbst oder wie
Schiller, Herder und die deutschen Romantiker in den Zeitschriften
des Auslandes, in Frankreich, England, Italien, beurteilt und geschätzt
wurden. Was von ihnen übersetzt und wie es aufgenommen wurde,
welche Wirkungen von ihnen auf fremde Literaturen ausstrahlten, und
was für Zeugnisse der Teilnahme er selbst von fremden Dichtern und
Schriftstellern empfing, womit er nicht etwa allein an sich und seine
Arbeiten erinnern wollte, sondern eben die allgemeine Weltliteratur zu
fördern trachtete. «Aber nicht allein, was solche Männer (wie Carlyle)
über uns äußern», schreibt Goethe einmal, «muß uns von größter
Wichtigkeit sein, sondern auch ihre übrigen Verhältnisse haben wir
zu beachten, wie sie gegen andere Nationen, gegen Franzosen und

Italiener stehen. Denn daraus nur kann endlich die allgemeine Weltliteratur entspringen, daß die Nationen die Verhältnisse aller gegen
alle kennenlernen.»[3] Auch Briefe und Briefwechsel zwischen den
Dichtern und Schriftstellern verschiedener Nationen gehören zur
Weltliteratur, wenn in ihnen Gedankenaustausch, Gespräch in die
Ferne, Anregung und Zeugnis der Teilnahme oder der Dankbarkeit für empfangenes Geistesgut zu finden ist, und Goethe hat
also auch Briefe von Manzoni, Scott, Byron, Carlyle an ihn dem
deutschen Publikum bekannt gemacht, wie umgekehrt etwa in einer
russischen Zeitschrift ein Brief Goethes an einen russischen Schriftsteller veröffentlicht und in der russischen Literatur mit Jubel begrüßt
wurde.

Fügen wir noch hinzu, daß auch Reisen in fremde Länder, wenn sie
literarische Gestaltung finden, zur Weltliteratur gehören, aber auch
dann, wenn sie solche nicht finden, doch zu den die Weltliteratur
wesentlich fördernden Faktoren zu rechnen sind und daher denn auch
von Goethe angelegentlich empfohlen werden. Denn er hatte erfahren,
daß kein Brief und keine Kenntnisnahme literarischer Werke die Tiefe
und fruchtbare Wechselwirkung erreichen kann, welche persönlicher
Gegenwart und dem lebendigen Gespräch zwischen Geistern verschiedener Nationen verliehen ist. Dazu kommt, daß man, um einen
fremden Dichter, eine fremde Literatur zu verstehen, den Boden, das
Klima, die Lebensart, die Sitten, das Volk und die Gesellschaft kennenlernen muß, den ganzen Lebensraum also, in dem ein Dichter lebt und
schafft. «Wer den Dichter will verstehen, muß in Dichters Lande
gehen.» «Wäre ich jünger», schrieb Goethe 1800 an den französischen
Übersetzer von Hermann und Dorothea, Bitaubé, « so würde ich den
Plan machen Sie zu besuchen, die Sitten und Lokalitäten Frankreichs, die Eigenheiten seiner Bewohner, so wie die sittlichen und
geistigen Bedürfnisse derselben nach einer so großen Krise näher
kennenzulernen. Vielleicht gelänge es mir alsdann ein Gedicht zu
schreiben, das als Nebenstück zu Hermann und Dorothea, von Ihrer
Hand übersetzt, nicht ohne Wirkung bleiben sollte; die, wenn sie auch
nur beschränkt wäre, doch dem Übersetzer wie dem Verfasser genug
tun könnte. »[4] Es fiel Goethe, der in Italien aber nie in England war,
sehr auf, mit welcher unterschiedenen Einsicht er einen italienischen
Schriftsteller und einen englischen lese. Der erste sprach zu ihm gleichsam durch alle Sinne und gab ihm ein mehr oder weniger vollständiges
Bild; der letzte blieb immer der Gewalt der Einbildungskraft mehr aus-

gesetzt, und er war nie ganz gewiß, ob er gehörig dabei denke und emp-
finde . Nun, Goethe brauchte oft nicht zu den fremden Dichtern zu
reisen, sie kamen zu ihm, und das Goethehaus in Weimar war der
lebendige Schauplatz, das sichtbare Zentrum der Weltliteratur, wo
französische, englische, italienische, skandinavische, russische und polnische Schriftsteller sich begegneten, von ihrer Heimat und heimischen
Literatur erzählten und sich über die Unterschiede wie über die Gemein-
samkeiten ihrer Nationen unterhielten.

Als ein wesentlicher Teil der Weltliteratur im Goetheschen Sinn sei
endlich auch das genannt, womit sich dies Buch beschäftigt: Die Weltliteraturwissenschaft. Man nennt sie ja gewöhnlich vergleichende Literaturwissenschaft. Aber das ist kein guter Name. Denn alle Literaturwissenschaft bedient sich der vergleichenden Methode. Sie vergleicht
etwa die deutsche Renaissance mit dem deutschen Barock, die deutsche
Klassik mit der deutschen Romantik, um so den Wandel des Geistes
in der Geschichte zu zeigen. Sie vergleicht Goethe und Schiller, um die
Eigenart der gleichzeitigen Persönlichkeiten, aber auch ihre Begegnung
im klassischen Stil darzustellen. Keine Literaturwissenschaft kommt
ohne die vergleichende Methode aus. Wenn man von vergleichender
Literaturwissenschaft spricht, so meint man also die Wissenschaft,
welche die verschiedenen Nationalliteraturen miteinander vergleicht,
um die nationalen Charaktere, aber auch den bindenden, allgemein
menschlichen oder durch die Einheit der Zeit gebundenen Charakter
herauszuarbeiten. Aber man sollte sie eben besser, da der Vergleich ihr
durchaus nicht allein eigentümlich ist, nicht vergleichende, sondern
Weltliteraturwissenschaft nennen. Auch kommt sie allein mit dem Vergleich ja nicht aus. Sie hat den historischen Beziehungen zwischen den
verschiedenen Literaturen nachzugehen, wann, wo und wie sie aufeinander wirkten, sich gegenseitig bildeten, befruchteten, bereicherten,
was sie einander gaben und was sie voneinander empfingen. Sie hat
den Grund des wechselseitigen Gebens und Empfangens aus den nationalen Charakteren zu entwickeln, die jeder Literatur eine besondere
Sendung für eine andere geben. Sie hat darzustellen, welche Werke
übersetzt und wie die Übersetzungen aufgenommen wurden und
weiterwirkten, welche Vermittler zwischen den Literaturen auftraten
und auf welchen Wegen sie die Vermittlung versuchten. Sie hat
zu zeigen, wie die verschiedenen Literaturen sich gegenseitig sahen und
beurteilten. Sie hat die persönlichen Beziehungen zwischen den Dichtern und Schriftstellern der Nationen zu untersuchen. Sie hat die

Wanderungen von Motiven, Ideen, Gestalten, aus einer in die andere Literatur historisch zu verfolgen. Mit allem aber, was sie tut, gehört sie selbst der Weltliteratur im Goetheschen Sinne an, eben der zwischen den Nationen vermittelnden Literatur, welche die Völker miteinander bekannt macht, die geistigen Beziehungen zwischen ihnen herstellt, ob sie es systematisch vergleichend oder historisch darstellend tut. Keine Literaturwissenschaft aber kommt ohne die weltliterarische Betrachtung aus. Es ist ganz unmöglich, eine Literatur nur isoliert für sich zu behandeln. Denn eine Nationalliteratur in diesem Sinne, daß es eine durchaus autochthon gewachsene, selbständige, nur eigenen Stoff gestaltende, nur von eigenem Geist beseelte Literatur wäre, hat es nie und nirgends gegeben. Die Literaturen sind so unlöslich miteinander verflochten, verhalten sich in solchem Maße gebend und nehmend zueinander, daß jede Literaturwissenschaft genötigt ist, über die nationalen Grenzen hinauszuschauen und jede Literatur unter den weltliterarischen Aspekt zu stellen.

Das alles ist es, was Goethe unter Weltliteratur verstand, und vielleicht wird man auch bereits, ohne daß es bisher ausdrücklich gesagt wurde, gemerkt haben, daß Weltliteratur im Goetheschen Sinne etwas ist, was sich in erster Linie zwischen den zu gleicher Zeit lebenden Personen und Nationen, zwischen den Zeitgenossen abspielt. Ja, dies ist vielleicht das eigentlich neue und das zutiefst fruchtbare Element in Goethes Idee. «Wenn wir», so schreibt Goethe darüber, « eine europäische, ja eine allgemeine Weltliteratur zu verkündigen gewagt haben, so heißt dieses nicht, daß die verschiedenen Nationen von einander und ihren Erzeugnissen Kenntnis nehmen, denn in diesem Sinne existiert sie schon lange, setzt sich fort und erneuert sich mehr oder weniger. Nein ! hier ist vielmehr davon die Rede, daß die lebendigen und strebenden Literatoren einander kennenlernen und durch Neigung und Gemeinsinn sich veranlaßt finden, gesellschaftlich zu wirken.»[5] Das ist nicht etwa nur ein einmaliges Aperçu, sondern es gehört ganz wesentlich zu der Goetheschen Idee der Weltliteratur, ja man kann sagen: zu der Goetheschen Idee des Lebens überhaupt. Denn Leben wurde von Goethe dort empfunden, wo Wesen auf Wesen befruchtend und zeugend wirkt. Man lebt mit den Lebendigen. Daher die Freude Goethes, wenn er bemerken konnte, daß die Zeitgenossen seine Hoffnungen in sich aufnahmen, sie verwirklichten, förderten. Erst dann empfand er sich mit andern zusammen als ein Ganzes, als ein wahrhaft lebendiges Wesen. Man darf sagen, daß wohl Goethe überhaupt

zum erstenmal in der Geschichte die Gewalt der Gleichzeitigkeit empfunden hat, welche die Menschen zu Genossen, zu Zeitgenossen macht,
daß er ihre schicksalhafte Verkettung durch die gleiche Zeit erkannte
und dieser Zeitgenossenschaft nun auch den tieferen Sinn zu geben
suchte: nämlich wirklich geistige Genossenschaft zu sein, zu einem
Ziele hin sich strebend zu verbinden, gemeinschaftlich zu wirken und
zu schaffen. Die gleiche Zeit, in der die Menschen leben, bedeutet ein
so starkes Band, daß es durch die Verschiedenheit der nationalen
Charaktere nicht ganz zerrissen werden kann. Die Zeitgenossenschaft
triumphiert über die nationalen Grenzen in dem zerstückelten Völker
raum. Die Zeitgenossen sollen sich daher über alle Grenzen, Ströme
und Gebirge hin die Hände reichen. Sie tun es eben in dem, was Goethe
die Weltliteratur nennt. Denn Weltliteratur ist ja der geistige Raum,
in welchem die Zeitgenossen, welcher Nationalität sie auch angehören,
sich begegnen, zusammengehen und gesellig wirken. Das macht den
großen Unterschied der Goetheschen Weltliteraturidee von allem aus,
was vorher etwa an sie erinnern könnte. Gewiß: auch die deutsche
Romantik hatte aus allen Literaturen übersetzt; aber was übersetzte
sie? Dante, Petrarca, Cervantes, Shakespeare, Calderon, die alten
Inder. Aber die eignen Zeitgenossen in anderen Nationen blieben aus
dem Interessenkreise der deutschen Romantik fast ausgeschlossen. Sie
kannte die Zeit nur als ein Nacheinander, ja im Grunde nur als Vergangenheit, und nicht als Nebeneinander und Miteinander, als Zeitgenossenschaft gegenwärtig miteinander lebender Menschen. « Gehen
wir in die Geschichte zurück », schreibt aber Goethe einmal, « so finden
wir überall Persönlichkeiten, mit denen wir uns vertrügen, andere, mit
denen wir uns gewiß im Widerstreit befänden. Das Wichtigste bleibt
jedoch das Gleichzeitige, weil es sich in uns am reinsten spiegelt, wir
uns in ihm.»
Aber gibt es nicht noch ein stärkeres Band zwischen den Völkern als
die Zeitgenossenschaft? Etwas, das auch über die Zeit, eine jede Zeit
triumphiert? Das dauernd und ewig ist und die Nationen in einer
höheren Einheit zu verbinden vermag? Es ist eine Frage, deren Beant-
wortung sofort zu der Erkenntnis führen wird, was Goethe denn als
Sinn und Zweck und Ziel der Weltliteratur betrachtete, warum er sie
so ersehnte, warum er so unermüdlich für sie tätig war. Es gibt für
Goethe ein solches Band, das stärker ist als Zeitgenossenschaft, ein
ewiges: Das Allgemein- oder Ewig-Menschliche, von dem die Nationen
doch nur Variationen und Abarten sind. So wie es ein Urphänomen der

Pflanze gibt, von dem alle Pflanzen in Raum und Zeit nur Variationen und Metamorphosen sind, so gibt es auch ein Urphänomen des geistigen Menschen, von dem alle Menschen und Nationen in Raum und Zeit nur Abwandlungen sind, und das ist für Goethe der Menschheit aufgegeben, dies urphänomenale Menschentum immer klarer und schöner zu entwickeln, ans Licht zu heben und in Tätigkeit zu setzen. Wir stehen vor der höchsten Aufgabe, die Goethe der Weltliteratur zugesprochen hat: daß sie die Entfaltung der reinen, ewigen und allgemeinen Menschlichkeit und das heißt mit anderen Worten: der menschlichen Kultur befördere. Nicht etwa, daß sich durch sie die nationalen Unterschiede zugunsten einer völligen Gleichheit und Übereinstimmung menschlichen Denkens und Fühlens ausgleichen und verwischen sollen. Goethe dachte viel zu realistisch, um so etwas auch nur für möglich zu halten, und er wollte es auch nicht. Die Weltliteratur hat gerade die Aufgabe, die nationalen Eigentümlichkeiten der Völker ihnen gegenseitig verständlich zu machen und damit zur Duldung, zur Toleranz zu führen. « Diese Zeitschriften », schreibt Goethe einmal von den schottisch-englischen Reviews, « wie sie sich nach und nach ein größeres Publikum gewinnen, werden zu einer gehofften allgemeinen Weltliteratur auf das wirksamste beitragen; nur wiederholen wir, daß nicht die Rede sein könne, die Nationen sollen überein denken, sondern sie sollen nur einander gewahr werden, sich begreifen, und wenn sie sich wechselseitig nicht lieben mögen, sich einander wenigstens dulden lernen.» [6] Die Anerkennung der notwendigen Duldung nationaler Unterschiede lag bei Goethe in der Erkenntnis begründet, daß diese Verschiedenheit so natürlich gegeben ist, wie es die Mannigfaltigkeit der Pflanzenwelt und aller Gattungen in der Natur ist, und daß die Welt des Geistes ihren Reichtum und ihre Schönheit verlieren müßte, wenn sie dem Zwang der allgemeinen Übereinkunft und Gleichförmigkeit unterworfen würde. Aber anderseits ist doch die Mannigfaltigkeit und Buntheit der Erscheinungen in der Natur immer nur die erscheinende Offenbarung einer höheren Einheit — « und es ist das Ewig Eine, das sich vielfach offenbart » —, und so soll es auch in der Schöpfungswelt des menschlichen Geistes sein: Die nationalen Ausprägungen in seinen Werken und Taten sollen nur die charakteristischen Offenbarungen des ewigen und einen Geistes, des Urphänomens Mensch sein. Daher heißt die zweite und gewiß für Goethe nicht minder wesentliche Sendung der Weltliteratur: nicht nur die Duldung nationaler Verschiedenheiten zu bewirken, sondern in der Dichtung aller Völker den

allgemein menschlichen Kern zu entwickeln. «Offenbar ist das Bestreben der besten Dichter und ästhetischen Schriftsteller aller Nationen schon seit geraumer Zeit auf das allgemein Menschliche gerichtet. In jedem Besondern, es sei nun historisch, mythologisch, fabel-
haft, mehr oder weniger willkürlich ersonnen, wird man durch Nationalität und Persönlichkeit hin jenes Allgemeine immer mehr durch-
leuchten und durchscheinen sehen. Da nun auch im praktischen
Lebensgange ein Gleiches obwaltet und durch alles irdisch Rohe, Wilde,
Grausame, Falsche, Eigennützige, Lügenhafte sich durchschlingt und
überall einige Milde zu verbreiten trachtet, so ist zwar nicht zu hoffen,
daß ein allgemeiner Friede dadurch sich einleite, aber doch, daß der
unvermeidliche Streit nach und nach läßlicher werde, der Krieg
weniger grausam, der Sieg weniger übermütig. Was nun in den Dichtungen aller Nationen hierauf hindeutet und hinwirkt, dies ist es, was
die übrigen sich anzueignen haben. Die Besonderheiten einer jeden
muß man kennen lernen, um sie ihr zu lassen, um gerade dadurch mit
ihr zu verkehren: denn die Eigenheiten einer Nation sind wie ihre
Sprache und ihre Münzsorten, sie erleichtern den Verkehr, ja sie
machen ihn erst vollkommen möglich. Eine wahrhaft allgemeine Duldung wird am sichersten erreicht, wenn man das Besondere der einzelnen Menschen und Völkerschaften auf sich beruhen läßt, bei der
Überzeugung jedoch festhält, daß das wahrhaft Verdienstliche sich
dadurch auszeichnet, daß es der ganzen Menschheit angehört.» [7] Die
große Wirkung, welche der Werther überall auslöste, wurde von Goethe
auf dessen allgemein menschlichen Gehalt zurückgeführt, und den Beifall, den sein Faust nah und fern fand, erklärte er sich so, daß der
Faust für immer die Entwicklungsperiode eines Menschengeistes fest-
halte, der von allem, was die Menschheit peinigt, auch gequält, von
allem, was sie beunruhigt, auch ergriffen, in dem, was sie verabscheut,
gleichfalls befangen, und durch das, was sie wünscht, auch beseligt
worden sei. «Sehr entfernt sind solche Zustände gegenwärtig von dem
Dichter, auch die Welt hat gewissermaßen ganz andere Kämpfe zu
bestehen; indessen bleibt doch meistens der Menschenzustand in
Freud' und Leid sich gleich, und der Letztgeborne wird immer noch
Ursache finden, sich nach demjenigen umzusehen, was vor ihm genossen und gelitten worden, um sich einigermaßen in das zu schicken,
was auch ihm bereitet wird.» [8]
Wenn man aber Goethes Idee der Weltliteratur in ihrem reinen Sinn
bewahren will, so muß man sich klar darüber sein, daß sie nicht etwa

mit Literatur von allgemein und ewigmenschlichem Gehalt identisch ist. Goethes Faust etwa gehört nicht rein an sich zur Weltliteratur, sondern darum, weil er in so viele Sprachen übersetzt wurde und die Völker mit dem deutschen Geist bekannt machte. Weltliteratur ist die zwischen den Völkern vermittelnde Literatur, der geistige Raum, in dem sie sich zu gegenseitigem Austausch ihrer ideellen Güter begegnen. Aber bei dieser Vermittlung wird und muß es eine bedeutende Rolle spielen, daß man die Völker darauf aufmerksam macht, wie doch in der Dichtung aller Nationen und Zeiten, wenn sie nur wahre Dichtung ist, ein ewig menschlicher Gehalt zu finden sei, der das Band zwischen den Nationen bildet, und daß man gerade solche Dichtung den Völkern vermittle und zu ihrem geistigen Eigentum mache.

Die Dichtung selbst von solcher Art aber wurde von Goethe nicht zur Weltliteratur, sondern zur Weltpoesie gezählt, und das darf nicht miteinander verwechselt werden. Herder war es, der in Goethe zuerst diese Erkenntnis weckte, daß Poesie eine Welt- und Völkergabe sei, ein Gemeingut der Menschheit, und es war wohl das kostbarste Geschenk, das Goethe von Herder empfing. Diese « allgemeine Weltpoesie » gehört so selbstverständlich zum natürlichen Wesen des Menschen, daß nach Goethe ihre Entwicklung überall gewiß ist, wo die Sonne scheint, ohne daß Gehalt und Form überliefert werden braucht. Sie ist gänzlich unabhängig von Bildung und gesellschaftlichem Stand und ist den primitivsten wie den höchstgebildeten Nationen eigen. Sie tritt zu allen Zeiten und bei allen Völkern hervor. Die Volkslieder waren es in erster Linie, die Goethe in dieser Erkenntnis immer neu bestärkten, und das bedeutende Interesse, das er an ihnen nahm, wo immer er ihnen begegnete, ist von hier aus zu begreifen. Daß etwa die serbischen Volkslieder mit den Liedern der « geselligen Franzosen », besonders Bérangers, solch auffallende Ähnlichkeit zeigten, Lieder also aus so weit voneinander entfernten Zeiten und von Völkern so verschiedener Bildungsstufe, daß die Volkslieder der verschiedensten Nationen unter sich, die deutschen, serbischen, altböhmischen, neugriechischen, lettischen, eine so weitgehende Übereinstimmung offenbarten, das überzeugte ihn unwiderstehlich von der Tatsache einer allgemeinen Weltpoesie. « Die Welt bleibt immer dieselbe, die Zustände wiederholen sich; das eine Volk lebt, liebt und empfindet wie das andere, warum sollte denn der eine Poet nicht wie der andere dichten? Die Situationen des Lebens sind sich gleich, warum sollten denn die Situationen der Gedichte sich nicht gleich sein? » Goethe betonte gewiß auch die nicht minder auffallenden Unterschiede zwischen den Liedern der Völker, in Lokalität, Zustand, Sitten und Charakter; ja, wenn er sie auch unter soziologischem Aspekt, sie abhebend von der Dichtung der gebildeten Gesellschaft, einfach Volkslieder oder Volkspoesie nannte, so wollte er ihnen doch auch noch einen anderen Namen geben, wenn er sie vom Standpunkt ihrer nationalen Verschiedenheit untereinander betrachtete, und er nannte sie dann mit einer geringen Veränderung des Ausdrucks (Herder folgend): «Lieder des Volkes, das heißt Lieder, die ein jedes Volk, es sei dieses oder jenes, eigentümlich bezeichnen und wo nicht den ganzen Charakter, doch gewisse Haupt- und Grundzüge desselben glücklich darstellen.» [9] Er nannte solch eigentümliche Volksgesänge auch Nationallieder, Nationalpoesie, Provinzialpoesie, und faßte einmal in seiner Zeitschrift «Kunst und Altertum» eine Anzahl von Artikeln über serbische, griechische, litauische, altböhmische und andere Gedichte unter dem Titel «Nationelle Dichtkunst» zusammen. [10] Aber er sah doch auch in ihnen immer den allgemeinen und ewig menschlichen Kern, um den sich nur die verschiedenen Schalen nationaler Eigenart legen. «Immer mehr», so schrieb er in einer Anzeige von serbischen, lettischen und nordischen Liedern, «werden wir in den Stand gesetzt einzusehen, was Volks- und Nationalpoesie heißen könne: denn eigentlich gibt es nur Eine Dichtung, die echte, sie gehört weder dem Volke noch dem Adel, weder dem König noch dem Bauer; wer sich als wahrer Mensch fühlt, wird sie ausüben; sie tritt unter einem einfachen, ja rohen Volke unwiderstehlich hervor, ist aber auch gebildeten, ja hochgebildeten Nationen nicht versagt. Unsere wichtigste Bemühung bleibt es daher, zur allgemeinsten Übersicht zu gelangen, um das poetische Talent in allen Äußerungen anzuerkennen und es als integranten Teil durch die Geschichte der Menschheit sich durchschlingend zu bemerken.» [11]

Das ist es also, was Goethe unter Weltpoesie verstand, die nicht mit Weltliteratur verwechselt werden darf. Es ist ein durchaus auf solcher Verwechslung beruhender Titel, den ein Goethesches Gedicht nach seinem Tode in der Cotta'schen Ausgabe von Goethes Werken 1840 empfing, als es dort «Weltliteratur» getauft wurde. Es steht noch heute in manchen Ausgaben unter diesem falschen Titel. Es hatte in «Kunst und Altertum», wo es zuerst erschien, überhaupt keine Überschrift. In der Ausgabe letzter Hand stand es als Vorspruch zu dem Abschnitt «Volkspoesie».

Wie David königlich zur Harfe sang,
Der Winzerin Lied am Throne lieblich klang,
Des Persers Bulbul Rosenbusch umbangt,
Und Schlangenhaut als Wildengürtel prangt,
Von Pol zu Pol Gesänge sich erneun,
Ein Sphärentanz harmonisch im Getümmel;
Laßt alle Völker unter gleichem Himmel
Sich gleicher Gabe wohlgemut erfreun.

Dieses Gedicht müßte natürlich Weltpoesie und nicht Weltliteratur genannt werden, wie umgekehrt die von Rückert und Hebbel «Weltpoesie» genannten Gedichte nach Goetheschem Sprachgebrauch «Weltliteratur» heißen müßten. Aber wenn beides auch keineswegs identisch ist, so besteht doch eben ein wesentlicher Zusammenhang dazwischen. Die Weltpoesie ist sozusagen ein wesentliches Objekt der Weltliteratur. Die vergleichende Weltliteratur erkennt, daß es eine allgemeine Weltpoesie gibt, und wird, wie Goethe es unermüdlich tat, die Völker oder das eigene Volk auf dem Wege der Vermittlung mit ihr bekannt machen, um dadurch das, was in der Weltpoesie, dieser allgemeinmenschlichen Gabe, schon von Natur und unbewußt vorhanden ist, ohne daß ein Volk vom anderen Volk zu wissen braucht: die allgemein menschliche Übereinstimmung ins Bewußtsein zu heben und damit wirklich zu einem geistigen Bande der Völker zu machen. Er wollte mit solcher Vermittlung auch vor dem gefährlichen Dünkel warnen, daß irgendein Volk allein zur wahren Poesie berufen sei. Er wollte gewiß auch mit den nationalen Verschiedenheiten der Weltpoesie bekannt machen, aber doch nur, damit sich die Völker auf solche Weise besser verstehen und einander dulden lernen, und daß auch diese Erkenntnis also zu einem Bande zwischen ihnen werde.
Eine letzte Klärung der Goetheschen Idee noch endlich. Man pflegt im heutigen Sprachgebrauch zwischen Weltliteratur und europäischer Literatur kaum einen Unterschied zu machen, was jedoch sehr zu Unrecht geschieht. Denn Europa ist nicht die Welt. Nun gibt es zwei Stellen in Goethes Äußerungen über seine Idee der Weltliteratur, die darauf hindeuten, daß ihn diese Frage beschäftigt hat. Die erste von ihnen macht den Unterschied: «Wenn wir eine europäische, ja eine allgemeine Weltliteratur zu verkündigen gewagt haben ...»[12] Die zweite setzt gleich: «europäische, das heißt Weltliteratur.»[13] (Im ersten Entwurf des Schemas hieß es nur «Weltliteratur».) Der Widerspruch ist wohl so zu lösen: Die Weltliteratur ist nach Goethe vorläufig nur

eine europäische. Sie ist im Begriff, sich in Europa zu verwirklichen.
Eine europäische Literatur, also eine zwischen den Literaturen Europas
und zwischen den europäischen Völkern vermittelnde und ausge-
tauschte Literatur, ist die erste Stufe der Weltliteratur, die sich, von
hier aus beginnend, zu einem immer weiter um sich greifenden und
endlich die Welt umfassenden Komplex erweitern wird. Weltliteratur
ist ein werdender und wachsender Organismus, der sich aus dem Keim
der europäischen Literatur entwickeln kann. Goethe selbst begann ja
auch bereits mit seinem «West-östlichen Divan», der die Brücke zwischen Orient und Okzident schlagen wollte, ihr die asiatische Welt
einzugliedern.

Segen und Gefahren

Wir hatten bisher gesehen, daß die Goethesche Idee der Weltliteratur
d i e Literatur bedeutet, welche zwischen den Nationalliteraturen und
damit zwischen den Nationen überhaupt vermittelt, durch welche sich
die Völker geistig kennen und schätzen lernen, in der sie ihre geistigen
Güter und Gedanken gebend und empfangend zum wechselseitigen
Austausch bringen. Wir hatten auch von dem wesentlichen Sinn und
Ziel gehört, den Goethe der Weltliteratur gesetzt hat: Daß sie nämlich
einerseits eine allgemeine Duldung und wechselseitige Anerkennung
der nationalen Eigentümlichkeiten bewirke, darüber hinaus aber die
Völker in der gemeinsamen Arbeit an der Entwicklung einer übernationalen, allgemein menschlichen, humanen Kultur zusammenführe.
Hierzu ist aber sofort noch etwas zur Klärung und zur Vermeidung von
Mißverständnissen anzufügen: daß nämlich die Dichter und Schriftsteller diese hohe Aufgabe, die in ihre Hände gelegt ist, in der Arbeit
an sich selbst und an dem eigenen Volke zu erfüllen haben. Goethe hat
öfters und ganz offen bekannt, daß er seine weltliterarische Teilnahme
an fremden Literaturen als das sicherste Mittel seiner eigenen Bildung
betrachtete, wie er überhaupt Natur und Kunst eigentlich immer
studierte, um sich selbst zu unterrichten und weiterzubilden. Diese
Arbeit an sich selbst sollte die eigene, ja immer beschränkte Persönlichkeit so ergänzen, bereichern, weiten und vertiefen, daß er aus einer
begrenzten und einseitigen Individualität zu einem ganzen, allgemein
menschlichen, allgemein gültigen Menschen und Dichter werde, und
das war nicht, wie man es so oft mißverstanden hat, ein purer Egoismus, sondern Goethe wußte, daß nur der Mensch, der in der Arbeit
an dem eigenen Marmor sich zu einer wahrhaft menschlichen Gestalt
gemeißelt hat, nun auch den Meißel an den Marmor seines Volkes
legen darf und kann. Er hatte weder Blick noch Schritt in fremde
Lande getan, ohne die Absicht, das Allgemein Menschliche, was über
dem ganzen Erdboden verbreitet und verteilt ist, unter den verschiedensten Formen kennen zu lernen und solches in seinem Vaterlande wiederzufinden, anzuerkennen, zu fördern. «Denn es ist einmal
die Bestimmung des Deutschen, sich zum Repräsentanten der sämt-

lichen Weltbürger zu erheben.» Diese Bildung, Veredlung und Erhebung des eigenen Volkes durch die Bereicherung der eigenen Persönlichkeit mit dem geistigen Gut aller Völker schien Goethe der
edelste Dienst an der Nation zu sein. An die Wirkung auf das Ausland
dachte er dabei nach eigenem Bekenntnis nicht. Auf den Vorwurf, den
er ja so häufig hören mußte, daß es ihm an Patriotismus mangle, antwortete Goethe einmal so: der Dichter werde als Mensch und Bürger
sein Vaterland lieben, aber das Vaterland seiner poetischen Kräfte und
seines poetischen Wirkens sei das Gute, Edle, Schöne, das an keine
besondere Provinz und an kein besonderes Land gebunden ist, und
das er ergreift und bildet, wo er es findet. Er ist darin dem Adler gleich,
der mit freiem Blick über Ländern schwebt. Was heißt denn überhaupt
sein Vaterland lieben, und was heißt denn patriotisch wirken? Wenn
ein Dichter lebenslänglich bemüht war, schädliche Vorurteile zu bekämpfen, engherzige Ansichten zu beseitigen, den Geist seines Volkes
aufzuklären, dessen Geschmack zu reinigen, und dessen Gesinnungs-
und Denkweise zu veredeln, was soll er denn da Besseres tun, und wie
soll er denn da patriotischer wirken? Aber Goethe sah einen wesentlichen Unterschied zwischen den Deutschen und Franzosen darin, daß
der Franzose nach außen wirken wolle, der Deutsche aber nach innen.
Er selbst, so schrieb er einmal gegen Ende seines Lebens, habe immer
nur sein Deutschland vor Augen gehabt, und es sei erst seit gestern oder
ehegestern, daß es ihm einfalle, seinen Blick westwärts zu wenden, um
auch zu sehen, wie unsere Nachbarn jenseits des Rheins von ihm
denken. Um so erfreuter und ergriffener war er dann freilich, als er
in seinem Alter erlebte, wie das alles, was er zu seiner eigenen Bildung
und zu der seines Volkes unternommen hatte, nun auch nach außen,
und zwar bei allen Völkern, in der ganzen Welt, die günstigste und
fruchtbarste Wirkung hervorbrachte, nicht nur mit Teilnahme und
Bewunderung aufgenommen wurde, sondern auch den europäischen
Geist wesentlich verwandelte. Besonders merkwürdig erschien es ihm,
daß seine Dichtung, die so einsiedlerisch entstand, so ganz der eigenen
Selbstbefreiung und der eigenen Höherbildung diente, ein solches Echo
in der Welt zu finden vermochte, das nun dem alten Dichter von allen
Seiten her zu Ohren kam. Dieses Weltecho aber wirkte so heilsam, so
segensreich auf ihn zurück, daß es der wichtigste Anlaß für ihn wurde,
die Weltliteratur zu fördern und zu fordern, um den Segen, den er
persönlich an sich selbst erfuhr, nun auch allgemein zu machen.
Der Segen der Weltliteratur soll also nicht nur in der allgemeinen Dul-

dung der Nationen und in der Entwicklung der allgemein menschlichen
Kultur bestehen; er soll auch dem einzelnen Menschen und der einzelnen Nation zugute kommen. Es ist zunächst der Segen dessen, was
Goethe mehrfach « Spiegelung » nennt. Einem Menschen wie einem
Volk gereicht es zu großem Vorteil, sich im Spiegel der Welt zu sehen
und so zu erfahren, wie andere Völker von ihm denken und urteilen.
Denn die Distance, aus der ein fremdes, fernes Auge zu sehen vermag,
gibt ihm eine Objektivität, eine Unparteilichkeit, Übersicht und Klarheit, wie die eigenen Landsleute sie nicht besitzen können. Goethe
fühlte sich von einem Ampère oder Carlyle tiefer verstanden und richtiger gesehen als von seinem eigenen Volk, ebenso wie er fand, daß
Carlyle in seinem Buch über Schiller diesen überall so beurteilt habe,
wie ihn nicht leicht ein Deutscher beurteilen wird. Dagegen sind wir
über Shakespeare und Byron im klaren und wissen deren Verdienste
vielleicht besser zu schätzen als die Engländer selbst.[14] Goethe konnte
auch erleben, wie der italienische Romantiker, Alessandro Manzoni,
der in Italien selbst ganz unbeachtet oder mißachtet geblieben war,
erst dadurch, daß Goethe ihn gegen die italienische und auch die englische Kritik in Schutz nahm und der Ausgabe seiner Werke eine Einleitung: « Goethes Teilnahme an Manzoni » mitgab, in Italien, England, Frankreich und Deutschland zu Ehren und überhaupt zu Weltruhm kam. Ja, Goethe selbst erfuhr, daß er gegen einen heftigen
Angriff, den ein deutscher Schriftsteller, Wolfgang Menzel, gegen ihn
richtete, in der französischen Zeitschrift « Le Globe » verteidigt wurde,
während in Deutschland sich kaum eine Hand für ihn rührte. Es sei,
so schrieb er damals, anmutig zu sehen, wie sich nach und nach das
Reich der Literatur erweitert hat. Wegen eines unserer eigenen Landsleute und Anfechter braucht man sich nicht mehr zu rühren; die Nachbarn nehmen uns in Schutz, und zu Eckermann meinte er zusammenfassend, es sei sehr artig, daß wir jetzt, bei dem engen Verkehr zwischen
Franzosen, Engländern und Deutschen, in den Fall kommen, uns einander zu korrigieren. « Das ist der große Nutzen, der bei einer Weltliteratur herauskommt und der sich immer mehr zeigen wird.»[15] Als
ganz besonders fruchtbar aber empfand es Goethe, sich nicht nur im
Spiegelbilde des fremden Urteils zu sehen, sondern auch durch die
Art der Wirkungen, die man in der Welt auslöst, Klarheit über sich
zu gewinnen. Ja, er fand es der Mühe wert, lange zu leben und die
mancherlei Pein zu ertragen, die ein unerforschlich waltendes Geschick
in unsere Tage mischt, wenn wir zuletzt über uns selbst durch andere

aufgeklärt werden, und das Problem unseres Strebens und Irrens sich
in der Klarheit der Wirkungen auflöst, die wir hervorgebracht haben.
Dies galt ihm ebenso für die eigene Persönlichkeit, wie für die ganze
Nation. Auch ihr kann es nur zum Segen gereichen, sich in dem Spiegel-
bilde, das in fremden Literaturen von ihr entworfen wird, und in den
Wirkungen, die sie auf die fremden Literaturen ausübt, zu erkennen
und dadurch veranlaßt zu werden, über sich selbst nachzudenken.
Goethe erhoffte solch segensreiche Spiegelung etwa von dem Buch der
Frau von Staël « De l'Allemagne », und so kann alles, was ein Schriftsteller seinem Volk von fremden Literaturen berichtet, nicht nur diesem
zum Nutzen gereichen, sondern auch dem andern, fremden Volk.
Aber es handelt sich nicht nur um Förderung der Selbsterkenntnis und
Selbstbeurteilung durch die Spiegelung in fremdem Geiste. Der Segen
der Weltliteratur kann tiefer gehen und weiter reichen. Er kann in
dem bestehen, was Goethe manchmal « Auffrischung » genannt hat
oder auch «Verjüngung», und auch das kann dem einzelnen Dichter
wie einer ganzen Nationalliteratur zuteil werden. Hier stelle man sich
einen Augenblick vor, in welcher Zeit seines Lebens Goethe selbst die
Teilnahme der Welt erfuhr und die Idee der Weltliteratur verkündigte.
Das Wort «Weltliteratur» fällt zum erstenmal im Januar 1827. Er
war also damals 78 Jahre alt, und er zählte etwa 70 Jahre, als sich
die Idee in seinem Geiste herauszukristallisieren anfing. Damals begann
ihm das Echo aus allen Richtungen der Welt entgegenzutönen, und
welches Echo! Die junge Generation in allen Ländern Europas bekannte sich zu ihm als ihrem Oberhaupt, ihrem Meister, man darf
sagen: ihrem geistigen Vater, und wenn Goethe ringsum die Literaturen betrachtete, in Frankreich, England, Italien, so konnte ihn wohl
das fast geisterhafte Gefühl überkommen, daß er einer Auferstehung
seiner eigenen Jugend in der Jugend Europas beiwohne. Denn was
jetzt in diesem jungen Europa seine Früchte trug, das war die Produktion seiner Jugend, der Werther, der Götz von Berlichingen, der
Egmont, der Faust, die volksliedhafte Lyrik, und allenfalls noch der
Tasso und der Wilhelm Meister, die aber auch vom Standpunkt des
siebzigjährigen Dichters aus noch Denkmäler seiner Jugend waren. Es
war eine fast tragisch zu nennende Situation. Denn Goethe selbst: wie
weit war er doch schon über all das wilde Treiben und Suchen und
Irren hinaus, und nun mußte er ringsum sehen, wie nicht das reine,
klare, ruhige Licht seines Alters, sondern das Feuer seiner Jugend die
Welt ergriff und in Flammen setzte.

Aber es bedeutete doch auch einen Segen für ihn selbst, eben den
Segen der Verjüngung. « Die schönste Metempsychose », schreibt er
einmal, « ist die, wenn wir uns im andern wieder auftreten sehn. » So
sah er sich damals in Byron, seinem geistigen Sohn, in Manzoni, in den
französischen Romantikern wieder auferstehen. « Fremde Nationen »,
so notiert er nun, « lernen erst später unsere Jugendarbeiten kennen;
ihre Jünglinge, ihre Männer, strebend und tätig, sehen ihr Bild in
unserm Spiegel, sie erfahren, daß wir das, was sie wollen, auch wollten,
ziehen uns in ihre Gemeinschaft und täuschen mit dem Schein einer
rückkehrenden Jugend.» [16]
Jedes Zeugnis der Dankbarkeit und Verehrung, welches dem alten
Goethe von der europäischen Jugend zukam, besonders aber, wenn
es von Byron kam, bedeutete ihm eine Stärkung und Erquickung,
einen Jugendtrank gleichsam, und auch seine dichterische Produktion,
aus so verjüngtem Menschentum geboren, ließ neue Töne vernehmen.
Sein allerherrlichstes Altersgedicht, die Marienbader Elegie, ist wie von
Byronschen, wenn auch gedämpften Gluten durchglüht, was Goethe
auch nicht geleugnet hat. Dem englischen Schriftsteller Carlyle aber
gab Goethe das öffentliche Zeugnis, daß er ihn unter diejenigen zähle,
die in späteren Jahren sich an ihn tätig angeschlossen, ihn durch eine
mitschreitende Teilnahme zum Handeln und Wirken aufgemuntert
und durch ein edles, reines, wohlgerichtetes Bestreben wieder selbst
verjüngt, ihn, der sie heranzog, mit sich fortgezogen haben. Was er
selbst so lebenspendend an der eigenen Person erfuhr, das erhoffte er
auch als Wirkung der Weltliteratur auf das gesamte Schrifttum seines
Volkes. « Stockende Nationalliteraturen », so notiert er einmal, « durch
Fremde angefrischt. » « Jede Literatur ennuyiert sich zuletzt in sich
selbst, wenn sie nicht durch fremde Teilnahme wieder aufgefrischt
wird. Welcher Naturforscher erfreut sich nicht der Wunderdinge, die
er durch Spiegelung hervorgebracht sieht? Und was eine Spiegelung
im Sittlichen heißen wolle, hat ein jeder schon, wenn auch unbewußt,
an sich selbst erfahren und wird, sobald er erst aufmerkt, fassen und
begreifen, wieviel er ihr im Leben zu seiner Bildung schuldig geworden.»
Hier also wollte Goethe sagen, daß ein Volk an seiner Literatur allmählich das Interesse verliert, wenn es nicht durch das Erlebnis fremder
Teilnahme wieder aufgefrischt wird. Als er die lebhafte Beschäftigung
mit der deutschen Literatur in Frankreich, England und Italien sah,
unterrichtete er das deutsche Publikum davon in seiner Zeitschrift
« Kunst und Altertum », weil er als Resultat erwartete, daß es über

seine eigene, kaum vergangene Literatur, die es gewissermaßen schon
beseitigt hatte, wiederum zu denken und neue Betrachtungen anzustellen genötigt werde. Es muß ein neues Interesse an Schiller erwachen, wenn Deutschland erlebt, wie durch Carlyles Schillerbuch die
Werke dieses Dichters, denen es so mannigfache Kultur verdankte,
nun auch zur Quelle der englischen werden. Ja, sogar was beinahe
ausgewirkt hat, kann abermals seine kräftige Wirkung beginnen, wenn
es sich herausstellt, daß es in fremden Literaturen auf einer neuen,
jüngeren Stufe der Literatur wieder nützlich und wirksam wird. Die
Herderschen « Ideen zur Philosophie der Geschichte der Menschheit »,
waren dergestalt in die Kenntnis der ganzen Nation übergegangen,
daß nur wenige, die sie lasen, dadurch erst belehrt wurden, weil sie
durch hundertfache Ableitungen in anderem Zusammenhang schon
völlig davon unterrichtet waren. Dieses Werk aber wurde nun von
Edgar Quinet ins Französische übersetzt, wohl in keiner anderen Überzeugung, als daß tausend gebildete Menschen in Frankreich sich immer
noch an diesen Ideen zu erbauen haben. « Ein vor fünfzig Jahren in
Deutschland entsprungenes Werk, welches unglaublich auf die Bildung
der Nation eingewirkt hat und nun, da es seine Schuldigkeit getan,
so gut wie vergessen ist, wird jetzt würdig geachtet, auch auf eine in
gewissem Sinn schon so hoch gebildete Nation gleichfalls zu wirken
und in ihrer nach höherer Kenntnis strebenden Masse den menschlichsten Einfluß auszuüben.» [17]
Es war überhaupt eine ebenso neue wie fruchtbare Idee Goethes, daß
Übersetzungen in fremde Sprachen keineswegs nur dem Volk zugut
kommen, in dessen Sprache sie übersetzt werden, sondern auch dem,
aus dessen Sprache sie stammen, und wieder ist es das eigenste, per-
sönlichste Erlebnis Goethes, dem er diese allgemeine Erkenntnis verdankt. Ein Goethesches Gedicht, « Ein Gleichnis » betitelt, lautet so:

> Jüngst pflückt' ich einen Wiesenstrauß,
> Trug ihn gedankenvoll nach Haus,
> Da hatten von der warmen Hand
> Die Blumen sich alle zur Erde gewandt.
> Ich setzte sie in frisches Glas
> Und welch ein Wunder war mir das !
> Die Köpfchen hoben sich empor,
> Die Blätterstengel im grünen Flor,
> Und allzusammen so gesund
> Als stünden sie noch auf Muttergrund.
> So war mir's als ich wundersam
> Mein Lied in fremder Sprache vernahm.

Goethe mochte seinen Faust in deutscher Sprache nicht mehr lesen. Aber in der französischen Übersetzung von Gérard de Nerval wirkte alles wieder durchaus frisch, neu und geistreich auf ihn. Als er die von ihm besonders geliebten Volkslieder der Serben nach Jahren wieder in einer englischen Übersetzung (von John Bowring) las, da erging es ihm, «wie es uns mit schönen, geliebten Personen ergeht, die uns immer mit neuem Reiz überraschen, sooft wir sie in einem andern Kleid unvermutet wieder erblicken.» [18] So war es auch ihm zumute, als er die bekannten und anerkannten serbischen Gedichte in englischer Sprache wieder las. Sie schienen ein neues Verdienst erworben zu haben; es waren dieselben Gestalten, aber wie in einem andern Gewande. Eine englische Übersetzung des Schillerschen Wallenstein machte einen ganz eigenen Eindruck auf ihn. Das Werk war ihm durch übermäßige Beschäftigung damit zuletzt ganz trivial geworden. Auch hatte er es in 20 Jahren nicht mehr gesehen und gelesen. Nun aber, 1828, da er es unerwartet in Shakespeares Sprache wieder gewahr wurde, trat es auf einmal wie ein frisch gefirnißtes Bild vor ihn, und er ergötzte sich daran wie vor Alters und noch dazu auf eine ganz eigene Weise. «Hier aber tritt eine neue, vielleicht kaum empfundene, vielleicht nie ausgesprochene Bemerkung hervor: daß der Übersetzer nicht nur für seine Nation allein arbeitet, sondern auch für die, aus deren Sprache er das Werk herübergenommen. Denn der Fall kommt öfter vor als man denkt, daß eine Nation Saft und Kraft aus einem Werke aussaugt und in ihr eigenes inneres Leben dergestalt aufnimmt, daß sie daran keine weitere Freude haben, sich daraus keine Nahrung weiter zueignen kann. Vorzüglich begegnet dies den Deutschen, die gar zu schnell alles was ihnen geboten wird, verarbeiten und indem sie es durch mancherlei Wiederholungen umgestalten, es gewissermaßen vernichten. Deshalb denn sehr heilsam ist, wenn ihnen das Eigne durch eine wohlgeratene Übersetzung späterhin wieder als frisch belebt erscheint.» [19]

Die wesentlichste und in ihren Folgen fruchtbarste Auffrischung und Verjüngung aber, welche eine Literatur durch die Weltliteratur erfahren kann, ist nach Goethe die Zufuhr neuer Motive und Ideen und die Auflockerung starr und stationär gewordener Formen durch Öffnung gegenüber fremden Literaturen. Das war besonders die Beobachtung, die Goethe an der französischen Literatur machen konnte, und die sicherlich zur Bildung seiner Weltliteraturidee bedeutend beigetragen hat. Denn er konnte gerade in den zwanziger Jahren, aber

auch schon früher, erleben, wie die französische Literatur, die sich
solange der deutschen verschlossen hatte, sich ihr gegenüber öffnete,
und zwar aus dem deutlichen Motiv, sich mit ihrer Hilfe von dem alten,
starr gewordenen Klassizismus zu befreien. Es gelang ihr auch wirklich,
mit Hilfe des deutschen Sturms und Drangs, besonders des jungen
Goethe, und auch mit Hilfe der deutschen Romantik die zu streng
gewordenen Formen ihrer Dichtkunst aufzulockern, die überalterten
zu verjüngen und mit neuen Ideen und Motiven zu erfüllen, darüber
hinaus aber auch auf weltanschaulich-philosophischem Gebiete den
traditionellen Sensualismus und Empirismus mit Hilfe des deutschen
Idealismus zu überwinden und auch in der Naturwissenschaft eine
lebendigere, dynamische und organische Auffassung durchzusetzen,
wie Goethe es in der deutschen Naturwissenschaft getan hatte. So
zeigten sich die segensreichen Möglichkeiten der Auffrischung und Verjüngung einer Literatur durch die andere, und das ging Goethe im
Anblick der französischen Romantik auf, so daß er sich, wie er einmal
schrieb, im weltbürgerlichen Sinne wohl freuen durfte, daß ein durch
soviel Prüfungs- und Läuterungsepochen durchgegangenes Volk sich
nach frischen Quellen umsieht, um sich zu erquicken, zu stärken, herzustellen, und sich deshalb mehr als jemals nach außen, zwar nicht zu
einem vollendeten, anerkannten, sondern zu einem lebendigen, selbst
noch im Streben und Streiten begriffenen Nachbarvolk, dem deutschen,
hinwendet. Die Franzosen tun sehr wohl, meinte Goethe ein ander
Mal, daß sie anfangen, unsere Schriftsteller zu studieren und zu übersetzen. Denn beschränkt in der Form und beschränkt in den Motiven,
wie sie sind, bleibt ihnen kein anderes Mittel, als sich nach außen zu
wenden. Wenn aber die französische Literatur ihre allzu streng und
starr gewordene Bindung mit Hilfe der deutschen «Unbändigkeit» zu
lösen vermochte, so konnte Goethe umgekehrt, und zwar an sich selbst
erfahren, wie segensreich die strenge Form und Bindung der französischen Literatur im ästhetischen und auch im gesellschaftlichen Sinne
auf den allzu entbundenen und individualistischen Geist der deutschen
Literatur zu wirken vermochte.

Aber noch von einem anderen Segen der Weltliteratur ist zu sprechen,
um dessen willen sie ebenfalls von Goethe erhofft und gefördert wurde:
daß sie imstande sein könne, die inneren Streitigkeiten innerhalb einer
Literatur zu schlichten und Versöhnung zu stiften. Goethe bemerkte
nämlich einmal, daß die Weltliteratur dadurch vorzüglich entstehen
werde, wenn die Differenzen, die innerhalb der einen Nation obwalten,

durch Ansicht und Urteil der übrigen Nationen ausgeglichen werden,
und von Carlyle, der das Leben Schillers schrieb und in einer Sammlung von Übersetzungen aus der deutschen Romantik jeden der übersetzten Dichter unparteiisch und objektiv zu würdigen verstand,
schrieb Goethe in « Kunst und Altertum »: Carlyle beweise « eine ruhige,
klare, innige Teilnahme an dem deutschen poetisch-literarischen Beginnen; er gibt sich hin an das eigentümliche Bestreben der Nation,
er läßt den Einzelnen gelten, jeden an seiner Stelle, und schlichtet hiedurch gewissermaßen den Konflikt, der innerhalb der Literatur irgend
eines Volkes unvermeidlich ist. Denn leben und wirken heißt ebensoviel
als Partei machen und ergreifen. Niemand ist zu verdenken, wenn er
um Platz und Rang kämpft, der ihm seine Existenz sichert und einen
Einfluß verschafft, der auf eine glückliche weitere Folge hindeutet.
Trübt sich nun hiedurch der Horizont einer innern Literatur oft viele
Jahre lang, der Fremde läßt Staub, Dunst und Nebel sich setzen, zer-
streuen und verschwinden und sieht jene fernen Regionen vor sich aufgeklärt mit ihren lichten und beschatteten Stellen mit einer Gemüts-
ruhe, wie wir in klarer Nacht den Mond zu betrachten gewohnt sind.»[20]
So hat Goethe selbst schlichtend und vermittelnd in den Streit der
Klassiker und Romantiker in Italien eingegriffen. Als nämlich Goethe
die Idee der Weltliteratur faßte und für sie tätig zu sein begann, waren
die europäischen Literaturen sämtlich von einem inneren Konflikt zerrissen. Der Streit zwischen Klassik und Romantik, der in der
deutschen Literatur zuerst entbrannt war, hatte auf alle europäischen
Literaturen übergegriffen und sie in zwei Lager gespalten. Das war
die charakteristische Situation in allen Literaturen Europas seit den
zwanziger Jahren. Da faßte Goethe die Idee, daß gerade die deutsche
Literatur berufen sei, diesen Streit zu schlichten, nicht nur weil er von
ihr angefacht worden war, sondern weil sie schon über die ersten
Schwankungen des Gegensatzes hinaus war und beide Teile sich schon
zu verständigen angefangen hatten, und so suchte denn Goethe selbst
von seinem überschauenden Standpunkt aus als Vermittler in diesen
europäischen Konflikt einzugreifen. « Klassiker und Romantiker in
Italien, sich heftig bekämpfend », so lautet der Titel einer Goetheschen
Abhandlung, und eine andere heißt: « Moderne Guelfen und Ghibellinen ». Warum, so fragt er, streiten sich eigentlich die beiden Parteien
in Italien so leidenschaftlich ? Die Romantiker wollen zeitgemäß dichten
und wirken. Sie nennen romantisch, was in der Gegenwart lebt und
lebendig auf den Augenblick wirkt, und so machen sie den Klassikern,

die in Geist und Form der Antike dichten, den Vorwurf, daß sie mumienhaft und bei lebendigem Leibe schon tot und vergangen seien. Genau
besehen aber herrscht hier kein Widerstreit. Denn jeder, von Jugend
an seine Bildung den Griechen und Römern verdankend, wird jederzeit dankbar anerkennen, was er abgeschiedenen Lehrern schuldig ist,
wenn er auch sein ausgebildetes Talent der lebendigen Gegenwart unaufhaltsam widmet, und ohne es zu wissen modern endigt, wenn er
antik angefangen hat. Ebenso ist es kein Widerstreit, wenn die Klassiker
aus dem Altertum, die Romantiker aber aus der Bibel schöpfen, weil
sie unserer Zeit näher liege. Aber die Bibel ist uns ebenso nah und
ebenso fern wie das Altertum. Sie beide müssen und können uns
gleichermaßen die ewigen Quellen unserer Bildung sein, das Altertum
für unsere ästhetische, die Bibel für unsere sittliche. Ebenso hat Goethe
den Streit, ob der Dichter seine Gegenstände und Gestalten aus der
griechischen Mythologie oder aus der nordischen Quelle der Teufel-
und Hexensagen schöpfen solle, zu schlichten versucht, indem er Vorteil und Nachteil beider Parteien ruhig und klar abwog. Als Goethe
den zweiten Teil des Faust ausführte und in ihm die Vermählung
Fausts mit Helena darstellte, da nannte er es einmal den Hauptsinn
dieser Darstellung: es sei an der Zeit, daß der leidenschaftliche Zwiespalt zwischen den Klassikern und Romantikern sich endlich versöhne;
daß wir uns bilden, sei die Hauptforderung; woher wir uns bilden,
wäre gleichgültig, wenn wir uns nicht an falschen Mustern zu bilden
fürchten müßten. Den Sohn von Faust und Helena aber, Euphorion,
gestaltete Goethe nach dem Bilde Byrons und begründete es so: «Byron
ist nicht antik und nicht romantisch, sondern er ist wie der gegenwärtige Tag selbst. Einen solchen mußte ich haben.» Es war das weltliterarische Motiv, den Konflikt in den europäischen Literaturen zu
schlichten, das Goethe hier im zweiten Teil des Faust geleitet hat. Er
hat im letzten Jahre seines Lebens noch in dem naturwissenschaftlichen
Streit, der in Frankreich zwischen Cuvier und Saint-Hilaire, zwischen
einer analytischen und synthetischen, einer mechanistischen und dyna-
mischen, einer empirischen und intuitiven Naturerklärung entbrannt
war, zu vermitteln und die beiden Parteien, indem er sie über sich
selbst aufklärte, einander näher zu bringen, wenn nicht zu versöhnen
versucht. Denn eine wirkliche und völlige Versöhnung so verschiedener
Denkweisen schien ihm freilich nicht möglich zu sein.[21]
Man muß nun überhaupt bemerken, nachdem man den Segen und die
Fruchtbarkeit der Weltliteratur erwogen hat, daß Goethe doch auch ihre

Grenzen nicht übersah, vor übertriebenen Hoffnungen und Erwartungen
warnte, und sogar auch auf die Möglichkeit schädlicher Folgen hinwies.
Was zunächst ihre Grenzen betrifft, so schreibt Goethe einmal: «Wenn nun aber eine solche Weltliteratur, wie bei der sich
immer vermehrenden Schnelligkeit des Verkehrs unausbleiblich ist,
sich nächstens bildet, so dürfen wir nur nicht mehr und nichts anders
von ihr erwarten als was sie leisten kann und leistet. Die weite Welt,
so ausgedehnt sie auch sei, ist immer nur ein erweitertes Vaterland
und wird, genau besehen, uns nicht mehr geben als was der ein-
heimische Boden auch verlieh; was der Menge zusagt, wird sich grenzenlos ausbreiten und, wie wir jetzt schon sehen, sich in allen Zonen
und Gegenden empfehlen; dies wird aber dem Ernsten und eigentlich
Tüchtigen weniger gelingen; diejenigen aber, die sich dem Höheren
und dem höher Fruchtbaren gewidmet haben, werden sich geschwinder
und näher kennen lernen. Durchaus gibt es überall in der Welt solche
Männer, denen es um das Gegründete und von da aus um den wahren
Fortschritt der Menschheit zu tun ist. Aber der Weg, den sie ein-
schlagen, der Schritt, den sie halten, ist nicht eines jeden Sache; die
eigentlichen Lebemenschen wollen geschwinder gefördert sein, und
deshalb lehnen sie ab und verhindern die Fördernis dessen, was sie
selbst fördern könnte. Die Ernsten müssen deshalb eine stille, fast
gedrückte Kirche bilden, da es vergebens wäre, der breiten Tagesflut
sich entgegenzusetzen; standhaft aber muß man seine Stellung zu
behaupten suchen, bis die Strömung vorübergegangen ist. Die Haupt-
tröstung, ja die vorzüglichste Ermunterung solcher Männer müssen
sie darin finden, daß das Wahre auch zugleich nützlich ist; wenn sie
diese Verbindung nun selbst entdecken und den Einfluß lebendig vor-
zeigen und aufweisen können, so wird es ihnen nicht fehlen, kräftig
einzuwirken und zwar auf eine Reihe von Jahren.» [22] Goethe hatte
ja auch zu oft bemerken müssen, wie dichterische Werke, wenn sie
von einem Volk zum andern wandern, doch mancherlei Entstellung
ausgesetzt sind. Gewiß, so erkannte er etwa, mußte auf dem französischen Theater die alte, erstarrte, klassisch genannte Form durchbrochen werden. Da kam ihnen unser Beispiel, unser Vorgang zu Nutz,
und sie fingen an, unsere Produktionen günstiger anzusehen. Demohn-
geachtet aber konnten sie nach wie vor von unserm und dem englischen
Theater nichts hinübernehmen, ohne es im eigentlichsten Sinn zu entstellen. Goethe wies dabei auf französische Versuche mit Hamlet und
Macbeth, mit Wallenstein und Faust hin, und was besonders den Faust

betrifft, so empfing er Berichte aus Paris, wie dort der Faust auf dem
Theater travestiert, materialisiert und theatralisiert wurde, wie man
« an die Sauce noch starkes Gewürz und scharfe Ingredienzien » ver-
schwendete, um das Werk dem französischen Gaumen schmackhaft
zu machen.

Solche Anpassungen sind aber noch harmlos, gemessen an dem schäd-
lichen Einfluß, den das übernommene Gut bekommen kann, wenn sich
eine Literatur zu weit und widerstandslos fremden Eigenheiten öffnet,
die der eigenen Natur nicht angemessen sind. Dann nämlich wird
aus dem Einfluß, der an sich fruchtbar und fördernd sein kann, das,
was Goethe mit dem Fremdwort: « Influenz » bezeichnet und also mit
dem Namen einer Krankheit. Influenzen aber, welche die Eigenheiten
einer Nation auf die andere übertragen, sind immer gefährlich, ja
meistens schädlich. Denn es fragt sich, wie diese ankommenden Eigenheiten sich mit den einheimischen vertragen und ob sie nicht eben
durch Vermischung einen krankhaften Zustand hervorbringen. Wieviel Falsches Shakespeare und besonders Calderon über uns gebracht
haben, schreibt Goethe einmal, wie diese zwei großen Lichter des
poetischen Himmels für uns zu Irrlichtern geworden sind, mögen die
Literatoren der Folgezeit historisch bemerken. Goethe selbst aber bemerkte es bereits an der europäischen Romantik, besonders an der
französischen, an den Auswüchsen und Extremen nämlich, die hier allmählich zutage traten und die ursprünglich heilsamen und fördernden
Einflüsse der deutschen Romantik als gefährliche und schädliche Influenzen offenbarten. Es ist das, was Goethe manchmal die ultraromantische Richtung nennt, und ihr Repräsentant schien ihm besonders Victor Hugo zu sein. Man wollte sich in Frankreich anfänglich
nichts weiter als eine freiere Form von der deutschen Romantik gewinnen und endigte in völliger Gesetzlosigkeit und subjektiver Willkür. Man wollte sich zuerst nur einen reicheren Gehalt erobern, und
gab an Stelle der griechischen Mythologie dem nordischen Teufels- und
Hexenspuk Raum. Aber man endigte damit, daß nur noch Verruchtheiten und abstoßendste Häßlichkeiten die Dichtung füllten und Gau-
ner und Galeerensklaven, Vampyre und Mißgestalten zu Helden gemacht wurden. Goethe nannte Victor Hugos « Notre-Dame de Paris »
das allerabscheulichste Buch, das je geschrieben wurde, und er verglich
die literarische Epoche der französischen Romantik dem Zustand eines
heftigen Fiebers und einer um sich greifenden Epidemie. Aus dieser
Zeit, da Goethe von den Auswüchsen und Extremen in der europäischen

Ultra-Romantik gequält wurde, stammt sein berühmtes, aber viel miß-
brauchtes Wort: Klassisch sei das Gesunde, Romantisch das Kranke,
wie auch dieses: « Pathologisch oder auch romantisch ». Er hätte es
in den Anfängen dieser Bewegung gewiß nicht gesagt. Als aber diese
französische Romantik nun auch ihre Rückwirkungen auf Deutschland
übte, da schrieb er an Zelter: « Die Übertriebenheiten, wozu die Theater
des großen und weitläufigen Paris genötigt werden, kommen auch uns
zu Schaden, die wir noch lange nicht dahin sind, dies Bedürfnis zu
empfinden. Dies sind aber schon die Folgen der anmarschierenden
Weltliteratur. » [23] Goethe war also durchaus nicht blind dafür, daß
seine große Idee der Weltliteratur, wenn sie in die Verwirklichung tritt,
durchaus nicht nur Segen verbreitet, sondern auch Gefahr und Schaden
bringen kann, dann nämlich, wenn eine Nation sich Eigenheiten einer
anderen zueignet, die ihrer Eigenart nicht angemessen sind und so
zu Fremdkörpern im eigenen Organismus und zu Krankheitserregern
werden können, und man denkt an die Goethesche Idee, daß die
Weltliteratur die nationalen Eigentümlichkeiten der Völker auf sich
beruhen lassen, wenn auch dulden und gelten lassen soll, und daß die
Völker nur das voneinander sich aneignen mögen, was allgemein menschlich ist und den gleichmäßigen Fortschritt der menschlichen Kultur befördern kann.

Goethe hat sich auch die ernste Frage vorgelegt, welche Völker wohl
bei der sich bildenden Weltliteratur am meisten zu gewinnen oder zu
verlieren haben, und auch da stößt man auf ein tief bedenkliches,
übrigens nicht leicht zu verstehendes Wort: « Jetzt, da sich eine Weltliteratur einleitet, hat, genau besehen, der Deutsche am meisten zu
verlieren; er wird wohl tun, dieser Warnung nachzudenken.» Dagegen
schreibt er von den Franzosen: « Sehr bewegt und wundersam wirkt
freilich die Weltliteratur gegeneinander; wenn ich nicht sehr irre, so
ziehen die Franzosen in Um- und Übersicht die größten Vorteile davon;
auch haben sie schon ein gewisses selbstbewußtes Vorgefühl, daß ihre
Literatur, und zwar noch in einem höheren Sinne, denselben Einfluß
auf Europa haben werde, den sie in der Hälfte des 18. Jahrhunderts
sich erworben.» [24]

Warum richtete Goethe jene Warnung an die Deutschen? Er sprach
ja gewiß der deutschen Literatur eine ehrenvolle Rolle in der Weltliteratur zu und dachte dabei in erster Linie an die deutsche Übersetzungstätigkeit. Er hielt die deutsche Sprache für besonders geeignet
übersetzen zu können, weil sie sich an sämtliche Idiome mit Leich-

tigkeit anschließt, allem Eigensinn entsagt und nicht fürchtet, daß man ihr Ungewöhnlichkeiten und Unzulässigkeiten vorwerfe. Diese Fähigkeit ermöglicht es der deutschen Übersetzungskunst, einen wesentlichen Beitrag zur Weltliteratur zu leisten. Wer die deutsche Sprache versteht und studiert, befindet sich auf dem Markte, wo alle Nationen ihre Waren anbieten, er spielt den Dolmetscher, indem er sich selbst bereichert. Goethe meinte also, daß die ehrenvolle Rolle der deutschen Literatur in der Weltliteratur darin bestehen werde, daß die fremden Völker nur die deutsche Sprache zu lernen brauchen, um in ihr, in ihren treuen Übersetzungen, die Literaturen aller Völker kennen lernen und sich aneignen zu können, daß also die deutsche Übersetzungstätigkeit durchaus nicht nur dem deutschen Volke, sondern allen Völkern zugute kommen könne und werde. Das ist der bedeutendste Beitrag, den die deutsche Literatur zur Weltliteratur zu leisten hat, ihr Geschenk an die Welt. Dagegen hat sie selbst durch die sich einleitende Weltliteratur am meisten zu verlieren. Um diese auffallende und merkwürdige Idee zu verstehen, muß man daran denken, was Goethe als die tiefste Eigenart der deutschen Literatur angesehen hat; denn er konnte ja nur meinen, daß die deutsche Literatur durch die anrückende Weltliteratur in Gefahr gerate, ihre Eigenart zu verlieren. Er sah diese Eigenart darin, daß der deutsche Dichter und Schriftsteller im Unterschied von anderen Nationen so einsam und isoliert für sich selber wirke und schaffe, daß er in seiner Dichtung nur sich selbst, seine eigenste Individualität aus innerem Drang zum Ausdruck bringen möchte, ohne an die Wirkung nach außen, auf Publikum und Ausland zu denken, und ohne mit anderen zusammen wirken zu wollen. In jedem Deutschen lebt die Idee der persönlichen Freiheit. So wie es in Deutschland keine politische Hauptstadt gibt, wie Frankreich sie in Paris besitzt, so gibt es in der deutschen Literatur keine geistige Konzentration, keine Geselligkeit. Die deutsche Dichtung ist gleichsam monologisch, ein Gespräch mit sich selbst. Ein jeder Dichter spricht hier seine eigene und originelle Sprache. Ob er verstanden wird oder nicht, darauf kommt es ihm im Grunde nicht an, ja, wenn er weithin verstanden wird, so erregt das schon einen gewissen Zweifel an seinem Dichtertum. Wie aber das einzelne Individuum, so die deutsche Literatur als Ganzheit in ihrer Beziehung zum Ausland. Die Deutschen, sagt Goethe einmal, arbeiten für sich ohne Bezug aufs Ausland. Sie wollen nicht nach außen, sondern nach innen wirken. « Sehen wir unsre Literatur über ein halbes Jahrhundert zurück, so finden wir,

daß nichts um der Fremden willen geschehen ist.» [25] In dieser Eigen-
brödelei erkannte Goethe wohl die Schwäche der deutschen Literatur,
aber auch die Quelle ihrer Tugenden und auf jeden Fall ihrer Eigenart.
Die Weltliteratur aber verlangt etwas anderes, und darum hat die
deutsche Literatur durch sie am meisten zu verlieren. Denn die Weltliteratur verlangt zunächst eine geistige, sittlich-ästhetische Übereinstimmung und Konzentration eines Volkes, weil nur eine so gesam-
melte und vereinte Kraft auch die Stoßkraft nach außen haben kann,
um in die Welt zu dringen, so wie die militärisch-physische Kraft einer
Nation aus ihrer inneren Einheit sich entwickelt. Dazu aber kommt,
daß die Weltliteratur ja nicht ein monologisches Gespräch mit sich
selbst sein kann, sondern eben ein Gespräch zwischen den Nationen,
ein Wechselaustausch von Gedanken, ein geselliger Verkehr. Auch
müßte Dichtung, die wie die deutsche charakteristischer Ausdruck von
Individualität und Originalität ist, auf Widerstände in anderen Nationen stoßen. Hat doch Goethe selbst dies erfahren müssen, als er in
der französischen Zeitschrift « Le Globe » zu lesen bekam: « An der
Langsamkeit, mit welcher Goethes Ruf sich bei uns verbreitete, ist
größtenteils die vorzüglichste Eigenschaft seines Geistes schuld, die
Originalität. Alles was höchst original ist, das heißt stark gestempelt
von dem Charakter eines besondern Mannes oder einer Nation, daran
wird man schwerlich sogleich Geschmack finden, und die Originalität
ist das vorspringende Verdienst dieses Dichters; ja man kann sagen,
daß in seiner Unabhängigkeit er diese Eigenschaft, ohne die es kein
Genie gibt, bis zum Übermaß treibe.» [26] Aus diesen Gründen also hat
die deutsche Literatur am meisten zu verlieren, wenn es zur Bildung
einer allgemeinen Weltliteratur kommt, weil sie sich ihr am meisten
und am schwersten anpassen und bequemen müßte. Frankreich dagegen, das Land der Geselligkeit, das solche Isolierung und Einsamkeit
der einzelnen Persönlichkeit nicht kennt und duldet, das seine geistigen
wie seine politischen Kräfte konzentriert und zentralisiert, das, wie
Goethe einmal schreibt, von jeher gewohnt ist, nach außen zu wirken,
sich viel auf diesen Einfluß auf die übrige Welt einbildet und wirklich,
was man soziale Bildung nennt, über Europa verbreitet hat,[27] scheint
für die Weltliteratur geradezu prädestiniert zu sein. Darum konnte
Goethe der französischen Literatur den größten Gewinn und den
stärksten Einfluß in der künftigen Weltliteratur versprechen, wozu
noch kommt, daß die deutsche Literatur sich ja seit je den fremden
Literaturen weit geöffnet hatte und also von der Weltliteratur in dieser

Beziehung keinen neuen Gewinn zu erwarten hat, während die französische Literatur sich bisher dem fremden Einstrom mehr verschlossen hatte und darum von der Öffnung verlangenden Weltliteratur große Bereicherung erhoffen kann. Goethe hat endlich noch auf einen weiteren Grund gewiesen. Ein wesentlicher Teil der Weltliteratur ist gegenseitige Beurteilung, und Goethe meinte in den Zeitschriften Frankreichs, die sich damals mit fremden Literaturen zu beschäftigen begannen, eine besondere und überlegene Begabung für literarische Kritik zu erkennen.[28] Goethe selbst fand sich in der Zeitschrift « Le Globe » so tief und richtig verstanden und beurteilt, wie er es in Deutschland nicht gewohnt war. So ist es also zu verstehen, wenn Goethe jene Warnung an die deutsche Literatur aussprach, daß sie jetzt, da sich eine Weltliteratur einleitet, am meisten zu verlieren habe, während die Franzosen den größten Vorteil davon ziehen werden. Das soll aber nicht etwa heißen, daß er vor seiner eigenen Idee der Weltliteratur gewarnt hätte. All sein Bestreben war es, sie zu fördern und zu beschleunigen, soviel er es nur vermochte, denn er erkannte ihren Segen, den sie für alle Völker, auch das deutsche Volk, haben werde, und er erkannte besonders auch, daß sie ganz unausbleiblich sei, ja mit schicksalhafter Notwendigkeit kommen müsse, weil die Zeit sie verlangt, und so schrieb er einmal an den russischen Staatsmann und Schriftsteller Uwarow, daß die Deutschen wähnen, in der Beschränkung liege die Kraft, welches im strengsten Sinn wohl wahr sein mag; aber die rollende Zeit wolle andere Umsichten.

Quellen

Die rollende Zeit! Was ist darunter zu verstehen, daß die rollende Zeit die Weltliteratur verlangt? Man wird sich an dieser Stelle erinnern, wie häufig Goethe den geistigen Güteraustausch zwischen den Nationen mit dem materiellen verglich, dem Handelsverkehr, dem Weltmarkt, auf dem die Völker ihre Waren zum Austausch bringen, und das war nicht nur ein Vergleich, sondern Goethe verfolgte wirklich mit größter Aufmerksamkeit, wie nach den Napoleonischen Kriegen der Handelsverkehr zwischen den Völkern, unterstützt von dem immer schneller werdenden Tempo der modernen Verkehrsmittel, der Schnellposten und Dampfschiffe, sich zu einem Weltverkehr entwickelte, wie die Kommunikation der Weltbürger mit einer bisher noch nicht gekannten Leichtigkeit vor sich ging. Er sprach von dem «veloziferischen» Jahrhundert, von der «Rotation», wie sie durch solches Verkehrstempo bewirkt wurde, von der rollenden Zeit in diesem Sinne, und sah eine sich bildende Weltliteratur, einen geistigen Weltverkehr zwischen den Völkern als eine notwendige und unausbleibliche Konsequenz dieser rollenden Zeit an, welche die Völker einander näher brachte und eine unauflösliche Verknotung und Verschlingung ihrer Interessen bewirkte. Er sah auch, daß der geistige Wechselverkehr zwischen den Völkern sich nicht nur notwendig daraus entwickeln müsse und es ganz vergeblich sein würde, sich ihm zu widersetzen, weil eben die rollende Zeit ihn verlangt, sondern daß es auch eine Forderung des geistigen Menschen sei, ihn nach besten Kräften zu fördern und zu beschleunigen, damit es nicht bei der nur materiellen Bereicherung der Völker bleibe, sondern diese durch die gegenseitig-geistige Bereicherung ihre schönste Ergänzung finde, daß Geist und Materie einander helfen müssen, um die Menschheit einer versöhnten Zukunft entgegenzuführen, einer wahrhaft humanen Kultur. Daher ist es Pflicht, ebenso mildernd und versöhnend auf die geistigen Beziehungen der Völker einzuwirken, wie die Schiffahrt zu erleichtern oder Wege über Gebirge zu bahnen. Denn der Freihandel der Begriffe und Gefühle steigert ebenso wie der Verkehr in Produkten und Bodenerzeugnissen den Reichtum und die allgemeine Wohlfahrt der Menschheit. Goethe hatte

daher die Hoffnung, daß die Weltliteratur zu der immer mehr um
sich greifenden Gewerks- und Handelstätigkeit höchst wirksam beitragen werde, und daß anderseits die sich immer vermehrende Schnellig
keit und Leichtigkeit des Verkehrs die Bildung einer Weltliteratur beschleunigen und erleichtern werde. Er sah wie durch Schnellposten und
Dampfschiffe ebenso wie auch durch Tages-, Wochen- und Monats-
schriften die Nationen mehr aneinander rückten und wollte, solange
es ihm vergönnt sei, seine Aufmerksamkeit besonders auch auf diesen
wechselseitigen Austausch wenden. Die Übersetzungstätigkeit schien
ihm eines der wichtigsten und würdigsten Geschäfte in dem allgemeinen
Weltverkehr, und zu einer Zeit, wo die Eilboten aller Art aus allen Welt-
gegenden her immerfort sich kreuzen, erachtete er es als dringende
Notwendigkeit für jeden strebsamen Geist, seine Stellung gegen die
eigene Nation und gegen die übrigen kennen zu lernen. « Deshalb findet
ein denkender Literator alle Ursache, jede Kleinkrämerei aufzugeben
und sich in der großen Welt des Handelns umzusehen.» Goethe verkannte gewiß nicht die Gefahren der modernen Zivilisation für das
geistige Leben, aber er fand es wirklich höchst erfreulich, daß die Ein-
richtungen unserer gesitteten Welt nach und nach die Entfernung
zwischen den gleichgesinnten, wohldenkenden Menschen geschäftig
vermindern, wogegen er derselben manches nachsehen wollte.
Das also ist die rollende Zeit, welche die Weltliteratur fördert und
fordert, und dazu kommt als zweites Zeitmoment das allgemeine Frie-
dens- und Verständigungsbedürfnis, welches die Völker nach den Napoleonischen Kriegen ergriff. Ja schon in der Napoleonischen Zeit selbst
konnte Goethe den Anfang und den Ursprung dieses Bedürfnisses erkennen. Denn es unterlag für ihn keinem Zweifel, daß durch Napoleon
die Völker wohl auseinandergerissen wurden und doch auch sich gegenseitig näher kennen lernten, und daß der politische Versuch Napoleons,
ein einheitliches Europa zu begründen, auch die Idee eines geistigen
Europa anregen mußte. Die Besetzung Deutschlands brachte es mit
sich, daß die französischen Offiziere und Beamten die deutsche Sprache
und Literatur kennen lernten. Ja auch die Opposition gegen Napoleon
wurde für die Weltliteratur höchst fruchtbar. Ohne sie wäre das Buch
der Frau von Staël nicht geschrieben worden. « Es ist », schreibt Goethe
im Jahre 1830, « schon einige Zeit von einer allgemeinen Weltliteratur
die Rede, und zwar nicht mit Unrecht: denn die sämtlichen Nationen,
in den fürchterlichsten Kriegen durcheinander geschüttelt, sodann wieder auf sich selbst einzeln zurückgeführt, hatten zu bemerken, daß sie

manches Fremdes gewahr worden, in sich aufgenommen, bisher unbekannte geistige Bedürfnisse hie und da empfunden. Daraus entstand
das Gefühl nachbarlicher Verhältnisse, und anstatt daß man sich bisher zugeschlossen hatte, kam der Geist nach und nach zu dem Verlangen, auch in den mehr oder weniger freien geistigen Handelsverkehr
mit aufgenommen zu werden. Diese Bewegung währt zwar erst eine
kurze Weile, aber doch immer lang genug, um schon einige Betrachtungen darüber anzustellen und aus ihr baldmöglichst, wie man es im
Warenhandel ja auch tun muß, Vorteil und Genuß zu gewinnen.»
Goethe fand einen erhebenden Trost in der Erkenntnis, daß eine seltsam wilde Zeit zwar die Menschen getrennt, auseinandergehalten, wo
nicht geschieden habe, daß aber doch ein menschliches Band über die
Zeiten hinausreiche und das Geschick, nachdem es lange verwirrt,
doch wieder herstellen müsse. [29]
Diesem europäischen Bedürfnis nach Verständigung zwischen den Völkern, das wohl in dem nachnapoleonischen Frankreich am stärksten
war, stand nun aber gerade in Deutschland ein Hindernis entgegen,
und so ist denn zu sagen, daß Goethes Idee der Weltliteratur nicht nur
durch die rollende Zeit entwickelt und begünstigt wurde, sondern daß
sie sich auch im Widerstand gegen sein eigenes Volk gebildet hat, und
daß er sie jenem Nationalismus entgegenstellte und ihn mit ihr zu überwinden hoffte, der sich als Folge der Napoleonischen Unterdrückung
und der Befreiung vom Napoleonischen Joch in Deutschland entwickelte. Man kann die Quellen der Goetheschen Idee in der Tat schon
bis in diese Zeit zurück verfolgen, da sich die deutsche Literatur, die
jüngere Romantik besonders, ganz auf sich selbst zurückzuziehen begann, nur noch aus ihren eigenen, nationalen Quellen schöpfen wollte
und sich jedem fremden Einstrom versagte. Es war die Zeit, da sich
der Begriff und das Wort «Nationalliteratur» bildete. Damals bereits
sah Goethe es als seine Sendung an, sein Volk nachdrücklich daran zu
erinnern, was es seit je den fremden Völkern schuldig geworden sei und
ihnen noch täglich verdanke. Die Gründung seiner Zeitschrift «Kunst
und Altertum» im Jahre 1816 hatte wohl in erster Linie diesen Zweck.
Denn schon von Anfang an stand sie im Dienste der Weltliteratur,
wenn auch das Wort noch nicht geprägt war, und sofort setzte Goethe
in dieser Zeitschrift einen Kampf fort, den er schon 1813 begonnen
hatte: gegen den «Purismus» nämlich, die Reinigung der deutschen
Sprache von allen fremden Elementen, was ja seltsamerweise mit diesem Fremdwort «Purismus» bezeichnet wurde. Mehr als einmal, so

hatte er schon 1813 in einem Brief geschrieben, habe er die Erfahrung gemacht, daß es eigentlich geistlose Menschen seien, welche auf die Sprachreinigung mit so großem Eifer dringen. « Denn da sie den Wert eines Ausdrucks nicht zu schätzen wissen, so finden sie gar leicht ein Surrogat, welches ihnen ebenso bedeutend scheint.» In seiner Zeitschrift « Kunst und Altertum » nahm er nun auch öffentlich Gelegenheit, seine Stimme gegen den « Purismus » zu erheben, wobei er sich übrigens auf einen Schweizer, Karl Ruckstuhl, berief, der in einem Artikel « Von der Ausbildung der deutschen Sprache in Beziehung auf neue, dafür angestellte Bemühungen » vor dem unersetzlichen Schaden gewarnt hatte, der einer Nation zugefügt werden kann, wenn man ihr selbst mit redlicher Überzeugung und aus bester Absicht eine falsche Richtung gibt, wie es jetzt mit der deutschen Sprache geschieht. Hieran anschließend entwickelte nun Goethe seine Idee, wie der Deutsche nichts Wunderlicheres tun könne, als sich in seinem Kreis zu beschränken und sich einzubilden, daß er von eigenem Vermögen zehren könne, uneingedenk alles dessen, was er fremden Völkern verdanke. Die Zeit müsse kommen, wo der Deutsche wieder frage, auf welchen Wegen es seinen Vorfahren wohl gelungen sei, die deutsche Sprache auf den hohen Grad von Selbständigkeit zu bringen, dessen sie sich jetzt erfreut. Es ist wohl nichts bequemer als von dem Inhalt abzusehen und auf den Ausdruck zu passen. Der geistreiche Mensch aber knetet seinen Wortstoff, ohne sich zu bekümmern, aus was für Elementen er besteht, der geistlose hat gut rein sprechen, da er nichts zu sagen hat. Wie sollte er fühlen, welches kümmerliche Surrogat er an der Stelle eines bedeutenden Wortes gelten läßt, da ihm jenes Wort nie lebendig war, weil er nichts dabei dachte. Welche Bereicherung hat doch die deutsche Sprache in jenen Zeiten empfangen, als lateinisch noch die Weltsprache war, in der sich die Nationen untereinander verständigten, und welche wohltätigen Wirkungen gingen von Italien und Frankreich auf die deutsche Sprache und Dichtung aus. « Die Gewalt einer Sprache », heißt es ein ander Mal, « ist nicht, daß sie das Fremde abweist, sondern daß sie es verschlingt.» Ein Gedicht « Die Sprachreiniger » lautet:

> Gott Dank! daß uns so wohl geschah,
> Der Tyrann sitzt auf Helena!
> Doch ließ sich nur der eine bannen,
> Wir haben jetzo hundert Tyrannen.

Die schmieden, uns gar unbequem,
Ein neues Kontinental-System.
Teutschland soll rein sich isolieren,
Einen Pest-Cordon um die Grenze führen,
Daß nicht einschleiche fort und fort
Kopf, Körper und Schwanz von fremdem Wort.
Wir sollen auf unsern Lorbeern ruhn,
Nichts weiter denken als was wir tun. (1816.)

Zu gleicher Zeit hat Goethe dagegen protestiert, daß man aus falsch
verstandenem Nationalismus die Erlernung fremder Sprachen für un-
nötig erkläre oder gar verbieten wolle und es für die Pflicht jedes echten
Vaterlandsfreundes proklamiere, sich über die kümmerliche Beschränkung eines erkältenden Sprachpatriotismus zu erheben und vielmehr
für die Ausbreitung fremder Sprachen zu sorgen, weil keine höhere
Kultur, Wissenschaft und Dichtkunst, und keine weltmännische Bildung ohne sie gedeihen kann. Das alles ist wie ein Symbol dafür, daß
Goethes Weltliteraturidee sich im Gegensatz zu dem übersteigerten
Nationalismus des nachnapoleonischen Deutschland gebildet hat und
auch sein Gegengewicht sein wollte.

Als man im Jahre 1808, also mitten in der Zeit der Napoleonischen
Fremdherrschaft, mit dem Plan zu einem lyrischen Volksbuch, welches
die besten Gedichte der deutschen Literatur gesammelt in die Hand
des deutschen Volkes legen sollte, an Goethe herantrat und um seinen
Rat und seine Mitherausgeberschaft bat, da war Goethes einziger Rat,
auch deutsche Übersetzungen aus fremden Literaturen darin aufzunehmen. Denn bedenkt man, daß so wenig Nationen, besonders keine
neueren, Anspruch an absolute Originalität machen können, so brauche
sich der Deutsche nicht zu schämen, der seiner Lage nach in den Fall
kam, seine Bildung von außen zu erhalten, und besonders, was Poesie
betrifft, Gehalt und Form von Fremden genommen hat. Ist doch das
fremde Gut unser Eigentum geworden. Was also durch Übersetzung
oder durch innigere Behandlung unser geworden, sollte berücksichtigt
werden, ja, man müßte ausdrücklich auf Verdienste fremder Nationen
hinüberweisen. Übersetzungen sind ein wesentlicher Teil unserer Literatur. Jedes Fach bleibt lückenhaft, wenn man diese Einwirkung nicht
beachtet. Was aber wäre von fremdem Gut in unser Werk aufzunehmen? Denn alles von Bedeutung ist übersetzt oder zu übersetzen.
Was aus allen Zeiten und Orten für Menschen aller Zeiten und Arten

wichtig war. Was dem Gebildeten wie dem Ungebildeten zusagt, diesem
als neu, jenem als ewig sich erneuernd. Auf diesem Punkt vereinigen
sich alle Wege der Kultur.

So dachte und wirkte also Goethe in der Zeit der Napoleonischen Fremdherrschaft wie nach den Befreiungskriegen und wollte die drohende
Gefahr des geistigen Autarkismus bannen. Ja, dieses ganze Europa,
mit seinen Völkerschlachten, Machtkämpfen und Abschließungsten-
denzen, seinem Nationalismus und seiner Politisierung des Menschen
wurde Goethe damals so unerträglich, daß er in diesem allzu engen
und dumpfen Raum nicht mehr atmen zu können meinte. Er brauchte
Öffnung, Welt, und so floh er im Geiste aus dem europäischen
Raum nach Osten, in das Land des persischen Sängers Hafis. Die
Frucht dieser geistigen Weltreise war der « West-östliche Divan ».
Aber man darf gewiß auch sagen, daß sie die Frucht der Weltliteraturidee bedeutend gefördert hat. Denn nicht nur, daß Goethe die verjüngende, ja wahrhaft Wiedergeburt bereitende Kraft der Öffnung
fremdem Geiste gegenüber mit tiefer Dankbarkeit erlebte, als Mensch
und Dichter, daß er in der seligen Hingebung an ein anderes, fremdes
Leben die Bedingung eigener Lebenserneuerung erfuhr.

Vom Allgefühl und Einheitsgefühl des Ostens durchdrungen ging ihm
im « West-östlichen Divan » auch die höhere Einheit der Völker wie
der Erdteile auf.

> Gottes ist der Orient !
> Gottes ist der Okzident !
> Nord- und südliches Gelände
> Ruht im Frieden seiner Hände.

Aber schon um die Jahrhundertwende hatte Goethe im Widerstand
gegen die deutsche Romantik, welche an Stelle der klassischen, allgemein menschlichen Kunst Weimars eine vaterländisch-nationale forderte und pflegte, in seiner Zeitschrift « Propyläen » bei der Stellung
einer Preisaufgabe für das Jahr 1801 geschrieben: Das allgemein
Menschliche wird durchs Vaterländische verdrängt. «Vielleicht überzeugt man sich bald, daß es keine patriotische Kunst und patriotische
Wissenschaft gebe. Beide gehören wie alles Gute der ganzen Welt an,
und können nur durch allgemeine, freie Wechselwirkung aller zugleich
Lebenden, in steter Rücksicht auf das, was uns vom Vergangenen
übrig und bekannt ist, gefördert werden.» Das ist im Grunde schon die
ganze Idee der Weltliteratur, wie Goethe sie dann 1827 verkündigte,

und so darf man also in der Napoleonischen Zeit und in der deutschen
Romantik die gleichsam negativen Quellen der Idee erkennen: Im
Widerstande nämlich gegen das europäische Chaos, gegen die Zer-
rissenheit der Völker, die Abschließung der Nationen, den romantischen
Nationalismus.

Aber man muß noch weiter zurück gehen, um zu den Urquellen zu
gelangen. Denn auch Napoleon war doch erst aus der französischen
Revolution hervorgegangen, und diese bereits hatte die europäischen
Völker auseinander gerissen, die einzelnen Nationen in sich selbst gespalten, ja alle menschlichen Beziehungen zu zerreißen gedroht. Wenn
man sich ein Bild des gesellschaftlichen Zustandes machen will, wie
er in den neunziger Jahren des 18. Jahrhunderts sogar in Weimar aussah, so braucht man nur die Ankündigung einer Zeitschrift, der «Horen»
(1794) zu lesen, die von Schiller mit der edlen Absicht herausgegeben
wurde, um diesem unseligen Zustand zu steuern: «Zu einer Zeit, wo
das nahe Geräusch des Kriegs das Vaterland ängstiget, wo der Kampf
politischer Meinungen und Interessen diesen Krieg beinahe in jedem
Zirkel erneuert und nur allzu oft Musen und Grazien daraus verscheucht, wo weder in den Gesprächen noch in den Schriften des Tages
vor diesem allverfolgenden Dämon der Staatskritik Rettung ist,
möchte es ebenso gewagt als verdienstlich sein, den so sehr zerstreuten
Leser zu einer Unterhaltung von ganz entgegengesetzter Art einzu-
laden. In der Tat scheinen die Zeitumstände einer Schrift wenig Glück
zu versprechen, die sich über das Lieblingsthema des Tages ein strenges
Stillschweigen auferlegen und ihren Ruhm darin suchen wird, durch
etwas anders zu gefallen als wodurch jetzt alles gefällt. Aber je mehr
das beschränkte Interesse der Gegenwart die Gemüter in Spannung
setzt, einengt und unterjocht, desto dringender wird das Bedürfnis,
durch ein allgemeines und höheres Interesse an dem, was rein menschlich und über allen Einfluß der Zeiten erhaben ist, sie wieder in Freiheit zu setzen und die politisch geteilte Welt unter der Fahne der Wahrheit und Schönheit wieder zu vereinigen.» Die Einladung Schillers an
Goethe, bei dieser Zeitschrift mitzuarbeiten, begründete die Freundschaft zwischen ihnen, weil Goethe nun in ihm den gleichgesinnten
Geist erkannte und mit ihm gemeinschaftlich zu arbeiten hoffen
konnte. Goethe hat zu den « Horen » die « Unterhaltungen deutscher
Ausgewanderter » beigesteuert, die wirklich ganz im Dienste der Schillerschen und Goetheschen Idee standen, über die durch Politik entstandenen Klüfte zwischen den Menschen Brücken zu schlagen. In

diesen Unterhaltungen wird eine Gesellschaft von Emigranten, die vor
der Französischen Revolution fliehen mußten, durch die politische
Parteinahme für oder gegen die Revolution so zerspalten, daß alte
Freundschaftsbande zerreißen, keine Geselligkeit mehr möglich ist, bis
sie sich entschließen, die Politik aus ihren Gesprächen zu verbannen
und sich nur mit allgemeinmenschlichen, künstlerischen und wissenschaftlichen Dingen zu unterhalten. Als die « Horen » aber nach wenigen
Jahren eingingen, gründete Goethe selbst eine Zeitschrift « Die Propyläen » (1799), um in diesen Zeiten der allgemeinen Auflösung, da am
Ende des Jahrhunderts der alles bewegende Dämon seine zerstörende
Lust besonders auch an Kunst und Kunstverhältnissen ausübte, zu
retten, was zu retten ist. Sie brachte Betrachtungen über Natur und
Kunst, welche von einer Gesellschaft harmonisch gebildeter Freunde
(nämlich von Goethe, Schiller und dem Schweizer Heinrich Meyer)
angestellt wurden, auch Briefe von Wilhelm von Humboldt, in denen
das deutsche und französische Theater, der deutsche und französische
Nationalcharakter miteinander verglichen und Ausgleichung durch
gegenseitige Bildung gefordert wird, ferner Übersetzungen Goethes von
Diderots «Versuch über die Malerei » und Voltaires « Mahomet », während ein Plan Goethes die « Gesinnungen der deutschen, englischen,
französischen, italienischen Künstler und Liebhaber über die Kunst »
miteinander zu vergleichen, leider nicht zur Ausführung kam.
Es ist die Idee der allgemeinen Menschlichkeit, in der die reine Quelle
der Weltliteratur zu finden ist, einer allgemein menschlichen Kunst und
Wissenschaft, welche die durch Politik und Krieg zerrissene Menschheit wieder auf einen gemeinsamen Boden führen und damit heilen und
versöhnen soll, und so steht in Goethes « Propyläen » zu lesen: « Mancher wird vielleicht meinen, der Drang äußerer Umstände, die Er-
schütterungen der Staaten und Völker gebieten jetzt andere, ernstere
Sorgen als kritische Betrachtungen über Kunstwerke anzustellen:
Allein je unruhiger die Umstände von außen sind, desto wohltuender
mag es eben darum für viele sein, sich an dem ewigen Frieden der
Künste einen Augenblick zu ergötzen.»
Wo aber sind die Quellen dieser Goetheschen Friedens- und Versöhnungsidee selbst zu finden? Als Goethe den Kampf zwischen den
Klassikern und Romantikern in Italien zu schlichten versuchte,
schrieb er (1820): «Wenn sich über mannigfaltige Vorkommenheiten
der Zeit die Menschen entzweien, so vereinigt Religion und Poesie auf
ihrem ernsten tiefern Grunde die sämtliche Welt.» Religion und Poesie !

Mit dieser Anrufung der Religion stehen wir vor der ursprünglichen Quelle der Goetheschen Versöhnungsidee. Als Goethes Gedanken ganz um die Idee der Weltliteratur kreisten und er von England her die Stimmen der Teilnahme an ihm selbst und an der deutschen Literatur vernahm, da schrieb er an Carlyle: « In dem nächsten Stücke von Kunst und Altertum denke ich mich über diese Berührungen aus der Ferne freundlich zu erklären und eine solche wechselseitige Behandlung meiner ausländischen und inländischen Freunden bestens zu empfehlen, indem ich das Testament Johannis als das meinige schließlich ausspreche und als den Inhalt aller Weisheit einschärfe: Kindlein liebt euch ! wobei ich wohl hoffen darf, daß dieses Wort meinen Zeitgenossen nicht so seltsam vorkommen werde als den Schülern des Evangelisten, die ganz andere höhere Offenbarungen erwarteten.» Das steht in einem Brief von 1828, und Goethe war damals 79 Jahre alt, aber es ist zu zeigen, daß dieses Wort des Johannisevangeliums, auf das er hier seine Idee der Weltliteratur begründete, sein Leben lang schon sein eigenes Bekenntnis war, und daß sein Christentum sich überhaupt in dieses Wort zusammenfassen läßt. Denn nicht nur, daß er 1816 bereits an seinen Freund, den Musiker Zelter schrieb: « Leugnen will ich nicht, daß ich einsehe, am Rhein und Main die paar Sommer gut gewirkt zu haben, denn ich habe ja nur das Testament Johannis gepredigt: Kindlein liebt euch, und wenn das nicht gehen will, laßt wenigstens einander gelten.» Schon als ein junger Mensch, schon 1786 hatte er an Herder im Anschluß an ein Bekenntnis zu Spinoza geschrieben: « Aus allem diesem folgt, daß ich auch das Testament Johannis aber und abermal empfehle, dessen Inhalt Mosen und die Propheten, Evangelisten und Apostel begreift: Kindlein liebt euch.» Mit diesem Bekenntnis, daß sich das Christentum in dieses eine Wort des Johannes zusammenfassen lasse, steht Goethe als der Sohn des 18. Jahrhunderts da. So hatte es auch Lessing verkündigt, und es lag auch Herders « Ideen zur Philosophie der Geschichte der Menschheit » als Leitmotiv zugrunde. Wenn in diesem Werke Herders dargestellt wird, wie sich im Laufe der Jahrhunderte der « Allgemeingeist Europas », ein « gemeinschaftlich wirkendes Europa » allmählich entwickelte, und die « verstärkte gemeinschaftliche Tätigkeit der Völker » ihren unaufhaltbaren Gang fortgehe, so wird die Nähe der Goetheschen Weltliteraturidee zu Herders Humanitätsidee spürbar. Als ein Denkmal Herders, des Verkündigers der Humanität, der in gemeinsamer Tätigkeit sich zur Reinheit ihrer eingeborenen Idee entwickelnden Menschheit, ist Goethes

episches Fragment « Die Geheimnisse » (1784) entstanden, von dem
Goethe selbst in späteren Jahren einmal diese Deutung gegeben hat:
Der Leser sollte durch eine Art von ideellem Montserrat geführt werden und, nachdem er durch die verschiedenen Regionen der Berg-,
Felsen- und Klippenhohen seinen Weg genommen, gelegentlich wieder
auf weite und glückliche Ebenen gelangen. Einen jeden der Ritter-
mönche würde man in seiner Wohnung besucht und durch Anschauung klimatischer und nationaler Verschiedenheiten erfahren haben,
daß die trefflichsten Männer von allen Enden der Erde sich hier ver-
sammeln mögen, wo jeder von ihnen Gott auf seine eigenste Weise im
Stillen verehre. Der mit Bruder Marcus herumwandelnde Leser oder
Zuhörer wäre gewahr geworden, daß die verschiedensten Denk- und
Empfindungsweisen, welche in dem Menschen durch Atmosphäre,
Landstrich, Völkerschaft, Bedürfnis, Gewohnheit entwickelt oder ihm
eingedrückt werden, sich hier am Orte in ausgezeichneten Individuen
darzustellen und die Begier nach höchster Ausbildung, obgleich einzeln unvollkommen, durch Zusammenleben würdig auszusprechen berufen seien. Damit dieses aber möglich werde, haben sie sich um einen
Mann versammelt, der den Namen Humanus führt, wozu sie sich nicht
entschlossen hätten, ohne sämtlich eine Ähnlichkeit, eine Annäherung
zu ihm zu fühlen. Aus der Geschichte seines Lebens würde sich gefunden haben, daß jede besondere Religion einen Moment ihrer höchsten Blüte und Frucht erreicht, worin sie jenem obern Führer und
Vermittler sich angenaht, ja sich mit ihm vollkommen vereinigt. Diese
Epochen sollten in jenen zwölf Repräsentanten verkörpert und fixiert
erscheinen, so daß man jede Anerkennung Gottes und der Tugend,sie
zeige sich auch in noch so wunderbarer Gestalt, doch immer aller
Ehren, aller Liebe würdig müßte gefunden haben. — Man mache nun
einmal den Versuch und setze für die Repräsentanten der verschiedenen
Religionen, die alle durch den einen Vermittler Humanus, durch die
eine Idee der Humanität miteinander verbunden sind und zusammen
in einem Geiste leben und wirken, die Repräsentanten der verschiedenen
Literaturen, welche durch die zwischen ihnen allen vermittelnde Weltliteratur zu einem Ziele, der Entwicklung der Humanität zusammenwirken: es ist zwanglos möglich, was darauf hinweist, wie früh schon
die ideellen Grundlagen der Weltliteraturidee gelegt waren, wie sie
sich aus der Religion der Humanität entwickelte.
Wenn es aber offensichtlich ist, daß auf den « ideellen Montserrat »
das Bild und die Idee des Freimaurerordens eingewirkt hat, so ist also

auch daran zu denken, daß Goethe schon 1780 in die Loge aufgenommen und, nachdem sie 1808 aus ihrem Schlummer zu neuem Leben erwacht war, ein tätig wirkendes Glied in ihr wurde. Wie Goethe die Aufgabe des Ordens ansah — womit er ihm zusammen mit Herder erst einen lebendigen Geist einhauchte —, das geht aus seinen Logenliedern und seinen Gedächtnisreden auf verstorbene Brüder hervor: Es ist ein Bund, der die Lebenden zu vereintem Wirken und wechselseitigem Aufeinanderwirken im Dienste des höchsten Zieles, der Entwicklung der Humanität aufruft; er ist die alles umschlingende, aus lebenden Elementen geflochtene Kette, in der sich der einzelne Mensch nur als tätig dienendes Glied einordnet und sein Glück nicht in seiner Besonderheit, sondern entsagend in der Ganzheit findet. Friedrich von Müller hat zur Feier der fünfzigsten Wiederkehr des Jahrestages von Goethes Eintritt in die Loge ihm bezeugt, daß niemand den Zweck des Ordens: Verbreitung einer menschlichen Gesinnung, harmonische Entfaltung und Veredlung geistiger Kräfte, mit einem Worte: Humanität erfolgreicher gefördert habe als er. Er suchte stets in diesem Bunde die einzelnen Kräfte auf ein harmonisches Zusammenwirken, auf ein gemeinsam Erreichbares hinzuleiten. Die ganze Richtung seines Sinnes und Gemütes, so heißt es dann in Müllers Logenrede zur Totenfeier Goethes, machte ihn zum Freimaurer. Der Begriff, daß große und edle Zwecke nur durch ein treues Zusammenwirken vieler Gleichgesinnter erreicht werden könne, war ihm eigentümlich und ging aus seiner vollsten Überzeugung, aus seinen tiefen Studien der Geschichte und der Natur hervor. Er wußte nach seinen eigenen Worten: daß die Menschheit zusammen erst der wahre Mensch ist, und daß der einzelne nur froh und glücklich sein kann, wenn er den Mut hat, sich im Ganzen zu fühlen.

Es ist ganz klar, wie auch von diesem weltbürgerlichen Orden aus der Weg zur Weltliteratur sich auftut, die durch das Zusammen- und Aufeinanderwirken der lebenden Dichter und Schriftsteller aller Nationen die Entwicklung der Humanität befördern will. Sie ist ein Weltbund der Literaturen.

Die Quellen der Goetheschen Weltliteraturidee sind dargelegt. Es waren die rollende Zeit, das Tempo und die Leichtigkeit des modernen Verkehrs zwischen den Völkern, ihr Verständigungs- und Friedensbedürfnis nach den Napoleonischen Kriegen, der übersteigerte Nationalismus der Romantik, das europäische Chaos und nicht zuletzt das Christentum als die Religion der Humanität, wie das 18. Jahrhundert es verstanden hatte. Aber alle Quellen, wie sie in Zeit und Volk und Überlieferung fließen, führen doch schließlich in die innerste der Quellen zurück, ohne die all jene anderen doch vergeblich geflossen wären: in den inneren Raum der Goetheschen Natur. Die Idee der Weltliteratur ist als die reife Frucht des Goetheschen Wesens überhaupt entstanden. Schiller erklärt einmal, daß Goethe der «kommunikabelste aller Menschen» gewesen sei, und diese Charakteristik bestätigt sich denn auch durch alles, was man von Goethe weiß. Kein Mensch war so wie er auf Mitteilung, Teilnahme und Empfängnis angewiesen. «Teilnahme» ist ein im Goetheschen Sprachgebrauch auffallend häufig zu findendes Wort. Er verdankte diesem innersten Bedürfnis seine eigene Bildung, und die Welt verdankt ihre Bildung, soweit sie sich von Goethe bilden ließ, dieser Goetheschen Kommunikabilität. «Es ist nicht gut, daß der Mensch allein sei, und besonders nicht, daß er allein arbeite; vielmehr bedarf er der Teilnahme und Anregung, wenn etwas gelingen soll.» Dieses Goethesche Wort war ein Losungswort Goethes zu allen Zeiten seines Lebens; er hat in ihm seine eigenste Erfahrung formuliert. Dieses Bedürfnis war dermaßen tief in seiner innersten Natur verwurzelt, daß er sogar, wie er in «Dichtung und Wahrheit» erzählt, das Selbstgespräch zum Zwiegespräch umbilden mußte, das einsame Denken zur geselligen Unterhaltung wandelte, indem er nämlich, wenn er sich allein sah, irgendeine Person seiner Bekanntschaft im Geiste zu sich rief, mochte sie noch so weit in der Welt entfernt leben, und seine Gedanken sich im geistig vorgestellten Gespräch mit ihr entwickelte. Der ungeheure Briefwechsel Goethes ist nur ein sichtbar werdendes Symptom dieses innersten Bedürfnisses. Ja, seine Dichtung war, wie er es selber oft bezeugt, ein Drang, sich seinen Freunden mitzuteilen, sich zu offenbaren, zu bekennen und über alle Fernen hin Brücken zu ihnen zu schlagen. Aber eigentlich, so sagte Goethe einmal, ist der Mensch nur berufen, in der Gegenwart zu wirken. Schreiben ist ein Mißbrauch der Sprache, still für sich zu lesen ein trauriges Surrogat der Rede. Der Mensch wirkt alles, was er vermag, auf den Menschen durch seine Persönlichkeit, und hier entspringen auch die reinsten und belebendsten Wirkungen. Was Goethe dem lebendigen Gespräch von Mensch zu Mensch verdankte, wie er besonders bei seinen naturwissenschaftlichen Arbeiten ohne den Gedanken- und Beobachtungsaustausch gar nicht auskommen konnte, wie er gewohnt war, mit Freunden zusammenzuarbeiten, das hat Goethe immer wieder privat und öffentlich bezeugt.

Als er etwa mit der Farbenlehre beschäftigt war, unterhielt er sich mit
Personen, denen solche Betrachtungen sonst fremd waren, von dem,
was ihn soeben interessierte, und sobald ihre Aufmerksamkeit nur
erregt war, bemerkten sie Phänomene, die er teils nicht gekannt, teils
übersehen hatte, und berichtigten dadurch gar oft eine zu voreilig
gefaßte Idee, ja, gaben ihm Anlaß, schnellere Schritte zu tun und aus
der Einschränkung herauszutreten, in welcher uns eine mühsame
Untersuchung oft gefangen hält. Es gilt also auch hier, was bei so vielen
andern menschlichen Unternehmungen gilt, daß nur das Interesse
mehrerer, auf einen Punkt gerichtet, etwas Vorzügliches hervorzubringen imstande ist. Als Herder seine Ideen zur Philosophie der
Geschichte der Menschheit schrieb, führte Goethe tägliche Gespräche
mit ihm, die nicht ohne gegenseitige Einwirkung und wechselseitigen
Nutzen blieben, indem ihr wissenschaftlicher Besitz durch solchen
Gedankenaustausch täglich geläutert und bereichert wurde. « Oft ist
ein Wort, eine Warnung, ein Beifall, ein Widerspruch zur rechten Zeit
fähig, Epoche in uns zu machen. » Der Segen des Gesprächs und der
gegenseitigen Mitteilung aber wurde ihm dann erst mit voller Kraft
in der Freundschaft mit Schiller zum Erlebnis, einer Freundschaft,
in der sie sich aneinander höher und höher bildeten, in wechselseitigem
Austausch ihre Ideen klärten und ihre produktive Kraft zu steigern
vermochten. Besonders ging es Goethe in diesem Verhältnis auf, daß
gerade die Wechselwirkung der allerverschiedensten, ja polar entgegengesetzten Geister die höchste Fruchtbarkeit besitzt. « Wir bilden uns
nicht », schrieb Goethe aus dieser Erfahrung heraus in der Einleitung
zu den « Propyläen », « wenn wir das, was in uns liegt, nur mit Leichtigkeit und Bequemlichkeit in Bewegung setzen. Jeder Künstler, wie
jeder Mensch, ist nur ein einzelnes Wesen und wird nur immer auf
Eine Seite hängen. Deswegen hat der Mensch auch das, was seiner
Natur entgegengesetzt ist, theoretisch und praktisch, insofern es ihm
möglich wird, in sich aufzunehmen. Der Leichte sehe nach Ernst und
Strenge sich um, der Strenge habe ein leichtes und bequemes Wesen
vor Augen, der Starke die Lieblichkeit, der Liebliche die Stärke, und
jeder wird seine eigene Natur nur desto mehr ausbilden, je mehr er sich
von ihr zu entfernen scheint. Jede Kunst verlangt den ganzen Menschen,
der höchstmögliche Grad derselben die ganze Menschheit. » Die Ergänzung also ist es, welche Goethe als den Segen einer solchen Beziehung
erlebte und erfuhr, wie sie zwischen ihm und Schiller bestand, die
Bildung zu menschlicher Ganzheit.

Aber noch etwas Anderes sprang als Frucht solcher Wechselwirkung und Zusammenarbeit heraus: Die Bildung zur Objektivität,
zur objektiven Gültigkeit des Urteils und der Idee. Denn indem ein
jeder Mensch von sich aus schicksalhaft in seiner Subjektivität befangen bleibt, kann nur durch Klärung, Reinigung und Läuterung in
wechselseitigem Ideenaustausch, ja auch im Streit die objektive Wahrheit sich ergeben. Denn auch der Streit ist Gemeinschaft, nicht Einsamkeit, und die Wissenschaften, wie alles, was ein echtes, reines
Fundament hat, gewinnen ebenso viel durch Streit als durch Einigkeit,
ja oft mehr. Wer bescheidet sich nicht gern, so steht in Goethes Einleitung zu den « Propyläen », daß reine Bemerkungen seltener sind,
als man glaubt? Wir vermischen so schnell unsere Empfindungen,
unsere Meinung, unser Urteil mit dem, was wir erfahren, daß wir in
dem ruhigen Zustande des Beobachters nicht lange verharren, sondern
bald Betrachtungen anstellen, auf die wir kein größeres Gewicht legen
dürfen, als insofern wir uns auf die Natur und Ausbildung unseres
Geistes einigermaßen verlassen möchten. Was uns hierin eine stärkere
Zuversicht zu geben vermag, ist die Harmonie, in der wir mit mehreren
stehen, ist die Erfahrung, daß wir nicht allein, sondern gemeinschaftlich denken und wirken. Die zweifelhafte Sorge, unsere Vorstellungsart möchte uns nur allein angehören, die uns so oft überfällt, wenn
andere gerade das Gegenteil von unserer Überzeugung aussprechen,
wird erst gemildert, ja aufgehoben, wenn wir uns in mehreren wiederfinden; dann fahren wir erst mit Sicherheit fort, uns in dem Besitze
solcher Grundsätze zu erfreuen, die eine lange Erfahrung uns und
andern nach und nach bewährt hat. Wenn mehrere vereint auf diese
Weise zusammenleben, daß sie sich Freunde nennen dürfen, indem sie
ein gleiches Interesse haben, sich fortschreitend auszubilden, und auf
nahverwandte Zwecke losgehen, dann werden sie gewiß sein, daß sie
sich auf den vielfachsten Wegen wieder begegnen, und daß selbst eine
Richtung, die sie voneinander zu entfernen schien, sie doch bald wieder
glücklich zusammenführen wird. Das war es, was Goethe damals,
als er für die « Propyläen » mit dem Schweizer Freunde Heinrich Meyer
und mit Schiller in allerlebendigstem Gedankenaustausch über Natur
und Kunst zusammenarbeitete, so segensreich erfuhr. Die drei Freunde
hatten sich so zusammen und ineinander gesprochen, daß bei den verschiedensten Richtungen ihrer Naturen keine Diskrepanz mehr möglich war, sondern die gemeinschaftliche Arbeit nur desto mannigfaltiger
werden konnte. In der Form von Gesprächen, als Zeugnis solch har-

monischer Zusammenwirkung, hat Goethe denn auch öffentlich in seinen « Propyläen » die Ideen über Natur und Kunst entwickelt, so wie sie wirklich als Früchte kollektiver Arbeit bei den Weimaraner Freunden herangereift waren, so wie überhaupt das Gespräch eine literarische Lieblingsform Goethes war und blieb, womit er sich auch als Jünger Platos bekannte. Wo aber das persönliche Gespräch und der lebendige Umgang nicht möglich ist, muß das Gespräch in die Ferne, der Briefwechsel an seine Stelle treten, und es ist ja bekannt, welch ungeheuren Briefverkehr Goethe gepflegt hat, nicht nur mit Freunden, sondern besonders auch mit Naturwissenschaftlern aller Nationen. Sind uns schon, so steht in den naturwissenschaftlichen Schriften Goethes, natürliche, aufmerksame Menschen so viel zu nützen imstande, wie allgemeiner muß der Nutzen sein, wenn unterrichtete Menschen einander in die Hände arbeiten. Schon ist eine Wissenschaft an und für sich selbst eine so große Masse, daß sie viele Menschen trägt, wenn sie gleich kein Mensch tragen kann. Es läßt sich bemerken, daß die Kenntnisse gleichsam wie ein eingeschlossenes, aber lebendiges Wasser sich nach und nach zu einem gewissen Niveau erheben, das die schönsten Entdeckungen nicht so wohl durch Menschen als durch die Zeit gemacht werden, wie denn eben sehr wichtige Dinge zugleich von zweien oder wohl gar mehreren geübten Denkern gemacht werden. Wenn also wir in jenem ersten Fall der Gesellschaft und den Freunden so vieles schuldig sind, so werden wir in diesem der Welt und dem Jahrhundert noch mehr schuldig, und wir können in beiden Fällen nicht genug anerkennen, wie nötig Mitteilung, Beihilfe, Erinnerung und Widerspruch sei, um uns auf dem rechten Weg zu erhalten und vorwärtszubringen. Daher hielt Goethe es in wissenschaftlichen Dingen schon für nützlich, jede einzelne Erfahrung, ja Vermutung öffentlich mitzuteilen und ein wissenschaftliches Gebäude nicht eher aufzuführen, bis der Plan dazu und die Materialien allgemein bekannt, beurteilt und ausgewählt sind. Etwas anders ist es natürlich mit der Kunst, und man hat daher in wissenschaftlichen Dingen gerade das Gegenteil von dem zu tun, was der Künstler nötig findet: Denn er tut wohl, sein Kunstwerk nicht öffentlich sehen zu lassen, bis es vollendet ist, weil ihm nicht leicht jemand raten noch Beistand leisten kann. Es war ganz gegen Goethes Natur, über das, was er von poetischen Plänen vorhatte, mit irgend jemand zu reden. Er trug alles still mit sich herum, und niemand erfuhr in der Regel etwas, als bis es vollendet war. Auf dem Gebiete der Kunst setzt die fruchtbar fördernde Zusammenarbeit

mit der Welt dann ein, wenn das Kunstwerk an die Öffentlichkeit
getreten ist. Denn das Echo, das es findet, ist für den Künstler von
großer Bedeutung. Er hat alsdann den Tadel oder das Lob zu überlegen
und zu beherzigen, solches mit seiner Erfahrung zu vereinigen und sich
dadurch zu einem neuen Werke auszubilden und vorzubereiten.

In einem tieferen Sinne hat Goethe sogar zwischen Künsten und Wissenschaften kaum einen Unterschied in dieser Hinsicht gelten lassen.
Sie beide können der Geselligkeit nicht entbehren. Es scheint wohl,
als bedürfe der Dichter nur seiner selbst und horche am sichersten in
der Einsamkeit auf die Eingebung der Musen; man überredet sich
manchmal, als seien die trefflichsten Werke dieser Art von einsamen
Menschen hervorgebracht worden. Aber das alles ist nur ein Selbst-
betrug. Denn was wären Dichter und bildende Künstler, wenn sie nicht
die Werke aller Jahrhunderte und aller Nationen vor sich hätten, unter
welchen sie, wie in der auserlesensten Gesellschaft, ihr Leben hinbringen
und sich bemühen, dieses Kreises würdig zu werden. Was kommen für
Werke zum Vorschein, wenn der Künstler nicht das edelste Publikum
kennt und immer vor Augen hat. Wie anfeuernd war bei den alten
Griechen der edle Wetteifer, der Wettkampf, der einen jeden nötigt,
mit der äußersten Anstrengung das zu leisten, dessen unsere Natur
fähig ist. Der Wunsch nach Beifall, welchen der Schriftsteller fühlt,
ist ein Trieb, den ihm die Natur eingepflanzt hat, um ihn zu etwas
Höherem anzulocken. So wenig er auch bestimmt sein mag, andere
zu belehren, so wünscht er doch, sich denen mitzuteilen, die er sich
gleichgesinnt weiß, deren Anzahl aber in der Breite der Welt zerstreut
ist. Er wünscht sein Verhältnis zu den ältesten Freunden wieder anzuknüpfen, mit neuen es fortzusetzen und in der letzten Generation
sich wieder andere für seine übrige Lebenszeit zu gewinnen. Er wünscht
der Jugend die Umwege zu ersparen, auf denen er sich selbst verirrte,
und, indem er die Urteile der gegenwärtigen Zeit bemerkt und nützt,
das Andenken früherer Bemühungen zu erhalten.

An dieser Stelle ist einer Goetheschen Eigenschaft zu gedenken, ohne
die seine Persönlichkeit und seine Tätigkeit, besonders die wissenschaftliche, gar nicht zu verstehen ist, nämlich der Dankbarkeit.
Goethe selbst hat ganz offen bekannt, daß er wohl von Natur so wenig
dankbar sei als irgendein Mensch, daß man aber die Dankbarkeit durch
Selbsterziehung und Gewohnheit in sich ausbilden, lebendig halten
und zum Bedürfnis machen könne, und dieses habe er getan, so daß er
bei allem, was er besitze, sich immer erinnere, wie er dazu gelangt sei

und von wem er es erhalten habe. Er wußte genau, wem er etwas
schuldig geworden war, und es war ihm Bedürfnis und Freude, seinen
Dank dafür auch öffentlich abzustatten. Wenn man besonders seine
naturwissenschaftlichen Schriften liest, aber auch seine selbstbiographischen, so wird man auf Schritt und Tritt dieser dankbaren Erinnerung an Geister der Vergangenheit, weit mehr aber noch an die mit ihm
lebenden Zeitgenossen, ob ältere, gleichaltrige oder jüngere, begegnen,
denen er irgend etwas für seine eigene Bildung und Bereicherung zu
danken hatte, durch die er sich in irgendeiner Hinsicht gefördert
fühlte. Diese Dankbarkeit ruhte zutiefst auf der Goetheschen Weltoffenheit und seiner immer bereiten Bildsamkeit, die ihm bis in sein
höchstes Alter eigen blieb, und die sich ihm zu der klaren Erkenntnis
verdichtete, daß jeder Mensch, auch der größte und schöpferischste,
als ein kollektives Wesen zu verstehen sei. So wie der Mensch geboren
wird, fängt die Welt an auf ihn zu wirken, und das geht so fort bis
ans Ende. Wir bringen wohl Fähigkeiten mit, aber unsere Entwicklung
verdanken wir tausend Einwirkungen einer großen Welt, Natur und
Kunst und Wissenschaft und Gesellschaft, aus der wir uns aneignen,
was wir können, und was unserem Wesen gemäß ist. Wir müssen alle
empfangen und lernen, sowohl von denen, die vor uns waren, als von
denen, die mit uns sind. Selbst das größte Genie würde nicht weit
kommen, wenn es alles nur sich selbst verdanken wollte. Originalität
ist nur ein verführerischer und irreleitender Traum. Ja, Goethe erklärte
einmal, wenn ein Künstler, der sich für ein Original hält, nur an den
Wänden des Goetheschen Zimmers vorüberginge und auf die Hand-
zeichnungen der großen Meister, die dort hingen, nur flüchtige Blicke
würfe, er müßte, wenn er überhaupt Genie hätte, als ein Anderer
und Höherer von dannen gehen. Er selbst verdanke den Griechen,
den Franzosen und Engländern Unendliches, aber damit seien die
Quellen seiner Kultur noch keineswegs erschöpft, und es würde ins
Grenzenlose gehen, sie alle zu nennen. Worauf es ankomme und was
man wirklich sein Eigentum nennen könne, sei die Energie und der
Wille, sei die Seele, die das Wahre liebt und es aufnimmt, wo sie es
findet, sei die Kraft und die Neigung, die Bildungsmittel der Welt an
uns heranzuziehen und unsern höheren Zwecken dienstbar zu machen,
zu sehen und zu hören, zu unterscheiden und zu wählen, und was man
empfing, mit eigenem Geiste zu beleben und zur Einheit zu gestalten.
Was der Mensch auch von außen empfange, schade seiner eingeborenen
Individualität nichts, tue seiner eigentlichen Grundbestimmung, dem-

jenigen, was man Charakter nennt, nicht den mindesten Eintrag, sondern stärke und erhebe ihn vielmehr. Denn nicht allein das, was mit uns geboren ist, sondern auch das, was wir erwerben können, gehört uns an, und wir sind es. Es wird nun klar sein, warum Schiller von Goethe sagen konnte, daß er der kommunikabelste aller Menschen sei.

Wenn man nun aber die äußere Situation, den ganzen Lebensraum sich vergegenwärtigt, in welchem Goethe mit solcher Empfängnisfähigkeit und solchem Empfängnisbedürfnis und auch mit solchem Mitteilungs- und Echobedürfnis zu leben verurteilt war, so kommt einem die ganze Tragik des Goetheschen Daseins zum Bewußtsein. Denn wie wenig Möglichkeiten waren ihm gegeben, diesem innersten Drang genug zu tun. Gewiß, er hatte Freunde und Gesinnungsgenossen, mit denen er in fruchtbarem Gedankenaustausch, in gegenseitiger Wechselwirkung aufeinander leben konnte, Herder und Schiller, Graf Reinhard, Wilhelm von Humboldt, Heinrich Meyer und Zelter und manche andere noch. Er konnte Gespräche mit ihnen führen und Briefe mit ihnen tauschen. Aber es waren doch nur einzelne Glücksfälle in seinem Leben, und er fühlte schmerzlich, wie schwer und einsam doch sein Bildungsweg ging, und welche Möglichkeiten zu gemeinsamer Arbeit mit seinen deutschen Zeitgenossen ihm verschlossen blieben. Es ist geradezu erschreckend, von ihm zu hören, daß der Wilhelm Meister belege, « in welcher entsetzlichen Einsamkeit er verfaßt worden, bei seinem stets aufs Allgemeinste gerichteten Streben », und wie sein Werther, ja überhaupt seine ganze Dichtung dadurch zu verstehen sei, daß er durch den völligen Mangel eines deutschen Gemeinschaftslebens in sich selbst hinein getrieben worden sei und alles nur aus sich habe schöpfen müssen. Der schmerzliche Hinweis auf die Einsamkeit seines Weges findet sich bei ihm von seiner Jugend bis in sein spätes Alter, und er ging immer wieder den Gründen solcher Einsamkeit nach, in der nicht nur er, sondern der deutsche Dichter überhaupt leben mußte. Er fand sie darin, daß es keine gemeinsame, feste und bindende Tradition gab, die er organisch hätte fortbilden können, keine geistige Übereinstimmung und Einheit der Nation. Es gab nirgends einen Mittelpunkt gesellschaftlicher Lebensbildung, wo sich die Schriftsteller zusammenfinden und in einer Art, in einem Sinne und in gegenseitiger Berührung sich ausbilden könnten, so wie ihn Frankreich in Paris besaß. Alles war dezentralisiert und anarchisch. In den Horen von 1795 steht ein Aufsatz Goethes: « Literarischer Sansculottismus », in welchem er ein Bild dieses Zustandes entwirft und die trostlosen

Umstände darlegt, unter denen die besten deutschen Schriftsteller
arbeiten mußten. Ein klassischer Nationalautor kann nach Goethe
nur entstehen, wenn er eine bindende Tradition, eine geistige Übereinstimmung, eine hohe und einheitliche Gesamtkultur seines Volkes
vorfindet, so daß ihm seine eigene Bildung leicht wird. Eine solche
Kultur aber gab es nicht, und so auch keine Gelegenheit, ihr die Eigenheiten seines originellen Genius zu unterwerfen. Zerstreut geboren,
höchst verschieden erzogen, meist nur sich selbst und den Eindrücken
ganz verschiedener Verhältnisse überlassen, mußte jeder deutsche
Schriftsteller seinen einsamen Weg gehen und ohne Hilfe und Teilnahme sich auszubilden versuchen, so gut es ihm möglich war. Goethe
aber schaute noch tiefer und kam zu der Erkenntnis, daß dies keineswegs etwa nur an der äußeren, politischen und sozialen Zersplitterung
Deutschlands liege, sondern daß diese erst eine Folge des deutschen
Nationalcharakters sei, und daß der deutsche Dichter und Wissenschaftler es im Grunde gar nicht anders wolle. Denn jeder von ihnen
will ein Original sein, unabhängig von den Bemühungen seiner Vorfahren und Zeitgenossen. Er will keinen gebahnten Weg gehen, sondern
sich seinen eigenen suchen. Jeder will nur sich selbst mit all seiner
Eigenheit zum Ausdruck bringen, jeder seine eigene Sprache sprechen,
jeder von vorn beginnen, als hätte es vor ihm noch nichts gegeben,
als gäbe es nichts neben ihm. Das nennt er die persönliche Freiheit,
die ihm auf allen Gebieten, in Religion und Kunst und Wissenschaft
als das begehrenswerteste Gut erscheint. Niemand ist zu gemeinsamer
Arbeit bereit, ja nicht einmal zur Anerkennung fremden Verdienstes.
Jeder steht dem anderen im Wege, und wie der deutsche Schriftsteller
sich von keiner Gesellschaft tragen läßt, so will er auch gar nicht zu
einer Gesellschaft, einem Publikum sprechen, zufrieden, wenn er sich
selbst genug getan hat. Die deutsche Poesie ist die Poesie einer ver-
zettelten Nation oder, wenn man es glimpflicher ausdrücken will,
« Poesie von Individuen zu Individuen ». « Ich sehe », schreibt Goethe
einmal, « so viel Jahre als ein Mitarbeitender zurück und beobachte,
wie sich wo nicht aus widerstreitenden doch heterogenen Elementen
eine deutsche Literatur zusammenstellt, die eigentlich nur dadurch
Eines wird, daß sie in einer Sprache verfaßt ist, welche aus ganz verschiedenen Anlagen und Talenten, Sinnen und Tun, Urteilen und
Beginnen nach und nach das Innere des Volks zu Tage fördert. » Goethe
verkannte natürlich nicht, daß diese Eigenheit auf einem Vorzug beruht,
den die Nation besitzt und dessen sie sich wohl rühmen darf, daß

nämlich vielleicht in keiner anderen so viel vorzügliche Individuen geboren werden und neben einander existieren. Er stimmte auch durchaus dem französischen Schriftsteller Guizot darin zu, daß es die Tat der Germanen gewesen sei, den Völkern die Idee der persönlichen Freiheit gebracht zu haben. Aber die babylonische Verwirrung, welche durch die Übertreibung des deutschen Individualismus entstand, die Einsamkeit und Isolierung der deutschen Schriftsteller, die es zu keiner deutschen Gesamtkultur kommen ließ, schien ihm doch der wesentlichste Schaden des deutschen Geisteslebens zu sein und ein schweres Schicksal für den, der nach geistiger Gemeinschaft verlangt. Goethe hat diesem deutschen Bilde denn auch immer das Gegenbild Frankreichs als ein Vorbild gegenübergestellt, dieser von Natur geselligen Nation, die sich in ihrer Hauptstadt einen Mittelpunkt des geistigen Lebens geschaffen hat, in welchem die Dichter, Schriftsteller, Künstler und Gelehrten, von einem Sinne durchdrungen, sich in gemeinsamer Arbeit, in persönlichem Verkehr, in fruchtbarstem Gedankenaustausch, in wechselseitiger Bildung und spornendem Wetteifer gegenseitig in ihren Leistungen steigern. Er hat das hohe Niveau der französischen Gesamtkultur, wenn sie auch nicht so viele und große Individuen besitzt, auf diese gesellige Zusammenarbeit der Zeitgenossen und auf ihre Bindung an eine gemeinsame Tradition zurückgeführt. Das ewige und höchste Vorbild aber blieb ihm doch das antike Griechenland, in welchem die Höhe der allgemeinen Volkskultur sich mit der Fülle und Größe der Persönlichkeiten harmonisch zusammenfand, und der durchgehende, einheitliche Charakter ihrer Literatur und Kunst den Genien keinen Abbruch tat. Man wird es nun verstehen, warum die Goethesche Situation in seinem Volk und seiner Zeit eine wahrhaft tragische zu nennen ist, und daß, wenn Goethe bei jeder Gelegenheit auf die Fruchtbarkeit und den Segen gemeinschaftlicher Arbeit hinwies und immer wieder auf die Schwere seines eigenen, einsamen Weges aufmerksam machte, er damit zum Mahner und Erzieher seines Volkes werden wollte. Er glaubte ihm etwa den größten Dienst zu leisten, wenn er in seinem selbstbiographischen Werk « Dichtung und Wahrheit » zeigte, wie immer in Deutschland eine Folgezeit die vorhergehende zu verdrängen und aufzuheben suchte, anstatt ihr für Anregung, Mitteilung und Überlieferung zu danken.
Aber mit Mahnung, Hinweis, Bekenntnis war seine Sendung nicht erschöpft. Er ging an die Verwirklichung, indem er aus seinem Weimaraner Kreis ein Vorbild deutscher Geselligkeit zu schaffen versuchte,

das um ihn selbst als Mittelpunkt kreiste. Es hatte gewiß schon vorher
in der deutschen Literatur- und Kulturgeschichte Versuche zu Kreisbildungen gegeben, und Goethe selbst hat in seinen Tag- und Jahresheften ihrer mit Anerkennung gedacht, ja auch wohl zugegeben, daß
überhaupt dem besten Teil der Nation im 18. Jahrhundert schon ein
Licht aufgegangen war, daß es so nicht weiter gehen könne. Sehr viele
waren zugleich von demselben Geist ergriffen, sie erkannten die gegenseitigen Verdienste, sie achteten einander, fühlten das Bedürfnis, sich
zu verbinden, sie suchten, liebten sich, und dennoch konnte keine
Einigung entstehen, weil das allgemeine Interesse zu vage und unbestimmt war und es an Richtung fehlte. Daher zerfiel der große,
unsichtbare Kreis in kleinere, meist lokale, die wohl manches hervor-
brachten, aber eigentlich isolierten sich die bedeutenden Geister dadurch immer mehr und mehr. Solche geistig-literarischen Kreise bildeten sich etwa, ohne persönlich gegenwärtige Berührung, einfach durch
gemeinsame Verehrung, um Klopstock und um Wieland, während es
um Herder oder Gleim, und um den jungen Goethe selbst in Straßburg,
Darmstadt, Wetzlar, Frankfurt, zu persönlich leibhaften Gemein-
schaften kam, und so hatten sich nach Goethes Ausdruck « kleine Welt-
systeme » gebildet. Aber sie hatten, wie gesagt, keinen Zusammenhang
untereinander und verstärkten damit die Isolierung eher mehr, als daß
sie aus ihr heraushalfen. Da sollte nun Weimar eine Keimzelle deutscher
Geistesgemeinschaft werden, ein Mittelpunkt, dessen Kreis, zuerst
begrenzt, sich weiter und weiter ausdehnen sollte. Man macht sich
von Weimar kein richtiges Bild, wenn man dies nicht sieht, daß hier
ein höchst bewußter, ja ein organisatorischer Geist am Werke war,
das Vorbild deutscher Geselligkeit zu schaffen. Goethe hat 1791 in
Weimar eine Freitagsgesellschaft gegründet, deren einziger Zweck es
war, daß ihre Mitglieder sich von dem Mitteilung machten, was jeden
gerade beschäftigte, es besprachen und beurteilten und im Gedankenaustausch klärten und förderten, ob es sich nun um Kunst oder Wissenschaft handelte. Das Thema der Rede, mit der Goethe diese Gesellschaft
eröffnete, war die Notwendigkeit und der Segen der geselligen Zusammenarbeit in Wissenschaft und Kunst. Als Schiller nach Weimar
gekommen war, bildete sich eine neue Gesellschaft, für deren regel-
mäßige Zusammenkünfte Goethe und Schiller nach dem Vorbild der
antiken Skolien « gesellige Lieder » dichteten, die gemeinsam gesungen
wurden und alle Mächte feierten, welche die Menschen zur Gemeinschaft
binden können. Aber die Weimaraner gingen auch schon über ihren

Zirkel hinaus und suchten für ihre geselligen Bestrebungen einen weiteren Kreis zu gewinnen, ja, die deutschen Künstler überhaupt und
das deutsche Publikum zu solcher Gemeinschaft zu erziehen. Die Vereinigung der Weimarischen Kunstfreunde, die von Goethe, Schiller
und dem Schweizer Heinrich Meyer gebildet wurde, stellte jährlich
Preisaufgaben für die bildenden KünstlerDeutschlands: einen gleichen
Gegenstand — meist aus der griechischen Mythologie — darzustellen,
um dadurch die zerstreuten Künstler in edlem Wettkampf zu e i n e m
Zweck zu vereinigen und ihrer Isolierung zu entreißen, und auch für
die beste Komödie wurde ein Preis ausgesetzt. Für die «Horen» suchte
Schiller die verdienstvollsten Geister Deutschlands als Mitarbeiter zu
einem fortlaufenden Werke zu gewinnen, so daß er sich in der Ankündigung nur als Sprecher der achtungswürdigen Gesellschaft bezeichnete, die sich zur Herausgabe dieser Schrift vereinigt hat. Da sich aber,
so heißt es weiter, «die hier erwähnte Sozietät keineswegs als geschlossen
betrachtet, so wird jedem deutschen Schriftsteller, der sich den notwendig gefundenen Bedingungen des Instituts zu unterwerfen geneigt
ist, zu jeder Zeit die Teilnahme daran offen stehen». In den «Propyläen»
schuf dann Goethe das erzieherische Denkmal geistiger Zusammenarbeit, indem die Veröffentlichungen dieser Zeitschrift, die sich denn
auch gern in der Form des Gesprächs gaben, ausdrücklich als Bemerkungen und Betrachtungen harmonisch verbundener Freunde über
Natur und Kunst, als Resultate des Ideenaustauschs von geistigen
Genossen hervortraten, die sich gemeinsam zu Künsten und Wissenschaften auszubilden strebten. «Bei Künsten und Wissenschaften
aber», so heißt es in Goethes Einleitung zu den «Propyläen», «ist
nicht allein eine solche engere Verbindung, sondern auch das Verhältnis zu dem Publikum ebenso günstig, als es ein Bedürfnis wird. Was
man irgend Allgemeines denkt oder leistet, gehört der Welt an,
und das, was sie von den Bemühungen der Einzelnen nutzen kann,
bringt sie auch selbst zur Reife.» Die «Propyläen» wollten also den
Weimaraner Kreis mit dem deutschen Lesepublikum in Verbindung
bringen und dessen so zerteiltes Interesse durch den gemeinsamen
Anteil an solchen vereinten Bestrebungen der Weimaraner sammeln
und konzentrieren. Wo dann in Zukunft Goethe auch in anderen
Städten Deutschlands ähnliche Kreisbildungen zu wissenschaftlichen
oder künstlerischen Zwecken bemerkte, wie sie sich wirklich nach dem
Vorbild Weimars bildeten, etwa die Gesellschaft von Kunstfreunden
in Frankfurt, aber auch weit über die Grenzen Deutschlands hinaus

in den europäischen Ländern und auch über Europa hinaus, da setzte
er sich mit ihnen in Beziehung und regte Gedanken- und Schriften-
austausch an. « Dem Freunde der Wissenschaften », so schrieb er einmal nach Batavia, « kann nichts erfreulicher sein, als daß sich überall
in der weiten Welt Genossenschaften bilden, welche in ihrem Kreise
aufmerksam auf die unendlich mannigfaltige Natur, sich wieder mit
andern in Gemeinschaft setzen, welche an ihrer Stelle gleiche Pflichten
sich auferlegt haben. » So sollte gleichsam durch Berührung der verschiedenen Kreise allmählich ein einziger und immer wachsender
entstehen, so wie die Kreise auf einem Wasser bei gegenseitiger Berührung zu einem Kreis ineinander fließen. Indem aber der spätere
Goethe sich nicht nur mit deutschen, sondern mit europäischen, ja
auch mit außereuropäischen Gesellschaften der Kunst und Wissenschaft in Beziehung setzte, kann man sehen, wie er den deutschen
Geisteskreis allmählich zu einem Weltkreis zu erweitern und die
deutsche Literatur, die dichterische wie die wissenschaftliche, zu den
andern Literaturen Europas und der Welt in Beziehung zu setzen
suchte, wie also endlich sein ursprünglich in Weimar und für Weimar
begonnener Vereinigungsversuch in die Idee der Weltliteratur mün-
dete. Im letzten Jahrzehnt seines Lebens, 1823, durfte Goethe zu
einem fremden Gaste sagen, daß Weimar eine Gesellschaft besitze, die
den besten aller großen Städte gleichkomme. « Es gehen von dort die
Tore und Straßen nach allen Enden der Welt. » Aus diesen Worten
kann man entnehmen, daß der Weimarer Kreis, dieses kleine Weltsystem, zu einem allgemeinen gewachsen war. Wenn es zuerst ein
Kreis um Goethe war, ausstrahlend aus dem innersten Kern der Goetheschen Natur, seiner Kommunikabilität, so hatte sich der Kreis organisch weiter und weiter ausgedehnt, ohne etwa das eine, immer gleiche
Zentrum, Goethe, zu verlieren, und was zuerst nur Weimaraner, dann
deutsche Literatur gewesen war, das endete in Weltliteratur. Ganz
kurz vor seinem Tode, 1831, hat Goethe einmal zur Feier der Ein-
weihung des Weimarischen Lesemuseums ein Promemoria verfaßt:
« Epochen geselliger Bildung », das dem Kanzler von Müller als Grundlage für ein Festgedicht oder eine Rede dienen sollte. Es lautet so:

I.

« In einer mehr oder weniger rohen Masse entstehen enge Kreise gebildeter Menschen; die Verhältnisse sind die intimsten, man vertraut

nur dem Freunde, man singt nur der Geliebten, alles hat ein häusliches Familienansehn. Die Zirkel schließen sich ab nach außen und müssen es tun, weil sie in dem rohen Elemente ihre Existenz zu sichern haben. Sie halten daher auch mit Vorliebe auf die Muttersprache, man nennte mit Recht diese Epoche

die idyllische.

II.

Die engen Kreise vermehren sich und dehnen sich zugleich weiter aus, die innere Zirkulation wird lebhafter, den fremden Sprachen verweigert man die Einwirkung nicht, die Kreise bleiben abgesondert, aber nähern sich und lassen einander gewähren. Ich würde diese Epoche nennen

die soziale oder civische.

III.

Endlich vermehren sich die Kreise und dehnen sich von innen immer weiter aus, dergestalt, daß sie sich berühren und ein Verschmelzen vorbereiten. Sie begreifen, daß ihre Wünsche, ihre Absichten dieselben sind, aber sie können die Scheidegrenzen nicht auflösen. Sie mag einstweilen heißen

die allgemeinere.

IV.

Daß sie aber universell werde, dazu gehört Glück und Gunst, deren wir uns gegenwärtig rühmen können. Denn da wir jene Epochen seit vielen Jahren treulich durchgefördert, so gehört ein höherer Einfluß dazu, das zu bewirken, was wir heute erleben: die Vereinigung aller gebildeten Kreise, die sich sonst nur berührten, die Anerkennung Eines Zwecks, die Überzeugung, wie notwendig es sei, sich von den Zuständen des augenblicklichen Weltlaufs im realen und idealen Sinne zu unterrichten. Alle fremden Literaturen setzen sich mit der einheimischen ins Gleiche, und wir bleiben im Weltumlaufe nicht zurück.»
So hat Goethe hier die gesamte Entwicklung, die er selbst nicht nur miterlebt, sondern geführt und gefördert hatte, zusammengefaßt und als organisches Wachstum dargestellt. Der Weimaraner Kreis von einigen gleichstrebenden Geistesgenossen entwickelte sich und wuchs

zu einer geistigen Genossenschaft der europäischen Völker. Die literarische Zusammenarbeit der Weimaraner wurde zur kollektiven Arbeit
der europäischen Literaturen. Die harmonische Ergänzung, die so
polare Geister wie Goethe und Schiller durch wechselseitige Bildung
an sich erfahren hatten, wurde zur harmonischen Ergänzung Frankreichs durch Deutschland, Deutschlands durch Frankreich. Das persönliche Gespräch, der Gedankenaustausch zwischen den erlauchten
Geistern Weimars wurde zu einem Weltgespräch, einem Gedanken- und
Güteraustausch zwischen den Nationen. Denn nichts anderes ist ja die
Weltliteratur, die sich wirklich in Goethes späterer Lebenszeit entwickelte, und die nur die weltweite Ausdehnung jenes kleinen Kreises
um Goethe war. Denn Goethe blieb auch der Mittelpunkt, um den die
europäischen Literaturen kreisten, und Weimar wurde die geistige
Hauptstadt Europas. Die Schriftsteller aller Nationen bekannten sich
zu Goethe, verehrten ihn als ihren geistigen Vater, als Oberhaupt
des europäischen Geisteslebens, und Weimar war der Ort, nach dem
nicht nur Briefe und Widmungen der europäischen Autoren gingen,
sondern wohin sie auch persönlich pilgerten. Das Goethehaus in Weimar
wurde der sammelnde Raum, in dem sich Schriftsteller aller Nationen,
Frankreichs, Englands, Amerikas, Italiens, Skandinaviens, Rußlands,
Polens, begegneten. Das kleine Weltsystem, der Mikrokosmos Weimar,
war zum großen Weltsystem, zum Makrokosmos, geworden, in dem die
Planeten der geistigen Welt um den Fixstern, die Sonne Goethe,
kreisten.

Geschichte

Goethes Idee der Weltliteratur war keineswegs nur eine Forderung, die
er erhob, daß sie sich bilden solle, oder nur eine prophetische Schau,
daß sie sich bilden werde. Die Idee gestaltete sich vielmehr aus Goethes
Erlebnis und Erfahrung, daß sich wirklich eine Weltliteratur in seiner
Zeit zu bilden im Begriffe sei. Die Idee war im Grunde nur die Deutung
und Formulierung eines sehr realen, historischen Prozesses, dem Goethe
beiwohnte, den er mit höchster Aufmerksamkeit verfolgte, und der ihm
sagte, daß ein neues Zeitalter der Literatur im Anbruch sei. Da aber
für Goethe nichts lebendig gegenwärtig war, was er nicht selbst und
an sich selbst erlebte und erfuhr, so bildete sich seine Weltliteraturidee
auch aus dem Erlebnis heraus, daß er selbst seine Bildung so vielen
fremden Literaturen verdankte, durch sie zu dem erzogen wurde, der
er war, und daß er selber umgekehrt eine führende, befruchtende,
wandelnde Macht in allen Literaturen Europas wurde. Das junge
Europa huldigte ihm als ihrem Führer und geistigen Oberhaupt. Dies
selbst erfahrene Phänomen wurde für Goethe das Zeichen dafür, daß
die deutsche Literatur jetzt nicht mehr nur die empfangende und sich
an anderen Literaturen bildende, von diesen aber verachtete und über-
sehene war, sondern daß sie nun selber gebend, führend, wandelnd
in die Entwicklung der europäischen Literaturen eingriff, und zwar
eine segensreich verjüngende, erfrischende Wirkung auf das alt und
müde gewordene Geistesleben Europas übte.
Wenn Goethe nun immer von einer sich ankündigenden, anmarschierenden, zu fördernden, sich bildenden, zu erhoffenden Weltliteratur
sprach, so muß man die Frage stellen, ob Weltliteratur in Goethes Sinn
sich denn wirklich erst in seiner Zeit zu entwickeln begann, mit welchem
Rechte Goethe dies angenommen hat. Daß es im Mittelalter und in der
Zeit des Humanismus eine Weltsprache gegeben hat, das Latein, in
der nicht nur die Gelehrten aller Nationen sich miteinander verständigten und Gedankenaustausch pflegten, sondern in der auch eine übernationale Dichtkunst entstand, das wird wohl im Goetheschen Sinne
nicht als Weltliteratur anzusprechen sein, wenn auch Goethe selbst
auf die segensreiche Wirkung der lateinischen Weltsprache für die

geistigen Beziehungen in Europa nachdrücklich hingewiesen hat, um damit dem sprachlichen « Purismus » zu begegnen. Aber erstens war der Kreis, der diese Sprache schreiben, sprechen und verstehen konnte, denn doch nur auf die gelehrte Welt beschränkt, und zweitens soll ja doch die Weltliteratur nicht eine farblos einheitliche sein, sondern ein lebendiges Gespräch zwischen den Nationen, die ihre Eigentümlichkeit dadurch nicht verlieren, sondern sich nur in gegenseitiger Bildung aneinander allgemein menschlich läutern und reinigen und einander dulden lernen sollen. Goethe sah wohl in der Antike ein allgemeines und für alle Literaturen gültiges Vorbild. Als er Eckermann gegenüber seine Idee der Weltliteratur entwickelte und von der Notwendigkeit sprach, daß man sich auch in fremden Literaturen umsehen müsse, wie er selbst es tue, bemerkte er dazu, daß doch bei aller Schätzung der fremden Literaturen keine etwa als mustergültig angesehen werden dürfe, sondern im Bedürfnis nach einem Muster müssen wir immer zu den alten Griechen zurückgehen, in deren Werken stets der schöne Mensch dargestellt ist. Alles sonst müssen wir nur historisch betrachten, und was gut daran ist, so weit es gehen will, uns daraus aneignen. Aber Goethe hätte eine in einer Weltsprache verfaßte Literatur gewiß nicht als Weltliteratur anerkannt. Dagegen hat es an weltliterarischen Beziehungen zwischen den Völkern auch im Goetheschen Sinne schon in der Antike nicht gefehlt, und wenn wir zunächst an die deutsche Literatur denken, so hatte sie sich seit je dem Einstrom der fremden Literaturen weit geöffnet, sich in Form und Gehalt an ihnen gebildet, eine Übersetzungstätigkeit von allergrößtem Ausmaß entfaltet und auch beurteilend an ihnen teilgenommen. Es gibt da einen durch alle Zeiten hindurchgehenden Zug, auf den schon hier aufmerksam gemacht werden soll: daß nämlich die deutsche Literatur sich seit je von den romanischen Literaturen zu Form und Maß, zu Reinheit und Schönheit erziehen ließ. So tat es schon die mittelhochdeutsche Literatur, die ihre formale und auch gesellschaftliche Bildung von Frankreich her empfing. Am Hofe Kaiser Karls des Vierten begann die italienische Renaissance, Petrarca, Rienzi, durch den Kanzler Johannes von Neumarkt, der sich für Italien fast aus ähnlichen Gründen wie Goethe begeisterte, zur Bildnerin eines lateinischen, aber auch deutschen Kunststils zu werden. Übersetzungen aus Boccaccio, Poggio, Enea Silvio, haben auf die Erweckung deutscher Renaissance gewirkt. Französische Literatur wurde im 16. Jahrhundert zur Überwindung des deutschen Grobianismus in Kunst und Gesellschaft zu Hilfe gerufen. Auch der

Barock, der die nationale Intention besaß, die deutsche Literatur auf
die Höhe der anderen Literaturen Europas zu heben, ging dazu den
Weg der Übersetzung und Nachahmung, um zu zeigen, daß in deutscher
Sprache möglich sei, was in den andern Sprachen möglich war. Der
deutsche Klassizismus, der den barocken Stil überwand, folgte dem
Beispiel Frankreichs und lernte von ihm, der deutschen Dichtung Regelhaftigkeit, Klarheit, guten Geschmack, Vernunftgemäßheit zu geben,
so wie das deutsche Rokoko, die anakreontische Dichtung, als deren
schönste Repräsentation Wieland gelten mag, sich an französischer
Dichtkunst zur Anmut, Grazie und Leichtigkeit bildete, bis dann auch
die Überwindung des Klassizismus und des Rokoko mit fremder,
nun aber germanischer Hilfe, nämlich Englands erfolgte. Der Einstrom
fremder Literaturen in die deutsche geschah in einem solchen Umfang,
daß sich deutsche Schriftsteller im 16., 17., 18. Jahrhundert ihm immer
wieder entgegenstemmen mußten. Man hatte sich über geistige Aut-
arkie nicht zu beklagen, vielmehr bestand die Gefahr, daß die deutsche
Literatur durch allzu große Weitherzigkeit allen eigentümlichen Charakter verlor. Man braucht nur an die berühmten Verse Klopstocks
zu denken, die er seinem Vaterlande entgegenrief: « Nie war gegen
das Ausland ein anderes Land gerecht wie du. Sei nicht allzu gerecht. »
Selbst oder vielmehr gerade in der größten Zeit der deutschen Literatur, die mit Lessing, Klopstock, Herder begann und die Befreiung,
das Erwachen zu sich selbst bedeutete, hat Herder aus der Forderung,
den nationalen Charakter der Literatur zu bewahren, die Konsequenz
gezogen, daß man gerade darum die Stimmen aller Völker in ihren
Liedern hören müsse, weil nur so die menschheitliche Harmonie
erklinge, wenn sich die nationalen Stimmen zu einem großen Chor-
gesang zusammenfügen. Die deutsche Romantik hat diese Idee dann
weiterhin mit ihren Übersetzungen aus allen Literaturen der Welt
verwirklicht, und Goethe selbst hat ja wieder und wieder auf das
gewaltige Übersetzungsfeld in der deutschen Literatur hingewiesen,
das seit Jahrhunderten schon so reiche Ernten brachte, und auf die
Bildung, welche die deutsche Literatur seit je vom Ausland empfing.
Warum hat Goethe trotzdem den Beginn der Weltliteratur erst mit
seiner eigenen Zeit, ja, man darf sagen, mit sich selber angesetzt und
sie als eine sich erst bildende und anmarschierende bezeichnet? Er tat
es natürlich vom Standpunkt der deutschen Literatur aus und mußte
es von ihm aus tun. Denn die Goethesche Idee der Weltliteratur ist ja
die der wechselseitigen Beziehungen zwischen den Völkern, des gegen-

seitigen Gedanken- und Güteraustauschs, des geistigen Weltverkehrs.
Keine Weltliteratur ohne Wechselseitigkeit und Gegenseitigkeit und
Austausch. Wie war es aber damit bisher? Die deutsche Literatur hatte
sich gewiß dem fremden Einstrom seit je geöffnet und ihre Teilnahme
an den anderen Literaturen schon immer bezeugt. Aber wie war es
umgekehrt? Hatten sich die europäischen Literaturen auch um die
deutsche gekümmert, aus ihr übersetzt, sich an ihr gebildet, sie mit
Gerechtigkeit gewürdigt und beurteilt? Beurteilt wohl. Aber es war
ohne wirkliche und tiefere Kenntnis und Bemühung und ohne Gut-
willigkeit geschehen, und so war das Urteil nur Verurteilung und Miß-
achtung gewesen. Man nannte sie barbarisch, ungebildet, mißtönig,
häßlich, hyperboreisch. Man kann die Übersetzungen aus deutscher
Literatur in fremde Sprachen bis weit ins 18. Jahrhundert fast an den
Fingern abzählen. Wenn deutsche Werke ins Ausland drangen, so
waren es Ausnahmen, Einzelerscheinungen, und es waren zum größten
Teil übrigens nicht Werke der schönen Literatur, sondern des religiösen,
mystischen und philosophischen Schrifttums. Der große Philosoph
Cusanus hat sicherlich einen bedeutenden Einfluß auf die italienische
Renaissance geübt, was dadurch wesentlich erleichtert wurde, daß er
in Italien lebte und wirkte. Am 8. März 1588 hielt Giordano Bruno in
Wittenberg, wo er, verbannt, verfolgt und todbedroht, eine gastliche
Aufnahme und freie Forschungsstätte gefunden hatte, eine Abschieds-
rede, in der er seinen Dank für die ihm erwiesene Wohltat damit ab-
stattete, daß er verkündete, was er und die Welt überhaupt vom
deutschen Geist empfangen habe. Es ist ein Prosahymnus auf Cusanus,
Copernicus, Paracelsus und Luther, das erste Denkmal deutscher
Weltgeltung, eine Verteidigung Deutschlands gegen das Urteil der
Welt, daß es nur barbarische und bäurische Sitten habe. Der Tempel
der Weisheit, früher in Indien, Ägypten, Griechenland und Rom, stehe
jetzt in Deutschland und empfange die Wahrheitssucher aus aller
Welt. Das war gewiß rhetorische Übertreibung. Aber sicherlich war
der Blick des Auslandes damals auf Luther gerichtet, und wurden
die Schriften des Paracelsus und Agrippa von Nettesheim weit in
der Welt gelesen. Auch einige Werke der schönen Literatur überschritten die deutschen Grenzen. Das Narrenschiff von Sebastian
Brant (zu Ende des 15. Jahrhunderts) wurde in alle Sprachen übersetzt und war wohl das erste Werk der deutschen Literatur, das weltliterarische Gültigkeit errang. Das deutsche Volksbuch von Doktor
Faust wanderte nach England, Frankreich, den Niederlanden, und

wurde in England zu Ende des 16. Jahrhunderts die Quelle der genialen
Fausttragödie Christof Marlows. Auch Till Eulenspiegel und andere
deutsche Volksgestalten bekamen in den europäischen Literaturen
Heimatrecht. Es schien also wirklich zu Beginn der neuhochdeutschen
Literatur, als wenn ihr eine Rolle in der Welt beschieden sei, und es
ist höchst interessant zu sehen, wenn man sich das Bild vergegenwärtigt, das sich damals die Welt vom deutschen Geiste machte, und
an die Wirkung denkt, die von ihm ausging: daß es fast genau das
gleiche Bild und die gleiche Wirkung war, wie man sie dann im Zeitalter der europäischen Romantik, im 19. Jahrhundert finden wird. Es
gibt eben immer Konstanten in der Weltliteratur. Schon damals galt
Deutschland nämlich als das Land der Mystik, die Heimat der Teufels-
beschwörer, Magier und Goldmacher, der Sucher nach dem Stein
der Weisen, der Übermenschen, als die Heimat des Faust und Paracelsus. Schon damals war es auch die deutsche Volksdichtung in Gestalt der Volksbücher und Volksballaden, die sich das Ausland zu-
eignete. Schon damals war es der faustische Geist des Cusanus, der
die Idee der Unendlichkeit von Raum und Zeit und Geist zum europäischen Gedanken machte. Schon damals war es die Botschaft von
der inneren Freiheit, die von Luther ausging. Aber das alles blieb doch
im ersten Ansatz stecken. Es war ein Vorspiel der deutschen Weltgeltung, die erst nach Jahrhunderten ihre Erfüllung finden sollte.
Denn gerade seitdem die deutsche Literatur sich bemühte, sich auf das
Kunstniveau der europäischen Renaissanceliteraturen zu erheben, hatte
sie ihre Weltrolle vollständig ausgespielt. Das hatte gewiß seinen tiefen
Grund. Denn das deutsche Schrifttum verlor seitdem in der Tat durch
seine ausschließliche Bildung an den fremden Literaturen dermaßen
seine charakteristische Eigenart, daß es den anderen Literaturen nichts
zu geben hatte, was diese nicht schon selbst, und zwar in weit voll-
kommenerer Gestalt, besaßen. Es ist wie eine Tragödie: je mehr die
deutsche Literatur auf dem Wege der Nachahmung um Weltgeltung
kämpfte, desto mehr ging sie ihr verloren. Ja, man nahm von ihren
Bemühungen nicht einmal Notiz und hielt sie immer noch für hyper-
boreische Barbarei. Das änderte sich wohl im 18. Jahrhundert, als der
Geist der Aufklärung es mit sich brachte, daß die Nationen, von der
Idee der allgemeinen, gleichen und einen Menschheit erfüllt, bereiter
wurden, über die Grenzen zu schauen und kritische Gerechtigkeit zu
üben. Wenn aber jetzt Gottsched, Wieland, Gellert und andere Schriftsteller Deutschlands in der französischen Literatur Würdigung und

Eingang fanden, so ist doch zu bedenken, daß es darum geschah, weil
diese Schriftsteller eben selbst der französischen Schule entstammten
und Frankreich sich hier nur wiedernahm, was es selbst gegeben
hatte. Die deutsche Literatur war noch nicht eine schenkende, wandelnde, bereichernde Macht. Selbst ein Lessing konnte kaum etwas nach
Frankreich bringen, was dort nicht auch Diderot zu gleicher Zeit ins
geistige Leben rief.

Aber man kann nun doch auf Erscheinungen weisen, welche als Beginn
der Weltliteratur in Goethes Sinn zu betrachten sind. Es sind in erster
Linie die neuen Zeitschriften, die im 18. Jahrhundert entstanden. Wohl
gab es in der zweiten Hälfte des 17. Jahrhunderts schon Zeitschriften
wie das « Journal des Savants » (seit 1665), die « Nouvelles de la
République des Lettres » (seit 1684), die « Bibliothèque Universelle »
(seit 1685). Sie nahmen wirklich eine universale, europäische Haltung
an, berichteten auch von deutschem Geistesleben; aber es handelte
sich in ihnen doch wesentlich um wissenschaftliche Literatur. Die schöne
fehlte nicht ganz, aber sie trat doch nur ausnahmsweise in den Blickkreis. Diese Zeitschriften waren übernational, indem sie eine Republik
der Wissenschaften begründen wollten. Im 18. Jahrhundert dagegen
entstand nun die « Bibliothèque Anglaise » (1717), die « Bibliothèque
Germanique » (1720), die « Bibliothèque Italique » (1729), und es waren
bewußte und organisierte Versuche, die Nationen Europas, die bisher
auf die französische Literatur beschränkt waren, mit der englischen,
deutschen, italienischen Literatur bekanntzumachen, und wenn jede
dieser Zeitschriften noch ein besonderes, begrenztes Gebiet der Vermittlungstätigkeit besaß, so übernahmen die « Bulletins littéraires »
von Fr. Melchior Grimm, das « Journal étranger » und das « Journal
littéraire » (seit 1754) und manche andere Zeitschriften in Frankreich
eine wirklich weltliterarische Vermittlung. Besonders tat es das « Journal étranger », in dessen Vorrede die Hoffnung ausgesprochen wird,
daß diese Zeitschrift in Frankreich goûtiert, in ganz Europa verbreitet
und dazu beitragen werde, die einzelnen, literarischen Republiken zu
einer einzigen Konföderation des Geistes, einer République des lettres
zu verbinden, die bisher durch die nationalen Grenzen so zerteilt war.
Jede Nation, so heißt es weiter, wird durch die Schätze ihrer Rivalen
bereichert sein, ohne irgendetwas von den eigenen zu verlieren, und
so wird ganz Europa gebildeter und philosophischer werden, wobei wir
gerne glauben möchten, daß wir das Glück gehabt haben werden, dazu
durch dieses Werk (eben das « Journal étranger ») mitzuhelfen. Solcher

und ähnlicher Stimmen wären noch manche zu nennen. Die gewichtigste und einflußreichste unter ihnen war natürlich die von Voltaire. In dem Widmungsbrief zu einer französischen Übersetzung von Lessings Fabeln durch Antolmy ist zu lesen: Die französische Literatur ist in Deutschland äußerst bekannt, wird übersetzt, und Journale berichten von allem, was bei uns geschieht. Eine gerechte Beurteilung findet statt. Das deutsche Beispiel sollte Frankreich zur Nachahmung anreizen, « que votre langue devînt plus commune parmi nous; que nous pussions nous intéresser à vos travaux littéraires, comme vous vous intéressez aux nôtres; qu'après avoir contribué avec deux de nos nations voisines à épurer votre goût, nous profitassions à notre tour de vos lumières » (1764). Wenn die bisher genannten Zeitschriften, in bezug auf die deutsche Literatur, darin gerechter erscheinen, daß sie darauf hinwiesen, wie diese Literatur keineswegs mehr als barbarisch und roh zu betrachten sei, so wurden nun bald auch Stimmen in ihnen laut, daß von der deutschen Literatur eine heilsame, erfrischende, verjüngende Wirkung auf die französische möglich und zu hoffen sei. Das geschah besonders, seitdem Frankreich auf Albrecht von Haller, Salomon Geßner und deutsche Dichter, die auf ihren Spuren gingen, aufmerksam wurde. Eine von Huber 1766 herausgegebene « Choix de Poésies Allemandes » hatte bereits solchen Erfolg, daß man in den sechziger Jahren geradezu von einer germanophilen Mode in Frankreich sprechen und bei den bedeutendsten Schriftstellern Frankreichs die Spuren der schweizerischen und deutschen Wirkung finden kann. So wie einst Tacitus mit seiner Germania dem überzivilisierten und dekadenten Rom das Bild eines natürlichen, einfachen, sittlichen und religiösen Lebens in Germanien entgegenstellte, so wird nun der französischen Überzivilisation und Décadence die idyllische Dichtung eines Haller und Geßner als das ideale Bild der Rückkehr zur Natur, zur Einfachheit, zu reiner Empfindung, Sittlichkeit und Religiosität entgegengehalten. Die schweizerischen und deutschen Dichter treten als Begleiter Rousseaus in die französische Literatur ein. Auch die junge Dramatik Deutschlands wird in den siebziger und achtziger Jahren bereits durch das «Théâtre Allemand», das von Junker und Liebault 1772 herausgegeben wurde, und durch das «Nouveau Théâtre Allemand» von Friedel und Bonneville, 1782—1785, in Frankreich bekannt. Auch Jugenddramen Goethes und Schillers finden sich darin. So war der Weg schon zweifellos für die gewaltige Weltwirkung des Werther gebahnt, die über Frankreich ging. In Goethes früher

Jugend hatte also eine Weltliteratur in seinem Sinne schon begonnen. Aber es war freilich alles nur ein Vorspiel, eine Wegbereitung, wenn man damit vergleicht, was seit Goethes Werther in Europa geschah, wie der Wechseltausch, der geistige Verkehr zwischen den Nationen nicht nur an Umfang und Schnelligkeit, sondern auch an Tiefe und Fruchtbarkeit wächst. Es waren eben doch noch schwere Hindernisse zu überwinden.

Dieser Widerstand, den die deutsche Literatur im Ausland gefunden hat, war weitaus größer, als ihn irgendeine andere Literatur der europäischen Kulturnationen fand. Das hat seine tiefen Gründe, und sie liegen im Wesen, in der Eigenart des deutschen Geistes selbst. Es ist ein geradezu erschütternder Gedanke, daß Dichter wie Hölderlin und Kleist es bis heute noch nicht vermocht haben, sich einen ihrer wirklich würdigen Platz in der Weltliteratur zu erobern, während französische Dichter von unermeßlich geringerem Grade dem europäischen Bewußtsein ganz geläufig sind. Ist denn überhaupt die deutsche Dichtung jemals in dem umfassenden Sinne, wie es die französische wurde, eine Weltsprache geworden? Die deutsche Weltsprache, die überall bekannt, gehört, verstanden und geliebt wird, ist bis heute nicht die deutsche Dichtung, sondern die deutsche Musik.

Welcher Art waren nun also die Hindernisse, die sich dem Eintritt der deutschen Literatur in den geistigen Weltraum entgegenstellten?

Der erste Grund ist wohl der von Goethe so beklagte Mangel an geistiger Einheit und Bindung in der deutschen Literatur, an Sammlung der Kräfte, wodurch es ihr an Stoßkraft fehlte. «Warum sollten die Nationen (in ihrem Urteil über Deutschland) unter sich einig sein, wenn die Mitbürger nicht miteinander übereinzukommen verstehen? Wir haben im literarischen Sinne sehr viel vor anderen Nationen voraus, sie werden uns immer mehr schätzen lernen, und wäre es auch nur, daß sie von uns borgten ohne Dank und uns benutzten ohne Anerkennung. Wie aber die militärisch-physische Kraft einer Nation aus ihrer inneren Einheit sich entwickelt, so muß auch die sittlich-ästhetische aus einer ähnlichen Übereinstimmung nach und nach hervorgehen. Dieses kann aber nur durch die Zeit bewirkt werden. Ich sehe so viele Jahre als ein Mitarbeitender zurück und beobachte, wie sich, wo nicht aus widerstreitenden, so doch heterogenen Elementen eine deutsche Literatur zusammenstellt, die eigentlich nur dadurch Eines wird, daß sie in einer Sprache verfaßt ist, welche aus verschiedenen Anlagen und Talenten, Sinnen und Tun, Urteilen und Beginnen,

nach und nach das Innere des Volks zutage fördert.» Um wieviel
glücklicher war doch Frankreich in dieser Beziehung. «Was aber die
Herren vom ‚Globe' (der Zeitschrift der französischen Romantik) fur
Menschen sind», sagte Goethe einmal zu Eckermann, «wie die mit
jedem Tage größer, bedeutender werden und alle wie von einem Sinne
durchdrungen sind, davon hat man kaum einen Begriff, in Deutschland wäre ein solches Blatt rein unmöglich. Wir sind lauter Particuliers, an Übereinstimmung ist nicht zu denken, jeder hat die Meinungen seiner Provinz, seiner Stadt, ja seines eigenen Individuums,
und wir können noch lange warten, bis wir zu einer Art von allgemeiner
Durchbildung kommen.» So mußte denn der deutsche Weg in die
Welt nur langsam und allmählich gehen. Aber ist denn dieser Mangel
nicht nur die Folge jener deutschen Idee vom Wert der Individualität
und ihrer persönlichen Freiheit? Wenn die Frau von Staël in ihrem
Buch «De l'Allemagne», welches der deutschen Literatur den Weg
in die Welt gebahnt hat, den Unterschied zwischen dem deutschen
und französischen Dichter darin gesehen hat, daß der deutsche ganz
ohne die Bindung einer Gesellschaft, einer nationalen Übereinkunft,
Tradition und Sitte einsam für sich selbst zu leben und zu wirken
habe, und jeder von sich selbst aus neu beginnen und sich seine eigene
Sprache schaffen müsse, so hat sie damit nicht nur auf ein tragisches
Schicksal gewiesen, sondern auch auf eine hohe Idee und auf den
eigensten und tiefsten Wert der deutschen Dichtung. Aber diese Idee
der freien, schöpferischen Individualität, die selbst so wenig bindend
ist, wie kann sie leicht ein Band der Volker werden? Ja, sie war es
auch, die sogar dem europäischen Wege Goethes Schwierigkeit bereitete, Goethes, dessen Individualität sich doch zu so allgemeiner
Menschlichkeit geläutert hatte, wie die keines deutschen Geistes sonst.
Goethes Art, sein ganz persönliches Erlebnis in seiner Dichtung zu
gestalten, Gelegenheitsdichtung in diesem Sinne zu schaffen, daß er
nichts dichtete, was ihm nicht unmittelbar auf der Seele brannte,
Bekenntnisdichtung, war andern Völkern fremd und schwer begreif-
lich. In jener französischen Zeitschrift «Le Globe» heißt es einmal
zur Erklärung dafür, daß seit dem Werther von Goethes übrigen
Arbeiten nur so wenige Kenntnis nach Frankreich kam: «An der
Langsamkeit, mit welcher Goethes Ruf sich bei uns verbreitete, ist
größtenteils die vorzüglichste Eigenschaft seines Geistes schuld, die
Originalität. Alles, was höchst original ist, das heißt stark gestempelt
von dem Charakter eines besondern Mannes oder einer Nation, daran

wird man schwerlich Geschmack finden, und die Originalität ist das
vorspringende Verdienst dieses Dichters; ja man kann sagen, daß in
seiner Unabhängigkeit er diese Eigenschaft, ohne die es kein Genie
gibt, bis zum Übermaß treibe... Alle andern Dichter haben einen
einförmigen Gang, leicht zu erkennen und zu befolgen; aber er ist
immer so unterschieden von den andern und von sich selbst, man errät
oft so wenig, wo er hinaus will, er verrückt dergestalt den gewöhnlichen
Gang der Kritik, ja sogar der Bewunderung, daß man, um ihn ganz
zu genießen, ebenso wenig literarische Vorurteile haben muß als er
selbst, und vielleicht fände man ebenso schwer einen Leser, der davon
völlig frei wäre, als einen Poeten, der wie er sie alle unter die Füße
getreten hätte. Man darf sich also nicht verwundern, daß er noch nicht
popular in Frankreich ist, wo man die Mühe fürchtet und das Studium,
wo jeder sich beeilt, über das zu spotten, was er nicht begreift, aus
Furcht, ein anderer möge vor ihm darüber spotten, in einem Publikum,
wo man nur bewundert, wenn man nicht mehr ausweichen kann.» [30]
Diese Idee der Originalität und Individualität, der inneren Freiheit also, welche gerade ein wichtiger und wesentlicher Beitrag des
deutschen Geistes zum allgemeinen Bilde des Menschen war, der
gleichsam monologische Charakter der deutschen Literatur, bereitete
ihrem Wege in die Welt die größte Schwierigkeit. Kann man doch von
der deutschen Dichtung kaum etwas aussagen, was charakteristischer
wäre als dieses: daß sie niemals, wirklich niemals eine Form hervorgebracht hat, wie etwa die antike Ode oder das romanische Sonett
oder das östliche Ghasel, Formen von so gesellschaftlichem, bindendem,
gesetzlich-vorbestimmtem Wesen, daß sie losgelöst von ihrem jeweiligen Gehalt und von der jeweiligen Persönlichkeit, die sich ihrer bedient, sich über Völker verbreiten, die Zeiten überdauern, und von
Völkern, Zeiten und Persönlichkeiten mit immer neuem Gehalt gefüllt
werden konnten. Wenn die deutsche Dichtung solcher überpersön-
lich gültigen und bindenden Formen bedurfte, mußte sie solche immer
von andern Literaturen übernehmen.

Die deutsche Dichtung hat auch, wenn sie sich selbst überlassen blieb
und sich nicht an fremden Literaturen bildete, niemals dem Ideal der
reinen Schönheit gehuldigt, das so allgemein menschlich bindend ist.
Sie war von sich aus immer Ausdruckskunst, der es mehr um die
Wahrheit als um die Schönheit ging, mochte die Wahrheit auch noch
so hart und schmerzlich und schwer zu ertragen sein. Die unerbittliche
Rücksichtslosigkeit eines Kleist konnte nicht leicht den Weg zum

Herzen der andern Völker finden. Man wird kaum in irgendeiner
Literatur etwas entdecken, was mit Kleists « Brief eines Dichters an
einen anderen » vergleichbar wäre, in dem der Dichter gegen das Lob
seiner dichterischen Form protestiert und geradezu seiner Besorgnis
Ausdruck gibt, daß in seinen Dichtungen rhythmische und musikalische Reize enthalten sein könnten, durch die das Gemüt von dem,
worauf es ihm ankam, abgezogen würde. « Wenn ich beim Dichten
in meinen Busen fassen, meinen Gedanken ergreifen, und mit Händen,
ohne weitere Zutat, in den Deinigen legen könnte: so wäre, die Wahrheit zu gestehn, die ganze innere Forderung meiner Seele erfüllt. Und
auch Dir, Freund, dünkt mich, bliebe nichts zu wünschen übrig: dem
Durstigen kommt es, als solchem, auf die Schale nicht an, sondern auf
die Früchte, die man ihm darin bringt. »
Was aber den Gehalt der deutschen Dichtung betrifft, so ist auch er
vom Geist der Einsamkeit bestimmt. Der Gott des deutschen Menschen
ist kein gemeinsamer und bindender Gott, den er auch nicht als gültigen
und überkommenen Besitz empfängt. Der deutsche Mensch ist ein Gott-
sucher. Man vergleiche nur einmal Wolfram von Eschenbachs «Parzival»
mit Dantes « Göttlicher Komödie ». Es sind zwei Werke, die ungefähr
dem gleichen Zeitraum entstammen. Dantes Weg geht durch ein als allgemein gültig anerkanntes Weltsystem von Hölle, Fegefeuer und Paradies. Parzival aber sucht auf einsamen und nie betretenen Wegen seinen
Gott. Dante wird von dem Geist der Antike, von Vergil an sicherer
Hand durch alle Schrecknisse der Welt geführt, Parzival aber nur
von der Treue in seiner Brust und von der Stetigkeit seines Willens.
Man denke auch an Goethes Faust, der ebenso wie Parzival auf einsamen und dunklen Wegen seinen eigenen Gott sich sucht, der keinen
Führer, sondern nur den Verführer, Mephisto, zur Seite hat und dadurch
nur zu seinem Ziele kommt, daß er in seinem dunklen Drang sich doch
des rechten Weges bewußt bleibt und sich selbst die Treue hält. Wenn
man dazu bedenkt, daß es der faustische Geist im weitesten Sinne des
Wortes war, den die deutsche Dichtung den Literaturen der Völker
einzuhauchen bestimmt war, so wird man wiederum den langen Widerstand verstehen, den er zu überwinden hatte. Denn es ist ein Geist der
Sehnsucht, der niemals, auch im schönsten Augenblicke nicht, befriedigt ist, von keiner Gegenwart erfüllt, von keinem Glück gesättigt,
über jeden Augenblick und jede Gegenwart und jedes Glück hinaus
in ewigem Schmerze an der Welt, in ewiger Sehnsucht sucht und strebt,
weil er von einem fernen, dunklen, nur geahnten, aber absoluten Ziel

entzündet ist, ja, dem der Weg mehr als das Ziel, die Sucherschaft mehr als der Besitz bedeutet, den jede Form Gefängnis, jede Grenze unerträglich dünkt, der darum jede Form zerbrechen, jede Grenze überfliegen muß, der ewige Wanderer, ewige Sucher, für den es keine Sicherheit und Sattheit gibt, der selbst sich Widerstand und Grenzen setzt, um erst in ihrer Überwindung sich als tätiger Geist zu bewähren. Wo noch sonst als in der deutschen Literatur hätte zur Zeit der europäischen Aufklärung jenes Wort gesprochen werden können, das Lessing in seiner « Duplik » gesprochen hat: « Nicht die Wahrheit, in deren Besitz irgendein Mensch ist, oder zu sein vermeinet, sondern die aufrichtige Mühe, die er angewandt hat, um hinter die Wahrheit zu kommen, macht den Wert des Menschen. Denn nicht durch den Besitz, sondern durch die Nachforschung der Wahrheit erweitern sich seine Kräfte, worin allein seine immer wachsende Vollkommenheit bestehet. Der Besitz macht ruhig, träge, stolz — Wenn Gott in seiner Rechten alle Wahrheit, und in seiner Linken den einzigen immer regen Trieb nach Wahrheit, obschon mit dem Zusatze, mich immer und ewig zu irren, verschlossen hielte, und spräche zu mir: Wähle ! Ich fiel' ihm mit Demut in seine Linke und sagte: Vater gib ! die reine Wahrheit ist ja doch nur für dich allein. » So etwas hätte von Voltaire etwa, dem Zeitgenossen Lessings, nie gesagt werden können, weil er sich im Besitz der Wahrheit glaubte. Wer aber vom faustischen Funken entzündet ist, ist damit auch von einem Schmerz befallen, der unheilbar ist, von einer Sehnsucht, die unstillbar ist, und das war nun Goethes tragische Sendung: den Weltschmerz eines Werther, die ewige Unrast eines Faust, in den europäischen Literaturen zu entfachen und damit aus wohligem Besitz, aus Sicherheit, Sattheit und Heiterkeit emporzu-scheuchen und auf einen unendlichen Weg zu einem unendlichen Ziel zu führen. Wer aber geht sonst gerne diesen Weg, wer ist so ohne wei-teres bereit, Fausts Begleiter zu sein. Der französische Romantiker Alfred de Musset hat in seiner « Confession d'un Enfant du Siècle » über Goethe, den Dichter des Werther und des Faust, geradezu seinen Fluch ausgesprochen, weil er ihm sein Weltbild so verdüsterte, ohne auch nur einen tröstenden Lichtstrahl in das Dunkel zu senden.

Die deutsche Dichtung ist mit ihrer idealen Forderung, ihrer steten Mahnung an die Idee, der doch keine Wirklichkeit jemals ganz zu entsprechen vermag, für andere Völker unbequem und störend.

Aber all diese Hemmnisse verschwinden doch noch an Kraft hinter dem, daß ja die Weltliteratur in unlöslichem Zusammenhang mit der

fortschreitenden Zivilisation, der Ausgleichung, dem allgemeinen Weltverkehr in jedem Sinn, der gegenseitigen Duldung der Völker auf der
Grundlage einer allgemeinen Sittigung, Vernünftigung und Regelung
steht. Die Idee der Weltliteratur ist eine Frucht der modernen, europäischen Zivilisation und verbreitete sich Hand in Hand mit ihr. Aber
gerade die eigentümliche Idee des deutschen Geistes, die er der Welt
zu geben hatte, war die, daß er die Werte retten und bewahren wollte,
die in der vorwärts schreitenden Zivilisation mit Untergang bedroht
schienen. Daß er der um sich greifenden Mechanisierung des Lebens
die organisch wachsende Natur entgegenstellte, der um sich greifenden
Herrschaft der Vernunft die irrationalen, dunklen, schöpferischen
Kräfte der Seele, der Nivellierung den Adel der Persönlichkeit und des
Genies. Die deutsche Romantik, die an der Wiege der europäischen
Romantik stand, war im Grunde ein großer Einbruch in die europäische
Fortschrittswelt. Es war das deutsche Schicksal, daß sich der deutsche
Geist in einer Zeit die Welt erobern mußte, in welcher er ihren welt-
historisch notwendigen Fortschritt aufzuhalten versuchen mußte, daß
er mit einem Beitrag weltliterarisch werden mußte, der die ja doch auf
Zivilisation gegründete Form einer Weltliteratur zu zersprengen drohte.
Nicht Goethe der Europäer, der Vernünftiger, der Sittiger, fand Eingang in die romanische Welt, sondern der junge Goethe, der Stürmer
und Dränger, nicht die deutsche Klassik, sondern die deutsche Romant-
tik, und das war selbstverständlich, weil hier eben die besondere Eigenart der deutschen Literatur zu finden war, das, was die romanischen
Literaturen nicht besaßen, was sie nur von hier aus empfangen konnten,
um sich von ihrer allzu starr gewordenen Formenwelt zu befreien,
während sich umgekehrt die deutsche Klassik erst an fremden Vorbildern, der Antike, Italien, Frankreich, gebildet hat. Aber ebenso
selbstverständlich war auch der lange Widerstand der Welt, den die
deutsche Literatur zu überwinden hatte.
Wie konnte es nun doch geschehen, daß Goethe allem Widerstand zum
Trotz die Welt bezwang? War es allein die Macht des Genius, die mit
sich riß? Sicherlich war mehr als irgendwo in der Welt gerade in
Deutschland erst ein Genius von solcher Größe notwendig, damit seine
Stimme in der Welt vernommen werde. Aber auch größte Genien
werden ja nicht immer schon von ihrer Zeit gehört. Die Gunst der
Stunde muß ihnen zu Hilfe kommen. Wann aber tritt die Stunde eines
Volkes ein? Man wird in der Geschichte erkennen, daß es eine euro-
päische Schicksalsgemeinschaft gibt, die es bedingt, daß jeder Stil der

Kunst und Dichtung, ob der Stil der Gotik oder der Renaissance oder des Barock, ein allgemein europäischer geworden ist. Aber ebenso wird man auch finden, daß jeder Stil in einem ganz bestimmten Volk zuerst entsteht, von ihm zur Vollendung gebracht und erst von ihm aus über die Völker verbreitet wird. Das weist darauf hin, daß dieser Stil wohl der allgemeinen, übernationalen Forderung des historischen Augenblicks entspricht, daß aber diese Forderung eben von einem Volk zuerst verwirklicht werden kann, dessen eigenstem Charakter, eigenster Willensrichtung und Natur sie angemessen ist. Die historische Stunde eines Volkes, seine Sternenstunde, ist also gekommen, wenn die allgemeine Forderung des geschichtlichen Augenblickes, die sich aus dem Rhythmus der Geschichte ergibt, mit der besonderen und eingeborenen Forderung eines Volkes zusammenfällt, wenn eine Nation es vermag, kraft ihrer eigensten Natur die Forderung des welthistorischen Momentes zu erfüllen. Das ist die Sternenstunde dieses Volkes. Eine solche Stunde war für die deutsche Literatur gekommen, als Europa des französischen Klassizismus und der westlichen Aufklärung, von denen es im 18. Jahrhundert beherrscht worden war, gegen Ende des Jahrhunderts müde wurde, als diese westliche Kultur, einseitig auf Vernunft und Regelhaftigkeit gegründet, so überreif und alt und übersteigert war, daß sich mit innerer Notwendigkeit die anderen, dunkleren, tieferen Kräfte des Menschentums regen mußten und nach Durchbruch zum Licht verlangten. Jetzt also fiel die allgemeine Forderung der Geschichte mit der eigensten Kraft und Willensrichtung der deutschen Dichtung zusammen. Weil ihre Natur eine so andere war als die der französischen, darum konnte die deutsche Dichtung damals eine müde und alt gewordene Welt verjüngen und erfrischen. Sie konnte es gewiß auch deshalb, weil sie selbst noch jung und werdend war. Die Verjüngung der europäischen Welt, so bemerkte Goethe einmal, konnte nur von einem Volke kommen, das wie das deutsche nicht vollendet, anerkannt, sondern lebendig und selbst noch im Streben und Streiten begriffen war. Nur ein solches Volk konnte eine frische Quelle für Europa werden. In diesem Augenblicke brauchte Goethe nur seinem eigensten, persönlichsten Schmerz im Werther und im Faust Ausdruck zu geben, und er sprach im Namen Europas und zu Europa. Die Welt horchte auf, und eine Weltliteratur begann sich zu bilden. Denn jetzt erst trat die Wechselwirkung und der gegenseitige Austausch ein, und man kann von einer Weltliteratur nicht sprechen, solange die Literatur einer großen Kulturnation wie der deutschen unbeachtet geblieben war.

Man wird aus all dem auch schon erkennen können, daß die Wirkungen, welche die Völker durch ihre Literaturen aufeinander ausüben, sehr verschiedener Art sein können und sind. Es ist die Kraft zu binden oder zu lösen, Gesetz oder Freiheit zu geben, zu formen oder zu entformen, zu begrenzen oder zu entgrenzen. Der Rhythmus alles organischen Lebens vollzieht sich im einzelnen Menschen wie im Leben der Völker zwischen Lösung und Bindung. Der junge Mensch verlangt nach Lösung, Freiheit, Sprengung, um dem werdenden, blühenden, wachsenden Leben Raum zu schaffen. Der Mann verlangt nach Bindung, Ordnung, Maß, Gesetz und Form, damit die reife Frucht vollkommen, abgeschlossen, fertig und vollendet sei. Ein gleicher Rhythmus vollzieht sich im Leben der Völker. Aber nicht jedem Volk sind diese beiden Kräfte: zu binden und zu lösen, gegeben, und wenn man die Geschichte der menschlichen Kultur betrachtet, so kann man sehen, daß die einen Völker sich aus eigener Kraft und eingeborenem Maß zu binden und zu begrenzen wissen, jedoch der Hilfe anderer Völker bedürfen, wenn die Stunde der Lösung und Befreiung schlägt, daß umgekehrt andere Völker die Kraft der Lösung und Entgrenzung haben, sich jedoch an fremde Kulturen wenden müssen, wenn die Stunde der Bindung und Begrenzung kommt. Das ist die Wechselwirkung zwischen den Literaturen der Völker, und danach unterscheiden sich ihre Wirkungen für einander, ob sie binden oder lösen, Gesetz oder Freiheit, Form oder Leben verleihen, verjüngen oder reifen. Es ist besonders der Unterschied zwischen den Wirkungen, welche die germanischen auf die romanischen Literaturen übten, und denen, die umgekehrt von den romanischen auf die germanischen ausgingen. Die romanischen Literaturen, Frankreichs und Italiens besonders, empfingen von den germanischen den Segen einer lösenden, von Regeln und Gesetzen befreienden, verjüngenden Kraft. Die germanischen Literaturen empfingen von den romanischen den Segen des Gesetzes und der Form, des Maßes und der Bindung. Das mag wohl daher zu verstehen sein, daß in den romanischen Völkern, die ja aus einer Vermischung von germanischem und antikem Blut und Geist entstanden, das Erbe der Antike niemals ganz verloren ging, weswegen man denn auch bemerken kann, daß die erzieherische Kraft der Antike selbst, welche sie in den germanischen Literaturen übte, fast immer Hand in Hand mit der von Italiens Renaissance und Frankreichs Klassizismus, ja manchmal überhaupt nur auf dem Umweg über die romanischen Literaturen ging, an welche sich die germanischen dann immer um Hilfe wendeten, wenn die

Weltstunde klassischen Geistes kam. Schlug aber die Stunde der Romantik, dann mußten die romanischen Literaturen die Hilfe Englands und Deutschlands in Anspruch nehmen.

Es scheint ja vielleicht merkwürdig zu sein, daß gerade dieses Wort « romantisch » von « romanisch » abgeleitet ist und ursprünglich sogar ganz identisch mit ihm war. Das kommt aber daher, daß die Bezeichnung romanisch für die aus der Verbindung von Römern und Germanen hervorgegangenen Sprachen und Literaturen sich zu dem Zwecke bildete, um ihren Unterschied von der alten, reinen, unvermischten, römischen Sprache und Literatur, nicht etwa vom Germanentum, zu kennzeichnen, im Grunde also gerade jenes Element in den romanisch genannten Sprachen und Literaturen, das zu dem antiken Erbe neu hinzugekommen war durch die Germanen. So konnte es geschehen, daß der Name Romantik jenen Sinn erhielt, in dem er den Gegensatz zur antiken Dichtung, zum antiken Geiste überhaupt bezeichnete, und so endlich für die Literaturen der germanischen Nationen, Englands, Deutschlands, Skandinaviens, verwendet wurde. Man wird es jedenfalls ganz deutlich bemerken können, wie die romanischen Literaturen das innerste und eigenste Wesen der deutschen Dichtung in ihrem « romantischen » Geiste fanden, und wie dieser es auch war, der als erfrischender Quell in die romanischen Literaturen einfloß. Selbst die deutsche Klassik, das, was innerhalb der deutschen Literatur als Klassik zu bezeichnen ist, selbst die Weimaraner Dichtung eines Goethe und Schiller, wurde im Ausland als Romantik empfunden und hat auch als solche auf die Literaturen Frankreichs und Italiens eingewirkt. Selbst in dieser deutschen Dichtkunst also, die sich so augenfällig an der Antike, der italienischen Renaissance und auch dem französischen Klassizismus erzogen und gebildet hatte, erkannte man im Ausland immer noch das deutsch-romantische Element als eigentlichsten Wesenszug. Weit mehr aber noch als die Weimaraner Klassik hat die Dichtung des jungen Goethe und des jungen Schiller, der deutsche Sturm und Drang also, die romanischen Literaturen beeindruckt. Er war es in erster Linie, der die europäische Romantik entfesselt hat, indem er sie von den Gesetzen und Regeln des Klassizismus befreite, der bis dahin, von Frankreich ausgehend, die europäischen Literaturen, auch die deutsche, beherrscht hatte.

Aber man kann auch noch etwas Anderes sehen: daß nämlich die deutsche Literatur oder, besser gesagt, daß Goethe, der in den romanischen Literaturen so lösend, sprengend und befreiend wirkte, in germa-

nischen Literaturen, in der deutschen, aber auch in England, eine ganz
andere Wirkung zu erzielen vermochte. In der germanischen Welt hatte
Goethe — man wird es noch genauer sehen — eine andere Sendung zu
erfüllen als in der romanischen. In den germanischen Literaturen nämlich trat er auch als der große Erzieher zur Form und zum Maße, als
der große Versittlicher und Vernünftiger auf. War er für Frankreich ein
Befreier vom bindenden Gesetz, so wurde er für Deutschland, England
und auch die Schweiz ein Geber des Gesetzes. Das konnte freilich erst
geschehen, nachdem Goethe selbst durch andere Kulturen, die antike,
die romanische, sich selbst zu Maß und Form, zu Bindung und Gesetz
erzogen hatte. Aber diese Selbsterziehung Goethes und diese Verschiedenheit der Wirkung, die von ihm auf die germanischen und die romanischen Literaturen erfolgen konnte, offenbart erst ganz das deutsche
Wesen, das in einer tiefen, inneren Spannung, ja in einer tragischen
Polarität besteht, derjenigen nämlich zwischen deutscher Natur und
deutschem Geist. Gewiß, die deutsche, eingeborene Natur neigt der Romantik zu und ist so unantik wie nur möglich. Aber es gibt eben nicht
nur die deutsche Natur, sondern auch den deutschen Geist, und dieser
ist der Geist eines fordernden Idealismus, der nicht einfach hinnehmen
will und kann, was er von Gnaden der Natur empfing, sondern der ihr
gegenüber eine Aufgabe empfindet und die Forderung erhebt, die eigene
Gegebenheit zu überwinden und sich das zu erobern, was ihm von Gna
den der Natur nicht gegeben ist. Findet deutsche Natur wohl ihren
tiefsten Ausdruck in Musik, der Geist verlangt, sich plastische Gestaltung zu gewinnen. Fühlt die deutsche Natur sich in der Welt der
dunklen, irrationalen Mächte heimisch, der deutsche Geist will Klarheit der Vernunft. Verlangt die deutsche Natur die innere Freiheit der
Persönlichkeit, der deutsche Geist erhebt die Forderung nach gesellschaftlicher, staatlicher und künstlerischer Bindung durch das all-
verpflichtende Gesetz und Maß. Hat die deutsche Natur sich selbst
genug getan, wenn sie die reine Wahrheit sucht, der deutsche Geist
verlangt nach Schönheit der Gestalt und Form. Das macht den Unterschied der deutschen Klassik, wann und wo sie immer entstand, von
jeder andern Klassik aus, daß sie als Überwindung der eigenen Natur,
als eine ethische Forderung des Geistes entstehen mußte, während
sich die italienische Renaissance aus dem eingeborenen Formgefühl
Italiens, der französische Klassizismus aus der eingeborenen Liebe zur
Vernunft in Frankreich ganz natürlich ergab. Mit einem Worte: es
gehört zum faustischen Menschentum, daß Faust sich selber über-

fliegen und mit Helena vermählen will. Der Bund von Faust mit
Helena stellt erst den ganzen Ausdruck des deutschen Menschentums
dar, weswegen auch die Sehnsucht nach Gewinnung der Antike ein
Leitmotiv des deutschen Geisteslebens gewesen ist. Diese Sehnsucht
hat sich in Goethe erfüllt, der wirklich in sich selbst und seiner Kunst
den Bund von Faust und Helena geschlossen hat, und so ist es zu verstehen, daß ihm jene so verschiedene Sendung in den germanischen
und romanischen Literaturen beschieden war.

Warum ist es nie zu einer zusammenfassenden Darstellung der Goetheschen Weltliteraturidee und ihrer beginnenden Verwirklichung gekommen, obwohl es, wie zu zeigen ist, sehr nahe daran war? Das ideelle
Fundament war gelegt. Das Erlebnis der Wirkungen, welche die fremden Literaturen auf ihn, welche er auf sie hatte, bedeutete eine Bestätigung und Festigung seiner Erkenntnis, welchen Segen die Weltliteratur
zu verbreiten vermag. Er selbst war in seiner Jugend durch England
zu sich selbst erweckt und durch Italien und Frankreich zum Klassiker herangebildet worden. Sein Dank an England war in seiner Jugend
die Rede zum Shakespearetag und die Ossianübersetzung im Werther.
Sein Dank an Italien war die Übersetzung des Benvenuto Cellini
(1796/97) und später seine « Italienische Reise ». Sein Dank an Frankreich war die Übersetzung von Diderots « Versuch über die Malerei »
(1799) und « Rameaus Neffe », den Goethe aus der Originalhandschrift
übersetzte und damit überhaupt zum erstenmal der Welt bekannt
machte (1805). Er brachte Übertragungen Voltairescher Dramen auf die
Weimaraner Bühne, um damit die eigene Bildung, die er durch Frankreichs Kunst erhalten hatte, allgemein dem deutschen Theater zu verleihen. Was seine Wirkung auf die Welt betrifft, war sie schon früh
durch seinen Werther eingetreten. Davon sprach er freilich nicht gern
und hatte gute Gründe dafür. Er lehnte die Verantwortung für das
Fieber, das Werther erregte, ab. Nicht seine Dichtung habe es verursacht; sie habe nur das Übel aufgedeckt, das in der europäischen
Jugend verborgen lag. Aber er sprach überhaupt nicht öffentlich von
den Wirkungen seiner Werke, die er in fremden Literaturen bemerken
konnte, solange es sich nur um vereinzelte Erscheinungen, Stimmen
in der Wüste handelte. Daß er sich an Übertragungen seiner klassischen
Werke wohl erfreute, dafür gibt es Zeugnisse genug. So etwa ließ er
von William Taylors englischer Übersetzung seiner « Iphigenie » eine
schön gedruckte Extraausgabe bei seinem Verleger Unger herstellen.
Er dankte seinen Übersetzern in herzlich gehaltenen Briefen. Auch

faßte er 1799 den Plan zu einem öffentlichen Vergleich von vier Übersetzungen seines Epos « Hermann und Dorothea »: der dänischen von
Jens Smith (1799), der französischen von Bitaubé (1800), den englischen von Holcroft (1801) und Mellish (1798). [31] Aber der Plan kam
nicht zur Ausführung, wie Goethe überhaupt von keiner Übersetzung
oder Wirkung seiner Werke öffentlich sprach, bis sich die Auswirkungen
des Buches der Frau von Staël « De l'Allemagne » in aller Welt bemerkbar machten, und ihm zum Bewußtsein führten, daß er selbst ein
Erwecker der europäischen Romantik sei, womit die zweite Periode
in der Entwicklung seiner Weltliteraturidee und in seiner weltliterarischen Tätigkeit begann.

Im Jahre 1816 lernte er Byrons « Manfred » kennen und bemerkte
sofort die Patenschaft seines faustischen Geistes an diesem die Welt
faszinierenden Dichter, mit dem sich bald durch Gaben und Gegen-
gaben innige Beziehungen herstellten. Nach Byrons Tod nahm er die
Fühlung mit Walter Scott auf, der einst seinen « Götz von Berlichingen »
übersetzt hatte. Im Jahre 1818 erfuhr er, daß der zuerst in deutscher
Literatur entbrannte Kampf zwischen den Klassikern und Romantikern nun auch jenseits der Alpen in Italien zu lodern begann. Zu
Manzoni stellte sich ein herzliches Verhältnis her. Seit dem Werk der
Frau von Staël mehrten sich die Zeichen in Frankreich, daß auch die
französische Literatur, die sich so lange der deutschen verschlossen
hatte, sich ihr zu öffnen begann und auch dort jener Kampf zwischen
den Klassikern und Romantikern einsetzte. Der « Globe », die Zeitschrift der französischen Romantik, die Goethe 1824 kennenlernte,
machte geradezu Epoche in der Entfaltung seiner weltliterarischen
Vermittlungtätigkeit. Denn von nun an richtete Goethe in seiner
Zeitschrift « Kunst und Altertum » die Aufmerksamkeit seines Volkes
auf alles, was in den europäischen Literaturen die Erweckung durch den
deutschen und besonders den Goetheschen Geist verriet, oder was als
ein Spiegelbild für den deutschen Geist dienen konnte, und das geschah nicht nur zur Erhöhung des deutschen Selbstbewußtseins, sondern weit mehr noch zur Hebung der deutschen Selbsterkenntnis,
Duldung und Anerkennung gegenüber fremden Nationen.

So hatte sich allmählich bis in die zwanziger Jahre hinein so viel an
wechselseitigen Beziehungen zwischen Goethe und den fremden Literaturen entwickelt, daß er daran denken konnte, als er den Plan zu
der Ausgabe letzter Hand seiner Werke veröffentlichte, diesen
Beziehungen einen ganzen Band zu widmen: Band XXXVIII:

« Rameaus Neffe von Diderot, und sonstige französische, englische, italienische Literatur in bezug auf des Verfassers Verhältnisse zu Dichtern und Literatoren jener Länder » (1826). Ein Entwurf dazu gibt nähere Auskunft darüber, woran Goethe dachte: «Französische Literatur. Diderot und was dem anhängt. Englische Literatur. Lord Byron, Walter Scott. Italienische Literatur. Monti, Bondi und Manzoni. Alle zusammen auf meine persönliche Teilnahme sich beziehend. »

Im Tagebuch vom 8. Mai 1826 verzeichnet er: « Einiges diktiert über mein Verhältnis zu fremden Literatoren und Literaturen. » Dieses Diktat ist in drei zusammenhängenden Schemata erhalten.[32] Sie bestehen nur aus Stichworten, die aber zeigen, daß Goethe nun eine zusammenfassende Darstellung seiner Aufnahme in den Literaturen und bei den Literatoren Frankreichs, Englands und Italiens, und seiner Teilnahme an ihnen plante, vom Werther angefangen. Das Schwergewicht sollte offenbar auf seinen Beziehungen zu der im « Globe » sich sammelnden Romantik Frankreichs, zu Byron und Manzoni liegen, und die Frage, die ihn beschäftigte, war nicht nur die Feststellung seiner Wirkungen, sondern die tiefere: Wie kam es zu diesen Wirkungen? Warum war der Einfluß seines Werther größer als der seiner anderen Werke? Was war die Veranlassung dafür, daß seine Arbeiten so stark auf die französische Romantik wirkten, wie der « Globe » es ihm zeigte? Am 15. Januar 1827 diktiert er an Schuchardt « bezüglich auf französische und Weltliteratur ». Das entscheidende Wort ist gefallen, und mit der sprachlichen Prägung vollzieht sich auch eine gewisse Wandlung seiner weltliterarischen Vermittlungstätigkeit. Wenn seine eigenen, persönlichen Beziehungen zu den fremden Literaturen und Literatoren, seine Ausstrahlungen in die Welt es waren, welche die sich entwickelnde Idee zur Vollendung gebracht hatten, so geht aus einem Schema « Zur Geschichte der französischen Literatur » vom Januar 1827 hervor, daß Goethe auch den Einfluß deutscher Literatur, außer dem seinigen, auf die Franzosen darstellen wollte, und wie sie zuerst durch Villers, Constant und die Frau von Staël gründlicher mit ihr bekannt wurden. Dem Jahre 1828 gehören drei zusammenhängende Schemata an: « Teilnahme der Franzosen an deutscher Literatur », « Die Teilnahme der Engländer und Schottländer an deutscher Literatur », « Teilnahme der Italiener an deutscher Literatur ». Schon die Titel zeigen einen wesentlichen Unterschied dieses Plans von dem aus dem Jahre 1826. Wenn Goethe damals nur seine eigenen, persönlichen Beziehungen zum

Ausland darstellen wollte, so sollte es sich jetzt, unabhängig von ihm
selbst, um die Beziehungen der drei fremden Literaturen von ihrem
Standpunkt aus zu der deutschen handeln, um die philosophische Einwirkung des deutschen Idealismus, wodurch die Franzosen ihren einseitigen Sensualismus und Empirismus überwanden, um die ästhetische
Einwirkung, wodurch sie, die in ihrer modernen Geistigkeit «schon
längst auf dem romantischen Wege» waren, aber es sich nicht zu
bekennen trauten, die klassische, jedoch erstarrte Form durchbrachen,
wie es nach und nach geschehen mußte. Bei der Behandlung der englischen und schottischen Teilnahme an der deutschen Literatur wollte
Goethe die Ausführlichkeit und Gründlichkeit ihrer Studien und ihren
Respekt vor dem Publikum erörtern, der daher entspringt, daß sie
erwarten müssen, starken, gegründeten Widerspruch zu erdulden,
woran sie durch die Öffentlichkeit ihrer vielen Verhandlungen gewöhnt
sind. Die deutsche Literatur kommt dort in Kurs. Das heißt aber noch
keine Wirkung, kein Einfluß in höherem Sinne, dessen Erscheinung
erst nach und nach zu erwarten ist. Was die italienische Teilnahme
betrifft, so wollte Goethe die wohlwollende Haltung Manzonis darauf
zurückführen, daß man gegen ihn in Deutschland gerecht gewesen ist.
Der männliche Charakter der Zeitschrift «L'Eco», sowie des italienischen Publikums, sollte dargestellt werden. Man erkennt: Goethes
Bemühungen um die Weltliteratur haben sich bedeutend objektiviert,
und wenn sie aus dem Erlebnis seiner persönlichen Ausstrahlungen
entstanden waren, so erhob er sich dann doch auf einen Gipfel, von
dem er die Beziehungen der Literaturen zueinander, unabhängig von
sich selbst zu überschauen vermochte. Als eine zu diesen Schemata
gehörige Ergänzung ist wohl auch das nächste Schema aus dem Jahre
1829 anzusehen, welchem Eckermann den Titel «Stellung der Deutschen
zum Auslande, besonders zu den Franzosen» gegeben hat.[33] Denn in
ihm handelt es sich darum, daß Deutschland sich klar machen solle,
inwiefern ihm das Phänomen, daß es fremden Nationen immer mehr
bekannt und von ihnen anerkannt wird, zur Ehre und zum Vorteil
gereichen könne, wobei dann genau zu unterscheiden wäre, wie und was
sie von uns gelten lassen, oder wie sie es nur ungefähr aufnehmen und
zu ihrem Nutzen verwenden. Hier entstehen folgende Fragen: 1. Ob
sie die Ideen gelten lassen, an denen wir festhalten, und die uns in
Sitte und Kunst zustatten kommen. 2. Inwiefern sie die Früchte unserer
Gelehrsamkeit genießbar finden und die Resultate derselben sich aneignen. 3. Inwiefern sie sich unserer ästhetischen Formen bedienen.

4. Inwiefern sie das, was wir schon gestaltet haben, wieder als Stoff behandeln. Diese Fragen wollte Goethe hinsichtlich der Franzosen so beantworten: 1. Die Franzosen bekennen sich jetzt zu der deutschen Philosophie, die das, was dem innern Menschen angehört, gelten läßt und solches von dem, was wir von außen empfangen, zu unterscheiden weiß. Sie haben auch über die Vermählung beider Elemente verständig nachgedacht. (Goethe dachte hier an Victor Cousin.) 2. Sie schätzen jetzt mit besonderem Nachdruck diejenigen Werke unserer Gelehrsamkeit, die wir gleichfalls hochachten, besonders Savigny und Niebuhr. 3. Unseren ästhetischen Formen suchen sie sich offenbar gleichzustellen, denn die dramatisierten Geschichten der neueren Schule, wie « Die Barrikaden » (von Vitet), sind Vorarbeiten zu wahrhaft theatralischen Stücken dieser Art. Auch getrauten wir uns zu dem « Theater der Clara Gazul » (von Mérimée) Parallelen in unserer Literatur aufzuzeigen, es sei nun, daß diese mittelbar oder unmittelbar Veranlassung gegeben hätten. 4. Der Fall, daß sie das, was wir schon gestaltet haben, wieder als Stoff behandeln, kommt öfters vor. Aber der Franzose muß immer ändern und wieder ändern, denn er hat einen gar eigenen Stand gegen sein Publikum, dem er es doch immer nach einem gewissen alten, herkömmlichen Sinn zuschneiden muß. Was ihn aber hauptsächlich hindert, zu einem gewissen ernsten Werke zu gelangen, ist, daß er mit einem ungeduldigen Publikum zu tun hat, das jeden Augenblick angereizt und erschüttert werden will. Daher ist es selten, daß etwas von unsern Arbeiten in eigner Gestalt hinüber kommt. Auch ist zu bemerken, daß mit dem romantischen zugleich ein krankhaftes Element bei ihnen überhand genommen hat, und daß von uns doch eher Genesung zu hoffen ist. Das nächste Schema von 1832, « Zu Kunst und Altertum VI. Bandes, 36. Stück », zeigt, daß Goethe jetzt wirklich kurz vor der Ausführung stand und sie in « Kunst und Altertum » veröffentlichen wollte. Es trägt den Obertitel: « Europäische, d. h. Welt-Literatur »[34] und verrät auch gegenüber den frühern Schemata bereits mehr Zusammenhang und Bezogenheit und eine feinere Unterscheidung der Nationen in ihrem Verhältnis zur deutschen Literatur. Auch sollte jetzt offenbar die Wechselwirkung zwischen den Nationen, nicht nur der deutsche Einfluß behandelt werden, was wiederum eine neue Stufe erhöhter Objektivität bedeutet. Die Deutschen, so heißt es also, arbeiten für sich, ohne Bezug aufs Ausland, und haben sich auf einen hohen Punkt der Kenntnis und Bildung erhoben. Die Franzosen sind von jeher gewohnt, nach außen zu wirken, bilden

sich viel auf diesen Einfluß ein und haben wirklich, was man soziale Bildung nennt, von oben herein verbreitet. Dagegen konnten sie in Absicht auf tiefere Bildung fremdem Einfluß nicht ausweichen. Englische und schottische Philosophie muß ihnen zu Hilfe kommen, um sich aus dem Sensualismus zu retten. Sie werden nach und nach der deutschen Philosophie gewahr und finden für sich manches zu brauchen, benutzen, was die Ideenwelt aufschließt, bedienen sich der Wissenschaft und arbeiten in ideelleren Formen, welche in der empirischen und unvollkommenen Erscheinung romantisch heißen. Bei den Engländern scheint eine tiefere Kenntnis der deutschen Literatur in einzelnen Autoren ausgesät zu sein. Bei den Schottländern findet sich schon tiefere und allgemeinere Einwirkung. Wenn all diese Schemata davon zeugen, daß Goethe an eine zusammenfassende Darstellung der weltliterarischen Beziehungen zwischen der deutschen, französischen, englischen und italienischen Literatur seiner Gegenwart dachte, so gibt es auch gleichzeitige Zeugnisse dafür, daß er an eine systematische Darstellung seiner Weltliteraturidee dachte: was unter ihr zu verstehen ist, welche Ziele und welche Grenzen ihr gesteckt sind, welchen Segen und welche Gefahren sie in sich trägt, welche Aufgabe den verschiedenen Nationen in ihr zufällt. Es sind Aufzeichnungen [35], die für Goethes Vorwort zu der deutschen Übersetzung von Carlyles Schillerbiographie bestimmt waren, das ja auch, so wie es ist, schon zu den wichtigsten Manifestationen von Goethes Weltliteraturidee gehört, und in das auch manches von den oben behandelten Schemata eingegangen ist. Goethe dachte ursprünglich wohl daran, dieses Vorwort zu einer umfassenderen und systematischeren Darstellung seiner Idee auszugestalten.

Warum aber hat Goethe keinen dieser Pläne ausgeführt, nicht den zu einer historischen und nicht den zu einer systematischen Darstellung, wo doch diese Idee ihm so am Herzen lag, und seine Gedanken im letzten Jahrzehnt seines Lebens sie ständig umkreisten? Als Antwort kann nur dieses angedeutet werden: Goethe hatte überhaupt eine gewisse Scheu vor systematischer Darstellung auf geisteswissenschaftlichem Felde, die er auf naturwissenschaftlichem weniger hatte, obwohl auch seine naturwissenschaftlichen Darstellungen einem aphoristisch-bequemen Charakter zuneigen. Mit zunehmendem Alter wuchs auch naturgemäß eine gewisse Neigung zur Bequemlichkeit in seinen Kundgebungen, nicht nur denen seiner Weisheit und Wissenschaft, sondern auch den dichterischen, wie die Wanderjahre und der zweite Teil des

Faust es zeigen. Auch entsprangen seine Ideen ja von vornherein weniger einer strengen und systematischen Denktätigkeit als vielmehr einer intuitiven Erfassung, die sich wohl gründlichst am Erfahrungsstoffe sättigte, aber sich doch natürlicher und ungezwungener in andeutender und aphoristischer Form zum Ausdruck bringen ließ. Wenn Goethe seine gesamte Dichtung Gelegenheits- oder Bekenntnisdichtung nannte, so könnte man auch seine wissenschaftliche Arbeit im gleichen Sinne Gelegenheits- oder Bekenntniswissenschaft nennen. Auch sie gebiert sich aus dem, was ihm augenblicklich auf der Seele brannte. Für seine weltliterarische Tätigkeit aber kam noch ein besonderer Grund hinzu, um eine ausführliche und systematische Darstellung auszuschließen. Er schreibt einmal, 1827, an Streckfuß, den Übersetzer Dantes: « Haben Sie irgendein Werk in ausländischer Literatur, worüber Sie mit wenigem Ihre Gesinnung aussprechen möchten, so tun Sie es und geben Sie mir Kenntnis davon. Die Produkte der verschiedenen Nationen gehen jetzt so veloziferisch durcheinander, daß man sich eine neue Art, davon Kenntnis zu nehmen und sich darüber auszudrücken, verschaffen muß. » Der veloziferische Charakter seiner Zeit, die immer zunehmende Schnelligkeit des materiellen wie geistigen Verkehrs zwischen den Völkern war ja von Anfang an ein Grund für seine Erwartung einer Weltliteratur und seine Hoffnung auf sie. Man diente ihr also besser, konnte sich auch eher ihrem schnellen Fortschritt anpassen, wenn man sich der Form einer schnelleren Mitteilung bediente.

Das alles kam zusammen, um seine Pläne zu einer zusammenfassenden, historisch-empirischen und systematischen Darstellung der Weltliteraturidee nicht zur Ausführung kommen zu lassen. Es ist höchst auffallend, wie Goethe in Schriften, Briefen und Gesprächen, wenn er auf Weltliteratur zu reden kommt, immer wieder ausweichende Bemerkungen wie solche macht: daß weitere Ausführung zu weit führen würde, daß er sich ihrer enthalten müsse, daß er sie andern überlassen wolle, daß er nur vorläufig darauf hindeuten wolle, daß der Raum für weitere Ausführung nicht reiche. So ist man denn genötigt, aus Hunderten von einzelnen, zerstreuten Bausteinen das Gebäude zu errichten.

Diese sind, außer in Briefen, Gesprächen, Tagebüchern, Schemata und den Kundgebungen seiner Teilnahme an Byron, Manzoni, Carlyle, besonders in seiner Zeitschrift « Kunst und Altertum » zu finden. Sie war zwar zunächst, als sie 1816 begann, eine Frucht seiner Rhein-

und Mainreise und hatte ursprünglich den Zweck, sich mit dem, was
noch an Altertum in dieser seiner Heimat sich befand, zu beschäftigen,
wie es zu erhalten, zu ordnen, zu benutzen und zu beleben sei. Aber
bald trat neben das deutsche auch das griechische Altertum und neben
die bildende Kunst auch die Dichtung. Der zweite Band (1820) bringt
bereits weltliterarische Artikel über die Klassiker und Romantiker
in Italien, über Byron und Manzoni. Im dritten Band (1823) steht viel
über Weltpoesie, und seit Goethe den « Globe » kennen lernte und aus
ihm ersah, daß die Sehnsucht nach Völkerversöhnung und geistiger
Vermittlung nicht mehr nur einzelnen Geistern eigen, sondern ein allgemeines Phänomen der europäischen Jugend war (das er auch bald
darauf, seit 1827, in den englisch-schottischen Zeitschriften und 1828
im italienischen « Eco » bemerken konnte), als er sich dadurch davon
überzeugte, in welchem Maße sich die fremden Literaturen der
deutschen zu öffnen begannen, drang er nun selbst nach dem Vorbilde
des « Globe » darauf, daß nun auch die deutsche Literatur sich in der
Welt umsehe, um ihr Spiegelbild im Urteil anderer Nationen zu finden,
sich selbst zu solchem Spiegelbild für andere Nationen zu machen
und den geistigen Güteraustausch zwischen den Literaturen zu fördern.
« Diese Zeitschriften », so heißt es einmal, « wie sie sich nach und nach
ein größeres Publikum gewinnen, werden zu einer gehofften, allgemeinen Weltliteratur auf das wirksamste beitragen. »[36] Seit 1826,
da seine ersten Übersetzungen aus dem « Globe » erschienen, hat
Goethe selbst seine Zeitschrift in der letzten Periode seiner weltliterarischen Tätigkeit zu einem solchen Organ der Weltliteratur gemacht, indem er es sich angelegen sein ließ, seiner Nation ihr Spiegelbild in den fremden Literaturen vorzuhalten und sie unermüdlich auf-
zufordern, sich nun, da die andern Nationen ihr gerecht werden, auch
ihrerseits jenen gerecht zu zeigen. Diese Mitteilungen Goethes von den
Spiegelungen der deutschen Literatur begannen wohl mit solchen seines
eigenen Bildes, wie es der « Globe » ihm zeigte, was aber keineswegs
auf Stolz und Eitelkeit zurückzuführen ist. So wie eben Goethe in all
seinen Schriften, den dichterischen wie den theoretischen, des eigenen
Erlebnisses, der persönlichen Erfahrung bedurfte, so mußte er auch
zunächst den Segen der Spiegelung an sich selbst erfahren, um die
Allgemeinheit seiner teilhaftig zu machen. Das eigene Beispiel sollte
das sicherste, weil das selbsterlebte, der deutschen Weltwirkung sein.
So schreibt er denn auch 1827, als er von einer Nachbildung seines
Tasso von Alexandre Duval und den Vergleichen berichtet, die im

« Journal du Commerce » und im « Globe » zwischen dem Original und dem Nachbild angestellt wurden: die Mitteilungen, die er aus französischen Zeitblättern gebe, hätten nicht etwa allein zur Absicht, an ihn und seine Arbeiten zu erinnern, er bezwecke vielmehr ein Höheres, worauf er vorläufig hindeuten wolle: Überall höre und lese man von dem Vorschreiten des Menschengeschlechtes, von den weiteren Aussichten der Welt- und Menschenverhältnisse. Wie es auch im ganzen hiermit beschaffen sein mag, wolle er doch von seiner Seite seine Freunde aufmerksam machen, daß er überzeugt sei, es bilde sich eine allgemeine Weltliteratur, worin uns Deutschen eine ehrenvolle Rolle vorbehalten sei. Alle Nationen schauen sich nach uns um, sie loben, sie tadeln, nehmen auf und verwerfen, ahmen nach und entstellen, verstehen oder mißverstehen uns, öffnen oder verschließen ihre Herzen. Wesentlicher aber ist noch die Feststellung, daß sich in der dritten Periode von Goethes weltliterarischer Tätigkeit, seit 1827, eine zunehmende Objektivität bemerkbar macht, wie man es schon in dem Vergleich der Schemata zur Weltliteratur bemerken konnte. Denn wenn auch gewiß die Mitteilungen von der Aufnahme seiner eigenen Werke im Ausland weitergehen, wenn er auch von der Stapferschen Faustübersetzung und den ihr beigefügten Bildern Delacroix' berichtet, von « Helena in Edinburgh, Paris und Moskau », von der Aufnahme seiner Weltliteraturidee in Frankreich, wenn er in seiner Einleitung zum « Leben Schillers » von Carlyle seine persönlichen Beziehungen zu dem schottischen Autor darstellt, wie er früher die zu Byron und Manzoni dargestellt hatte, wenn er in dem Gedicht « Ein Gleichnis » das verjüngende Gefühl zum Ausdruck brachte, das ihn ergriff, als er seine Lieder in fremder Sprache vernahm, wenn er das Gedicht an die 15 englischen Freunde veröffentlichte, die ihm mit einem Geschenk gehuldigt hatten, so teilt er doch im gleichen Zeitraum auch mit, wie sich bei Gelegenheit eines dem Schillerschen « Don Carlos » nachgebildeten Dramas « Elisabeth de France » von Alexandre Soumet die Verfasser des « Globe » zugunsten der Werke seines verewigten Freundes aussprachen, wie sie bei Gelegenheit des Warbeck von Fontan des Schillerschen « Warbeck » und « Demetrius » in allen Ehren gedachten, bei Vergleichung ihm durchaus den Vorrang gaben und zu weiteren Nachbildungen des « Wilhelm Tell » aufforderten, welch erfrischende Wirkung die englische Wallensteinübersetzung von George Moir ausüben könnte, mit welcher Verehrung und Liebe, Kenntnis und Einsicht Carlyle das « Leben Schillers » schrieb. Auch empfahl er die

Übersetzung der Herderschen « Ideen zur Philosophie der Geschichte der Menschheit » von Quinet samt der ihr vorausgehenden Einleitung, wofür Quinet, als er nach Goethes Tod davon erfuhr, die neue Ausgabe seiner Übersetzung Goethe widmete. Er machte ferner auf die Übertragung von Musterstücken der deutschen Romantik durch Carlyle: « German Romance » aufmerksam und empfahl den deutschen Tagesblättern, die von Carlyle den einzelnen Autoren vorgesetzten Notizen zu übersetzen, so wie er auch von den kritischen Besprechungen über Werke deutscher Romantiker in den englisch-schottischen Zeitschriften Kenntnis gab. Man sieht, wie seine vermittelnde Tätigkeit weit über ihn selbst und seine eigenen Werke hinauswuchs und das Spiegelbild der deutschen Literatur überhaupt im Ausland zeigte. Ja, es ist auffallend, daß er von der vielleicht größten Huldigung, die ihm persönlich von der französischen Romantik am Ende seines Lebens (1830) zuteil wurde, einer großen Sendung ihrer Werke und der Porträtmedaillons der Autoren, der Öffentlichkeit nicht mehr Kenntnis gab, obwohl sie ihn innerlichst beglückte.

Auch Deschamps, der mit seinen Übersetzungen und Nachbildungen fremdländischer Formen in den an Goethe gesandten « Etudes Françaises et Etrangères » die Grenzen der französischen Dichtung weit hinaus rückte und mit dem Vorwort dazu eines der wichtigsten Manifeste der französischen Romantik schuf, mußte sich, obwohl in den « Etudes » eine Übersetzung der von Frau von Staël noch für unübertragbar erklärten « Braut von Corinth » stand, mit einem durch den Bildhauer David mündlich überbrachten Dank begnügen, der diese Übersetzung nicht einmal erwähnt, obwohl er sie im Gespräch mit Eckermann als treu und sehr gelungen lobte. Dies « Suffrage de l'illustre Gœthe, douce compensation de tant de critiques », genügte freilich Deschamps, um es ihm zur heiligen Pflicht zu machen, die in jenem Vorwort niedergelegten Prinzipien und Anwendungen unter allen Umständen weiter auszubreiten. So steht im Vorwort zu Deschamps' späterer Gedichtsammlung « Poésie » (in der sich auch Übersetzungen der Mignon- und Gretchenlieder, des Erlkönigs, des Fischers, des Königs in Thule finden). Auch die Faustübersetzung von Gérard de Nerval, die dritte und bedeutendste nach denen von St. Aubain und Stapfer, die den Faust erst wirklich zu einem Besitze Frankreichs machte und seine Wirkung in der französischen Literatur entschied, wurde von Goethe nicht öffentlich angezeigt, obwohl er sich im Gespräch mit Eckermann sehr lobend über sie aussprach. Auch die Huldigung, welche ihm Berlioz mit der Zusendung seiner Faust-partitur 1829 und einem sie begleitenden Briefe abstattete, wurde der Öffentlichkeit nicht bekannt gemacht.

Die zunehmende Objektivität Goethes aber in der dritten Periode seiner weltliterarischen Tätigkeit zeigt sich nicht nur in solchen Verzichten und nicht nur darin, daß er, weit über sich selbst hinaus, der deutschen Literatur ihr Spiegelbild in den fremden Literaturen zeigte, sondern auch in der Ankündigung und Empfehlung ausländischer Werke, die mit deutscher Literatur gar nichts zu tun hatten, und zu deren Autoren Goethe kein persönliches Verhältnis hatte, wie etwa von Lemerciers historischer Komödie « Richelieu » oder von den Memoiren Robert Guillemards, die in deutscher Übersetzung « eingeführt und eingeleitet von Goethe » 1827 erschienen, oder von Taschereaus « Histoire de la Vie et des Ouvrages de Molière ». Solche Berichte und Empfehlungen treten freilich gegenüber den Spiegelbildern deutscher Literatur beträchtlich in den Hintergrund. Aber Goethe regte andere Autoren, wie besonders den Dante-Übersetzer Streckfuß an, ihm Besprechungen fremdländischer Werke für « Kunst und Altertum » zu schicken. (Von Streckfuß stammen die auf Goethes Anregung hin geschriebenen Kritiken über Manzonis Roman « I Promessi Sposi » und über Niccolinis Tragödie « Antonio Foscarini », die Goethe ihm zugeschickt hatte. Streckfuß hat auch Manzonis Tragödie « Adelchi » auf Goethes Anregung hin übersetzt.) In Goethes Charakteristik des «Französischen Haupttheaters», in der er die Wandlung der französischen Bühne von der « ganz reinen, regelmäßigen, sogenannten klassischen Art » zu den romantischen Dramatisierungen der Geschichte darstellt, ist es bemerkenswert, daß er mit keinem Worte von dem so augenfälligen Einfluß seines « Götz von Berlichingen » spricht, obwohl er sich, wie aus manchen Äußerungen hervorgeht, dieser Wirkung ganz bewußt war. Die höchste Stufe der Objektivität aber betrat Goethe mit den in dieser Periode und schon zu Ende der zweiten bedeutend hervortretenden Vergleichungen zwischen den verschiedenen Literaturen Europas, die von seinem souveränen Standpunkt über allen Nationen und seiner durch nichts getrübten Schau, der sich das Wesen der nationalen Charaktere offenbarte, beredtes Zeugnis geben. Nun hat wohl Goethe auch manchmal entschieden vor Vergleichungen gewarnt, so etwa in der « Warnung », die in den Noten zum « West-östlichen Divan » steht. Man vergleiche, so fordert er, die orientalischen Dichter mit sich selbst, man ehre sie in ihrem eigenen Kreise und

vergesse doch dabei, daß es Griechen und Römer gegeben habe. Man
soll Firdusi nicht mit Homer vergleichen, weil er in jedem Sinne dem
Stoff, der Form, der Behandlung nach verlieren muß. Wir haben
unsern herrlichen Nibelungen durch solche Vergleichung den größten
Schaden getan, dadurch, daß sie nach einem Maßstab, dem homerischen,
gemessen wurden, den man niemals bei ihnen anlegen sollte. Man
lobe, wähle und verwerfe nicht vergleichend. In einem Brief von
1826 heißt es: «Damit wir aber nicht immer bei Lob und Preis der
Engländer allein verharren, so muß ich nur melden, daß das Krönungs-
gedicht des Herrn De Lavigne ganz fürtrefflich ist. Ich bin dadurch
in meiner alten Überzeugung bestärkt worden, daß man nicht vergleichen müsse, sondern daß man jede Nation, jeden Dichter und
Schriftsteller, jedes Individuum an sich betrachten und schätzen solle.»
Das alles darf jedoch nur so verstanden werden, daß man aus Gerech-
tigkeitsgründen nicht eine Erscheinung an der andern messen und
abschätzen, vergleichend loben oder verwerfen darf, weil die Verschiedenheit der Charaktere und Intentionen nicht das gleiche Maß
der Beurteilung verträgt. Aber Goethe war schon von der Naturwissenschaft her viel zu sehr daran gewöhnt, die Phänomene auf ihre
Ähnlichkeit und charakteristische Verschiedenheit hin miteinander
zu vergleichen, um dies nicht auch in der geistigen Welt zu tun. «Naturgeschichte beruht überhaupt auf Vergleichung», so steht in seiner
Morphologie. Er war ja schon als Herders Jünger von Anfang an
daran gewöhnt, so wie er die Fruchtbarkeit der vergleichenden Methode
in Wilhelm von Humboldts Sprachvergleichung und auch in Humboldts Brief über das deutsche und französische Theater erfuhr. Man
kann Goethe geradezu als einen der wichtigsten Ahnen der vergleichenden Literaturbetrachtung erkennen, und wie hätte der Schöpfer der
Weltliteraturidee denn auch auf den Vergleich verzichten können, der
ja doch zu den wesentlichsten Methoden der zwischen den Nationen
vermittelnden und sie miteinander bekannt machenden Weltliteratur
gehört. Schon 1801 hatte Goethe einmal daran gedacht, öffentlich
einen Vergleich zwischen vier Übersetzungen von «Hermann und
Dorothea» anzustellen. Als er am «West-östlichen Divan» schuf,
schien es ihm wunderlich zu sehen, wie die verschiedenen Nationen —
Franzosen, Engländer, Deutsche — den ungeheuren Stoff der orientalischen Dichtarten jede nach ihrer Art behandeln, und so muß man
es auch machen, wenn man ihnen etwas abgewinnen will. Aber erst
in der Spätzeit seiner weltliterarischen Tätigkeit, als er sich auf die

höchste Stufe objektiver Überschau erhoben hatte, trat die Vergleichung der Nationen öffentlich und methodisch hervor. Es geschah
wohl manchmal auch bei Gelegenheit seiner eigenen Werke, indem er
sah, wie verschieden sie von den verschiedenen Nationen aufgenommen
und behandelt wurden. Aber auch da noch ist die wachsende Objektivität zu beobachten. In dem Aufsatz «Die drei Paria» von 1824
vergleicht er seine eigene Parialegende mit einer deutschen und einer
französischen Pariatragödie. Aber es sind damals noch nicht die nationalen Wesenheiten, die er herausarbeitet, sondern er stellt dem «tragisch
grausamen Motiv» jener Dramen «zur Erholung und Erhebung»
die eigene Behandlung gegenüber, welche die Vermittlung der Kon-
traste durch die oberste Gottheit vorstellt. Wenn man nun aber mit
diesem Aufsatz den späteren von 1828 vergleicht: «Helena in Edinburgh, Paris und Moskau», so wird die höhere Objektivität in diesem
letzten Zeitraum offenbar. Denn jetzt, da Goethe eine englische Abhandlung über seine Helena von Carlyle, eine französische von Ampère
und eine russische von Schewireff miteinander vergleicht, heißt es
lakonisch vereinfachend: «Hier strebt nun der Schotte, das Werk zu
durchdringen; der Franzose, es zu verstehen; der Russe, sich es anzueignen. Und so hätten die Herren Carlyle, Ampère und Schewireff
ganz ohne Verabredung die sämtlichen Kategorien der möglichen
Teilnahme an einem Kunst- oder Naturprodukt vollständig durchgeführt.» Solche Vergleichungen aber gelten in dieser letzten Periode
keineswegs nur Goethes eigenen Werken. Sie entfalteten sich auch
nicht nur in der vergleichenden Behandlung der Länder und Völker
und ihrer weltpoetischen Ausdrucksweisen. In dem Aufsatz «Englisches Schauspiel in Paris» vergleicht er, wie die deutschen und die
französischen Kritiker mit Shakespeare verfahren. Die deutschen
suchen ihrer Gründlichkeit gemäß in seine Wesenheit einzudringen,
gestehen gerne dem Stoff, den Gegenständen seiner Dichtung allen
Wert und Gehalt zu, sie trachten, seine Behandlungsart zu entwickeln,
ihrem Gange zu folgen, die Charaktere zu enthüllen und scheinen mit
aller Bemühung doch nicht zum Ziele zu gelangen. Die Franzosen dagegen, lebendig-praktischen Sinnes, verfahren hierin ganz anders. Sie
genießen gegenwärtig des Glücks, die vorzüglichsten englischen Schauspieler in den berühmtesten, beliebtesten Stücken nach und nach vor
sich zu sehen, und zwar auf eigenem Grund und Boden, wodurch sie
gegen das Fremde in den wichtigen Vorteil gesetzt sind, daß ihnen der
heimische Maßstab zur Hand bleibt, der, wenn sie ihn, alte verrottete

Vorurteile beseitigend, mit Geistesfreiheit an das Fremde legen, ihnen
zu einem wahrhaft überschauenden Urteil die sicherste Gelegenheit
gibt. Um die Wesenheit des Dichters und seiner Dichtung, welche
doch niemand ergründen wird, kümmern sie sich nicht, sie achten
auf die Wirkung, worauf denn doch eigentlich alles ankommt, und
indem sie die Absicht haben, solche zu begünstigen, sprechen sie aus,
teilen sie mit, was jeder Zuschauer empfindet, empfinden sollte, wenn
er sich auch dessen nicht genugsam bewußt würde. Mit dem englischen
Schauspiel in Paris wiederum vergleicht Goethe das « Französische
Schauspiel in Berlin ». Auch die italienischen und französischen Zeitschriften « Eco » und « Globe » werden auf ihren männlichen Charakter
hin miteinander und beide wiederum mit den deutschen Zeitschriften
verglichen, welche zum großen Teil von Frauen und fast durchaus für
Frauen geschrieben sind.[37]

Fragt man zusammenfassend nach den Absichten und Motiven, die
Goethe in seiner gesamten Vermittlungstätigkeit auf dem Gebiete der
Weltliteratur leiteten, und die aus den allgemeinen Betrachtungen zu
entnehmen sind, welche er fast allen seinen Besprechungen und Empfehlungen beifügte, so ergibt sich als allgemeinster Gesichtspunkt der, daß
Goethe auf die sich anbahnende Weltliteratur hinweisen und ihre Entwicklung zu begünstigen und zu beschleunigen versucht. Zwei allgemeine
Wege dazu treten sodann hervor: Er will der deutschen Nation ihr Spiegelbild im fremden Geiste zeigen, und er will sie damit, daß er sie immer
wieder darauf aufmerksam macht, wie sich die fremden Nationen jetzt um
sie kümmern, dazu bringen, nun auch ihrerseits alle Vorurteile fallen zu
lassen, den fremden Literaturen gerecht zu werden und auch an ihnen
Anteil zu nehmen. Was die Spiegelung betrifft, so sucht er ihren mannig-
fachen Segen zu offenbaren: Sie kann zur Selbsterkenntnis führen, weil
der distanzierte Blick des fremden Auges tiefer und klarer zu sehen
vermag, als man selbst es kann. Sie kann durch das Erlebnis der in
der Welt ausgeübten Wirkungen Ermutigung und höhere Selbst-
schätzung veranlassen, aber auch vor nationaler Überheblichkeit
schützen und vor Irrwegen bewahren. Sie kann die innere Einheit
fördern, wesenlose Streitigkeiten innerhalb einer Literatur schlichten,
da dem fernblickenden Auge Nebel und Dunst verschwinden. Sie kann
eine « stockende » Literatur auffrischen und verjüngen, was durch
fremde Teilnahme und besonders durch Übersetzungen geschieht, die
den originalen Schöpfungen ein neues Leben verleihen. Sie erweckt
das bindende Gefühl der Zeitgenossenschaft. Was endlich die Teil-

nahme an fremden Literaturen betrifft, so hat auch sie die segensreiche
Wirkung, der eigenen Literatur neue Motive und Formen zu schenken
und sie dadurch vor Erstarrung zu bewahren. Über das alles hinaus
aber ist der Weltliteratur die allgemeine Sendung gegeben, durch gegenseitige, ergänzende Wechselwirkung und Wechselbildung den allgemein menschlichen Geist immer mehr zu entwickeln, ohne daß die
Nationen dadurch ihren Charakter zu verlieren brauchen, die Völker
einander kennen und schätzen zu lehren und damit zu allgemeiner
Toleranz und Humanität zu führen. Dies alles war das Ziel und der
Sinn von Goethes weltliterarischer Tätigkeit, deren gewichtigstes
Organ seine Zeitschrift « Kunst und Altertum » war.

Freilich: wie der deutschen Literatur überhaupt auf ihrem Wege in
die Welt, so stellten sich auch dieser Zeitschrift von vornherein
bedeutende Hindernisse bei der Verwirklichung ihrer hohen Intention
entgegen. Man muß nur daran denken, was Goethe selbst wiederholt
als die größte Kraft des « Globe » hervorgehoben hat: daß sich in
ihm eine ganze Generation zusammenfand und in gleichgerichteter
Bestrebung, von einem Geiste durchdrungen, zusammenwirkte. Solche
Übereinstimmung erst gibt einer geistigen Bewegung nach innen wie
nach außen ihre Stoßkraft. Das war es aber gerade, was Goethe in der
deutschen Literatur so schmerzlich vermißte, wo jeder einsam für
sich selbst und wie auf einer Insel lebte und schuf. Die Konzentration
auf die eine Hauptstadt Paris war nicht nur ein politisches, sondern ein
allgemeines, geistiges Symbol des französischen Lebens. So wenig aber
Deutschland eine Hauptstadt hatte wie Paris, so wenig besaß seine
Literatur jene geistige Bindung, die eine Zeitschrift wie den « Globe »
ermöglicht hätte. Als Schiller mit den « Horen » den Versuch machte,
eine literarische Sozietät als Herausgeber der Zeitschrift zu schaffen
und das deutsche Publikum dadurch auf ein geistiges Zentrum zu vereinigen, scheiterte die Unternehmung bald, obwohl einige der glänzend-
sten Geister Deutschlands sich an der Gesellschaft beteiligten. Das
ist nun einer der großen Unterschiede zwischen den weltliterarischen
Zeitschriften Deutschlands und Frankreichs damals: dem « Globe »
und « Kunst und Altertum », daß der « Globe » der Sammelplatz der
« Globisten » war, zu denen die bedeutendsten Schriftsteller des damaligen Frankreich zählten, während Goethe die Last seiner Zeitschrift fast allein zu tragen hatte. Die Mitarbeit anderer Autoren
auf dem Felde weltliterarischer Vermittlungstätigkeit war ganz ver-
schwindend klein. Die Zeitschrift « Kunst und Altertum » war wesent-

lich das Sprachrohr Goethes, mit dem er sein Volk und die Welt zu
erreichen versuchte. Das war nicht Goethesches « Olympiertum », sondern er sah keine geeigneten Helfer um sich. Die Romantiker kamen
nicht in Betracht. Die Idee der Weltliteratur, welche die ältere Romantik hatte, unterschied sich doch gewaltig von der Goetheschen: denn
gerade das, woran Goethe alles lag, die Zeitgenossen der verschiedenen
Nationen zu gemeinsamer Wirksamkeit zusammenzuführen, lag dieser
in die Vergangenheit gerichteten Bewegung völlig fern. Die jüngere
Romantik aber huldigte einem Nationalismus, gegen den ja gerade
Goethes Weltliteraturidee sich wendete. Auch traute Goethe selbst den
besten Schriftstellern Deutschlands jenen feinen, geselligen Ton nicht
zu, der ihn im « Globe » so angenehm berührte. Man merkt ihnen,
wie er einmal sagt, immer die Einsamkeit an, während man den
Globisten die « große Gesellschaft » anmerkt, daher sie auch im Unterschied von deutschen Kritikern noch im Tadel höflich und galant
bleiben, wie es für den Weltverkehr notwendig ist. Die jungdeutschen
Schriftsteller waren noch kaum auf den Plan getreten. Sie nahmen dann
die Goethesche Idee wohl auf; aber zu seiner Lebenszeit stand Goethe
sehr einsam da, und so vermochte sein weltliterarisches Organ das
deutsche Publikum nicht zu binden und auch das Ausland nicht zu
überzeugen, daß die deutsche Literatur (mit der Ausnahme Goethes)
Weltliteratur geworden sei oder zu werden im Begriffe stehe, so sehr
auch das Ansehen der deutschen Literatur und ihre Wirkung im Ausland anstieg. Die Einsamkeit Goethes war also das erste Hemmnis
seiner weltliterarischen Vermittlungtätigkeit.
Das zweite war die Sprache. Denn welch unendlichen Vorteil hatten
doch die französischen und englischen Zeitschriften dadurch, daß sie
in Weltsprachen reden konnten, und wie wenig deutsch wurde damals
noch in England und in Frankreich gelesen. Zeitschriften aber sind
zur Übersetzung nicht geeignet.
Das dritte Hemmnis war Goethes hohes Alter. Man muß bedenken,
daß der « Globe » die Sammlung der literarischen Jugend Frankreichs
war und schon dadurch eine vehemente Kraft in sich trug. Goethe
stellte sich den vielleicht vorzüglichsten Kritiker des « Globe », Ampère,
seines reifen Urteils, seines Verständnisses für die Wechselwirkung
zwischen Leben und Dichtung, seiner weiten Übersicht wegen als einen
Mann von mittleren Jahren vor und war daher sehr überrascht, als
Ampère 1827 in Weimar eintraf und sich als ein lebensfroher Jüngling
von einigen zwanzig Jahren darstellte, wie Goethe denn auch jetzt erst

erfuhr, daß sämtliche Mitarbeiter des « Globe » lauter junge Leute
waren. Er erklärte sich diese Erscheinung, die er in Deutschland wegen
der Isoliertheit des einzelnen Schriftstellers für ganz unmöglich hielt, aus
der Atmosphäre von Paris, wo die vorzüglichsten Köpfe eines großen
Reiches auf einem einzigen Fleck beisammen sind und in täglichem
Verkehr und Wettkampf sich gegenseitig belehren und steigern, wo die
Schätze aus allen Reichen der Natur und Kunst der ganzen Erde
für die tägliche Anschauung offen stehen, wo alles an eine große Vergangenheit erinnert und seit drei Menschenaltern durch Männer wie
Molière, Voltaire, Diderot und ihresgleichen eine solche Fülle von Geist
in Kurs kam, wie sie sich auf einem einzigen Fleck nicht zum zweiten
Male findet. Darauf führte Goethe es zurück, daß sich ein französisches
Talent so schnell und freudig entwickeln konnte. In Deutschland gab
es einen für die Entwicklung so fruchtbaren Boden nicht. Wie schwer
und langsam hatte sich doch selbst Goethe seine Bildung erringen
müssen, obwohl er doch gewiß der äußerlich bevorzugteste Dichter
Deutschlands war. Die deutsche Jugend war zu sehr mit sich selbst
beschäftigt, als daß sie sich so freudig und bereit, wie es die Globisten
taten, der Welt hätte öffnen können. In der deutschen Literatur war es
der hochbetagte Goethe, der gewiß an Überschau, Weisheit und Geist
die Jugend aller fremden Literaturen überragte. Aber er war doch für die
Welt eigentlich nicht mehr durch seine Gegenwart lebendig, sondern seine
Jugend war es, die in der europäischen Jugend, der Romantik Europas,
ihre Auferstehung feierte. Das gab dem alten Goethe ein so seltsames
Verhältnis zu seinen Zeitgenossen. Es verjüngte und erfreute ihn wohl,
wenn er jetzt sah, daß gerade, was er in seiner Jugend einsam und
suchend geschaffen hatte, nun zum europäischen Gemeingut wurde.
Aber die europäische Romantik, die ihn als ihren Ahnen, ihr Oberhaupt
verehrte, entsprach der letzten Stufe seines Alters im Grunde nicht.
Er konnte Europa mit seiner Jugend beschenken. Aber sein hohes Alter
mußte umgekehrt doch ein gewisses Mißverhältnis zu der europäischen
Jugend schaffen, die nun auf den Plan trat, trotz aller Wandlungs-
und Erneuerungsbereitschaft Goethes. Der Titel « Kunst und Altertum »
sagt bereits viel. Wollte doch Goethe in seiner Zeitschrift gerade alte
Traditionen retten, von denen die europäische Jugend sich befreien
wollte. Es gab gewiß für all diese Hemmnisse, denen seine Vermittlungstätigkeit zwischen den Völkern begegnete, einen fördernden Ersatz:
den Weltruhm, die gewaltige Autorität Goethes, die jedem seiner
Urteile ein Gewicht ohnegleichen gab. Das zeigte sich etwa in dem,

was er für Byron, für Manzoni, für die serbischen Volkslieder tun
konnte. Aber seiner weltliterarischen Tätigkeit waren doch durch sein
hohes Alter, in welchem er sie entfaltete, gewisse Grenzen gesetzt.
Die europäische Romantik, die im Grunde und im Unterschied von
der deutschen Romantik den Beginn der modernen Literatur bedeutete,
zeigte diese Modernität auch darin, daß sie einen politischen und zwar
revolutionären Charakter trug. Auch im « Globe » kann man sogar bis
in seine literarische Kritik hinein, bis in den Sturz der klassizistischen
Regeln, den revolutionären Atem spüren, der auch Goethe nicht ent-
ging, und den er nicht billigen konnte. Die Verquickung von Literatur
und Politik war ihm an sich nicht gemäß, und « alles, was revolutionär
aussieht », war ihm, wie Soret einmal sagt, zuwider. Als sich der
« Globe » 1830 zu einer Tageszeitung wandelte und nun neben literarischen auch politische Artikel brachte, nahm Goethes Interesse
an ihm bedeutend ab. Auch darin also zeigt sich der Unterschied
zwischen ihm und der europäischen Romantik. Der Lauf der modernen
Geschichte aber hat gegen Goethe entschieden. Denn die Politisierung
des europäischen Geistes vermochte es, die Spannungen zwischen den
Völkern in solchem Maße wach zu halten und zu erhöhen, daß sie
die Verwirklichung der Goetheschen Idee, die Völker auf geistigem
Wege miteinander zu versöhnen und zu verbinden, verhindern konnte,
und der hoffende Blick auch weiter in die Zukunft gerichtet bleiben muß.

ZWEITER TEIL

EMPFANGENER SEGEN

Die weckende Macht der englischen Literatur

Wenn damit, was Goethe von fremden Literaturen empfing, eine der Quellen angegeben wird, aus der sich seine Idee der Weltliteratur bildete, indem er eben den Segen an sich selbst erfuhr, den die Oeffnung fremdem Geiste gegenüber auszuüben vermag, so muß zuerst die Frage gestellt werden, was denn überhaupt unter Wirkung zu verstehen ist, oder, wie man es ja auch zu nennen pflegt, unter Einfluß. Man darf Wirkung oder Einfluß nicht etwa mit Nachahmung verwechseln, die bei schöpferischen Naturen gar nicht in Betracht kommt, und es ist ganz unerträglich, wenn es in der Literaturwissenschaft so dargestellt wird, daß ein Dichter nach einer Vorlage arbeitet, ein Modell nachbildet. Wirkung und Nachahmung verhalten sich zueinander wie eine lebendige Zeugung organischen Lebens in einem fruchtbaren Schoß, und die künstliche Herstellung eines toten Stoffes in einer chemischen Retorte. Auch darf man Wirkung und Einfluß nicht in der Ähnlichkeit oder Gleichheit einzelner Stellen bei zwei Dichtern suchen. Wirkung und Einfluß ist nichts anderes als fordernde Befruchtung, und damit ist schon gesagt, daß sie nur dort möglich ist, wo eine Prädisposition in dem empfangenden Menschen vorhanden ist, daß er ein fruchtbarer Schoß ist, der sich dem Samen fremden Geistes öffnet, und ganz besonders auch, daß der richtige Augenblick der Empfängnis gekommen ist; denn wenn dies nicht der Fall ist, so kann der Einfluß leicht zur « Influenz » im Goetheschen Sinne werden. Ein krankheiterregender Fremdkörper kann den lebendigen Organismus stören, wenn nicht gar zerstören. Das war nun Goethes so ungeheuer gesunde Veranlagung, daß er in jedem Augenblick seiner Entwicklung mit instinktiver Sicherheit empfand, was seiner Natur angemessen war, was der jeweilige Augenblick an Befruchtung von außen her verlangte, was er als geistige Nahrung aufnehmen durfte und mußte, und was er abzulehnen hatte, weil es ihm gefährlich werden könnte. Er duldete keinen Fremdkörper in seinem Geist, und er verschloß sich auch den größten und bedeutendsten Geistern, wenn sie ihm im jeweiligen Augenblick seiner Entwicklung nicht angemessen waren, ihn nicht fördern und innerlichst befruchten konnten. Dagegen öffnete er sich

mit weiter und steter Bereitschaft allen Mächten, von denen er Förderung und Befruchtung der eigenen Natur erwarten konnte, und wenn
er den Augenblick der Empfängnis für gekommen empfand. Er hat
Shakespeare in der Zeit der blühenden Jugend, da er dessen weckender
und sprengender Gewalt bedurfte, tief in sich Eingang gewährt, und
hat sich ihm später, als er seiner klassischen Reifung und Vollendung
gefährlich werden konnte, zugunsten anderer Mächte verschlossen.
Man muß nur die enthusiastische Rede des jungen Goethe zum Shakespearetag mit der kalten Schrift des späteren Goethe: « Shakespeare
und kein Ende » vergleichen. Er hat sich umgekehrt in seiner Jugend
gegen Voltaire gewehrt und ihn später zum Erzieher erkoren. Er gab
sich dem persischen Sänger Hafis in dem Augenblicke hin, da er sich
von der Gefahr klassizistischer Erstarrung bedroht fühlte, bereit zu
sterben, um zu werden, um aus der Hingebung verjüngt und gewandelt
hervorzugehen. Dies « Stirb und Werde » bedeutet ja eben, daß Hingebung auch Wiedergeburt sein kann.
Aber die Wirkung, die von fremdem Geiste auszugehen vermag, kann
von zweierlei Art sein. Shakespeare bedeutete für Goethe etwas gänzlich
anderes als etwa der französische Klassizismus oder der Osten. Die Wirkung kann darin bestehen, daß ein schöpferischer Geist von einem ihm
verwandten Geiste zu sich selbst erweckt und schöpferisch erregt wird,
daß er durch ihn die Bestätigung seiner selbst und damit den Mut zu sich
selbst empfängt, wie es Goethe durch Shakespeare geschah. Ja, es
bedeutet tiefste und fruchtbarste Wirkung, wenn ein Dichter, der
Forderung Herders folgend, einen fremden Dichter, von dem er sich
erschüttert fühlt, nur darin nachahmt, daß er ebenso ursprünglich und
original wie jener, nur aus der eigenen und seines Volkes Natur heraus
schafft, so wie es jener tat. Aber die Wirkung kann auch gänzlich
anderer Art sein, wenn sie nämlich nicht von verwandtem Geiste aus-
geht, sondern von einem andersartigen oder gar entgegengesetzten,
andersartig oder entgegengesetzt wenigstens in dem schöpferischen
Augenblick, da die Wirkung geschieht. Sie braucht nicht bestätigend
und weckend, sondern sie kann verwandelnd sein. Aber auch sie ist nur
dann fruchtbar fördernd und nicht « Influenz », wenn sie in einem
Augenblick erfolgt, in dem ein schöpferischer Mensch schon selbst
von einem Wandlungsdrang ergriffen ist, wenn ihm die Wandlung
innerlich notwendig wurde, wenn sie aus ihm nicht einen anderen
Menschen macht, als der er ist, ihn nicht von seinem Wege ablenkt,
sondern ihm nur zur Wandlung hilft und dient, und ihn in seiner orga-

nischen und innerlich notwendigen Entwicklung auf eine höhere Stufe
hebt. So geschah es Goethe etwa durch den französischen Klassizismus
und dann noch einmal durch den Osten. Wer diese verschiedene Art
von Wirkung nicht erfaßt und nicht erkennt, daß Wirkung oder Einfluß immer nur, wenigstens bei schöpferischen Geistern, Hilfe und
Förderung der eigenen, organischen, natürlichen Entwicklung bedeutet,
eine Fruchtbarmachung eigenen Schoßes, ob sie nun durch Erweckung
oder Wandlung geschieht, der wird auch die Wechselbeziehungen
zwischen den Literaturen der Völker nie verstehen. Denn was für
den einzelnen Menschen gilt, das gilt auch für das ganze Volk.

Aber noch etwas ist zu beachten. Goethe selbst hat in seiner Biographie
« Dichtung und Wahrheit » erklärt, es sei schon in seiner Jugend seine
Grundmeinung gewesen, ohne daß er zu sagen wüßte, ob sie ihm ein-
geflößt oder eigenem Nachdenken entsprungen sei, daß es bei jedem
überlieferten Werk auf den Grund, den Sinn, die Richtung dieses
Werkes ankomme; hier liege das Ursprüngliche, Göttliche, Wirksame,
Unantastbare, Unverwüstliche, und keine Zeit könne diesem inneren
Urwesen etwas anhaben, während der Körper, das heißt: die Sprache,
die Eigentümlichkeit, der Stil, in andern Zeiten, an andern Orten,
von andern Menschen nicht mehr ganz verstanden werden könne. Das
Innere, Eigentliche einer Schrift, die uns besonders zusagt, zu erforschen, sei daher eines jeden Sache, und es sei dabei vor allen Dingen
zu erwägen, wie es sich zu unserem eigenen Innern verhalte und inwiefern durch jene Lebenskraft die unsrige erregt und befruchtet werde. Alles
Äußere hingegen, was auf uns unwirksam oder einem Zweifel unterworfen
sei, habe man der Kritik zu überlassen, die, wenn sie auch imstande sein
sollte, das Ganze zu zerstückeln und zu zersplittern, dennoch niemals
dahin gelangen würde, uns den eigentlichen Grund, an dem wir festhalten, zu rauben, ja uns nicht einen Augenblick an der einmal
gefaßten Zustimmung irre zu machen. Diese aus Glauben und
Schauen entsprungene Überzeugung liege sowohl seinem sittlichen
wie literarischen Lebensbau zugrunde. Dadurch etwa sei ihm die Bibel
erst recht zugänglich geworden. Man wird auch dies also festhalten
müssen, wenn man die Wirkungen verstehen will, die Goethe von
literarischen Werken empfing: Sie gingen von dem Geiste, dem inneren
Grund, dem Urwesen eines Werkes und nicht von seinem vergänglichen
Körper aus.

Indem hier Goethes Selbstbiographie, welche diese tiefen Worte enthält, genannt wurde, ist auch das Werk genannt, welches für die Dar-

stellung von Goethes Bildung durch fremde Literaturen die wichtigste Quelle ist, natürlich nur, was seine Jugend betrifft; denn Goethe hat ja dieses Werk nur bis zu seiner Ankunft in Weimar geführt. Die Arbeit an ihm aber machte es ihm erst zur gebieterischen Pflicht, sich selbst über all die Quellen klar zu werden, aus denen er seine Bildung schöpfte und denen er Befruchtung verdankte. Indem er sich bemühte, die innern Regungen, die äußern Einflüsse, die theoretisch und praktisch von ihm betretenen Stufen der Reihe nach darzustellen, wurde er aus seinem engen Privatleben in die weite Welt gerückt, die Gestalten von hundert bedeutenden Menschen, die näher oder entfernter auf ihn eingewirkt hatten, traten hervor, ja die ungeheuren Bewegungen des politischen Weltlaufes, die auf ihn wie auf seine ganze Generation den größten Einfluß gehabt hatten, mußten vorzüglich beachtet werden. Denn das, so meinte er, scheint die Hauptaufgabe einer Biographie zu sein, den Menschen in seinen Zeitverhältnissen darzustellen und zu zeigen, inwiefern sie ihm widerstrebten, inwiefern sie ihn begünstigten, wie er sich eine Welt- und Menschenansicht daraus gebildet und wie er sie, wenn er Künstler, Dichter, Schriftsteller ist, wieder nach außen abgespiegelt habe. Hierzu wird aber gefordert: daß ein Individuum sich und sein Jahrhundert kenne, sich, inwiefern es unter allen Umständen sich selber gleich geblieben, das Jahrhundert, welches ihn willig oder unwillig mit sich fortreißt, bestimmt und bildet, dergestalt, daß man wohl sagen kann, ein jeder, nur zehn Jahre früher oder später geboren, dürfte, was seine eigene Bildung und die Wirkung nach außen betrifft, ein ganz anderer Mensch geworden sein. Man kann aus diesen Worten übrigens ersehen, daß Goethe, wenn er von Wirkungen und Einflüssen spricht, keineswegs nur an diejenigen gedacht hat, welche von den Literaturen ausgehen, sondern von der gesamten, politischen und sozialen, sittlichen, religiösen und ästhetischen Situation der Zeit, und so hat er ja auch wirklich in « Dichtung und Wahrheit » seine Bildung aus diesem gesamten Zeitzustand entwickelt. Es ist in der Tat nur eine methodisch notwendige, aber immer bedenklich bleibende Isolierung der Literatur, wenn man nur von ihren Wirkungen spricht, und dieser Übelstand ist nur dadurch wett zu machen, daß man sich immer dabei von dem Bewußtsein begleiten läßt, es handle sich eben nur um einen Ausschnitt aus einem Gesamtkomplex, freilich um einen, der, richtig verstanden, als höchst repräsentativ für alles gelten kann. Denn die Literatur ist doch der wesentlichste Niederschlag vom Geiste einer Zeit.

Die Zeit, in die Goethe hinein geboren wurde, zeigt die Herrschaft des
französischen Geistes in ganz Europa auf ihrem Gipfel, und der junge
Goethe hat bis zu seinem Eintritt in Straßburg eine durchaus an der
französischen Literatur orientierte Bildung empfangen, wovon seine
frühen Jugendwerke, die der vorstraßburgischen Zeit entstammen,
beredtes Zeugnis geben. Die spielende Grazie des Rokoko, die kon-
ventionell-aristokratische Würde der klassizistischen Tragödie, die
maschinelle Naturauffassung der Enzyklopädisten und besonders die
Vernunftreligion eines Voltaire: das waren die Mächte, die ihn zuerst
bestimmten. Goethe hat noch als Greis dem jungen Eckermann
bekannt, welch ungeheure Bedeutung Voltaire und seine großen Zeitgenossen in seiner Jugend hatten und wie sie die ganze sittliche Welt
beherrschten. Es gehe, so sagte er damals, aus seiner Selbstbiographie
nicht deutlich genug hervor, was diese Männer für einen Einfluß auf
seine Jugend gehabt hätten, und was es ihn gekostet habe, sich dann
gegen sie zu wehren und sich auf eigene Füße in ein wahres Verhältnis
zur Natur zu stellen.

Damit ist aber bereits gesagt, daß die Zeit, in die Goethe hinein geboren
wurde, nicht nur durch die geistige Vorherrschaft Frankreichs charak-
terisiert ist, sondern eben auch dadurch, daß der Gipfel dieser Vorherrschaft bereits erreicht war und überschritten zu werden begann,
ja, daß bereits in Goethes Jugendzeit die Befreiung des deutschen
Geistes von fremder Bildung fiel, und daß sich im Widerspruch gegen
sie eine neue, deutsche Literatur zu entwickeln anfing. Der Kampf
Friedrichs des Großen gegen Frankreich hatte ein deutsches Nationalbewußtsein geweckt, und Lessing hatte mit seiner « Hamburgischen
Dramaturgie » das geistige Roßbach geschlagen, indem er, gegen die
Nachahmung des französischen Klassizismus protestierend, weil er dem
deutschen Wesen nicht angemessen sei, Shakespeare als den germanischen Dichter zu dem berufeneren Führer der deutschen Dramatik
proklamierte. Auch Rousseau war schon als der große Gegenspieler
gegen Voltaire aufgetreten und hatte der gesellschaftlichen Konvention
und Überzivilisation Frankreichs das Evangelium der Rückkehr zur
Natur entgegengerufen, während schon vor Rousseau Albrecht von
Hallers Alpendichtung in gleicher Abwehrstellung gegen die Verderbnis
der französischen Zivilisation das natürliche Leben der Schweizer
Alpenbewohner gefeiert hatte. Salomon Geßners verklärte Idyllen-
dichtung zeichnete den naturnahen Sittenzustand ursprünglicher
Menschheit. Die Zürcher Bodmer und Breitinger führten den kritischen

Kampf gegen den ganz an Frankreich orientierten Gottschedianismus und lenkten den Blick auf den englischen Dichter des « Verlorenen Paradieses »: Milton. Die schweizerische Literatur ist somit für die Zeit des jungen Goethe und für ihn selbst eine weckende Macht von größter Bedeutung geworden. Aber auch in Frankreich selbst hatte schon die literarische Revolution gegen den Klassizismus eingesetzt, indem Diderot sich gegen dessen Unwahrheit und Unnatürlichkeit empörte und zur Wahrheits- und Wirklichkeitsdarstellung in der Kunst drängte, ein Zeichen und ein Beleg dafür, daß jede Wandlung in der Literatur und Kunst einer allgemeinen Forderung des historischen Augenblicks entspricht, die eben nur von jenen Völkern ganz und zuerst verwirklicht werden kann, deren eigene Natur und Willensrichtung ihr am angemessensten ist. Auch Diderot also stand wie Lessing unter der Wirkung Englands. Diderot nun wurde von dem jungen Goethe, wie in « Dichtung und Wahrheit » steht, als ihm verwandt empfunden. In alledem, weshalb ihn die Franzosen tadelten, nannte Goethe ihn « einen wahren Deutschen ». Durch Rousseau und Diderot, so schreibt er, hatte sich ein « Ekelbegriff » vor dem geselligen Leben verbreitet, eine stille Einleitung zu jenen ungeheuren Weltveränderungen, in welchen dann alles unterzugehen schien. So entwickelte sich also die literarische Epoche, in die Goethe hinein geboren wurde, aus der hervorgehenden durch Widerspruch, und es waren die germanischen Literaturen, welche diesen Widerspruch gegen die französische Kunst- und Gesellschaftswelt erhoben, die Literaturen der Schweiz und Deutschlands, zuerst aber Englands, das auch jene erst zu sich selbst erweckte. In Straßburg geschah es, an der Grenze Frankreichs, daß Goethe allen französischen Wesens auf einmal bar und ledig wurde, daß die französische Literatur den strebenden Jüngling abzustoßen begann, weil sie — nach Goethes Worten in «Dichtung und Wahrheit» — zu « vornehm » und « alt » geworden war und der Einfluß der konventionellen Gesellschaft auf die Schriftsteller immer mehr überhand genommen hatte, so daß sie einer nach Freiheit verlangenden Jugend nichts mehr zu bieten hatten. Die französische Sprache war Goethe von Jugend auf lieb. Sie war ihm durch Umgang und Übung wie eine zweite Muttersprache zu eigen geworden. Als er sich ihrer aber mit größerer Leichtigkeit zu bedienen wünschte und darum nach Straßburg ging, wurde er gerade von dieser Sprache, diesen Sitten eher ab- als ihnen zugewendet. Das Losungswort hieß nun Natur, Wahrheit, Redlichkeit und Aufrichtigkeit des Gefühls

und seines Ausdrucks, und die Abneigung gegen Voltaire wurde
täglich stärker.

Es ist kein Zweifel, daß, wie bereits gesagt, die schweizerische Literatur,
Rousseau und Haller und Geßner, bei dieser Erweckung Goethes zu
sich selbst und seiner eigenen Natur eine bedeutungsvolle Weckerrolle
spielte. Aber wie die Schweiz selbst damals von Frankreich fort nach
England blickte, so war es doch in erster Linie die englische Literatur,
welche die tiefste und entscheidendste Wirkung, auch die fruchtbarste
und förderndste, auf den jungen Goethe übte. Sie war es überhaupt,
welche die Germanisierung der deutschen Literatur im 18. Jahrhundert
führte.

Wenn man die wahrhaft großen Menschen in ihren Beziehungen zur
geistigen Welt betrachtet, so wird man immer sehen können, wie sie
die Güter aller Zeiten und Völker als ihr Eigentum betrachten und
in sich aufnehmen und über die kritischen Geister lachen, die ihnen
vorrechnen und vorwerfen wollen, was sie von außen her sich zugeeignet haben. Sie nehmen solche Güter in sich auf, so wie sie Luft
einatmen und ihrem Leibe Nahrung geben. Es ist die Luft und Nahrung
ihres Geistes, und ihre Frage an die großen Schöpfungen der Zeiten
und der Völker ist unbedenklich diese, ob sie es vermögen, ihre eigene
Produktivität zu wecken und zu fördern. Ihre Dankbarkeit erstatten
sie mit ihrem eigenen Werke, das aus der Befruchtung wächst und
seinerseits wiederum die geistige Welt befruchten kann. Man braucht
hier nicht etwa an die Aufnahme bloßer Stoffe und Materien zu denken,
die ein herrenloses Eigentum für alle sind und die von Volk zu Volk,
von Zeit zu Zeiten wandern. Es sind vielmehr jene höchsten und tiefsten
Wirkungen gemeint, die ein Geist auf einen andern auszuüben vermag,
und zwar kraft des Bindens oder des Lösens. Denn zwischen Bindung
und Lösung vollzieht sich der Rhythmus des geistigen Lebens in
Völkern und in Menschen. Man kann denn auch die Wirkungen der
Völker, die sie in der Weltliteratur aufeinander ausüben, eben dahin
unterscheiden, ob sie binden oder lösen, formen oder entformen, Gesetz
oder Freiheit geben. Es ist der große Unterschied zwischen den ger-
manischen und romanischen Nationen. Der Rhythmus zwischen
Bindung und Lösung fällt mit dem Rhythmus eines organischen
Lebens zusammen. Der Mensch in seiner Jugend will und muß sich
lösen und entbinden, um dem treibenden, blühenden und wachsenden
Leben Raum zu schaffen. Der Mann verlangt nach Bindung, Ordnung,
Maß, Gesetz und Form. Das Alter aber sprengt wiederum die festen

Formen, löst die strengen Bindungen auf, weil schon ein anderes
und höheres Leben in ihm Raum verlangt. In diesem Sinne berühren
sich Jugend und Alter.

Ebensolcher Art war denn auch die Sendung, welche der englische Geist
für Goethe hatte, und weil Goethe in seiner Entwicklung, seinem Wachstum der natürlichste und organischste aller Menschen war, so wurde
die befreiende Kraft des englischen Geistes denn auch für seine Jugend
und sein Alter fruchtbar, besonders aber für seine Jugend.

Als der alte Goethe in tiefer Dankbarkeit und in Erinnerung an seine
Jugend dem jungen Eckermann das Studium der englischen Sprache
und Literatur dringlich empfahl, da tat er es mit dem Hinweis, daß
die deutsche Literatur ja größtenteils aus der englischen hervorgegangen sei. « Unsere Romane, unsere Trauerspiele, woher haben wir
sie denn als von Goldsmith, Fielding und Shakespeare ! » Er hätte
noch andere Namen nennen können und nannte sie an andern Stellen
auch: nämlich Percy, Ossian, Young und Sterne. Es soll nun versucht
werden, den großen Einfluß der englischen Literatur auf den jungen
Goethe, der aber nicht eigentlich ein wandelnder, sondern ein weckender
war, mit möglichster Klarheit und Gliederung zu entwickeln, wenn man
auch alles in das eine Wort « Natur » zusammenfassen könnte, zu der
die deutsche Jugend damals als zu ihrer Gottheit zu beten begann,
Natur als ewige und doch auch immer neue und geniale Schöpfungs-
kraft, als Gegensatz von Konvention und Regel in der Kunst und der
Gesellschaft verstanden, wobei man aber Regel nicht etwa mit Gesetz
verwechseln darf. Denn die Natur schafft nach lebendigen Gesetzen,
nicht nach Regeln. Die Regel, könnte man sagen, ist ein getötetes,
zum Mechanismus erstarrtes Gesetz. Sie ist von Konvention hervorgebracht, durch ihre autoritative Macht von außen her dem Menschen
und der Kunst und der Gesellschaft auferlegt, ein die Natur bezwingen-
des, beherrschendes Prinzip. Gesetz aber ist das, was einer Schöpfung
der Natur, einem Menschen, einem Kunstwerk, als ihr inneres, not-
wendiges und ewiges Wesen eingeboren ist, was nicht von außen zwang-
haft auferlegt wird, sondern sich von innen her natürlich und notwendig wie von selbst ergibt, die Freiheit einer Individualität nicht
fesselt, sondern sie gerade bewahrt. Man stelle sich nun einmal einen
englischen Garten neben einem französischen Park vor: wie der englische Garten das Wesen landschaftlicher Natur getreu bewahren
möchte, während der französische Park sie beschneidet, zirkelt, mißt,
vernünftigt und in symmetrische Ordnungen und geometrische Formen

zwingt, und man hat auch den Unterschied zwischen einer Tragödie von Shakespeare und von Corneille, die ja doch Zeitgenossen waren, eines nach Gesetzen und nach Regeln geschaffenen Kunstwerks, eines Beispiels der Freiheit und der Auferlegung. Als Natur hat denn auch Shakespeare seine ungeheure Wirkung auf den jungen Goethe ausgeübt. Er war es, der ihn von dem formalen Regelzwang des französischen Klassizismus erlöste und ihn zum erstenmal in einem Kunstwerk Menschen schauen ließ, die nicht nach den Regeln der Konvention, sondern nach ihrem eingeborenen Gesetz, nach ihrem inneren Schicksal oder, was ganz gleichbedeutend ist, nach ihrer inneren Freiheit handeln. « Natur, Natur, nichts so Natur als Shakespeares Menschen », so rief der junge Goethe in seiner Rede auf Shakespeare aus.

Die gewaltige Wirkung, die Shakespeare auf den jungen Goethe übte, ist von Friedrich Gundolf sehr richtig daraus hergeleitet worden, daß hier zum erstenmal in der Geschichte des Verhältnisses, das der deutsche Geist zu Shakespeare hatte, ein Schöpfer dem Schöpfer begegnete. Die Shakespearerede bringt nicht eigentlich neue Gedanken. Herder hatte im Grund schon alles gesagt. Aber Herder trat als Historiker und Poetiker an Shakespeare heran, Goethe dagegen als Dichter. Herder brachte eine neue Erkenntnis Shakespeares, Goethe aber legte ein persönliches Bekenntnis zu ihm ab, und man kann wirklich sagen, wie es Gundolf tut, daß noch nie von der Wirkung eines Genius so gesprochen worden ist, wie in dieser Rede. Durch Shakespeare wurden dem jungen Goethe die Augen, die wie blind gewesen waren, so geöffnet, daß ihm alles neu und unbekannt erschien und er seine Existenz um eine Unendlichkeit erweitert fühlte. Er zweifelte keinen Augenblick mehr, dem regelmäßigen Theater des französischen Klassizismus zu entsagen, weil die Einheiten und die Regeln überhaupt ihm unerträglich wurden. Shakespeare also wirkte als ein Schöpfer lösend und befreiend, Fesseln sprengend, augenöffnend auf den jungen Genius. Daß er dabei viel von sich selbst in Shakespeare hineinlegte, ist unverkennbar, und besonders die Auffassung, daß Shakespeare die prätendierte Freiheit unseres Wollens im Zusammenstoß mit dem notwendigen Gang des Ganzen zeige, war sicherlich mehr Goethescher Titanismus, Sturm und Drang. Goethe hat denn auch mit seinem « Götz von Berlichingen » Shakespeare nicht eigentlich nachgeahmt oder nachgebildet, sondern ihn aus jener Kraft herausgeschleudert, die Shakespeare in ihm entfesselte. Es war der eigene, innere Schöpfungsdrang, der neue Welten schuf, die gleich den Schöpfungen der Natur, gleich

denen Shakespeares, wahr und wirklich und lebendig sind. Der junge
Goethe hat von Shakespeare das Vertrauen zu seiner eigenen Schöp-
fungskraft, den Mut, ganz er selbst zu sein und sich in seinem Werke
zu gestalten, empfangen. Gewiß ist es richtig, daß Shakespeare ihn
dazu verführte, in jener Zeit alles unter dramatischer Form zu kon-
zipieren, was der Goetheschen Natur nicht gemäß war, und der Götz ist
in seiner inneren Form mehr episch als dramatisch. Es mag wohl sein,
daß die gewaltigen Pläne zu einer Prometheus-, Mahomet- und Cäsar-
tragödie auch aus diesem Grunde nicht zur Ausführung kamen. Gewiß
zeigt der Götz den Einfluß der Shakespeareschen Historien darin,
daß Goethe hier sein eigenstes Erlebnis so in die Ferne der nationalen
Vergangenheit verlegte, ihr ein historisches Kolorit verlieh und überhaupt die Tragödie zu einer dramatisierten Geschichte machte, weil
die Welt ihm nun als Geschichte aufging. Aber in der Gestalt und dem
Schicksal des Helden bleibt doch das eigene Bekenntnis unverkennbar,
und das Werk besteht als eigene Schöpfung. Goethe hat sich von
Shakespeares dramatischer Form vielleicht eine falsche Vorstellung
gemacht, ihre Freiheit übertrieben und allzu gesetzlos gesehen, was
auch eine verführende Wirkung auf ihn hatte. Denn sicherlich stimmt
der Bau eines Shakespeareschen Dramas mit dem überfreien des Götz
nicht überein. Aber auch dazu ist zu sagen, daß diese ungleich freiere
Form eben diejenige war, die sich damals Goethe als eigene Ausdrucksform darbot. Wenn jedenfalls Goethe mehrfach bekannte, daß er
Shakespeare alles, ja das verdanke, was er sei, so war damit eben die
Erweckung zu sich selbst, die Entfesselung seiner schöpferischen
Kraft, die Öffnung seiner Augen für die Wahrheit von Welt, Mensch,
Natur und Geschichte gemeint.

Aber vielleicht hätte Shakespeare nicht einmal allein diese tief befruchtende und lösende Wirkung ausgeübt, wenn nicht Goethes englische Zeitgenossen Shakespeare als ein Beispiel des Genies überhaupt verstanden,
das Wesen des Genius ganz allgemein erleuchtet und es an manchen
Beispielen erwiesen hätten. Es ist gewiß kein Zufall, daß eine germanische
Literatur dies zum erstenmal getan hat und mit der Idee des Genies den
deutschen Sturm und Drang entfesseln half. Es war Edward Young, der
mit seiner Schrift über Originalwerke das Wesen des Genies in der Ur-
sprünglichkeit und Originalität gefunden hat, mit der ein schöpferischer
Mensch, ohne verpflichtenden Regeln zu gehorchen und sich nach
kanonischen Vorbildern zu richten, wie die Natur, allein aus seinem
eigenen Schöpfungsdrang und seinem inneren, einmaligen Gesetz, noch

nie gewesene, neue Welten schafft. Es war der Bischof Lowth, der in seinem Werke über die heilige Poesie der Hebräer die Dichter des alten Testamentes als Genien in diesem Sinne deutete, so wie es Blackwell und Wood waren, die das Originalgenie Homers offenbarten. Mögen all diese englischen Geister wohl auch erst durch die Vermittlung Herders, der durch sie zu seiner Forderung gelangte, die wahre Nachahmung der Bibel oder der Antike sei: so genial, original und schöpferisch wie sie aus seiner eigenen Natur und Welt die Dichtung zu zeugen, ihre Wirkung auf den jungen Goethe erlangt haben, so bleibt es doch immer England, das die Heimat dieser so befreienden Idee gewesen ist.

Als geniale Dichtung in diesem Sinne wurde nun auch besonders die Volksdichtung, auch Naturpoesie genannt, gedeutet, die man in England der Gesellschaftsdichtung gegenüberstellte, und welche nicht aus Bildung, aus der Kenntnis künstlerischer Muster und Regeln, aus gesellschaftlicher Konvention und Haltung entspringt, sondern aus der Natur, dem Charakter und der nationalen Tradition eines Volkes. Volksdichtung ist ursprüngliche, originale und geniale Schöpfung, und in diesem Sinne wurde damals alle echte und große Poesie, auch die der Bibel, auch Homer und Shakespeare, als Volksdichtung betrachtet. Der Bischof Percy aber, der die Überreste der altenglischen und altschottischen Volksballaden sammelte, regte damit den jungen Goethe an, die Anakreontik aufzugeben und im Ton der Volkspoesie zu dichten.

Aber nicht nur als ewiges Urbild der Kunst, auch als das des Lebens wurde die Natur von der englischen Dichtung gefeiert. Oliver Goldsmith tat es als der Autor des Romans « Der Landprediger von Wakefield », den Goethe in Dichtung und Wahrheit als einen der besten Romane, der je geschrieben worden, bezeichnete. Was den jungen Goethe daran so ergriff, war offenbar die Poesie des Landlebens. Ein protestantischer Landgeistlicher, so heißt es in «Dichtung und Wahrheit», ist vielleicht der schönste Gegenstand einer modernen Idylle. Englisch mutete es Goethe an, daß der kleine Kreis um diese Hauptgestalt sich in die große Welt verflochten zeigt, dieser kleine Kahn auf der reichen, bewegten Woge des englischen Lebens schwimmt. Aber nicht das war es, was den jungen Goethe so entzückte, als Herder ihm zuerst diesen Roman vorlas, sondern daß ihm alles so lebendig, wahr, gegenwärtig erschien, daß er es nicht als « Kunstprodukt » genoß, dessen Form zu bewundern war, sondern daß es als « Naturerzeugnis » auf ihn wirkte. Hier ereignete sich nun ein seltsamer Fall. Denn aus dieser fingierten Welt des Romans wurde Goethe in eine ähnliche, wirkliche Welt versetzt:

nach Sesenheim, in die Familie des Landgeistlichen Brion, die ihn
dermaßen an den Roman von Goldsmith, sein Milieu, seine Menschen
erinnerte, daß Dichtung und Leben traumhaft ineinanderfloß, und er
glaubte, sich wirklich leibhaft in der Wakefieldschen Familie zu
finden, und sie mit den Namen des Romans bezeichnete. Goethe hätte
das Idyll von Sesenheim nicht so erlebt, wie er es erlebte, wenn es ihm
nicht wie der zur Wirklichkeit gewordene Roman von Goldsmith, ein
lebendig gewordener Dichtertraum vorgekommen wäre. Die Dichtung
hatte das Leben antizipiert, und wieder erkennt man: die englische
Poesie hat dem jungen Goethe die Augen für das Leben, die Natur,
nicht für die Form und das Gesetz der Kunst geöffnet, und darin berührt sich Goldsmith' Wirkung mit der von Shakespeare. Die Dichtung erwies sich als Weg zu einem natürlichen, von Konventionen
befreiten Leben, und das natürliche Leben wurde wiederum in seiner
ewigen Menschlichkeit zur Dichtung gestaltet. Im Werther und noch
in Hermann und Dorothea ist der Nachhall dieses englischen Romans
zu hören. Werthers Lotte liest ihn und findet in ihm ein Spiegelbild
ihres eigenen Lebenskreises.

Der junge Goethe übersetzte auch Goldsmith' Gedicht « The deserted
village », das verlassene Dorf, weil es ihn leidenschaftlich ergriff, und
in diesem Gedicht hat Goldsmith nicht die immer noch lebendig
gegenwärtige, wenn auch aufs Land zurückgezogene Natürlichkeit
des Lebens gefeiert, sondern vielmehr einen elegisch sentimentalischen
Klagegesang um das verlorene Paradies angestimmt, das von der
vordringenden Zivilisation zerstört wurde, was sich bei Goethe mit dem
Eindruck der Gessnerschen Radierungen verband, um den Anteil an
ländlichen Gegenständen noch zu vermehren. Damit steht man nun
vor einer anderen Wirkung der englischen Literatur auf den jungen
Goethe, ohne die sein Werther nicht entstanden wäre. Im dreizehnten
Buch von Dichtung und Wahrheit hat Goethe es dargestellt, wie die
düstere, zum Selbstmord führende Stimmung Werthers, die überhaupt
die Stimmung der damaligen Jugend war, von der englischen Literatur ausgelöst wurde, deren Grundton Goethe in der Melancholie
hörte. Er versucht in «Dichtung und Wahrheit» dies Phänomen
daraus zu erklären, daß der englische Mensch, von Jugend auf von
einer bedeutenden Welt umgeben, an den politischen Weltgeschäften
eines gewaltigen Reiches tätig oder zuschauend teilnimmt und sich
dadurch auch von früh an der Veränderlichkeit und Vergänglichkeit
aller irdischen Dinge bewußt werden muß, die sich grade in dem Auf

und Nieder, in Herrschaft und Umsturz der Staatsformen, so wie in
der Vergänglichkeit höfischer Gunst und der Neigung der Menge offenbart, wovon das Schicksal des politisch tätigen Menschen abhängt.
So kann er leichter dazu kommen, die Vergänglichkeit und Hinfällig-
keit als allgemeines Weltgesetz zu erleben und sie auch im ewig wieder-
kehrenden Wechsel der Jahreszeiten, wie im Welken und Sterben allen
Lebens als tiefsten Wesenszug der Welt zu finden. Es sei dahingestellt,
ob dies wirklich eine überzeugende Erklärung ist. Sicherlich aber trägt
der düstere, wolkige Himmel, die ewig nebelverhängte Atmosphäre
Englands zu diesem wirklich auffallenden Ton der Melancholie in der
englischen Literatur bei. Goethe hätte schon frühe Zeugen dafür anrufen können. Er hätte auf das merkwürdige Werk von Timoty
Bright: « Treatise of Melancholy » (1586), auf Robert Burtons «Anatomy
of Melancholy » (1621) weisen können und auf das zu Ende des 16. Jahrhunderts in London aufgeführte, von einem unbekannten Autor stam-
mende und leider verlorengegangene Drama « Tassos Melancholy ».
Er hörte diesen Ton in Shakespeares Hamlet, bei Milton, weit allgemeiner aber noch in der zeitgenössischen Literatur Englands, wo sich
mit jenen genannten Gründen ein puritanisches Christentum verband, welches die Gedanken unablässig auf Vergänglichkeit und Tod
hinwendete: In Youngs « Nachtgedanken », in Grays « Kirchhof-
betrachtungen », in Goldsmith' « verlassenem Dorf », in den Romanen
Richardsons, welche die Unsittlichkeit und Unchristlichkeit der Gesellschaft sentimentalisch beklagen, und besonders stark in den Gedichten Ossians, in denen die Geister toter Helden ihre Klagegesänge
um versunkene Zeiten und verblühte Liebe anstimmen. Der Macpher-
sonsche Ossian war es besonders, der für die weltschmerzliche Stimmung
der Zeit den ihr so angemessenen, äußeren Raum geschaffen hat,
« wo wir denn », wie Goethe in ‚Dichtung und Wahrheit' schreibt,
« auf grauer, unendlicher Heide, unter vorstarrenden bemoosten Grab-
steinen wandelnd das durch einen schauerlichen Wind bewegte Gras
um uns und einen schwer bewölkten Himmel über uns erblickten. »
Goethe wird dann später noch einmal diesen englischen Ton in Byrons
Dichtungen hören, zu einer Zeit, wo er selbst schon gegen ihn gefeit
war und von wahrer Poesie verlangte, daß sie als ein weltliches Evangelium von den irdischen Lasten zu befreien und Lust wie Schmerz zu
mäßigen wisse. Damals aber fand dieser englische Weltschmerz ein
Echo in der deutschen Jugend und in ihm, weil er, wie Goethe sagt,
der ernsten Natur des deutschen Menschen überhaupt entgegenkam,

mehr aber noch, weil ihm die Zeit entgegenkam. In Deutschland fiel gewiß jener Grund, der sich nach Goethe aus der politischen Tätigkeit in einem öffentlichen Staats- und Weltraum ergab, hinweg, weil es hier keinen solchen Raum gab. Aber grade durch seinen völligen Mangel wurde der junge Mensch hier in sich selbst hineingetrieben, in die innere Einsamkeit, weil er keinen äußeren Wirkungsraum besaß, in dem er seine blühenden Kräfte hätte auswirken und entfalten können. Wo aber der Mensch so in sich selbst hineingetrieben wird, entstehen die unbefriedigten Leidenschaften, die unerfüllbaren Wünsche, die getäuschten Erwartungen, die zu hoch gespannten Forderungen, denen nie die Wirklichkeit entsprechen kann. Man wird wohl aber doch den tiefsten Grund erst darin zu finden haben, daß es damals vielleicht zum erstenmal in der deutschen Geschichte eine Jugend gab, welche den ihr auferlegten Zwang einer konventionellen, alt und vornehm gewordenen Kultur nicht mehr ertrug, weil sie wirklich jung war, und die nun überall auf die noch nicht zu überwindenden Grenzen und Schranken einer sozialen Wirklichkeit stieß, die von französischen Sitten, Ordnungen und Konventionen bedingt war. Die Sehnsucht nach Freiheit und Natur, wie sie wahrer Jugend eigen ist, war von germanischen Literaturen auch in Deutschland erweckt worden, aber konnte noch keine Erfüllung finden. Da bedurfte es in Goethe nur noch des Erlebnisses einer unglücklichen Liebe, einer Liebe, die ja auch an Konventionen scheiterte, und der Augenblick war da, um der weltschmerzlichen Dichtung Englands diese Sendung zu geben, daß sie dem jungen Goethe die Zunge löste und seinem Schmerz zum Ausdruck in Werthers Leiden half. Als Goethe eine englische Übersetzung des Werther las, war er von dem Gedanken bewegt, ihn in der Sprache seiner « Lehrer » zu lesen. Daß aber der Werther aus jenem Augenblicke der deutschen Geistesgeschichte zu verstehen ist, in dem der germanische Geist zu sich selbst erwachte und die Fesseln der französischen Zivilisation abwerfen wollte, das geht aus dem Roman ganz deutlich hervor. Denn der Werther ist ja nicht nur eine Liebesgeschichte, sondern auch die Geschichte eines jungen Menschen, der sich als Künstler gegen die naturvernichtenden Regeln des französischen Klassizismus empört, und mit seinem übervollen Herzen gegen die nach Frankreichs Vorbild festgesetzten Regeln der Gesellschaft. Der Werther ist der leidenschaftliche Ansturm gegen eine altgewordene Kultur, in der ein neuer, junger, bürgerlicher Mensch nicht mehr atmen und wirken konnte. Das Unglück der an Konventionen schei-

ternden Liebe löst nur diesen allgemeinen Schmerz der Jugend an der
Unnatur einer altgewordenen Zivilisationswelt aus, der sich zum allgemeinen Weltschmerz steigert.

Das also war die auch noch durch Schmerz und Leiden weckende und
verjüngende Wirkung der englischen Literatur.

Die gleiche Literatur aber brachte dem jungen Goethe und der ganzen
Jugend damals auch schon einen von Schmerz und Leiden heilenden
Trank, ein mit der Welt versöhnendes Mittel dar, und man darf dies
nicht vergessen, wenn man erkennen will, was Goethe der englischen
Literatur zu danken hatte. Es ist der englische Humor; es sind die gro-
ßen Humoristen Englands im 18. Jahrhundert, deren größter Lorenz
Sterne war. Das ist nun gewiß kein Zufall, daß Weltschmerz und Humor
Hand in Hand von England her auf den jungen Goethe hinüberwirkten.
Denn dieser englische Humor ist ja doch der gleichen Quelle entsprungen, wie der Schmerz an der Welt, und ist im Grunde nur seine
höhere Vergeistigung, die Weltanschauung eines Geistes, der einen so
hohen Standpunkt über dem Weltgetriebe erreichen konnte, daß er die
Unzulänglichkeit, die Nichtigkeit, Vergänglichkeit, Gebrechlichkeit
von Welt und Mensch und Gesellschaft nicht mehr nur beweint und
sich dagegen empört, sondern sie, wenn auch unter Tränen, belächeln
und lächelnd dulden kann, daß er im Welt- und Menschengetriebe mehr
Narrheit als Schlechtigkeit und Verderbnis findet, und daß ihm, der
an alles den Maßstab unbedingter Gültigkeit legt, wie es ja auch der
Weltschmerz tut, die Unterschiede zwischen Groß und Klein, Gut
und Böse, Hoch und Niedrig zerrinnen, weil alles, mit solchem Maß
gemessen, ja doch gleichermaßen klein und schwach, arm und gebrech-
lich erscheinen muß, so daß der Humorist mehr Erbarmen mit der Welt
als Zorn und Empörung über sie empfindet, ja, die Schwächen des
Menschen als Eigenheiten lieben kann. Vielleicht ist dem germanischen
Geiste ein solcher hoher Humor besonders erreichbar, weil er mehr als
jeder andere dem Weltschmerz offen steht, indem er den Maßstab
unbedingter Gültigkeit an alles legt — es ist der faustische —, aber
anderseits doch auch eine besondere Neigung und Liebe zu allem empfindet, was eigentümlich, charakteristisch, individuell erscheint. Aus
beidem webt sich der Humor zusammen, und so mag es kommen,
daß die englische Literatur diese großen Humoristen, wie Fielding
und Sterne, hervorgebracht hat, und daß ihr Samen besonders
in der deutschen Literatur, in Jean Paul etwa, so fruchtbaren Boden
fand.

Als der alte Goethe in dankbarer Gesinnung jener Mächte gedachte, die seine Jugend bildeten, da schrieb er über Sterne, dessen Namen er immer mit besonderer Bewunderung nannte, den Verfasser also von Joriks empfindsamer Reise und von Tristram Shandys Leben und Meinungen in « Kunst und Altertum »: « Es begegnet uns gewöhnlich bei raschem Vorschreiten der literarischen sowohl als humanen Bildung, daß wir vergessen, wem wir die ersten Anregungen, die anfänglichen Einwirkungen schuldig geworden. Was da ist und vorgeht, glauben wir, müsse so sein und geschehen; aber gerade deshalb geraten wir auf Irrwege, weil wir diejenigen aus dem Auge verlieren, die uns auf den rechten Weg geleitet haben. In diesem Sinne mach' ich aufmerksam auf einen Mann, der die große Epoche reinerer Menschenkenntnis, edler Duldung, zarter Liebe in der zweiten Hälfte des vorigen Jahrhunderts zuerst angeregt und verbreitet hat. An diesen Mann, dem ich so viel verdanke, werd' ich oft erinnert; auch fällt er mir ein, wenn von Irrtümern und Wahrheiten die Rede ist, die unter den Menschen hin und wieder schwanken. Ein drittes Wort kann man im zarteren Sinne hinzufügen, nämlich Eigenheiten. Denn es gibt gewisse Phänomene der Menschheit, die man mit dieser Benennung am besten ausdrückt; sie sind irrtümlich nach außen, wahrhaft nach innen und, recht betrachtet, psychologisch höchst wichtig. Sie sind das, was das Individuum konstituiert, das Allgemeine wird dadurch spezifiert, und in dem Allerwunderlichsten blickt immer noch etwas Verstand, Vernunft und Wohlwollen hindurch, das uns anzieht und fesselt. » « Es wäre nicht nachzukommen », schrieb der alte Goethe ein andermal an Zelter, « was Goldsmith und Sterne grade im Hauptpunkte der Entwicklung auf mich gewirkt haben. Diese hohe wohlwollende Ironie, diese Billigkeit bei aller Übersicht, diese Sanftmut bei aller Widerwärtigkeit, diese Gleichheit bei allem Wechsel, und wie alle verwandten Tugenden heißen mögen, erzogen mich aufs löblichste, und am Ende sind es denn doch diese Gesinnungen, die uns von allen Irrschritten des Lebens endlich wieder zurückführen. » « Jorick-Sterne », so heißt es ein andermal, « war der schönste Geist, der je gewirkt hat; wer ihn liest, fühlt sich sogleich frei und schön; sein Humor ist unnachahmlich und nicht jeder Humor befreit die Seele. » Wenn man die Wirkung Sternes auf die Jugend Goethes mit einem Worte bezeichnen sollte, so könnte man wohl sagen: er war Goethes Erzieher zur Humanität, in jenem besonderen Sinne, in dem sich die englisch-germanische Humanitätsidee von jener unterscheidet, die von Voltaire verkündet

und verbreitet wurde. Die französische Humanitätsidee ruhte auf der
Erkenntnis eines in allen Völkern und Zeiten und Menschen gleichen,
allgemein menschlichen Kernes, der Vernunft, die sich nur in ver-
schiedene Gewänder kleidet. Die Humanitätsidee des englischen
Humors aber ruht auf der lächelnden Duldung und Schonung menschlicher Eigenheiten und Besonderheiten. Auch der englische Humor
befreite auf diesem Wege, so wie es Shakespeare und all die andern
Dichter und Denker Englands taten, den jungen Goethe von der
Herrschaft der Regel, indem er ihm die Augen dafür öffnete, daß die
Menschen nicht einfach auf ein Maß zu bringen sind, und daß man ihre
Eigenheiten lieben, dulden und schonen müsse. Der englische Humor
wurde zu einer wesentlichen Quelle Goethescher Toleranz und floß
mit jener andern, ebenfalls in England entspringenden und von Herder
fortgeleiteten zusammen, die in der Idee zu finden ist, daß es keinen
allgemein gültigen Kanon der Kunst geben könne, weil jede sich aus
den besondern Bedingungen ihrer Zeit, ihrer Nation, ihrer Landschaft,
ihres Schöpfers entwickelt. Die humoristische Weltanschauung einte sich
mit der historischen, und beides wurde so auch zu einem Fundament
der Goetheschen Weltliteraturidee. Denn die Weltliteratur soll ja nach
Goethe mit den Eigenheiten und Besonderheiten der Völker bekannt
machen und so zu gegenseitiger Schonung und Duldung führen.
Aber auch die christliche Grundlage der Goetheschen Idee erhielt
von England eine neue Stützung. Nachdem nämlich die Howardschen
Forschungen über die Bildung der Wolken eine ganz entscheidende
Bedeutung für Goethes naturwissenschaftliche Tätigkeit gewonnen
hatten, bemühte sich Goethe, die Linien von Howards Lebensweg zu
erfahren, damit er erkenne, wie ein solcher Geist sich ausgebildet habe,
welche Umstände ihn auf Pfade geführt, die Natur natürlich anzuschauen, sich ihr zu ergeben, ihre Gesetze zu erkennen und ihr solche
wieder vorzuschreiben, und erhielt darauf einen eigenhändigen Brief
Howards, in dem er ihm seine ausführliche Familien-, Lebens-,
Bildungs- und Gesinnungsgeschichte zu öffentlichem Gebrauch mitteilte
(21. Februar 1822). In diesem Briefe aber, den Goethe englisch und
in eigener Übersetzung veröffentlichte, hieß es: « Die christliche Religion, in aufrichtiger Ausübung, wird sich über die Nationen verbreiten
und der Zustand der Menschen überhaupt werden. Teilweise ist dies
schon auf einen unberechenbaren Grad geschehen, sowohl im sittlichen
als bürgerlichen Sinne; Kriege werden aufhören, mit anderem ernied-
rigendem Aberglauben und verderblichen Praktiken, die Gesellschaft

wird eine neue Gestalt gewinnen, allgemeines Übereinstimmen und
wechselseitiges gutes Bedienen, zwischen Nationen und Individuen,
wird an die Stelle treten der gegenwärtigen Selbstheit und Mißstim-
mung. »[1] « Fürwahr! », schrieb Goethe darauf, « es hätte mir nicht
Erfreulicheres begegnen können als das zarte religiöse Gemüt eines so
vorzüglichen Mannes gegen mich dergestalt aufgeschlossen zu sehen,
daß er mir die Geschichte seiner Schicksale und Bildung sowie die
innigsten Gesinnungen so treulich eröffnen mögen. »[2] Es bestätigte
seine Erfahrung, daß zarte, sittliche Gemüter für Naturanschauungen
die offensten sind, wie einem zarten Gemüte, das mit sich selbst und
der Welt im Frieden lebt, ganz ungesucht die schönsten Resultate sich
ergeben.[3] Offenbar machte dabei die auf das Christentum bezügliche
Briefstelle einen besondern Eindruck auf Goethe. Denn in einem Gespräch
mit dem Kanzler von Müller (11. Juni 1822) heißt es von Howard:
« Christ, wie er einmal ist, lebt und webt er ganz in dieser Lehre,
knüpft alle seine Hoffnungen für die Zukunft und für diese Welt hieran,
und das alles so folgerecht, so friedlich, so verständig, daß man,
während man ihn liest, wohl gleichen Glauben haben zu können wünschen möchte; wiewohl auch in der Tat viel Wahres in dem liegt, was
er sagt. Er will, die Nationen sollen sich wie die Glieder einer Gemeinde
betrachten, sich wechselseits anerkennen. » In diesem Willen konnte
Goethe in der Tat seinen eigenen wiedererkennen, der sich damals
schon so lebhaft regte; eine wechselseitige Anerkennung der Nationen
zu fördern, und so mag die christliche Botschaft dieses von ihm
so hochverehrten Mannes ihm neue Stärkung und Zuversicht gegeben
haben, wie es sich dann in seiner Verkündigung der Weltliteratur offenbart, die einen so deutlichen, fast wörtlichen Anklang an Howards
Brief vernehmen läßt.

Weit wichtiger aber wurde die naturwissenschaftliche Entdeckung
dieses englischen Forschers für Goethe, und wenn er durch seinen
Kampf gegen Newton in heftigsten Konflikt mit der englischen Naturwissenschaft geriet, so durfte er sich doch anderseits als ihren Jünger
bekennen, indem Howards Lehre von der Wolkenbildung ein integrie-
render und fruchtbar weiterwirkender Bestand seiner naturwissenschaftlichen Erkenntnis wurde. In Goethes Kampf gegen Newtons
Farbenlehre offenbarte sich ein wesentlicher Gegensatz zwischen dem
englischen und deutschen Geist, der auch in der Philosophie dieser
Völker, im Empirismus und Idealismus hervortritt. Newton hatte die
Optik zu einer mathematischen Wissenschaft gemacht. Das Licht, so

lehrte er, ist zu zerlegen, zu messen, zu berechnen und in Zahlen auszudrücken. Denn die Natur ist ihrem Wesen nach Zahl und Verhältnis.
Für Goethe aber war sie eine lebendig wirkende und tätige Kraft,
nicht starr und unveränderlich, sondern geprägte Form, die lebend,
werdend, wirkend, sich entwickelt und also nicht zu messen und zu
zählen ist, vielmehr nur anzuschauen, zu deuten und darzustellen.
Newtons Methode war die Berechnung, Goethes aber die Anschauung.
Newtons mathematische Methode trennte, teilte und zerlegte, was
den Sinnen Einheit scheint; es war eine « atomistische Vorstellung ».
Goethes Anschauung aber nahm die Ganzheit und die Einheit wahr,
denn diese ist nach ihm dem inneren Sinne angeboren und nicht erst
durch Erfahrung zu gewinnen. Newton untersuchte die Objekte, losgelöst und unabhängig vom erkennenden Subjekt. Goethe aber konnte
eine Wirkung nicht verstehen ohne den, auf den gewirkt wird, und der
selbst eine auf die äußere Welt von innen her wirkende Kraft ist.
Kein Objekt ohne das empfangende und selber tätige Subjekt. Keine
Wirkung ohne Gegenwirkung. Keine Farbe ohne das schauende Auge.
Für Goethe also war es die Aufgabe der Optik, diese Wechselwirkung
von Objekt und Subjekt, von Licht und Auge, die Bedingungen und
die Manifestationen der Farbe im sehenden Auge darzustellen. So
kam denn Goethe zu seiner Idee, das Licht sei keineswegs, wie Newton
lehrte, aus dunkleren Lichtern zusammengesetzt und durch das Prisma
zu zerlegen, die Farben seien nicht die Teile des Lichtes, sondern das
Licht sei eine unteilbare, nicht zu zerlegende Einheit. Die Farben entstehen aus der Wechselwirkung zwischen Licht und Auge, sie sind die
Taten und die Leiden des Lichts. Goethes Optik war der fast religiös
zu nennende Kampf eines Lichtanbeters für die Einheit und Reinheit
des Lichtes und somit ein wissenschaftliches Gegenstück zu seiner
Dichtung: « Altpersisches Vermächtnis ». Es war der Kampf eines
Dichters und Künstlers, aber auch eines vom deutschen Idealismus
inspirierten Geistes gegen den englischen Empirismus.
Die Lehre Howards dagegen, daß in den noch so zerfließenden Wolken-
gebilden je nach den tieferen und höheren Regionen bestimmte Formen,
Typen und Charaktere zu unterscheiden seien, kam Goethes künst-
lerischem Sinn durchaus entgegen. Er lernte diese Forschungen
1815 kennen, und über seiner « ganzen naturhistorischen Beschäftigung
schwebte die Howardsche Wolkenlehre ». Goethes große, meteoro-
logische Abhandlung « Wolkengestalt nach Howard » (1817 geschrieben,
1820 gedruckt) ist ein Denkmal der tief befruchtenden Wirkung

Howards, mehr aber noch Goethes Gedicht « Howards Ehrengedächt-
nis », welches, sich der Hauptworte der Howardschen Terminologie
bedienend, weil « eine solche beibehaltene Terminologie » neben andern
Vorteilen « den Verkehr mit fremden Nationen » erleichtert, die vier
Wolkengestalten: Stratus, Cumulus, Cirrus, Nimbus als sichtbare
Zeichen des gesetzlichen Gestaltenwechsels feiert, der das überall nach
Form und Gesetz schaffende Wesen der Natur auch noch im scheinbar
Zerfließenden und Unbegrenzten offenbart. Die Eingangsstrophen
aber, welche zu besserer Vollständigkeit und Verdeutlichung des Sinns
dienen sollten, lauten so:

> Wenn Gottheit Camarupa, hoch und hehr,
> Durch Lüfte schwankend wandelt leicht und schwer,
> Des Schleiers Falten sammelt, sie zerstreut,
> Am Wechsel der Gestalten sich erfreut,
> Jetzt starr sich hält, dann schwindet wie ein Traum,
> Da staunen wir und traun dem Auge kaum.
>
> Nun regt sich kühn des eignen Bildens Kraft,
> Die Unbestimmtes zu Bestimmtem schafft;
> Da droht ein Leu, dort wogt ein Elefant,
> Kameles Hals, zum Drachen umgewandt;
> Ein Heer zieht an, doch triumphiert es nicht,
> Da es die Macht am steilen Felsen bricht;
> Der treuste Wolkenbote selbst zerstiebt,
> Eh' er die Fern' erreicht, wohin man liebt.
>
> Er aber, Howard, gibt mit reinem Sinn
> Uns neuer Lehre herrlichsten Gewinn,
> Was sich nicht halten, nicht erreichen läßt,
> Er faßt es an, er hält zuerst es fest;
> Bestimmt das Unbestimmte, schränkt es ein,
> Benennt es treffend! — Sei die Ehre dein! —
> Wie Streife steigt, sich ballt, zerflattert, fällt,
> Erinnre dankbar deiner sich die Welt.

Die englische Übersetzung dieses Gedichtes (von Hüttner und Bowring)
zeigte Goethe, daß er « auch den Sinn der Engländer getroffen und
ihnen mit der Hochschätzung ihres Landsmannes Freude gemacht »
habe. Die Nebeneinanderstellung seiner Dichtung mit der Übersetzung
in seinen naturwissenschaftlichen Schriften deutete auf ein « Wechsel-
Verhältnis mit England » hin, « welches sich neuerdings abermals
betätigt hat; bis Nationen sich einander anerkennen, dazu bedarf es

immer Zeit, und wenn es geschieht, geschieht es durch beiderseitige
Talente, die einander eher als der große Haufe gewahr werden. »[4]
Diese Beziehung zwischen Howard und Goethe ist dadurch von so
besonderer Bedeutung, daß sie zeigt, wie England auch einmal in
ganz anderem Sinne auf Goethe zu wirken vermochte, als es in seiner
Jugend getan hatte. Wenn es damals eine formsprengende und von
Gesetzen befreiende Wirkung war, so konnte es ihm nun gerade die
Macht der Form und des Gesetzes in einem neuen Phänomen offenbaren. Nicht mehr der Stürmer und Dränger, sondern der Klassiker
Goethe empfing von England hier neue Bestätigung und Erweiterung
seiner klassischen Wissenschaft und Kunstanschauung. « Wie sehr
mich », so leitete Goethe die Veröffentlichung jenes Howardschen
Briefes an ihn ein, « die Howardsche Wolkenbestimmung angezogen,
wie sehr mir die Formung des Formlosen, ein gesetzlicher Gestalten-
wechsel des Unbegrenzten erwünscht sein mußte, folgt aus meinem
ganzen Bestreben in Wissenschaft und Kunst. » Damit aber mildert
sich der Gegensatz zwischen den Wirkungen, die von germanischen
und romanischen Kulturen auf Goethe erfolgten, und man gewinnt
den Übergang zu dem, was Goethe von Frankreich und Italien empfing.
Wenn jedoch Howards Wolkenbestimmung nur eine Bestätigung und
Erweiterung von schon errungener Anschauung und Erkenntnis
brachte, so waren die romanischen Kulturen Bildungsmächte, welche
Wandlung bewirkten und ihn aus dem Sturm und Drang heraus und
der klassischen Vollendung entgegenführten. Als diese Wandlung sich
vollzog, trat die englische Literatur, wie auch in seiner hochklassischen
Zeit, mehr zurück, und wurde erst wieder bedeutend, als der alte
Goethe seine eigenen Wirkungen in ihr bemerkte: in Scott, und besonders in Byron, in der englischen Romantik also. Wandlung, Erziehung
durch die englische Literatur war jetzt nicht mehr möglich. Sie konnte
nur erfrischen und verjüngen. Er war nun der gebende Teil geworden.
Seine veränderte Stellung zu Shakespeare legt Zeugnis dafür ab. Es
sei hier noch einmal an die Abhandlung « Shakespeare und kein Ende »
erinnert. Goethe hat wohl bei seiner klassischen Reform des Weimarer
Theaters eine Bearbeitung von « Romeo und Julia » vorgenommen.
Aber es war eine Übersetzung aus dem barocken in den klassischen
Stil. Die komischen Figuren (Mercutio und die Amme) wurden getilgt,
weil sie ihm jetzt nur « possenhafte Intermezzisten » schienen, die uns
« bei unserer folgerechten, Übereinstimmung liebenden Denkart »
unerträglich sein müssen. Er spricht von Allotria und Dissonanzen.

Alle Prosa wird einer durchgehenden rhythmischen Form geopfert, von der sogar Teile in Alexandrinern gehalten sind. Die klassische Reform des Weimarer Theaters verlangte solche Anpassung Shakespeares an den neuen Stil, der sich näher an den französischen Klassizismus als an die englische Dramatik hielt. Auch Schillers « Macbeth » ist ja eine totale Verwandlung von Shakespeares Stil zugunsten eines neuen Klassizismus. Auch hier zum Beispiel die Tilgung von Komik und Prosa. Goethes Übersetzungen von Voltaireschen Tragödien dagegen konnten dem Originale näher bleiben, wie auch Schillers « Phaedra » es vermochte.

Die bildende Macht Italiens

Wenn man an klassische Kunst in moderner Zeit denkt, so denkt man wohl sofort an die italienische Renaissance, in der sich aus der mittelalterlichen Zeit der moderne Mensch herausentwickelte, und diese Geburt des modernen Menschen war auch zugleich die Wiedergeburt der antiken Kunst, aus welchem Zusammenfall, der ganz gewiß kein Zufall war, man schon allein entnehmen kann, daß die griechischrömische Welt der Mutterschoß der modernen Menschheit war, weswegen man denn auch dort, wo in Europa eine echte Klassik entsteht, dies niemals als einen Rückfall in eine atavistische Vergangenheit empfinden wird, sondern als etwas, das ewig gegenwärtig und lebendig, ewig modern und europäisch ist, während eine Wiedergeburt des Mittelalters, wie sie sich in der Romantik vollzog, doch als ein Rückfall des Europäers auf eine überwundene Stufe erscheint, ein Zwischenspiel, ein in der europäischen Geschichte oft sich wiederholendes, gegen das sich aber doch das europäische Gewissen immer wieder wehrt und wehren muß. Denn ihm ist, seit der Stunde seiner Geburt, eben jene antike Idee eingeboren, deren Verwirklichung die griechische Kultur bedeutet, daß der Mensch das Maß der Dinge ist, der Mensch, der alle ihm von Natur verliehenen Gaben und Möglichkeiten organisch zur Einheit und Harmonie gebildet hat, der schöne Mensch, der sich die Welt nach seinem Bilde schön gestaltet. So tat es auch die italienische Renaissance, deren Kunst eine wahrhaft klassische zu nennen ist.

Man wird dagegen dem französischen Klassizismus, der im 17. und 18. Jahrhundert seine reife Vollendung erfuhr, diesen Namen nicht ohne weiteres geben und hat es auch nicht getan. Man nennt ihn eben nicht klassisch sondern klassizistisch, und das ist nicht nur ein Unterschied von Worten und Benennungen, sondern ein Wesensunterschied. Gewiß ist das Erbe der Antike auch im Klassizismus noch erkennbar. Aber was in ihr und in der italienischen Renaissance gestaltete Idee war, das wurde im Klassizismus zu verwirklichter Theorie, das eingeborene Gesetz wurde zur Regel und lebendige Sitte zu traditioneller Konvention, gefühlte zu gewußter Form. Der Klassizismus ist das, was von der Klassik lehrbar und lernbar ist. Er ist die akade-

9   Strich, Goethe

misch gewordene Klassik. Wenn in der italienischen Renaissance der
ganze, schöne, so leiblich-sinnenhafte wie beseelte und vernünftige
Mensch das Maß der Dinge war, so ist im Klassizismus der helle Geist
zur eigentlichen Wesensbestimmung des Menschen geworden. Die
allgemeine und ewige Menschlichkeit der Klassik aber nimmt im
Klassizismus das Gepräge einer zeitbedingten, nämlich höfisch-
aristokratischen Gesellschaft an, das anderen Zeiten nicht mehr
Gültigkeit zu haben scheint. Es ist denn auch höchst charakteristisch,
daß der französische Klassizismus nur für ganz bestimmte Zeiten und
Stile vorbildlich zu werden vermochte, während die italienische Renaissance, hierin gleich der Antike, eben ihrer Ganzheit wegen, den
allerverschiedensten, ja entgegengesetztesten Zeiten und Stilen zum
Vorbild wurde, weil jede sich an eine ihrer Seiten halten konnte. Die
italienische Renaissance trat vor den deutschen Sturm und Drang
als das ideale Bild eines entfesselten Lebens, einer Emanzipation der
Liebe, der Sinne, der Leidenschaften, der Natur. Die deutsche Romantik hat die großen Dichter der italienischen Renaissance wegen ihrer
bis zur Phantastik gesteigerten Phantasieentfaltung und all der Eigenschaften, die sie noch dem Mittelalter näher als der Antike zeigt, geradezu als Stifter der romantischen Poesie gefeiert. Für Nietzsche bedeutete
ein Cesare Borgia die Verwirklichung eines jenseits von Gut und Böse
stehenden Übermenschentums. Für Goethe dagegen stellte sich die
gleiche Renaissance ganz anders dar. Zwar hat er den Unterschied
ihrer natürlichen Gesetzlichkeit von dem Regelzwang des französischen
Klassizismus, ihrer harmonischen Schönheit von dessen Geistigkeit,
ihrer ewigen Menschlichkeit von dessen konventioneller Haltung nicht
übersehen. Er wußte Klassik und Klassizismus wohl zu unterscheiden,
und wenn die französische Dichtkunst ihm eine segensreiche Schule
strenger Form und Haltung wurde, so hat die Renaissance ihm eine
gefülltere und gefühltere Form, eine gelockertere Bindung, ein leben-
digeres Maß geschenkt. Aber auch sie hat ihm aus seinem Sturm und
Drang herausgeholfen, hat seinem faustischen Titanentum die Grenze
und das schöne Maß gesetzt.

Man darf jedoch dabei nicht übersehen, daß es nicht die italienische
Dichtkunst war, die solches Bildungswerk an ihm vollzog. Dante, Ariost
und Tasso gewannen für die Romantik ungleich größere Bedeutung
als für ihn, was man wegen ihres aus römischen, germanischen und auch
christlich-katholischen Elementen gemischten Charakters durchaus
verstehen kann. Zu Dante hat Goethe nie eine wirklich innere Be-

ziehung gewonnen. Er habe, so sagte er einmal in Italien, nie begreifen
können, wie man sich mit Dante beschäftigen möge. Ihm komme die
Hölle ganz abscheulich, das Fegefeuer zweideutig, das Paradies langweilig vor. Nur widerwillig ließ er sich in Dantes düstere, trübe, nacht-
liche Stimmung hineinreißen. Er spricht von seiner « widerwärtigen,
oft abscheulichen Großheit » (1821). Er nennt ihn abstoßend und warnt.
die bildenden Künstler, aus dieser trüben Quelle zu schöpfen. Er
rühmt es zwar, daß Dante seine abstruse und seltsame Welt so deutlich,
scharf umrissen, augenhaft und gegenwärtig vor die Einbildungskraft zu stellen vermöge, und als er sich am Ende des zweiten Teiles
Faust vor die kaum lösliche Aufgabe gestellt sah, die übersinnlichen,
grenzenlosen, nicht zu erschauenden, sondern nur zu erahnenden Sphären zu gestalten, da half ihm Dantes plastische Gestaltenwelt, seinen
vagen Intentionen den notwendigen Umriß und eine wohltätig be-
schränkende Form und Festigkeit zu geben, so daß er sich nicht in
Leerheit zu verlieren brauchte. Aber das geschah doch erst ganz am
Ende seines Lebensweges, und nicht Dante war es also, an dem sich
seine plastische Gestaltungskraft gebildet hat. Man kann natürlich
zwischen der göttlichen Komödie und dem Faust die interessantesten
Vergleiche anstellen und hat es seit je getan. Aber man wird — von der
gemeinsamen Universalität zweier Weltgedichte und vom Ende des
zweiten Teiles abgesehen — doch mehr auf Verschiedenheit als auf
Ähnlichkeit stoßen. Was Tasso und Ariost betrifft, so hat Goethe
wohl, als man in Rom die Frage an ihn stellte, welchen von beiden er für
den größern Dichter halte, geantwortet, Gott und der Natur sei zu
danken, daß sie einer Nation zwei solch vorzügliche Männer gegönnt
habe, deren jeder uns, nach Zeit und Umständen, nach Lagen und
Empfindungen, die herrlichsten Augenblicke verleihen und beruhigen
und entzücken kann. Aber diese Augenblicke lagen doch besonders
in der frühen Jugend Goethes, und man kann der sicherlich selbstbiographischen Jugendgeschichte Wilhelm Meisters entnehmen, daß
Tassos befreites Jerusalem weit eher eine romantisch sentimentalische
Wirkung auf den jungen Goethe übte, als daß es ihm etwa eine form-
bildende Macht bedeutet hätte. Die ritterliche Liebesgeschichte
Chlorindens regte ihn damals zu einer dramatischen Improvisation an.
Ja, Tassos Dichtung hat offenbar eines der ersten Gegengewichte gegen
den französischen Klassizismus gebildet; denn in seinen Briefen aus
den Jahren 1766 und 1767 verteidigt er Tasso gegen den Angriff
Boileaus, indem er an Marmontels Seite tritt, wie er auch gleichzeitig

damals Shakespeare gegen Voltaire verteidigt. Auch der erste Entwurf seines Tassodramas aus der voritalienischen Zeit, der freilich nicht erhalten ist, und von dem man sich nur aus späteren Andeutungen Goethes ein ungefähres Bild zu machen vermag, hat sicherlich den italienischen Dichter zu einem Selbstportrait, dem Bilde des immer noch stürmenden und drängenden, sich gegen die Gesellschaft auflehnenden Goethe gemacht, und dieses Tassobild ist auch in der gewandelten Gestalt, die das Drama in Italien empfing, geblieben. Nur legt der nun selbst gewandelte Goethe sein neues Maß an diesen Tasso an. Jetzt wird er zum Symbol für jene Stufe seines eigenen Menschentums und Dichtertums, die er entsagend in Italien überwand, woraus endgültig sichtbar wird, daß Tasso nicht zu den Bildnern Goethes, nicht zu den ihn wandelnden Mächten gehörte. Fand Goethe es doch sehr treffend, daß der französische Schriftsteller Ampère seinen Tasso einen gesteigerten Werther nannte. Man bedenke hier, daß Tasso nicht der italienischen Renaissance sondern bereits dem Barock angehört.

Was verdankt Goethe der italienischen Literatur außer diesem sicheren Phänomen, daß der voritalienische Goethe sein eigenes Dichterbild symbolisch in Tasso finden und gestalten konnte? Die Frage ist unter keinen Umständen mit der gleichen Klarheit zu beantworten, wie man es hinsichtlich des französischen Klassizismus kann. Man wird in der Melodie und Harmonie der Goetheschen Sprache seit der Iphigenie und dem Tasso die Wirkung, den Nachklang der von ihm so sehr geliebten Sprache Italiens zu vernehmen glauben, ohne daß man dies zu fassen und zu zeigen vermag. Man kann auf eine dem Stoffe nach aus Tasso geschöpfte Cantate « Rinaldo » weisen, auf einige ganz unbedeutende Reminiszenzen aus Ariost. Man wird natürlich daran denken müssen, daß Goethe von der italienischen Dichtkunst die gebundenen, gesetzlich vorbestimmten, überindividuellen Formen der Ottave, des Sonettes, der Terzine, empfing, Formen, in denen er eigene Dichtungen, wie « die Geheimnisse », « Zueignung », « Auf Schillers Totenschädel » und die Sonette an Minna Herzlieb bilden konnte, und die gewiß in auffälligstem Gegensatz zu den freien Formen des Sturms und Drangs stehen. Wenn man die wilden, nordischen Rhythmen am Ende des ersten Teiles Faust mit den südlichen Terzinen am Anfang des zweiten Teiles vergleicht, so wird man die Wandlung gleichsam mit Händen greifen konnen, die dazwischen in Faust geschah. Aber die Rolle der südlichen Formen ist im Gesamtwerk

Goethes doch nicht bedeutend genug, um von ihnen eine entscheidende
Bildung, die Goethe durch sie erfahren hätte, ablesen zu können
Die bildende Wirkung Italiens auf Goethe ging weit mehr von anderen
Mächten als von der Literatur aus. Als der alte Goethe den ersten
Band des «Parnasso Italiano» (Dante, Petrarca, Ariost, Tasso) empfing, den der Herausgeber Adolf Wagner «al principe de' poeti Goethe»
mit einem italienischen Terzinengedicht gewidmet hatte, da sprach
Goethe wohl dem Herausgeber den freudigen Dank aus, den er beim
Anblick der herrlichen Gabe empfand. Es sei eine vollständige Bibliothek, die wohl hinreichend wäre, ein ganzes Leben zu beschäftigen
und den vollständigen Menschen auszubilden (1827). Aber Goethes
eigene Bildung stand unter anderen Sternen Italiens. Es ist geradezu
erstaunlich, wie wenig von italienischer Dichtung in Goethes italienischer Reise die Rede ist. Nur der Volksgesang in Venedig und Rom,
die dort vom Volk gesungenen Stanzen Tassos und Ariosts, die Ritor-
nelle, Vaudevilles, Romanzen und geistlichen Lieder beschäftigten
ihn eingehender, weil er in solchem öffentlichen Volksgesang den
Charakter des italienischen Volkes suchte. Er hat noch später, 1815,
der italienischen Literatur im Unterschied von der deutschen den
«Nationalvorzug einer lebendigen Weltanschauung» zugesprochen und
leitete ihn aus der Öffentlichkeit des italienischen Lebens her, die
es dem Italiener vom Jugend an erlaubt, mit klarem Auge jede Eigentümlichkeit der Gesellschaft, ihrer Menschen und Institutionen zu
bemerken. Dies öffentliche Leben der Italiener bringt ein heiteres
und glanzendes Wesen in ihre Literatur. Aber es war doch nur die
parodistisch-satirische Dichtung Italiens, woran Goethe hier dachte. [5]
Trotzdem ist die bildende Macht, die von Italien auf Goethe ausging,
nämlich von Italiens Natur und Kunst, als ein weltliterarisches
Phänomen höchsten Ranges zu betrachten, und es kann kein Zweifel
sein, daß auch der Segen, den Goethe von hier aus an sich erfuhr, zur
Entstehung seiner Weltliteraturidee wesentlich beitrug. Auch wenn es
nicht literarische Erscheinungen sind, sondern solche der Natur, der
Kunst, des Volkes, der Kultur eines Landes, die für einen Dichter
segensreich und fruchtbar werden, müssen sie im Rahmen der Goetheschen Weltliteraturidee betrachtet werden.
Goethe in Italien: Ein mehr als einmaliges, ein weltgeschichtlich
repräsentatives und symbolisches Phänomen; ein Beispiel überhaupt
für die magische Anziehungskraft des Südens für den Norden, einen
Zauber, der fast die Gefahr in sich birgt, daß er zur Erlöschung der

eigenen Persönlichkeit führt, wie es ja wirklich so manchen deutschen und nordischen Dichtern und Künstlern geschah. Goethe aber hat sich auch in Italien nicht preisgegeben und ausgelöscht, so wenig es Albrecht Dürer tat, an den er in Italien denken mußte. Der « Einfluß » wurde nicht zur « Influenz ». Er brachte nur Vollendung, Reifung und Erfüllung von etwas, das von innen her notwendig und organisch kommen mußte. Es war kein Verrat am deutschen Geiste, kein Abweg und kein Irrweg. Wer die Iphigenie so nennt, ist selbst des Verrates am deutschen Geist zu bezichtigen. Man darf nicht vergessen, daß der junge Goethe ja schon mitten im Sturm und Drang ein Gedicht wie « Der Wanderer » schrieb, in dem es ihm gelang, das Bild der südlichen Landschaft zu magischer Gegenwart zu beschwören, und in welchem seine Ahnung sich ausspricht, daß er dort einmal Erfüllung finden werde. Man darf nicht vergessen, daß der Sehnsuchtsgesang Mignons « Kennst du das Land » schon lange vor Goethes italienischer Reise gedichtet wurde, und daß sich in diesem Liede bereits die Sehnsucht Goethes nach Italien bis zu so plastischer Vergegenwärtigung gesteigert hat, daß wenigstens in der Vision die Sehnsucht fast erfüllt erscheint. Die Sehnsucht nach Italien war so groß in ihm geworden, daß er kein Bild dieses Landes sehen und kein lateinisches Buch mehr ohne Schmerzen lesen konnte. Trotzdem erfüllte er sich diese Sehnsucht noch nicht, befreite sich nicht von diesem Schmerz, weil er immer noch nicht die volle Bereitschaft empfand, er, der immer instinktiv wußte, was der Augenblick für seine Entwicklung verlangte, wann die richtige Stunde der Empfängnis gekommen war. Es ist manchem nordischen Künstler und Dichter zum Fluch geworden, daß er zu früh gen Süden zog: er brachte dann nur leere Formgehäuse heim. Zweimal stand Goethe auf dem Gotthard, schaute in das gelobte Land hinüber und kehrte doch in seine nordische Heimat zurück. Erst die durch Spinozas Ethik bewirkte Wandlung und innere Bereitschaft, erst die in Weimar werdende Iphigenie muß ihm gesagt haben, daß es nun an der Zeit sei, den Segen des Südens zu empfangen. Es war also durchaus nicht Abkehr von seinem Wege, keine Umkehr, sondern lediglich das organische Ergebnis der sich in ihm vollziehenden Wandlung, was ihn — von allen äußeren Motiven abgesehen — endlich nach Italien trieb. Es war ihm in seiner Heimat unmöglich, das Ziel der Wandlung zu erreichen. Er war wohl innerlich reif, klar und still geworden. Aber kein äußeres Gegenbild entsprach diesem innerlichen Zustand im Norden, er hatte keinen großen Stil

des Lebens und der Kunst um sich. Sein sonnenhaft gewordenes Auge
erblickte keine Sonne. Sein schönheitsverlangender Geist erschaute
keine Schönheit. So konnte die Reifung zum klassischen Werke nicht
geschehen. Als er nach Italien kam, hatte er das Gefühl, als ob er in
seine wahre Heimat käme und die verlorene wiedersähe. Die Zeichen,
daß der Süden die notwendige Reifung eines innerlich bereits werdenden Zustandes brachte, sind mannigfacher Art. Die Urphänomene der
Natur, die er in Italien, in Padua und dann besonders in Sizilien mit
Augen zu sehen meinte, wurden schon vorher in Weimar von ihm
erahnt. Die Iphigenie bedurfte überhaupt nur noch der rhythmischen,
gemessenen Gestalt. Nicht von der Literatur, aber von der bildenden
Kunst der Antike und der Renaissance, die er nun in leibhafter Gegenwärtigkeit erschaute, und von der südlichen Natur ging der befruchtende Segen der Vollendung aus. Der idealische Stil der Kunst, das
urphänomenale Bild der italienischen Natur war das, dessen seine
Kunst bedurfte, um klassische Kunst zu werden. Im Erlebnis, dem
augenhaften Erlebnis südlicher Kunst geschah es, daß er die Idee des
Spinoza, von der er schon vorher erfüllt war, nun verwirklicht und
anschaubar vor sich hatte: die Identität von innerer Notwendigkeit
und Gott. Unter dem Eindruck der südlichen Kunst verzichtete er
nun im eigenen Werk auf alle Willkür, Subjektivität und alle Illusion.
Er wollte nichts mehr, als sein Auge Licht sein lassen, die Welt ohne
Wahn und Schleier in ihrer eigenen Wahrheit klar erschauen und
gestalten. Die Natur offenbarte ihm jetzt das Wesen der Kunst, und
in den Gesetzen der Kunst erkannte er staunend die Gesetze wieder,
nach denen die Natur ihre Werke schafft. Indem ihm aber alles,
was vor seiner Seele gestanden hatte, und wohin seine Sehnsucht
zielte, nun leibhafte Gegenwart wurde, geschah die wichtigste
und entscheidendste Wirkung des Südens auf ihn: daß nämlich die
Sehnsucht schweigen konnte. Goethe hat die Reste der Antike in
Italien ganz ohne Melancholie und Sentimentalität, nicht als Ruinenzauber erlebt. Er wurde nicht durch sie in einen Traum von Vergangenheit versponnen. Die Gegenwart des « klassischen Bodens », aus dem die
antike Kunst erwuchs, auf dem die antike Geschichte vor sich ging, ließ
keinen Schmerz der Sehnsucht und Erinnerung aufkommen, der dann
später das Süderlebnis der Romantik prägte. Homer wurde ihm erst
in Sizilien ganz gegenwärtig und verständlich. Seit diese Küsten, Vor-
gebirge, Golfe, Buchten und Inseln, diese buschigen Hügel, sanften
Weiden, fruchtbaren Felder, geschmückten Gärten, gepflegten Bäume,

hängenden Reben, diese immer heiteren Ebenen, Klippen und Bänke und das alles umfassende Meer ihm augenhafte Gegenwart wurden, lernte er die Odyssee verstehen. Eine begonnene Tragödie, «Nausikaa», sollte ganz von dieser sizilischen Atmosphäre erfüllt werden. Daß es noch die gleiche Landschaft, das gleiche Licht, die gleiche Luft, das gleiche Meer und der gleiche Himmel war, was die antike Kunst gesehen hatte, das machte ihm auch Ruinen zu Bildern der Ganzheit und Erfülltheit. Das alles war es, was ihm die Ruhe und Stille der Seele, den inneren Frieden nun im klassischen Kunstwerk auch äußerlich zu gestalten möglich machte. «Auch ich in Arkadien»: so lautete der ursprünglichste Titel der «Italienischen Reise», der gewiß durch Goethes Aufnahme in die «Gesellschaft der Arkadier» angeregt wurde. Diese war zu Ende des 17. Jahrhunderts gegründet worden, um gegenüber der Verderbnis der italienischen Literatur durch den «barbarischen» Marinismus den Sinn des höheren Altertums, der edleren toskanischen Schule wieder ins Leben zu führen. Bei ihrer Gründung (1690) soll einer in Entzückung ausgerufen haben: «Hier ist unser Arkadien.» Aber arkadische Dichtkunst, in einem tieferen Sinne als es die schäferliche Poesie dieser Gesellschaft war, ist die Goethesche Dichtung zu nennen, die Italien ihr Dasein dankt. Man kann das, was Goethe vom Süden empfing, wohl nirgends besser fassen als in dem, was in und seit Italien mit seinem Faust geschah. Goethe hatte den Faust mit nach Italien genommen, um ihn dort zu vollenden oder doch wenigstens an ihm zu arbeiten, und nun steht man vor einem ebenso seltsamen wie fesselnden Schauspiel: Goethe in Italien, wo seine Wandlung sich vollendete, seine Sehnsucht sich erfüllte, wo er sich ganz dem schönen Augenblick hinzugeben, ganz in ihm aufzugehen vermochte, wo er in südlicher Landschaft, unter südlichem Himmel, im Anblick der antiken Kunst, des nebelhaften Nordens vergessen wollte, arbeitet in Rom, im Garten der Villa Borghese, an seinem Faust, und was entstand an neuen Teilen dort, was stand noch nicht im Urfaust, was erschien zuerst in jener ersten Veröffentlichung des Faust (Faust, ein Fragment), die Goethe nach seiner Rückkehr aus Italien 1790 herausgab? Zunächst die Szene «Hexenküche», in der Faust durch den Zaubertrank der Hexe verjüngt wird, gerade die abstruseste, groteskeste, nordischste Szene des ganzen Faust also. Gerade in Italien beschwor er sich selbst diese nordischen Phantome, wo er doch bemerkte, wie Gespenster-, Hexen- und Teufelsideen mehr den nordischen Gegenden eigen seien, wie wenige solcher Geschichten in

Italien umgehn. « Der Abscheu vor solchen Gegenständen ist allgemein. »
Wie ist das zu verstehen? Ist es wirklich eine unbegreifliche Seltsamkeit? Aber gleich die allerersten Worte, mit denen Faust diese Szene
beginnt, heißen:

> Mir widersteht das tolle Zauberwesen;
> Versprichst du mir, ich soll genesen,
> In diesem Wust von Raserei?
> Verlang' ich Rat von einem alten Weibe?
> Und schafft die Sudelköcherei
> Wohl dreißig Jahre mir vom Leibe?
> Weh mir, wenn du nichts Bessers weißt!
> Schon ist die Hoffnung mir verschwunden.
> Hat die Natur und hat ein edler Geist
> Nicht irgend einen Balsam ausgefunden?

Mir widersteht das tolle Zauberwesen! Das spricht der italienische
Goethe, und diesen ganzen Teufelsspuk, diese miauenden Meerkater,
diesen Unsinn des Hexeneinmaleins begleitet Faust mit Hohn und
Ironie und stolzer Verachtung. Ganz offenbar: Goethe hat hier gerade
seine südliche Wandlung, seine neue Stellung zum nordischen Faust-
stoff, sein Gericht darüber gestaltet, den Abscheu, den er jetzt davor
empfand, und in diesem Abscheu Fausts vor allem nordischen Spuk
hat Goethe ihn, gegenüber dem Urfaust, bereits auf einer höheren
Stufe seines Strebens gezeigt, und wenn sich Faust in der Hexenküche
nur von einem Augenblick und Anblick hingerissen zeigt: Als er
nämlich im Zauberspiegel der Hexe Helenas Bild erblickt, wird man
Goethes Entzückung durch die antike Kunst in Italien darin erkennen
und schon angedeutet finden, daß der Weg Fausts nach Süden gehen
und er sich Helena gewinnen wird. Hier bereits steht man am Anfang
des faustischen Aufstiegs, der dann am Ende des zweiten Teils dahin
führen wird, daß Faust aller Magie und allem Zauberspuk entsagt und,
als er das Gespenst der Sorge durch Zauberspruch verscheuchen könnte,
es nicht tut.

> Könnt' ich Magie von meinem Pfad entfernen,
> Die Zaubersprüche ganz und gar verlernen;
> Stünd' ich, Natur! vor dir ein Mann allein,
> Da wär's der Mühe wert ein Mensch zu sein.

Goethe hat sich in Italien das errungen, was einst die welthistorische
Sendung Griechenlands gewesen war: den Sieg des Logos über alles

düstere, wüste und verworrene Weltgefühl, den Sieg der Schönheit
über alle formlos-häßliche, chaotisch-wilde Barbarei, den Sieg des
reinen Menschengeistes über die Magie und zauberische Gaukelei, den
Sieg der Klarheit über Wahn und Spuk. An die Götter Griechenlands
konnte Goethe glauben, weil sie ihm den schönen Menschen, vergottet,
vor Augen stellten, an nordische Phantome und Dämonen nicht.

Auch Goethes Stellung zum faustischen Geiste überhaupt, zur faustisch
nie erfüllten Sehnsucht, zur Unzufriedenheit mit jedem noch so schönen
Augenblick, zur Hetzjagd des menschlichen Willens und dem ewigen
Kampf mit der Welt, zeigt sich in Italien völlig gewandelt. Goethe,
nun ganz erfüllt von seliger Gegenwart, ganz hingegeben der be-
glückenden Schau von südlicher Natur und Kunst, war ruhig, still
geworden, und so hat er in Italien eine Szene des Faust gedichtet, in
der diese neue, so unfaustische Stimmung gestaltet erscheint, und die
darum so seltsam fremd, fast unorganisch, in der Faustdichtung steht,
weil sie Faust bereits vor der Zeit in völlig unfaustischem Zustand,
von seiner nordischen Unrast befreit, in reiner, stiller, seliger Betrachtung von Natur und Kunst darstellt, mit einem Wort: in Goethes
italienischer Stimmung. Es ist der Monolog « Wald und Höhle ».

> Erhabner Geist, du gabst mir, gabst mir alles,
> Warum ich bat. Du hast mir nicht umsonst
> Dein Angesicht im Feuer zugewendet.
> Gabst mir die herrliche Natur zum Königreich,
> Kraft, sie zu fühlen, zu genießen. Nicht
> Kalt staunenden Besuch erlaubst du nur,
> Vergönnest mir in ihre tiefe Brust
> Wie in den Busen eines Freunds zu schauen.
> Du führst die Reihe der Lebendigen
> Vor mir vorbei, und lehrst mich meine Brüder
> Im stillen Busch, in Luft und Wasser kennen.
> Und wenn der Sturm im Walde braust und knarrt,
> Die Riesenfichte stürzend Nachbaräste
> Und Nachbarstämme quetschend nieder streift,
> Und ihrem Fall dumpf hohl der Hügel donnert;
> Dann führst du mich zur sichern Höhle, zeigst
> Mich dann mir selbst, und meiner eignen Brust
> Geheime tiefe Wunder öffnen sich.
> Und steigt vor meinem Blick der reine Mond
> Besänftigend herüber: schweben mir
> Von Felsenwänden, aus dem feuchten Busch,
> Der Vorwelt silberne Gestalten auf,
> Und lindern der Betrachtung strenge Lust.

Das heißt doch also: Faust hat hier alles erreicht, wonach er sich sehnte, die volle Eintracht mit der Natur, die er nun ganz erfühlen und genießen kann; hier ist auch Faust beseligt von dem Anblick der antiken Kunst; denn der Vorwelt silberne Gestalten sind doch wohl die griechischen, in Marmor glänzenden Götter. Dieser Monolog zeigt denn auch zum erstenmal im Faust die fünffüßigen Jamben, das klassische Versmaß der « Iphigenie ». Als dann Goethe nach der Rückkehr aus Italien den Faust veröffentlichte, tat er es nur als ein Fragment, und darin wird die südliche Wandlung noch einmal deutlichst offenbar, darin nämlich, daß er nur ein Fragment veröffentlichte, das noch viel fragmentarischer ist als der Urfaust. Im Urfaust stand die ganze Gretchentragödie bis zum letzten Ende fertig da. Das Fragment aber endigt mit der Domszene: « Nachbarin ! Euer Fläschchen ! » Die ganze Erfüllung von Gretchens Schicksal ist im Fragment nicht enthalten, nicht jene Szene « Trüber Tag, Feld », die Faust im Zustand völliger Verzweiflung zeigt, nicht die Szene « Nacht, offen Feld », in der Faust und Mephisto am Rabenstein vorbeibrausen, wo der Galgen für Gretchen errichtet ist, und nicht die Kerkerszene: Gretchen als Mörderin ihres Kindes, in Ketten, in Wahnsinn sterbend. Ganz offenbar: das alles war nun zu zerreißend, dissonierend, ohne Trost erschütternd und formal zu naturalistisch für den südlich gereiften Goethe. Die Form, in der dann auch dieser letzte Schluß der Gretchentragödie im ersten Teile Faust erscheinen konnte, und in welcher er Goethe erträglich schien, war damals noch nicht von ihm gefunden. Die wüste Szene aus dem Urfaust « Auerbachs Keller » konnte in das Fragment aufgenommen werden, und nicht nur darum, weil ihre in Italien vollzogene Verwandlung Faust weit gehobener und veredelter zeigt — nicht er ist es, der, wie doch im Urfaust, den Weinzauber ins Werk setzt, sondern Mephisto, und Faust spricht jetzt in dieser Szene überhaupt nur dies: « Ich hätte Lust, nun abzufahren » — sondern weil in Italien diese Szene, die im Urfaust Prosa war, nun in rhythmische und gereimte Form verwandelt und auch sprachlich gereinigt und veredelt wurde. Durch künstlerische Stilisierung also war die Barbarei des Urfaust so gemildert, so gemäßigt worden, daß sie in das Fragment eingehen konnte. Für Gretchens Ende war diese Form noch nicht gefunden, in der « die Idee wie durch einen Flor durchscheint und die unmittelbare Wirkung des ungeheuren Stoffes gedämpft wird ». Darum ließ er es lieber ganz fort und gab seinen Faust als Fragment heraus.
Das war die Sendung des Südens. Goethe, der als ein deutscher Mensch

die faustische Sehnsucht in sich trug, konnte doch nicht in der Sehnsucht leben und bleiben, wie die Romantik es konnte. Er bedurfte der Erfüllung, nicht nur in Traum und Phantasie, sondern in leibhafter Gegenwärtigkeit. Die Sehnsucht schien ihm der gefährlichste Feind der Harmonie, des inneren Friedens, der Seelenstille, und auch der künstlerischen Plastik zu sein. Das nötigte ihn von innen her, sich von solch faustischer Sehnsucht zu befreien, und es gelang ihm in Italien, das ihm die Überwindung des faustischen Geistes brachte, mochte dieser auch, so wie die Titanen von den olympischen Göttern bezwungen, doch immer noch, wenn auch gefesselt, unter dem Olympos drohen, in seinen Tiefen weiter bestehen, seinen klassischen Werken eine Tiefe gebend, die in klassischen Dichtungen anderer Literaturen nicht so zu finden ist. Es ist ein seltsames und höchst aufschlußreiches Schauspiel zu sehen, wie Goethe nach seiner Rückkehr aus Italien, vielleicht aus einer gewissen Angst, daß die Arbeit am Faust der neuen Stufe seiner Entwicklung gefährlich werden könnte, mehr aber sicherlich eben der südlichen Wandlung wegen lange Zeit die Arbeit am Faust überhaupt ruhen ließ und dann nur mit Hemmungen, im Kampfe gegen innere Widerstände, mit immer neuen Unterbrechungen, an dem nordischen Faustdrama weiterschuf. « Faust », so schreibt er Juli 1797 an Schiller, « ist die Zeit zurückgelegt worden, die nordischen Phantome sind durch die südlichen Reminiszenzen auf einige Zeit zurückgedrängt worden. » Fünf Monate später: « Ich werde wohl zunächst an meinen Faust gehen, teils um diesen Tragelaphen los zu werden, teils um mich zu einer höhern und reinern Stimmung, vielleicht zum Tell, vorzubereiten. » Im selben Monat: « Ich bin für den Moment himmelweit von solchen reinen und edlen Gegenständen (wie Laokoon) entfernt, indem ich meinen Faust zu endigen, mich aber auch zugleich von aller nordischen Barbarei loszusagen wünsche. » Als er im April 1798 mit dem Plan zu einer Achilleis beschäftigt war, heißt es: « Vor die schöne Homerische Welt ist gleichfalls ein Vorhang gezogen und die nordischen Gestalten, Faust und Compagnie, haben sich eingeschlichen. » Wie deutlich ist es doch, daß Goethe nur mit Überwindung innerlichster Widerstände am Faust arbeitete und diese Arbeit als unwillkommene Ablenkung von anderen, edleren Aufgaben empfand. Er spricht von seinem Faust als Hexenprodukt, nordischer Barbarei, Luftphantom, Dunst- und Nebelweg, Reim- und Strophendunst. Er wünscht ihn nur fertig zu machen, um ihn los zu werden und sich zu einer höheren und reineren Stimmung vorzubereiten. Er ließ es sich auch nicht

nehmen, seine eigene Stellung zu diesem nordischen und innerlich
schon überwundenen Gegenstand ganz deutlich und öffentlich auszusprechen. Er tat es in einem Prolog « Zueignung » und in einem Epilog
« Abschied ». Klingt doch die Zueignung fast wie eine Entschuldigung,
eine Rechtfertigung und Erklärung, warum er überhaupt noch diese
Schatten seiner Vergangenheit beschwor.

> Ihr naht euch wieder, schwankende Gestalten,
> Die früh sich einst dem trüben Blick gezeigt.
> Versuch' ich wohl euch diesmal fest zu halten?
> Fühl' ich mein Herz noch jenem Wahn geneigt?
> Ihr drängt euch zu ! nun gut, so mögt ihr walten,
> Wie ihr aus Dunst und Nebel um mich steigt;
> Mein Busen fühlt sich jugendlich erschüttert
> Vom Zauberhauch, der euren Zug umwittert.

Schatten der Vergangenheit also waren es, die er mit der Vollendung
des Faust beschwor, und diese ganze Welt war ihm nun eine Welt des
Wahnes, des Dunstes und des Nebels geworden, nicht mehr seine
lebendige Gegenwart. Noch deutlicher aber kommt diese südliche
Wandlung Goethes in dem Epilog, dem « Abschied », heraus, der leider
sehr unbekannt geblieben ist, weil Goethe ihn dann doch nicht veröffentlicht hat, und er aus dem Nachlaß erst erschien. Er beginnt:

> Am Ende bin ich nun des Trauerspieles,
> Das ich zuletzt mit Bangigkeit vollführt,
> Nicht mehr vom Drange menschlichen Gewühles,
> Nicht von der Macht der Dunkelheit gerührt.
> Wer schildert gern den Wirrwarr des Gefühles,
> Wenn ihn der Weg zur Klarheit aufgeführt?
> Und so geschlossen sei der Barbareien
> Beschränkter Kreis mit seinen Zaubereien.

Es ist wie eine Tragödie. Die größte Dichtung deutscher Sprache,
Goethes Faust, wurde vollendet, indem sich der Dichter ihr mehr und
mehr entfremdete, weil er den Weg vom Norden zum Süden hin, den
Weg von Faust zu Helena genommen hatte. Es scheint fast wie ein
Fluch, und doch war es ein Segen. Denn wie hätte Goethe überhaupt
diese Tragödie des unendlichen Strebens, der nie erfüllten Sehnsucht,
des ruhelosen Willens, zum Kunstwerk gestalten können, wenn er
nicht selbst so gewandelt und geheilt gewesen wäre.

Die jambische Rhythmisierung der « Iphigenie », schon auf der Reise
nach Italien beginnend, vollendete sich dort. Es mag ein seltsames
Gefühl gewesen sein, mit dem dann der alte Goethe 1826 dies Denkmal
seiner südlichen Wandlung in der italienischen Übersetzung von Poerio
las und sich mit ihr zufrieden erklären konnte. Der Tasso wurde
gänzlich umgearbeitet, weil nun Personen, Plan und Ton mit seiner
jetzigen Ansicht nicht die mindeste Verwandtschaft mehr besaßen.
Blieben auch die beiden ersten Akte in Plan und Gang ungefähr gleich,
so verlor sich doch auch in ihnen der Nebel, als er nach seinen neuen
Ansichten die Form vorwalten und den Rhythmus eintreten ließ.[6]
Singspiele, die er mitgebracht hatte, wurden in Italien der Form der
italienischen Oper angepaßt, für die er jetzt eine große Liebe faßte.
Auch der « Egmont », dessen letzte Akte in heimlichem Rhythmus
zu schreiten beginnen, nähert sich durch die bedeutende Funktion,
welche die Musik in ihm empfängt, der Oper. Rhythmus und Musik
helfen in Italien der Goetheschen Intention, seinen Stil über jeden
Naturalismus hinaus zum idealen Stil zu erheben.
Als Goethe Italien verlassen mußte, gab der schmerzliche Abschied
der ganzen Tassodichtung an Stelle des verlorenen einen neuen Erlebnis-
gehalt: den wehmütigen Zug einer leidenschaftlichen Seele, die unwiderstehlich zu einer unwiderruflichen Verbannung hingezogen wird: Die
Verbannung Tassos aus Ferrara wird zum Symbol dafür, daß Goethe
selbst seinen Abschied von Italien wie eine Verbannung aus dem seligen
Süden, der seine geistige Heimat geworden war, in den düsteren Norden
empfand. Er mußte auch bei seinem Abschied von Rom noch eines
anderen Dichters, Ovids, gedenken, der, auch verbannt, in einer Mondnacht Rom verlassen mußte. Ovids elegische Rückerinnerung, weit
hinten am Schwarzen Meer, im trauer- und jammervollen Zustande,
kam Goethe damals nicht aus dem Sinn.[7]
Aber Goethes eigene Rückerinnerungsdichtungen, die römischen
Elegien, die nach seiner Rückkehr aus Italien entstanden, sind keine
elegischen Klagen und Sehnsuchtsgesänge. Italien ist so ganz sein
Besitz geworden, so eingegangen in den dauernden Bestand seines
Wesens, daß es ihm wie leibhaft gegenwärtig blieb. Auch die geplante
Abschiedselegie kam nicht zustande. Die römischen Elegien sind Ge-
sänge völliger Erfüllung im schönen Augenblick. Das ist ein neues
Zeichen eben dafür, daß Italien ihn von der romantisch faustischen
Sehnsucht geheilt und ihn gelehrt hat, in plastischer Gegenwart zu
leben und zu wirken. Seit seine Sehnsucht, Italien zu schauen, sich

erfüllt hatte, war die Ruhe in ihn gekommen. Diese Sehnsucht war die letzte gewesen, vielmehr, um es mit seinen eigenen Worten zu sagen; « An die Stelle der Sehnsucht nach dem Lande der Künste setzte sich die Sehnsucht nach der Kunst selbst. » Er war sie gewahr geworden, nun wünschte er sie zu durchdringen.[8] Nachdem er so gereinigt und gewandelt zurückgekehrt war, suchte er den Glanz des Südens, der noch in ihm war, auf seinen Norden auszustrahlen. Der Musenhof von Weimar gewann durch die nach dem Vorbilde der italienischen Renaissance gedichteten Festspiele, Triomphi, Maskenzüge, südlich festlichen Glanz. Das Weimarer Theater kultivierte nun die italienische Oper, deren Texte Goethe selbst bearbeitete, auch damit den Naturalismus überwindend. Im zweiten Teil des Faust wird es dann heißen:

> Denkt nicht ihr seid in deutschen Grenzen
> Von Teufels-, Narren- und Totentänzen,
> Ein heitres Fest erwartet euch.
> Der Herr, auf seinen Römerzügen,
> Hat, sich zu Nutz, euch zum Vergnügen,
> Die hohen Alpen überstiegen,
> Gewonnen sich ein heitres Reich.

Die italienische Literatur freilich spielte auch weiterhin, bis zur Zeit der italienischen Romantik, keine wesentliche Rolle in Weimar. Die Anstellung des Künstlers und Kunstschriftstellers Fernow, der eine gründliche Kenntnis der italienischen Literatur und eine ausgesuchte Bibliothek dieses Faches besaß, als Bibliothekar der Herzoginmutter, brachte nur ein kurzes Zwischenspiel, als er die Liebe zur italienischen Literatur belebte und zu geistreicher Lektüre und Gesprächen Anlaß gab. Aber mit Fernows Verlust (1808) versiegte die Quelle, die sich seit Jagemanns (des früheren Bibliothekars) Abscheiden kaum wieder hervorgetan hatte, zum zweitenmal. Denn fremdes Schrifttum « muß gebracht, ja aufgedrungen werden, es muß wohlfeil mit weniger Bemühung zu haben sein, wenn wir darnach greifen sollen, um es bequem zu genießen ».[9] Höchst erfreut war Goethe daher, als er von der Kaiserin Maria Ludovica 1813 eine Prachtausgabe der Dichtungen des italienischen Abbate Clemente Bondi erhielt, worauf er ein Sonett an Bondi schickte:

> Aus jenen Ländern echten Sonnenscheines
> Beglückten oft mich Gaben der Gefilde:
> Agrumen reizend, Feigen süß und milde,
> Der Mandeln Milch, die Feuerkraft des Weines.

> So manches Musenwerk erregte meines
> Nordländ'schen Geistes innigste Gebilde,
> Wie an Achilleus lebensreichem Schilde
> Erfreut' ich mich des günstigsten Vereines.
> Und daß ich mich daran begnügen könnte,
> War mir sogar ein Kunstbesitz bereitet,
> Erquickend mich durch Anmut wie durch Stärke.
> Doch nichts erschien im größeren Momente,
> Voll innern Werts, von so viel Glück begleitet,
> Als durch Louisen, Bondi, deine Werke.

Man wird aber in diesem Sonett wohl mehr eine Huldigung an die Kaiserin, welche ihm die von ihr veranstaltete Prachtausgabe sandte, und die dankbare Liebe zu Italien erkennen, als einen tieferen Eindruck jener wenig bedeutenden Gedichte, und unter den Musenwerken, welche innigste Gebilde seines nordländischen Geistes erregten, wird man wohl auch nicht Werke der italienischen Literatur, sondern der bildenden Kunst zu verstehen haben.

Auch Goethes großer Zeitgenosse, der italienische Dramatiker Alfieri, kommt als Bildner Goethes nicht in Betracht, obwohl seine Tragödien im klassizistischen Stil gedichtet waren. Goethe brachte wohl sein Drama « Saul » (in Knebels Übersetzung) auf die Weimarer Bühne, so daß auch dies zu jenen Versuchen zu rechnen ist, dem deutschen Theater durch Aneignung fremder Dramatik von edlerem und gehobenerem Kunststil zur Überwindung des Naturalismus zu verhelfen. Aber Goethe quälte sich nach eigenem Bekenntnis doch nur an Alfieri herum und wurde seiner wegen der Trockenheit seiner Einbildungskraft und seines übertriebenen Lakonismus in Anlage und Ausführung nicht froh, wenn er auch seinen großen Charakter bewunderte. Er fand ihn ungenießbar und peinigend. Als aber Goethe seit 1813 mit der Redaktion seiner « Italienischen Reise » beschäftigt war, kam ihm noch einmal alles zum Bewußtsein, was er Italien für seine künstlerische und allgemein menschliche Bildung zu danken hatte, und um so erstaunter mußte er sein, als er 1820 erfuhr, daß auch dies klassische Land sich der deutschen Romantik öffnete und ihr Feuer nun auch über den Alpen zu lodern anfing.

Die englische Literatur hatte den jungen Goethe zu sich selbst, zu seiner eigenen Natur geweckt. Die Kunst Italiens und der Süden überhaupt hatte seinem faustischen Geiste Grenze und Maß gesetzt. Die französische Literatur übte eine verwandelnde, erziehende, bildende Wirkung auf ihn aus, und sie hatte für ihn die ewig romanische Sendung, dem deutschen Geiste Form zu geben. Diese Wirkung erfolgte, seit Goethe tief in sich selbst die Notwendigkeit der Wandlung empfand. Sie setzte natürlich voraus, daß sich das Bild der französischen Literatur in ihm verwandelte, daß er sie mit neuen Augen sehen, mit neuen Maßen würdigen lernte. Es ist gewiß kein Zufall, daß sich das erste Zeichen solcher Wandlung in Goethes Bildungsroman, im « Wilhelm Meister », und zwar schon in seiner ersten Fassung findet, und wenn man dies mit jener Shakespeare-Rede vergleicht, in der Goethe nichts als Hohn und Spott für die französische Tragödie hatte, wird man die Wandlung deutlich sehen. Denn jetzt, da Wilhelm Meister in seinem Bildungsdrang, um sich das Wesen der dramatischen Dichtkunst klarzumachen, nach der französischen Tragödie, nach Corneille greift, da fühlt er sich erschüttert und erleuchtet, verwirft die Regeln der drei Einheiten, von Handlung, Zeit und Ort nicht mehr und verlangt nur, daß man sie nicht isoliere, sondern lediglich als Glieder der allgemeinen und notwendigen Einheit eines jeden Kunstwerkes verstehe, daß sie zur inneren Ganzheit, der Übereinstimmung mit sich selbst, der Schicklichkeit und Wahrscheinlichkeit gerechnet werden, die der Kunst notwendig sind. Jetzt bewundert Wilhelm Meister die edlen, großen Helden des Corneille und fühlt das unwiderstehliche Verlangen in sich, nach seinem Vorbild selbst eine Tragödie zu schaffen. Nicht Corneille freilich, aber Racine, der in seiner Zartheit und Menschlichkeit dem Goetheschen Naturell sicherlich näherstand als der Schiller verwandtere, heroische Corneille, wurde für Goethe zu einer bildenden Macht. Mit der wandelnden, die edle Einfalt und die stille Größe, die Ruhe der Seele und die Schönheit der Form zeugenden Kraft des Südens, die Goethe in Italien an sich und seiner Kunst erfuhr, vereinigte sich die erzieherische Sendung der französischen Tragödie, um ihm die Vollendung der

Iphigenie zu ermöglichen. Es ist vielleicht dem deutschen Bewußtsein gar nicht gegenwärtig, wie stark die französische Tragödienkunst
am Ursprung der deutschen Klassik beteiligt war. Aber die Nähe
Racines ist wirklich unverkennbar, und die Spuren seiner Wirkung
sind in der edlen, stets beherrschten, auch im höchsten Schmerz
gewahrten Haltung der Gestalten, in der Zurückdrängung aller lauten,
krassen, bunten Handlungselemente zugunsten einer stillen, einfachen,
sich innerlich im Seelenraum der Menschen abspielenden Handlung,
in dem Siege hoher Sittlichkeit über Lebenstrieb und Leidenschaft,
in der Bewahrung der Einheiten, in der gemessenen Proportion und
Symmetrie der dramatischen Architektur, in dem edlen Stil und dem
harmonischen Klang der Sprache und des Verses deutlich zu bemerken.
Gewiß bleibt auch der Unterschied nicht weniger klar, und wenn man
Goethes Iphigenie mit Racine vergleicht, so wird man sehen, wie
auch durch Goethes klassischstes Gebilde doch der deutsche, faustisch-
romantische Charakter immer noch hindurchschlägt. Denn nicht
nur etwa, daß die Iphigenie den konventionellen und rhetorischen
Charakter des französischen Klassizismus vermieden hat. Es ist, als
ob hier die Titanen wohl besiegt, gebunden, aber immer noch unter
dieser selig und olympisch-heiteren Formwelt drohen, als ob noch unter
dieser Fläche eines ruhenden und stillen Meeres die ganze Tiefe und
Gefahr des Abgrunds lauert, als ob diesem apollinischen Tempel eine
dunkle Krypta unterbaut ist. Man spürt, daß diese Haltung, diese
Ruhe und Gemessenheit doch nur als Frucht der schwersten Überwindung seiner selbst, der schmerzlichsten Entsagung reifen konnte,
und daß es doch eben der faustische Geist war, der sich die hellenische
Form gewann. Man fühlt, daß auch dies klassisch-objektive Kunstwerk
Goethesche Erlebnisdichtung ist, während man in Racines Iphigenie kaum das, was ihm auf der Seele brannte, suchen und finden
wird. Jene leise zitternde Schwingung, die jeden Vers der Goetheschen
Iphigenie innerlichst bewegt, deutet auf diesen Urgrund hin. Daß er
sich aber solche Form gewann und gewinnen konnte, das geschah
nicht ohne die helfende Hand des französischen Klassizimus.
Als Goethe aus Italien zurückgekehrt war, übersetzte er Chöre aus
Racines « Athalie », 1789, um mit seiner Übersetzung die Cramersche
zu verdrängen, weil diesem Übersetzer nach Goethes Urteil das Gefühl
für das « Gehörige » fehlte. Das Gehörige war es ja eben, das sich die
deutsche Dichtung nun von der französischen aneignen wollte. Daß
es aber gerade die Chöre waren, die er übersetzte, hat seinen tieferen

Grund. Seit Italien und der dort gewonnenen Liebe zur Opernform war es ihm aufgegangen, daß die Überwindung des Naturalismus, die von jetzt an seine künstlerische Intention war, auch auf dem Wege der Annäherung des Dramas an die Oper geschehen konnte, durch die Einführung der Musik und musikalischer Formen in die Tragödie, wie Racine es in seiner « Athalie » versucht hatte. Hier beginnt der Weg, der dann in der Pandora und Helena gipfeln sollte.

Als Goethe sich selbst und seine Kunst zu klassischer Vollendung emporgebildet hatte, konnte er an die große Aufgabe gehen, mit Hilfe der französischen Tragödien- und Schauspielkunst das deutsche Theater als edelste Bildungsstätte der Nation aus den Niederungen des Naturalismus, in denen es immer noch befangen war, auf ein höheres Niveau der Kunst zu heben, die Grenzen zwischen Natur und Kunst aufzurichten und die deutsche Bühne zu einem hohen, gemessenen, edlen, klassischen Stil zu erziehen. Die Weimarer Bühne, auf der dieses Erziehungswerk geschah, sollte damit zum Vorbild des deutschen Theaters überhaupt werden. Zu diesem Zwecke hat Goethe Tragödien Voltaires, Mahomet und Tankred, in rhythmisch gemessener Form übersetzt und in Weimar zur Aufführung gebracht. Der Mahomet galt ihm als « Musterbild dramatischer Beschränkung in Ansehung der Handlung, der Zeit und des Ortes ». In einem Maskenzug von 1818 tritt auch Mahomet auf.

> Der Weltgeschichte wichtiges Ereignis:
> Erst Nationen angeregt,
> Dann unterjocht und mit Propheten-Zeugnis
> Ein neu Gesetz den Völkern auferlegt;
> Die größten Taten, die geschehen,
> Wo Leidenschaft und Klugheit streitend wirkt,
> Im kleinsten Raume dargestellt zu sehen,
> In diesem Sinn ist solch ein Bild bezirkt. —
>
> Das einzig macht die Kunst unsterblich,
> Und bleibt der Bühne Glanz und Ruhm,
> Daß sie was groß und würdig, was verderblich,
> Von je betrachtet als ihr Eigentum.
> Doch mußte sie bei Füll' und Reichtum denken,
> Sich Zeit und Ort und Handlung zu beschränken.

Um das Weimaraner Theater zu heben und zu veredeln hat Goethe auch « Regeln für Schauspieler » entworfen, 1803, die zwar nicht in

Goethes eigener Formulierung erhalten sind, aber doch nach Schauspieleraufzeichnungen von Eckermann redigiert und veröffentlicht
wurden. Sie sind durchaus nach den Regeln der französischen Schauspielkunst gehalten und möchten den deutschen Schauspieler zum
brauchbaren Instrument der klassischen Dramatik bilden. Goethe
selbst gestand einmal, daß ihm dieses Experiment nicht gelungen wäre,
wenn ihm nicht Wilhelm von Humboldt einen langen, ganz ausführlichen Brief aus Paris « über die gegenwärtige französische tragische
Bühne » geschrieben hätte, den Goethe 1799 in seinen « Propyläen »
veröffentlichte. In diesem Brief entwickelte Humboldt aus eigener,
in Paris gewonnener Anschauung den Unterschied zwischen der
deutschen und französischen Schauspielkunst als einen Unterschied
der beiden nationalen Charaktere überhaupt. Der deutsche Schauspieler stellt eine einmalige, charakteristische Individualität auf die
Bühne, der französische dagegen einen Typus, das allgemeine Bild einer
Leidenschaft. Dem deutschen Schauspieler kommt es einzig auf die
innere Wahrheit der Empfindung an. Er setzt sie nicht in sichtbare
Erscheinung um. Humboldt nennt bei dieser Gelegenheit das deutsche
Volk eine gebärdenlose Nation. Der französische Schauspieler aber
will allem inneren Leben die äußere, sichtbare Erscheinung geben:
in bildhafter Haltung und Gebärde. Die französische Schauspielkunst
nähert sich auf diesem Wege der bildenden Kunst und unterstellt
sich wie diese den Gesetzen einer edlen Schönheit, Symmetrie und
Gruppenbildung, so wie die französische Deklamation sich nach den
Gesetzen der Musik verhält und immer Wohlklang, Melodie und Harmonie vernehmen läßt, während der deutsche Schauspieler die naturalistische Wahrheit auch in der Sprache über die musikalische Schönheit stellt. Der französische Schauspieler verleugnet nie die gesellschaftliche Bildung, die seiner Nation so eigen ist, und verletzt daher nie den gesellschaftlichen Anstand, die gesellige Sitte auf der
Bühne. Er bleibt sich stets bewußt, daß er vor einer Gesellschaft,
einem Publikum steht, nimmt in jedem Augenblick, auch dem leidenschaftlichsten, Rücksicht auf dieses, kehrt ihm zum Beispiel
nie den Rücken, spricht immer zu ihm hin. Der deutsche Schauspieler dagegen kennt solche Rücksicht nicht. Er spielt und spricht
mehr für sich selbst und scheut auch Roheit nicht, wo es um Darstellung der Wahrheit geht. Mit einem Worte: die französische Schauspielkunst huldigt einem ästhetisch idealen Stil, die deutsche einem
naturalistischen.

Diese Bemerkungen Humboldts, an die er die Aufforderung knüpfte, die beiden Nationen sollten zu gegenseitigem Vorteil von einander lernen und sich ergänzen, bedeuteten für Goethe, wie er an Humboldt schrieb, eine wahre Erleuchtung. Er hatte wohl selbst in seiner frühen Jugend französische Schauspielertruppen in Frankfurt, in Leipzig, in Straßburg gesehen. Aber der Unterschied war ihm damals offenbar nicht zum Bewußtsein gekommen. Erst durch diesen Brief Humboldts wurde seine Anschauung des französischen Theaters völlig geklärt, und nicht nur der französischen Schauspielkunst, sondern auch der französisch-klassizistischen Tragödie selbst, welche natürlich dieser Schauspielkunst die stilistische Richtung wies. Das half nun Goethe ganz wesentlich bei seiner Übersetzung der Voltaireschen Tragödien, und nun versuchte er als Direktor des Weimarer Theaters, seine Schauspieler nach den Regeln der französischen Schauspielkunst zu erziehen. Denn die Regeln für Schauspieler, die er aufstellte, entsprechen in erstaunlich weitgehendem Maße den ihm von Humboldt gegebenen Berichten. Als er zuerst, in den « Propyläen », 1800, « Einige Szenen aus Mahomet nach Voltaire » veröffentlichte, schrieb er dazu: « Kein Freund des deutschen Theaters wird den Aufsatz über die gegenwärtige französische tragische Bühne mit Aufmerksamkeit lesen, ohne zu wünschen, daß, unbeschadet des Originalweges, den wir eingeschlagen haben, die Vorzüge des französischen Theaters auch auf das unsrige herübergeleitet werden möchten. » Es ging also darum, den deutschen Naturalismus mit der helfenden Hand der französischen Tragödien- und Schauspielkunst, ihres hochgesellschaftlichen, edlen und schönen Stils, ihrer einheitlichen, geregelten Form zu überwinden. Daher die Goetheschen Übersetzungen Voltaires. Daher die Aufführungen von Racines «Mithridate» und der «Phädra» in Schillers Übersetzung. Daher die Regeln, nach denen Goethe seine Schauspieler erzog. Auch wenn nun Goethe Shakespeares « Romeo und Julia » zur Aufführung brachte, wandelte er — man hörte es bereits — den Shakespeareschen Stil in der Richtung des französischen Theaters, indem er die Handlung konzentrierte, beschränkte und vereinfachte, ihre komischen und derben Elemente als « disharmonische Allotria » austilgte, weil « unsere Übereinstimmung liebende Denkart » sie nicht verträgt, vorkommende Prosa rhythmisierte, ja sogar Teile in Alexandriner übersetzte und so alles auf einen sich selbst gleich bleibenden Ton abstimmte und harmonisierte, so wie es ja auch Schiller, der ihm bei der idealen Hebung des deutschen Theaters treulich half, in seiner Übersetzung des

« Macbeth » und der Gozzischen « Turandot » tat. Das letzte Werk, das
Schiller vollendete, war denn auch seine Übersetzung der « Phaedra »
des Racine. Als Goethe den « Mahomet » Voltaires auf die Weimarer
Bühne brachte, dichtete Schiller einen Prolog dazu, der an dieser
Stelle stehen möge, weil man aus ihm vielleicht am klarsten die
Intention erkennen kann, aus der diese Weimaraner Erweckung des
französischen Theaters geschah, und weil er darüber hinaus eines der
charakteristischsten Denkmäler für weltliterarische Tätigkeit bedeutet
und darauf hinweist, in welchem Sinne eine fremde Literatur für die
eigene fruchtbar gemacht werden kann, ohne daß diese ihren nationalen Charakter dabei verlieren muß, so wie ein Mensch durch Bildung
und Erziehung seinen persönlichen Charakter nicht einzubüßen braucht.

An Goethe,
als er den Mahomet von Voltaire auf die Bühne brachte

Du selbst, der uns von falschem Regelzwange
Zu Wahrheit und Natur zurückgeführt,
Der, in der Wiege schon ein Held, die Schlange
Erstickt, die unsern Genius umschnürt,
Du, den die Kunst, die göttliche, schon lange
Mit ihrer reinen Priesterbinde ziert —
Du opferst auf zertrümmerten Altären
Der Aftermuse, die wir nicht mehr ehren?

Einheim'scher Kunst ist dieser Schauplatz eigen,
Hier wird nicht fremden Götzen mehr gedient,
Wir können mutig einen Lorbeer zeigen,
Der auf dem deutschen Pindus selbst gegrünt;
Selbst in der Künste Heiligtum zu steigen,
Hat sich der deutsche Genius erkühnt,
Und auf der Spur des Griechen und des Briten
Ist er dem bessern Ruhme nachgeschritten.

Denn dort, wo Sklaven knien, Despoten walten,
Wo sich die eitle Aftergröße bläht,
Da kann die Kunst das Edle nicht gestalten,
Von keinem Ludwig wird es ausgesät;
Aus eigner Fülle muß es sich entfalten,
Es borget nicht von ird'scher Majestät,
Nur mit der Wahrheit wird es sich vermählen,
Und seine Glut durchflammt nur freie Seelen.

Drum nicht in alte Fesseln uns zu schlagen,
Erneuerst du dies Spiel der alten Zeit,
Nicht uns zurückzuführen zu den Tagen
Charakterloser Minderjährigkeit;
Es wär' ein eitel und vergeblich Wagen,
Zu fallen ins bewegte Rad der Zeit:
Geflügelt fort entführen es die Stunden,
Das Neue kommt, das Alte ist verschwunden.

Erweitert jetzt ist des Theaters Enge,
In seinem Raume drängt sich eine Welt,
Nicht mehr der Worte rednerisch Gepränge,
Nur der Natur getreues Bild gefällt,
Verbannet ist der Sitten falsche Strenge,
Und menschlich handelt, menschlich fühlt der Held;
Die Leidenschaft erhebt die freien Töne,
Und in der Wahrheit findet man das Schöne.

Doch leicht gezimmert nur ist Thespis' Wagen,
Und er ist gleich dem acheront'schen Kahn;
Nur Schatten und Idole kann er tragen,
Und drängt das rohe Leben sich heran,
So droht das leichte Fahrzeug umzuschlagen,
Das nur die flücht'gen Geister fassen kann.
Der Schein soll nie die Wirklichkeit erreichen,
Und siegt Natur, so muß die Kunst entweichen.

Denn auf dem bretternen Gerüst der Szene
Wird eine Idealwelt aufgetan;
Nichts sei hier wahr und wirklich als die Träne,
Die Rührung ruht auf keinem Sinnenwahn.
Aufrichtig ist die wahre Melpomene,
Sie kündigt nichts als eine Fabel an
Und weiß durch tiefe Wahrheit zu entzücken;
Die falsche stellt sich wahr, um zu berücken.

Es droht die Kunst, vom Schauplatz zu verschwinden,
Ihr wildes Reich behauptet Phantasie,
Die Bühne will sie wie die Welt entzünden,
Das Niedrigste und Höchste menget sie;
Nur bei dem Franken war noch Kunst zu finden,
Erschwang er gleich ihr hohes Urbild nie,
Gebannt in unveränderlichen Schranken
Hält er sie fest und nimmer darf sie wanken.

Ein heiliger Bezirk ist ihm die Szene,
Verbannt aus ihrem festlichen Gebiet
Sind der Natur nachlässig rohe Töne,
Die Sprache selbst erhebt sich ihm zum Lied;
Es ist ein Reich des Wohllauts und der Schöne,
In edler Ordnung greifet Glied in Glied,
Zum ernsten Tempel füget sich das Ganze,
Und die Bewegung borget Reiz vom Tanze.

Nicht Muster zwar darf uns der Franke werden,
Aus seiner Kunst spricht kein lebend'ger Geist,
Des falschen Anstands prunkende Gebärden
Verschmäht der Sinn, der nur das Wahre preist;
Ein Führer nur zum Bessern soll er werden,
Er komme wie ein abgeschiedner Geist,
Zu reinigen die oft entweihte Szene
Zum würd'gen Sitz der alten Melpomene.

Mit diesen Weimarer Bemühungen um die französische Tragödienkunst wurde ein großes Unrecht wieder gut gemacht, welches dieser hohen, edlen, vornehmen Kunst durch Lessing geschehen war, dessen abschätziges Urteil in der deutschen Literatur jahrzehntelang kanonisch geblieben war. Die Vertreibung eines Corneille und eines Racine war wohl damals, in Lessings Tagen, notwendig, weil die deutsche Dramatik wirklich einer sklavischen Nachbildung des französischen Klassizismus verfallen war und erst einmal davon befreit werden mußte, um zu sich selbst zu erwachen und die eigenen Schwingen zu entfalten. Aber das von Lessing entworfene Bild der französischen Tragiker war doch ein sehr verzerrtes und entstelltes, und seit das deutsche Drama sich mit Hilfe Shakespeares befreit hatte, bestand wahrlich kein Grund mehr, um dieses Bild noch aufrechtzuerhalten. Jetzt konnte der französische Klassizismus vielmehr eine heilsame und segensreiche Bildungsschule für das deutsche Drama werden, das in der Abschüttelung aller bindenden Regeln und in der Nachahmung der Natur zu weit gegangen war, eine Schule des hohen Stils. Es ist leider nicht dabei geblieben. Die deutsche Romantik hat sich dann wieder auf den Standpunkt Lessings gestellt, und August Wilhelm Schlegels Vergleich der Phaedra des Racine mit der des Euripides machte wieder alle Bemühungen Weimars zunichte. Die geradezu groteske Beurteilung Molières durch Schlegel wurde von Goethe fast wie eine persönliche Kränkung empfunden. Seit der Romantik gehört der französische Klassizismus überhaupt nicht mehr zu jenen Mächten, welche für die deutsche Bildung etwas bedeuten, und damit hat sie sich selbst eines edlen Helfers beraubt. Es gab nur wenige Stimmen in der Wüste, welche den hohen Wert dieser Kunst und den Segen, den sie für das deutsche Theater bringen könnte, verkündigten: Grillparzer und Hebbel, und zum Ruhme der Schweiz sei es gesagt, daß nicht nur C. F. Meyer sich zu Racine bekannte — « j'adore Racine » sondern daß auch Gottfried Keller ihn energisch gegen die deutsche Verurteilung verteidigte (sein Brief darüber an Hermann Hettner wurde in dessen Schrift über das moderne Drama aufgenommen).

Aber der französische Geist war für Goethe nicht nur ein Erzieher zum edlen, klassischen Stil; er bedeutete noch weit mehr für ihn, und wenn er einmal zu Soret sagte, daß er die Franzosen (auch in der Napoleonischen Zeit) nicht haßte, wie hätte er auch, dem nur Kultur und Barbarei Dinge von Bedeutung seien, eine Nation hassen können, die zu den kultiviertesten der Erde gehöre, und der er einen so großen Teil seiner eigenen Bildung verdanke, so dachte er dabei gewiß nicht nur an die Bildung zur klassischen Form. Voltaire, für Goethe der Inbegriff der französischen Kultur, war nicht nur als Dramatiker eine bildende Macht für ihn, sondern wurde ihm ein Erzieher zur klassischen Geistigkeit, zum klassischen Menschentum überhaupt. Man hat schon oft Goethe und Voltaire miteinander verglichen, und man kann finden, daß Goethe in fremden Literaturen oft der « deutsche Voltaire » genannt wird. Der Vergleich besteht zu Recht, wenn man sich dabei doch des tiefen Unterschiedes zwischen ihnen bewußt bleibt. Man braucht dabei nicht einmal an einen Unterschied zu denken, den Heinrich Mann zum Motiv einer Abhandlung über Goethe und Voltaire gemacht hat, wobei Goethe schlecht wegkommt. Dieser aktivistische Schriftsteller nämlich sieht den Unterschied darin, daß Voltaire ein aktivistischer Kämpfer war, der im Namen des Geistes gegen die Macht protestierte, im Namen der Wahrheit gegen jeden Wahn und Trug, im Namen der Freiheit gegen jede Tyrannei, im Namen der Gerechtigkeit — der Fall Calas — gegen die Verurteilung eines unschuldigen Menschen, Voltaire, der große Zivilisator Europas, der Kreuzzugsritter für den Fortschritt, die Freiheit und die Humanität. Goethe dagegen, der einmal das — freilich gefährliche — Wort aussprach, er wolle lieber eine Ungerechtigkeit als eine Unordnung ertragen, der nie die Hand für die Gerechtigkeit rührte, nie eine Unmenschlichkeit beseitigen half, der wohl als Dichter ein Gretchen schuf, aber als Staatsminister sich für die Todesstrafe

an Kindsmörderinnen erklärte, der sich der Macht beugte und sich
mit der künstlerischen Schöpfung schöner Gebilde begnügte, ohne
sich für eine Wandlung der menschlichen Gesellschaft einzusetzen.
Was an diesem Vergleiche richtig ist, das ist wohl dieses, daß Goethes
Natur im Unterschied von der Voltaires nicht kämpferisch und nicht
revolutionär war. Wenn man aber trotzdem die Wahrheit dieses
Vergleiches leugnen muß, so darum, weil es eben verschiedene Möglichkeiten gibt, durch die eine Wandlung der Gesellschaft geschehen kann:
nicht nur durch den kämpferisch-revolutionären Geist, sondern mit
vielleicht sogar tieferer und nachhaltigerer Wirkung auch durch die
einfach wissenschaftliche Erforschung der Wahrheit und durch ihre
Gestaltung in der Kunst. Ob nicht Goethe auch ohne Kampf, ganz
einfach durch seine Iphigenie, durch seinen Faust, durch seinen
Wilhelm Meister, mindestens ebensoviel für die Idee der Humanität
getan hat als Voltaire? Der Unterschied, der ein allgemeiner Unterschied des deutschen und französischen Geistes ist, liegt vielmehr
darin besonders, daß Goethe ein faustischer Mensch war, ein ringender,
nach aufwärts strebender, ewig suchender, ein Wanderer im Geist.
Es ist, als ob Voltaire sich ganz im sicheren Besitz der Wahrheit
wußte und so von oben her, von seinem sicheren Sitze und Besitze
aus das Licht der Wahrheit in die dunkle Tiefe unter ihm sendete,
um sie aufzuklären. Goethe aber, und zwar der alte, fertige, überreife
Goethe konnte einmal zu Eckermann sagen, er rechne sich zu dem
Geschlechte derer, die aus dem Dunkel zum Lichte streben, und was
anders ist denn der Goethesche Faust, als der Weg eines ringenden,
suchenden, aus dem Dunkel in die Klarheit aufstrebenden Geistes. Das
ist der wesentlichste Unterschied zwischen Goethe und Voltaire.

Aber gerade diese Verschiedenheit war es, die es Voltaire erlaubte, für
Goethe auf seinem Wege aus dem Dunkel zum Licht ein Helfer und
Führer werden zu können, und nicht umsonst hat der alte Goethe
einmal, Eckermann gegenüber, Voltaire die allgemeine Quelle des
Lichts genannt, und nicht umsonst hat er Voltaire dem jungen Eckermann zum Führer und Erzieher empfohlen, obwohl er gewiß die
Schwächen Voltaires nicht übersehen hat. Er tat es darum, weil er
tief empfand, welch bildende Sendung Voltaire an ihm selbst ausgeübt hatte. Es ist immer gefährlich, die Strahlen eines geistigen
Lichtes säuberlich zerlegen zu wollen. Aber es sei doch versucht, zu
zeigen, nach welchen Richtungen hin der Geist Voltaires für Goethe
bildend und erziehend wirkte. Die erste und allgemeinste war wohl

die, daß die lateinische Klarheit Voltaires, seine überlegene Heiterkeit und seine französische Anmut Goethe geholfen hat, sich aus dem mystischen Dunkel, in dem ein deutscher Dichter sich so gern bewegt, zur Klarheit des Geistes zu erheben, aus wertherischem Weltschmerz zur Serenitas, zu der gelassenen Heiterkeit eines weltüberlegenen Geistes, und die deutsche Schwere in gelöste Anmut zu wandeln. Das waren jedenfalls die Eigenschaften, die Goethe immer besonders an Voltaire bewunderte und rühmte: die Klarheit, die Heiterkeit und Leichtigkeit, die Grazie seines Geistes. Dazu aber kommt noch ein anderes und nicht minder wichtiges Moment. Goethe selbst hat den wesentlichsten Unterschied zwischen einem deutschen und französischen Schriftsteller in der Einsamkeit und Selbstversunkenheit des deutschen und der gesellschaftlichen Konvenienz des französischen gefunden. Was er von Frankreich für sein eigenes Volk erhoffte, war gesellschaftliche Bildung. Ja, er sah es als die eigentlich französische Sendung an, gesellige Bildung über die Welt zu verbreiten. Er selbst empfand, daß er die seinige der französischen Literatur verdanke. So etwa sagte er einmal zu Eckermann: er kenne und liebe Molière seit seiner Jugend und habe während seines ganzen Lebens von ihm gelernt. Er unterlasse nicht, jährlich von ihm einige Stücke zu lesen, um sich immer im Verkehr mit ihm zu erhalten. Es sei nicht bloß das vollendete, künstlerische Verfahren, was ihn entzücke, sondern vorzüglich auch das liebenswürdige Naturell, das hochgebildete Innere des Dichters. Es sei in ihm eine Grazie und ein Takt für das Schickliche und ein Ton des feinen Umganges, wie es seine angeborene, schöne Natur nur im täglichen Verkehr mit den vorzüglichsten Menschen seines Jahrhunderts erreichen konnte. Was Goethe selbst so sehr entbehrte: eben den persönlichen Verkehr mit den vorzüglichsten Menschen seiner Zeit, das ersetzte er sich durch den ständigen, geistigen Verkehr mit ihnen, und unter ihnen stand sein älterer Zeitgenosse, Voltaire, in erster Linie. Weswegen hat er Voltaire dem jungen Eckermann so warm empfohlen? Eckermann berichtet es selbst: weil ihm noch dasjenige fehle, was man Konvenienz heiße, worin Voltaire so groß gewesen sei. Diesen wolle er ihm daher zum Meister vorschlagen. Das ist es also: die Konvenienz oder, wie Goethe es auch nennt, die Schicklichkeit, der gute Ton, der Geschmack, die Eleganz, mit einem Worte: die gesellschaftliche Haltung Voltaires, die Goethe an den deutschen Schriftstellern so schmerzlich vermißte, hat ihn zu einem Bildner Goethes gemacht. Noch aber fehlt der vielleicht

wichtigste Strahl, der von dem Licht Voltaires in Goethe zündete.
War doch Voltaire vielleicht der kosmopolitischste Geist des Jahrhunderts, ein Weltbürger, für den es überhaupt nur eine Welt-
gesellschaft gab, der allen nationalen Eigendünkel, jedes völkische
Vorurteil mit seiner Ironie und seinem Spott verscheuchte, der das
allgemein menschliche Wesen als das einende Band aller Völker
erkannte und verkündete. Wenn dies zum Grund- und Leitmotiv der
Goetheschen Dichtung und Gedankenwelt wurde, so darf man auch da
die Bildung durch Voltaire, diese Inkarnation europäischer Geistigkeit,
nicht vergessen, wenn auch gewiß das Bild des Menschen bei Goethe
nicht so einseitig wie bei Voltaire durch Vernunft bestimmt erscheint,
sondern, weit universaler, alle dem Menschen von Natur verliehenen
Kräfte und Möglichkeiten umfaßt, und das war auch gewiß ein Unterschied zwischen Voltaire und Goethe selbst. Aber das kann nicht
hindern, doch in Voltaire auch in dieser Hinsicht eine « Quelle des
Lichts » für Goethe zu erkennen. Ja, auch die Goethesche Idee der
Weltliteratur, deren tiefstes Fundament die Erkenntnis der allgemeinen,
ewigen Menschlichkeit als des Bandes der Völker ist, hat in Voltaire
bereits einen Vorläufer und Ahnen gehabt.

Es ist nun sehr aufschlußreich, die Goethesche Wandlung in seiner
Stellung zu Voltaire, wie er sich im Sturm und Drang von ihm abwendete und ihm später eine bildende Macht auf sich einräumte, mit
seinem Verhältnis zu Diderot zu vergleichen, das gerade umgekehrt
verlief. Es zeigt sich dabei, daß zwischen der deutschen und französischen Literatur sich bereits ein wahrer Rollentausch zu vollziehen
begann.

Dort wo Goethe in « Dichtung und Wahrheit » von der Bejahrtheit
und Vornehmheit der französischen Literatur spricht, wodurch sich
die deutsche Jugend von ihr abgestoßen fühlte, so wie von dem übertriebenen Einfluß der Sozietät auf die französischen Schriftsteller, der
immer mehr überhand nahm, spricht Goethe auch von Diderot, der
so ganz anders war wie Voltaire. « Diderot war nahe genug mit uns
verwandt, wie er denn in alledem, weshalb ihn die Franzosen tadeln,
ein wahrer Deutscher ist. » Seine « Naturkinder » behagten ihm gar
sehr. So war es denn auch Diderot, der gleich Rousseau von dem geselligen Leben einen « Ekelbegriff » verbreitete, eine stille Einleitung zu
jenen ungeheuren Weltveränderungen, in welchen alles unterzugehen
schien. Wie aber standen Rousseau und Diderot zur Kunst? « Auch
hier wiesen sie, auch von ihr drängten sie uns zur Natur. » In der Tat:

Diderot, gleich Rousseau unter englischem Einfluß stehend, verlangte in der Kunst Natur und Wahrheit und stellte der klassizistischen, rhythmischen und streng geregelten Tragödie das bürgerliche und prosaische Trauerspiel entgegen, während gleichzeitig auch ein Schauspieler, Aufresne, aller Unnatur auf der Bühne den Krieg erklärte und in seinem tragischen Spiel die höchste Wahrheit auszudrücken suchte. Mit seiner Verkündigung der Natürlichkeit in der Kunst übte Diderot eine tiefe Wirkung auf den jungen Goethe aus und entfernte ihn von Voltaire. Aber in « Dichtung und Wahrheit » nennt er Diderots Poetik die Lehre von der « falschen Natürlichkeit ». Es sei ein falsches Bestreben, die Kunst in Natur auflösen zu wollen. 1799 erschien die Goethesche Übersetzung von Diderots « Versuch über die Malerei ». Goethe war damals zusammen mit den Weimaraner Kunstfreunden um die Erkenntnis der Gesetze der bildenden Kunst bemüht, und seine leitende Idee war die, daß die Kunst nicht gleich der Natur sein dürfe, sondern eigene Gesetze, eine eigene Wahrheit besitze. Sie darf nicht, wie der Naturalismus es will, eine illusionäre Wirklichkeit vortäuschen. Tatsächlich also hatte damals eine Art von Rollentausch zwischen dem deutschen und französischen Geiste begonnen, indem Goethe sich in der Form einer Unterhaltung mit Diderots « Versuch über die Malerei » mit seiner revolutionären, gegen den französischen Klassizismus, dessen gesellschaftliche Konvenienz, hohle Deklamation und Unnatur gerichteten Ästhetik auseinandersetzte, welche die französische Literatur und Kunst zur Wahrheit und Natur zurückführen wollte. Wenn Goethe hier gegen die von Diderot verlangte Aufhebung der Grenzen zwischen Natur und Kunst protestierte und deren reinliche Sonderung forderte, weil Naturgesetze nicht Kunstgesetze seien und der Künstler nicht ein Naturwerk, sondern ein vollendetes Kunstwerk hervorbringen solle, wenn Goethe in diesem Gespräch auch die Akademie und das akademische Studium der Kunst gegen Diderot verteidigte, weil Genie und Stimmung nicht alles leisten könne, so zeigt sich Goethe hier französischer als Diderot, und Diderot deutscher als Goethe, weswegen ja auch Diderot von Goethe im geistigen Sinn ein wahrer Deutscher genannt wurde. Sicherlich hat bei dieser Goetheschen Wandlung nicht nur die Antike und Italien, sondern auch der französische Klassizismus mitgeholfen, der jetzt also von Goethe gegen Diderot verteidigt wird.

Trotzdem hat Goethe die Liebe zu Diderot, bei aller Entfernung von ihm, nicht verloren und immer den Geist dieses Schriftstellers bewundert. Als er ein handschriftliches Original von Diderot: « Rameaus

Neffe », von Rußland her in die Hand bekam, 1805, übersetzte er es
aus dem Manuskript und machte damit überhaupt zum erstenmal,
auch Frankreich, mit diesem Werk bekannt. Goethes Anmerkungen
zu seiner Übersetzung entwerfen ein glänzendes und umfassendes
Bild der französischen Literatur, Musik und Malerei des 18. Jahrhunderts. Die Übersetzung geriet in Deutschland bald in Vergessenheit,
da niemand seit 1806 sich mit einer feindlichen Nation und ihrer
Literatur abzugeben ein Bedürfnis fühlte, wie auch die von Goethe
beabsichtigte Edition des französischen Originals durch die Napoleonische Invasion und den aufgeregten Haß gegen die Eindringlinge
und ihre Sprache verhindert wurde.[10] Erst 1821 erschien in Paris dies
Diderotsche Werk in französischer Sprache, und zwar als französische
Rückübersetzung der deutschen Übersetzung Goethes, so daß also
Frankreich ein hochbedeutendes Werk seiner Literatur zuerst durch
Goethe empfing. Mit dem Geschenk dieses Diderotschen Werkes an
Frankreich hat Goethe sich nun umgekehrt als gebender, nicht mehr
nur empfangender Teil Frankreich gegenüber erwiesen, so wie auch seine
Anmerkungen dazu, die von den französischen Übersetzern Saur und
de Saint-Geniès, 1823, gesondert herausgegeben wurden, Frankreich
einen Begriff von der tiefen Neigung Goethes zur französischen Literatur und Kultur und seiner Kenntnis von ihr vermitteln und damit
auch den Boden und die Bereitschaft für seine gute Aufnahme in
Frankreich schaffen konnten.

Die theatralische Sendung Spaniens

Fragt man, ob eine andere der romanischen Kulturen, die spanische, zu einer Bildungsmacht für Goethe geworden ist, wie es die italienische und französische wurde, so wird man dies nicht bejahen können, wenn Goethe auch eine große Verehrung für Cervantes und Calderon empfand, wobei natürlich von jener allgemein bildenden Macht abgesehen wird, die nach Goethe alles Große besitzt, wenn wir es gewahr werden. Goethe hat Spanien nie mit eigenen Augen gesehen. Die brieflichen Reiseberichte, die Wilhelm von Humboldt ihm von seiner spanischen Reise schrieb, und die auch von der Literatur und dem Theater Spaniens berichteten, mußten die eigene Schau ersetzen. Aber er las damals das Trauerspiel « Numantia » von Cervantes mit vielem Vergnügen (1799), und er kam Cervantes sicherlich schon seit jener Zeit nahe, da er unter dem Eindruck Spinozas und Italiens das tiefe Bedürfnis empfand, sich von jedem Wahn und Schleier, von jeder Illusion und Einbildung zu befreien, die ihm das klare Bild der wahren Wirklichkeit noch entstellten, da er sein inneres wie äußeres Auge zum reinen, ungetrübten Spiegel der Welt zu machen sich bemühte, zu einer adäquaten Erkenntnis zu gelangen trachtete. Seitdem mußte es ein Band zwischen ihm und dem Dichter des « Don Quichote » geben, des wahn- und illusionsumschleierten Geistes, dem sich die Realität in einer von Phantasie verzauberten Traumgestalt darstellt. Als Goethe 1823 in « Kunst und Altertum » über « Spanische Romanzen » schrieb, erklärte er es für den Haupt- und Grundzug der spanischen Nation, daß keine wie sie geneigt sei, die Idee unmittelbar im allgemeinen und gemeinsten Leben zu verkörpern. Die Idee aber, wenn sie unmittelbar in die Erscheinung, ins Leben, in die Wirklichkeit tritt, erregt immer eine Art Scheu, Verlegenheit, Widerwillen, wogegen der Mensch sich auf irgendeine Weise in Positur setzt. Sie muß, insofern sie nicht tragisch wirkt, notwendig für Phantasterei gehalten werden, und dahin verirrt sie sich auch, wenn sie ihre hohe Reinheit nicht zu erhalten weiß: selbst das Gefäß, in welchem sie sich manifestiert, geht zugrunde, wenn es diese Reinheit behaupten will. Indem die Idee als phantastisch erscheint, hat sie keinen Wert mehr; daher denn auch die

Phantasterei, die an der Wirklichkeit zugrunde geht, kein Mitleid erregt, sondern lächerlich wird, weil sie komische Verhältnisse veranlaßt. So verstand Goethe die humoristischen Balladen der Spanier, die durchaus zwischen zwei Elementen leben und schweben, welche sich zu vereinigen trachten und sich ewig abstoßen: dem Erhabenen und Gemeinen. Die « Quetschung » dazwischen aber ist hier nie tragisch, nie tödlich, sondern man muß am Ende lächeln und wünscht sich nur einen solchen Humor, um dergleichen zu singen oder singen zu hören. Das höchstgelungene Werk dieser Art schien ihm der « Don Quichote » zu sein. « Ich müßte mich besinnen », schreibt Goethe damals, « um irgend etwas zu finden, das uns Deutschen in dieser Art gelungen wäre. » Nun zeigt ja der deutsche Idealismus, wie er sich in der Philosophie eines Fichte und in der Dichtung eines Schiller darstellt, darin eine gewisse Verwandtschaft mit dem spanischen Geist in Goethes Charakteristik, daß auch er die absolute Idee in die Erscheinung, das Leben, die Wirklichkeit einführen möchte. Aber es fehlt ihm der Humor, der Sinn für die komischen Konsequenzen, die sich bei solchem Versuch einstellen. Er führt bei Schiller zur Tragödie, ohne daß etwa die absolute Forderung aufgegeben würde. Dagegen zeigen die Dichtungen Wielands eine weitgehende Ähnlichkeit mit dem « Don Quichote » des Cervantes, und sie sind auch wirklich in seinem Zeichen entstanden. Cervantes gehörte in erster Linie zu jenen erzieherischen Geistern, welche Wieland von den übersinnlichen Höhen eines verstiegenen Idealismus, einer metaphysischen Schwärmerei, einer sich in Leerheit verlierenden Phantastik zur Erde und Wirklichkeit zurückführten und ihm die Komik des Kontrastes offenbarten, der sich ergibt, wenn ein Mensch es versucht, die Idee in die Wirklichkeit einzuführen. Nun wird man auch bei Wilhelm Meister und auch bei Faust an den Don Quichote denken dürfen. Wie Wilhelm Meisters eingebildetes Künstlertum und sein ideales Wahnbild der Theaterwelt an den Erfahrungen der Wirklichkeit dahinschwindet, wie Faust in seinem Drang, die Idee unmittelbar in das Leben einzuführen, zum Schwärmer und Phantasten wird, der eines langen Weges bedarf, um den begrenzten und bedingten Erdenraum als Platz seiner tätigen Wirksamkeit zu erkennen, wie der Schwärmer und Phantast in seiner « Quetschung » zwischen dem Erhabenen und Gemeinen von Mephisto humoristisch und ironisch genommen wird, das mag wohl von fern an Cervantes erinnern. Aber es ist kein Zeichen, auch nicht das leiseste, anzuführen, welches auf eine Wirkung des Don Quichote hindeuten

würde. Es waren andere Mächte, die Goethe gegen die Idee, wenn sie
in die Erscheinung tritt, « in Positur setzten » und ihm von solchem
Wunsch befreiten. Die Beziehung zu Cervantes war eine jener Be-
gegnungen, wie man sie in den Literaturen der Welt so häufig finden
kann, die nicht auf Bildung und Erziehung des einen Geistes durch
den andern beruhen, sondern auf einer allgemein menschlichen Verwandtschaft, welche auch die häufige Ähnlichkeit mythischer Gestalten
bedingt. Wäre es anders, so hätte Goethe, der immer seiner Bildner
und Erzieher mit solch offener Dankbarkeit gedachte, auch des
Cervantes als eines solchen gedacht. Er hat es nie getan, während er
dem englischen Humoristen Sterne seine tiefe Dankbarkeit für die
humane Bildung aussprach, die er durch ihn empfing.

Was aber Calderon betrifft, so besitzt man in dieser Hinsicht ein
beredtes Zeugnis Goethes. Es komme nur immer darauf an, sagte
Goethe einmal zu Eckermann (1825), daß derjenige, von dem wir
lernen wollen, unserer Natur gemäß sei. So habe zum Beispiel Calderon,
so groß er sei, und so sehr er ihn bewundere, auf ihn gar keinen Einfluß
gehabt, weder im Guten noch im Schlimmen. Schillern aber wäre er
gefährlich gewesen, er wäre an ihm irre geworden, und es sei daher ein
Glück, daß Calderon erst nach seinem Tode in Deutschland in allgemeine Aufnahme kam. Calderon sei unendlich groß im Technischen
und Theatralischen, Schiller dagegen weit tüchtiger, ernster und größer
im Wollen, und es wäre daher schade gewesen, von solchen Tugenden
vielleicht etwas einzubüßen, ohne doch die Größe Calderons in anderer
Hinsicht zu erreichen.

Goethe hat Calderon gewiß auch zu spät erst kennengelernt, als
daß er ihm noch zu einem wahren Bildner hätte werden können. Den
wundertätigen Magus, der von Goethe selbst mit Faust verglichen
wurde, lernte er erst kennen, als der erste Teil des Faust bereits längst
fertig war (1812). «Einsiedel», so schrieb er damals, «hat den wundervollen Magus übersetzt. Es ist das Sujet vom Doktor Faust mit einer
unglaublichen Großheit behandelt. » [11] Er fing erst 1802 durch Schlegels
Übersetzung an, sich Calderon zu nähern. Sofort aber weckte Calderon
seine staunende Bewunderung, und von dem « Standhaften Prinzen »
schrieb er 1804 an Schiller, wenn die Poesie ganz von der Welt verloren
ginge, so könnte man sie aus diesem Stück wieder herstellen. Er las
auch gern und häufig aus diesem Drama bei Hofe, bei Johanna Schopenhauer und sonst vor. In den Anmerkungen zu « Rameaus Neffe »
werden Shakespeare und Calderon, die vor dem höchsten ästhetischen

Richterstuhle untadlig bestehen, in gleichen Rang gestellt und sogar
dem griechischen Kunstgeschmacke gegenüber in ihrem eigenen, durch
Nation und Zeit bedingten Recht verteidigt: Uns Nordländer könne
man auf jene griechischen Muster nicht ausschließlich hinweisen. Wir
haben uns anderer Voreltern zu rühmen und haben manch anderes
Vorbild im Auge. Wäre nicht durch die romantische Wendung un-
gebildeter Jahrhunderte das Ungeheure mit dem Abgsschmackten in
Berührung gekommen, woher hätten wir einen Hamlet, einen Lear,
eine Anbetung des Kreuzes, einen standhaften Prinzen ! Uns auf der
Höhe dieser barbarischen Avantagen, da wir die antiken Vorteile
wohl niemals erreichen werden, mit Mut zu erhalten, sei unsere Pflicht,
zugleich aber auch Pflicht, dasjenige, was andere denken, urteilen
und glauben, was sie hervorbringen und leisten, wohl zu kennen und
treulich zu schätzen.[12] Goethe war sogar geneigt, als er die « Andacht
zum Kreuz » in Schlegels Übersetzung las, Calderon über Shakespeare
zu stellen. Warum er es tat, ist aus einer Vergleichung zwischen ihnen
leicht zu begreifen. Als er Calderons Drama « Die Locken Absaloms »
in der Übersetzung von Gries kennenlernte, schrieb er (1829), bei ihm
sei die alte Wahrheit wieder aufgestanden, daß, wie Natur und Poesie
sich in der neueren Zeit vielleicht niemals inniger zusammengefunden
haben als bei Shakespeare, so die höchste Kultur und Poesie nie inniger
als bei Calderon. Es ist fast selbstverständlich, daß diese hochkulti-
vierte Poesie Calderons, die nach Goethes Urteil sogar an der Schwelle
der Überkultur steht, ihm, dem durch Griechenland, Italien und Frankreich gebildeten Dichter, damals näher stehen mußte, als die naturhafte
Poesie Shakespeares, des Abgottes seiner Jugend. Die Wendung von
Shakespeare zu Calderon vollzog sich gewiß auch in der Romantik.
Aber das kann für Goethe nicht ins Gewicht gefallen sein. Denn was
für die Romantik Calderon über Shakespeare erhob, war sein Katholizismus, sein mystisches Christentum, zu dem Goethe sich auch in der
Zeit, da er der Romantik offenstand, nie bekannte, wenn es auch
einen Plan Goethes zu einem « Trauerspiel in der Christenheit » gibt,
das offenbar unter Calderons Eindruck ein Märtyrerdrama in Calderons
Formenreichtum werden sollte. Ja, er hielt den Einfluß Calderons
in dieser romantischen Auffassung auf die deutsche Literatur für höchst
gefährlich und schädlich. Als er seiner Bewunderung für das Drama
« Die Tochter der Luft » Ausdruck gab, tat er es ausdrücklich darum,
weil der Gegenstand dieses Dramas ihm vorzüglicher schien als irgendein anderer von Calderons Tragödien, indem die Fabel sich ganz rein

menschlich erweist, und ihr nicht mehr Dämonisches zugeteilt ist, als
nötig war, damit das Außerordentliche, Überschwengliche des Menoch
lichen sich desto leichter entfalte und bewege. Anfang und Ende nur sind
wunderbar, alles übrige läuft ocineu natürlichen Weg fort. Auch sprach
Goethe seine Verwunderung darüber aus, daß man auf die religiöse
Bedeutung, die christlichen Tiefen im « Standhaften Prinz » so viel
Gewicht lege. Er sehe in ihm, den man als einen christlichen Märtyrer
ausgeben wolle, nichts anderes als einen christlichen Regulus. Der
Prinz sei nicht für den Glauben, sondern für Portugals Größe und
Ehre standhaft. Leider sehe man in mehreren Stücken Calderons sonst
den hoch- und freisinnigen Mann genötigt, düsterem Wahn zu frönen
und dem Unverstand eine Kunstvernunft zu verleihen, weshalb wir denn
mit dem Dichter selbst in widerwärtigen Zwiespalt geraten, da der Stoff
beleidigt, indes die Behandlung entzückt. Shakespeare besaß dagegen
den größten Lebensvorteil: daß er als Protestant geboren und erzogen
worden war. Überall erscheint er als Mensch, mit Menschlichem vollkommen vertraut, Wahn und Aberglauben sieht er unter sich und spielt
nur damit, außerirdische Wesen nötigt er, seinem Unternehmen zu
dienen, tragische Gespenster, possenhafte Kobolde beruft er zu seinem
Zwecke, in welchem sich zuletzt alles reinigt, ohne daß der Dichter
jemals die Verlegenheit fühlte, das Absurde vergöttern zu müssen, der
allertraurigste Fall, in welchen der seiner Vernunft sich bewußte Mensch
geraten kann.[13] Der barocke Katholizismus stand immer zwischen Calderon und Goethe. Er steht auch zwischen dem wundertätigen Magus
und dem Faust, und selbst da, wo sich Goethe am meisten Calderon
zu nähern scheint, am Ende des zweiten Teils des Faust, bleibt die künstlerische, auf Plastik zielende Intention unverkennbar, um derentwillen
er sich der katholischen Gestaltenwelt bediente.

Wenn Goethe trotzdem die Wendung von Shakespeare zu Calderon
nahm, so hatte dies besondere Gründe. Nicht nur, daß Calderon wohl
im Vergleich mit dem Klassizismus blühender, reicher, lebendiger sich
darstellt, im Vergleich mit Shakespeare aber in der Tat weit strenger,
einheitlicher, geregelter in der Form, so daß Goethe das konstruktive
Element in Calderons Dramatik, seinen « Kunstverstand », nicht genug
bewundern konnte. Weit wichtiger aber war wohl dies, daß Goethe in
Calderon den Dichter für das Theater fand, wie er ihn brauchte. Auch
das gehörte ja zu Goethes Wandlung, daß er, wie die Klassik überhaupt,
die Grenzen und die Möglichkeiten des Theaters zu berücksichtigen
lernte, was ebenso für den Klassiker wie für den Theaterdirektor und den

Reformator des deutschen Theaters charakteristisch ist. Er wollte die deutsche Bühne und Schauspielkunst über den Naturalismus hinausheben und ihnen den höheren Kunststil verleihen. Wie stark aber mußte doch Shakespeare von Goethe und Schiller für das Theater bearbeitet werden, um ihn dem Weimaraner Stil anzupassen und für ihre Zwecke nutzbar zu machen. Ganz anders dagegen Calderon. In seiner Abhandlung « Shakespeare und kein Ende » hat Goethe die seltsame Idee ausgeführt, daß Shakespeare kein Theaterdichter sei. Er spreche zu dem inneren Sinn durch das lebendige Wort und schaffe für die Imagination, nicht für das Auge. Er gehöre also wohl notwendig in die Geschichte der Poesie, während er in der Geschichte des Theaters nur zufällig auftrete. Denn theatralisch ist nur, was für die Augen zugleich symbolisch ist. Die Bühne widerstrebe eigentlich seiner Art. Man kann nun sagen, daß, wenn Calderon für die persönliche Bildung Goethes selbst nicht mehr in Betracht kam, er doch durch Goethe zu einem Bildner und Erzieher des deutschen Theaters und der deutschen Schauspielkunst wurde, allein schon durch den Reichtum seiner lyrischen wie dramatischen Formen, welche zur Überwindung des Naturalismus auf der Bühne höchst geeignet waren. Aus einer Anregung Goethes an Gries, die lyrischen Partien der « Großen Zenobia » zum Zwecke der Aufführung in Weimar zu übersetzen, entstand die ganze Übersetzung Calderons von Gries, die beste, die es bisher gibt.[14] Wie sehr es der Standpunkt des Theaters war, von dem aus Goethe sich um Calderon bemühte, geht auch aus einem Brief an Heinrich von Kleist hervor, der ihm seine « Penthesilea » mit der Bemerkung zugesandt hatte, daß sie erst für eine Bühne der Zukunft bestimmt sei. Vor jedem Brettergerüst, schrieb ihm Goethe darauf, möchte er dem wahrhaft theatralischen Genie sagen: Hic Rhodus, hic salta ! Auf jedem Jahrmarkt getraue er sich, auf Bohlen über Fässer geschichtet, mit Calderons Stücken, mutatis mutandis, der gebildeten und ungebildeten Masse das höchste Vergnügen zu machen (1808).[15] Er verkannte gewiß nicht den rein poetischen Gehalt dieser Dramatik. « In ein herrliches, meerumflossenes, blumen- und fruchtreiches, von klaren Gestirnen beschienenes Land versetzen uns diese Werke », so schrieb er 1816 an Gries. Aber « der herrliche Calderon » schien ihm doch so sehr an die Konventionen seiner Zeit und seines Volkes gebunden zu sein, daß es einem redlichen Beobachter schwer wird, das große Talent des Dichters durch die Theateretikette hindurch zu erkennen, und bringt man so etwas irgendeinem Publikum, so setzt man bei dem-

selben immer guten Willen voraus, daß es geneigt sei, auch das Welt-
fremde zuzugeben, sich an ausländischem Sinn, Ton und Rhythmus
zu ergötzen und aus dem, was ihm eigentlich gemäß ist, eine Zeitlang
herauszugehen. Eigentümlichkeit des Ausdrucks ist Anfang und Ende
aller Kunst. Aber man darf sich fremder Eigenheit nicht so völlig
hingeben, daß sie die eigene, charakteristische Natur zu überwältigen
und zu erdrücken vermöchte.[16] Selbst Shakespeare wurde hiervon
nicht ausgenommen, und wieviel weniger natürlich Calderon. « Wie
diese zwei großen Lichter des poetischen Himmels für uns zu Irrlichtern
geworden, mögen die Literatoren der Folgezeit historisch bemerken. »
Goethe selbst trug sich mit dem Plan, die Calderonübersetzung von
Gries dadurch zu fördern, daß er das deutsche Publikum in jene ferne
und fremde Bildungsepoche der spanischen Nation, aus der Calderon
allein verständlich wird, einzuführen.[17] Es war also wirklich in erster
Linie der Meister der theatralischen Technik, den Goethe zum Erzieher
für das deutsche Theater bestimmte, so wie er es mit Voltaire, Racine
und all jenen Dramatikern hielt, die er in Weimar zur Aufführung
brachte. Nach langer, sorgfältigster Vorbereitung kam 1811 der «Stand-
hafte Prinz» auf die Weimarer Bühne, womit ihr Goethe « eine ganz
neue Provinz » eroberte. 1812 folgte « Das Leben ein Traum » (in der
Bearbeitung von Einsiedel und Riemer), 1815 « Die große Zenobia ».
Als ihm J. G. Keil, ein früherer Bibliothekar aus Weimar, 1820 seine
Calderonausgabe widmete, freute er sich nicht nur, den Namen eines so
hochgeschätzten Dichters wie Calderon dem seinigen auf diese Weise bei-
gesellt zu sehen, sondern die Empfindung war ihm besonders angenehm,
daß es von einem Manne geschah, der in Weimar Zeuge gewesen war, mit
welcher Liebe und Pietät er damals Calderons Produktionen aufgenommen und mit «sorglicher Zögerung» nicht eher die öffentliche Darstellung
gewagt hatte, bis er sich eines allgemein erfreulichen Effekts vergewissert
hatte. Sein Dank galt dem, der ihn an diese Zeit erinnerte.[18]
Als Goethe mit dem « West-östlichen Divan » beschäftigt war und sich
in die Dichtung des Orients versenkte, stieg ihm noch einmal, nun aber
in anders geartetem Glanze, Calderons Licht empor, indem er die Verwandtschaft des spanischen Dichters und seines blumenreichen, gleich-
nisgeschmückten Stils mit seinem damaligen Lieblingsdichter Hafis
bemerkte:

> Herrlich ist der Orient
> Übers Mittelmeer gedrungen;
> Nur wer Hafis liebt und kennt
> Weiß, was Calderon gesungen.

Goethes geistiger Aufenthalt im Orient machte ihm den « trefflichen »
Calderon, der seine arabische Bildung nicht verleugnet, nur noch werter, « wie man edle Stammväter in würdigen Enkeln gern wiederfindet
und bewundert », und so wurde ihm Calderon zur ersten Brücke von
Europa nach dem Osten. Orient und Okzident begannen ineinander
zu fließen.

weiter. Das war nun ganz entscheidend für Goethe. Denn auch er lebte in einer solchen Zeit, die von politischen Stürmen bis in ihre Tiefen erschüttert war. Wie damals Asien durch Timur, so wurde Europa durch Napoleon in Flammen gesetzt, und auch seine Heimat unterjocht. Auch er wurde Napoleon vorgestellt und behauptete sich ihm gegenüber mit solcher Würde, daß er von ihm geehrt und ausgezeichnet wurde. Der Kaiser forderte ihn auf, eine Tragödie Julius Cäsar zu dichten, die ihn natürlich selbst zum Helden haben sollte. Aber Goethe hat trotz seiner hohen Bewunderung für Napoleons Genie den Cäsar nicht gedichtet, so wie er auch der Einladung Napoleons nach Paris nicht folgte. Napoleon vermochte ihn von seiner Bahn so wenig abzubringen, wie Timur es bei Hafis konnte. Hafis und Timur sind im « West-östlichen Divan » die Masken Goethes und Napoleons. Der Unterschied war nur, daß Goethe sich nicht jene Heiterkeit zu bewahren vermochte, wie es Hafis möglich war. Goethe wurde von dem europäischen Schicksal schwer bedrückt. Die Revolutionen, die Kriege bedrohten die europäische Kultur mit Untergang. Goethes eigene Arbeit, Dichtung und Wissenschaft, wurde durch Unruhe und Sorge unendlich erschwert. Gewiß: als Goethe den persischen Dichter kennen lernte, 1814, war Napoleon gesturzt und waren die Befreiungskriege beendigt. Aber auch damit war Europa nicht zur Ruhe gekommen, und innere Spannungen drohten sich in neuen Revolutionen zu entladen. Goethe hatte das Gefühl, daß er in diesem europäischen Raum nicht frei mehr atmen konnte, daß ihm das politische Schicksal Europas zu nahe rückte, seine menschliche Bildung und die europäische Bildung überhaupt unerträglich hemmte und störte. Er brauchte Ferne, Weite, Fremdheit. Diese Stimmung war es, die ihn geistig aus Europa nach dem Osten trieb, wo er in Hafis seinen Schicksalsbruder, aber auch ein Vorbild fand, wie ein Dichter sich in solcher Zeitbedrängnis seine Heiterkeit und Geistesfreiheit bewahren kann. So entstand der « West-östliche Divan », dessen erstes Gedicht beginnt:

> Nord und West und Süd zersplittern,
> Throne bersten, Reiche zittern,
> Flüchte du, im reinen Osten
> Patriarchenluft zu kosten,
> Unter Lieben, Trinken, Singen
> Soll dich Chisers Quell verjüngen.

Ein anderes Motiv kam dazu. Die griechische Welt hatte ihm alles
bedeutet. Sie hatte ihn herangebildet. Aber nun war der Augenblick
gekommen, wo diese Welt zu eng geworden war. Die klassische Ge-
schlossenheit der Persönlichkeit und der künstlerischen Form war
fast zu Erstarrung geworden. Man nannte sein Drama « Die natürliche
Tochter » marmorglatt und marmorkalt, und Goethe hat solchem
Urteil vielleicht nicht ganz Unrecht gegeben. Er, immer fühlend, wenn
die Stunde der Wandlung gekommen war, verlangte nach Öffnung
seiner allzu in sich selbst geschlossenen Form. Diese Sehnsucht nach
Wandlung und Verwandlung, damit er nicht erstarre, war wohl das
tiefste der persönlichen Motive dafür, daß er sich in dieser Zeit der
Romantik und dem Osten öffnete. Es war das, was er in dem Gedicht
des « West-östlichen Divan », « Selige Sehnsucht », zum Ausdruck
brachte.

Über alle persönlichen Motive hinaus aber war die Goethesche Intention entscheidend, die geistige Vermittlung und Versöhnung zwischen
den Völkern immer weiter und also auch auf die Erdteile, Europa
und Asien, auszudehnen.

Freilich: wenn sich die Romantik nach Osten wendete, so war es das
Indien der Veden, das besonders Friedrich Schlegel in seinem epochemachenden Werk « Über die Sprache und Weisheit der Indier » (1808)
dem heidnischen Griechentum entgegenstellte, das Indien, das nicht
die Natur pantheistisch vergöttlichte, sondern die Wirklichkeit als
eine aus der Gottheit absinkende Emanation verstand, die Welt in
Raum und Zeit nicht als Wahrheit, sondern nur als Schein und Schleier
der Maja erkannte und die Götter nicht als Vergottungen der schönen
Menschengestalt, wie die griechischen Götter es waren, verehrte, sondern als Sinnbilder tiefster, mystischer Geheimnisse. Es war romantischer Spiritualismus, der die Romantik nach dem Osten wendete
und von Osten her eine religiöse Erneuerung Europas erhoffte. Goethe
aber protestierte gegen Schlegels Werk, und gerade in der Zeit, da er
geistig im Osten weilte, und gerade in den Noten und Abhandlungen
zum « West-östlichen Divan » sprach er seinen Fluch über diese
indischen Götter aus, die ihm nur widernatürliche, fratzenhafte,
groteske Ungeheuer dünkten. Er nannte die indische Religion eine
« verrückt monströse Religion ». Goethe konnte seine Gottheit nur
in schönster, menschlichster Gestalt oder aber gar nicht gestaltet,
völlig bildlos denken.

Auch mit dem indischen Buddhismus wußte Goethe nichts anzu-

fangen, mit jener späteren Religion Indiens also, der dann erst
Schopenhauer eine europäische Wiedergeburt bereitete. Diese Religion
verkündet das Leben als ein Leid und als ein Leid noch über
den Tod hinaus. Denn die Wanderung der Seele bewirkt eine
immer neue Wiedergeburt und also eine immer neue Hineingerissen-
heit in den unentrinnbaren Zusammenhang, den Strom und das Netz
der Welt, und einen immer wieder notwendig werdenden Tod. Aus
diesem Kreislauf eines ewig sterbenden, auflebenden und wieder
sterbenden Lebens gibt es nur eine Erlösung: die Erkenntnis von dem
Grund des Leides: daß diese Welt der Vielheit und Bewegung nur ein
Schleier sei, der um den Geist geworfen ist, und daß nur der Wille zum
Leben in der Form des Ich den Wahn und die Verstrickung zeugt. Die
Wahrheit ist, daß hinter den täuschenden Formen von Raum und
Zeit und jenseits allen Lebens, aller Vielheit und Bewegung, das
Nirwana ist. Der Weg zur Erlösung aber, den der erkennende Geist
betritt, ist die Askese, die Tötung des Willens zum Leben, die Aus-
löschung des Ichbewußtseins, die Zerreißung des Schleiers und die
Versenkung ins Nirwana. Wer dies vermag, der ist von Leben und Tod,
von der ewigen Wiedergeburt, vom Leide der Welt erlöst.
Diese indische Verkündigung konnte auch in Goethes östlicher Zeit
nicht sein Bekenntnis werden. Er konnte auch damals, ja gerade damals,
da er in der Liebe gleichsam eine Wiedergeburt erlebte, das Leben und
seine Wiedergeburt nicht als ein Leid empfinden. Die Vielheit der
Farben, Formen und Gestalten dieser Welt entzückte ihn auch jetzt
und konnte ihm nicht Wahn und Schleier dünken, und er, der sich
beglückt am Sein erhielt und aller Schätze sich erfreute, mit denen
sich das All geschmückt, vermochte den Gedanken des Nichtseins
nicht zu fassen, geschweige denn zu lieben. Er blieb der Erde und dem
Leben treu, nicht anders wie auch in jener Zeit, da er sich ganz zum
Griechentum bekannte. So weit also hatte Goethe mit Indien nichts
gemein, als er im Osten lebte. Nur eine indische Dichtung, wie die « Sa-
kuntala » des Kalidasa entzückte ihn; ja, er versenkte sich jahrelang
in deren Bewunderung, denn hier begegnete er einem ewig menschlichen
Gehalt, den reinsten und allernatürlichsten Zuständen des Menschentums: weibliche Reinheit, schuldlose Nachgiebigkeit, Vergeßlichkeit
des Mannes, mütterliche Abgesondertheit, Vater und Mutter durch
den Sohn vereint. [19] Was ihn also an dieser Dichtung so berührte,
war nicht ein spezifisch östliches Element, und es war kein Zuwachs
an noch nicht erlebter Schönheit, und nicht Ergänzung und Bereiche-

rung seines griechischen Besitzes, sondern Begegnung mit verwandtem
Geiste, Sprengung der griechischen Grenze nur in diesem Sinne, daß
er sein Ideal nun nicht mehr nur in Griechenland verwirklicht fand,
sondern als ein allweltliches Gut begrüßen durfte. Diese indische
Dichtung sagte ihm, daß die eine, reine, menschliche Natur sich überall
in Raum und Zeit zu offenbaren vermag. Ja, konnte nicht sein eigenes
Gedicht « Der Gott und die Bajadere », das lange vor seiner östlichen
Zeit entstanden war, ihm diese selbe Wahrheit sagen, indem sich hier
eine indische Legende so zwanglos und natürlich mit dem Gehalt der
klassisch-christlichen Humanität füllbar erwies. Sonst aber war es nicht
Indien, nicht das der Veden und nicht das des Buddhismus, wohin es
Goethe zog. Der Osten, in den er sich damals versenkte, war Persien,
war die Dichtung des persischen Sängers Hafis. Er konnte in ihm nicht
jene Mystik entdecken, die man in ihm finden wollte.

> Sie haben dich, heiliger Hafis,
> Die mystische Zunge genannt,
> Und haben, die Wortgelehrten,
> Den Wert des Worts nicht erkannt.
>
> Mystisch heißest du ihnen,
> Weil sie Närrisches bei dir denken,
> Und ihren unlautern Wein
> In deinem Namen verschenken.
>
> Du aber bist mystisch rein,
> Weil sie dich nicht verstehn,
> Der du, ohne fromm zu sein, selig bist !
> Das wollen sie dir nicht zugestehn.

Zu der Religion Persiens, der alten des Zarathustra und der jüngeren
des Islam, welche die Religion von Hafis war, konnte sich Goethe bekennen.
Man darf, wenn man die Religion Zarathustras begreifen will, natürlich
nicht an Nietzsche denken. Was dieser Zarathustra in den Mund legte,
war der abendländischste Gedanke, der überhaupt zu denken ist:
der Gedanke des Übermenschen und des Willens zur Macht. Zarathustras Evangelium aber ist in Wahrheit morgendlich und östlich
und verkündigt ja auch nichts anderes als die Heiligkeit des morgendlich im Osten aufgehenden Lichtes. Diese Religion des Lichtes aber
wird lebendiges Wort, Zendavesta, und Weisung der notwendigen
Bahn. So wurde Zarathustra der Stifter einer Religion und auch der

Geber des Gesetzes. Wenn das Licht die Güte und die Reinheit ist, die Kraft, die Leben zeugt und fruchtbar macht, so heißt auch das Gesetz: die Reinigung des Leibes wie des Geistes, die Verlebendigung und Fruchtbarmachung toter Elemente, die Wirksamkeit, die gleich dem Lichte alle Finsternis verscheucht, der Kampf gegen das Dunkel. Ein jeder wirke so in seinem Kreise und sei auf solche Art ein Diener des Sonnenlichtes. Zarathustras Verkündigung ist Aufklärung, aber Aufklärung in einem ganz uneuropäischen Sinne. Denn sie gründet sich nicht auf das Licht des menschlichen Verstandes, sondern auf das Gotteslicht und ist ja wirklich Religion und Kult.

Goethe war mit Bewunderung darüber erfüllt, daß die fatale Nähe des indischen Götzendienstes auf diese Religion Zarathustras nicht zu wirken vermochte, sondern sich in Persien die Tempel des reinen Feuers erhielten. Er hat sich in dem großen Gedicht des « West-östlichen Divan », « Vermächtnis des altpersischen Glaubens », und nicht nur hier, zu dieser Religion des Sonnenlichtes freudig bekannt. Er betete das Licht der Sonne an und meinte auch, man solle jedes neugeborene Kind der aufgehenden Sonne entgegen nach Osten halten. Denn das östliche Licht, so empfand auch er, ist die Reinheit und die Klarheit. Da es aber nur dort zu wirken und zu fordern vermag, wo es würdig empfangen wird, wo also das Leben selbst in Reinheit und Klarheit sonnenhaft gelebt wird, darum ist die Religion des Lichtes auch für ihn die Lehre von dem Weg, der not tut: Reinigung und Klärung. Dies muß schon bei den Elementen selbst beginnen. Das Wasser ist in Kanälen rein und klar zu halten. Die Bäume sind in Reihen zu pflanzen, weil die Sonne nur Geordnetes gedeihen läßt. Der Geist aber bilde sich reine und klare Begriffe von allen Dingen der Welt. Das war ja wirklich Goethes eigene und tägliche Bestrebung: sein Leben rein und klar zu halten, sich reine und klare Begriffe zu bilden und wie das leibliche so auch das geistige Auge von allen Trugbildern und trübenden, verschleiernden Hüllen zu befreien. Er kämpfte immer gegen Wahn und Dunkel und war in diesem Sinn ein Jünger Zarathustras. Das Vermächtnis des altpersischen Glaubens, das sich ganz eng an das lebendige Wort Zarathustras anschließt, ist auch als seine eigene Botschaft anzusprechen. Auch er war ein Aufklärer, aber nicht im Sinne des rationalistischen Westens, des 18. Jahrhunderts, sondern im Sinne der östlichen Lichtreligion, und er wies mit seiner Botschaft der Reinheit, Ordnung und Klarheit, weil sie aus solch religiösem Erlebnis kam und eine religiöse Botschaft

war, dem Geiste des Abendlandes einen Weg, der ihn über die europäische Grenze und über die westliche Aufklärung hinausführen
sollte. Diese Botschaft heilte auch einen Riß, einen Bruch, wie er sich
in dem tragischen Roman « Die Wahlverwandtschaften » aufgetan
hatte und dem immer nach Einheit verlangenden Geiste Goethes
gefährlich zu werden drohte: den Bruch zwischen Naturgesetz und
Sittengesetz. Die östliche Religion verkündigte das Gesetz der Natur
auch als das des Menschen und wies ihm damit Weg und Bahn. Ja,
auch die Einheit von Wissenschaft und religiöser wie dichterischer
Verkündigung, die im Abendland ganz auseinandergegangen war,
stellte sich in Goethes östlicher Zeit so sichtbar wieder her.

Aber auch die spätere Religion Mahommeds, der Islam, die Religion
seines Lieblingsdichters Hafis, fand in Goethe einen eigenartigen
Bekenner. Islam heißt in wörtlicher Übersetzung « Ergebung ». Es war
das Wort, auf das Goethe durch all seine Betrachtungen als zu dem
höchsten Gesetz geleitet wurde. Der Grundgedanke der mohammeda-
nischen Religion, die Prädestination: daß es ein Schicksal gibt, welches
der Wille Gottes ist, daß alles, was dem Menschen geschieht, von
diesem ewigen Willen vorherbestimmt ist, und daß Religion die
Ergebung in ihn bedeutet, bewegte Goethe tief, und daß alle Betrachtung, die jeder, « der im Orient hauset », anstellen muß, dazu
führt, « unbedingte Ergebung als höchstes politisch-sittlich-religiöses
Gesetz anzusprechen », traf ihn im Zentrum seines eigenen Menschentums. Wir alle, so sagte er einmal, müssen uns zum Islam bekennen,
und als Ottilie von Pogwisch in Todesgefahr schwebte, da hielt er
sich einzig an den Islam. Gewiß war Goethe damals, als er sich nach
Osten wendete, nicht mehr der Titan, für den diese östliche Botschaft
der Ergebung Heilung von Hybris und Vermessenheit hätte bringen
können. Spinoza, der trotz seiner abendländischen Bildung ja doch
seine orientalische Geistigkeit niemals verleugnen konnte, und dessen
Idee, daß Gott mit der ewigen Notwendigkeit identisch sei, sich mit
der östlichen Idee berührte, hatte ihn geheilt. So war er durch Spinoza
für den Islam vorbereitet worden, und jene Friedensluft, die ihn von
Spinoza her angeweht und ihm die Ruhe und Stille der Seele geschenkt hatte, wehte ihn wieder von Osten her an. Aber war nicht auch
in seinem klassisch-europäischen Menschentum und Dichtertum etwas,
das von Osten her nach Aufschmelzung verlangte?

Jetzt endlich kann genauer gesagt werden, was in Goethes west-
östlicher Zeit gegenüber seiner griechischen Periode so neu war, und

worin sich die Gedichte des « West-östlichen Divan » von den antikisierenden Dichtungen unterscheiden. Es ist zunächst das Allgefühl,
aus dem sie dringen und von welchem sie durchdrungen sind, ein
Trieb nach Öffnung, Hingebung und Verlöschung, wie ihn Goethe
in den neunziger Jahren und zu Beginn des neuen Jahrhunderts nicht
empfunden und gesungen hatte. Er war damals ganz auf die Schließung
seiner Form, die Vollendung seiner Persönlichkeit, die Bildung seines
Lebens und Dichtens zur Gestalt gerichtet. Jetzt aber folgte dem
Einatmen gleichsam das große Ausatmen. Man zitiert wohl gern aus
dem « West-östlichen Divan » den Vers « Höchstes Glück der Erden-
kinder sei nur die Persönlichkeit », als ob Goethe mit diesem Verse
damals seine eigene Meinung hätte ausdrücken wollen. Nichts aber
kann irreführender und falscher sein. Ja, es ist ein Mißverständnis
ohne gleichen. Denn das Gedicht, das diesen Vers enthält, lehnt seinen
Inhalt ja entschieden ab.

> Volk und Knecht und Überwinder
> Sie gestehn, zu jeder Zeit:
> Höchstes Glück der Erdenkinder
> Sei nur die Persönlichkeit.
>
> Jedes Leben sei zu führen,
> Wenn man sich nicht selbst vermißt;
> Alles könne man verlieren,
> Wenn man bliebe was man ist.

Goethe aber identifiziert sich ja nicht mit Volk und Knecht und Überwinder. Seine eigene Stimme spricht vielmehr aus dem Munde Hatems,
der auf diese vulgäre oder tyrannische Meinung so erwidert:

> Kann wohl sein ! so wird gemeinet;
> Doch ich bin auf andrer Spur:
> Alles Erdenglück vereinet
> Find' ich in Suleika nur.

Das europäische Ideal der in sich selber seligen und abgeschlossenen
Persönlichkeit ist hiermit also östlicher Öffnung und Verschwendung
seiner selbst gewichen. Die Liebe ist im « West-östlichen Divan »
anders als die in den « Römischen Elegien », wo sie, dem griechisch-
antiken Eros ähnlich, Genuß des schönen Leibes war, eine Liebe, die
ihn selbst, sein Schönheitsgefühl bildete und veredelte, eine genießende,

in sich ziehende, erobernde und gewinnende Liebe. Im « West-östlichen
Divan» nähert sie sich östlichem Charakter, wird Hingebung, Öffnung
und Opferung der Persönlichkeit, selige Sehnsucht, sich auszulöschen.
Der Dichter will nicht bleiben, was er ist, sondern sich verwandeln.
Das Gedicht «Wiederfinden» preist die Liebe als Rückgabe des
schönsten Lebens, das vom All empfangen wurde, an das All zurück.
Östlichen Geistes ist ein Liebesgedicht, das die Geliebte in allen
Formen dieser Welt erkennt, ein Liebespantheismus gleichsam. Aber
auch dort, wo die Liebe nicht diese Allbedeutung gewinnt, nicht Allgefühl und Verwandlungsseligkeit ist, wo sie leichter, anmutiger,
spielender erscheint, zeigt sie doch Spuren einer Liebestrunkenheit,
eine Selbstvergessenheit, wie die « Römischen Elegien » sie nicht
besitzen, und auch die Wein- und Trinklieder des «Divan» bringen,
wenn sie auch gewiß gemäßigt und in östlicher Weise betrachtend sind,
Töne, die in Goethes klassizistischer Zeit nicht zu hören waren.
Auch Goethes Idee von der dichterischen Form ist demgemäß eine
andere geworden. Jetzt stellt er dem griechischen « Gebilde » das östliche « Lied » entgegen und bekennt sich zu ihm.

> Mag der Grieche seinen Ton
> Zu Gestalten drücken,
> An der eignen Hände Sohn
> Steigern sein Entzücken;
>
> Aber uns ist wonnereich
> In den Euphrat greifen,
> Und im flüß'gen Element
> Hin und wider schweifen.
>
> Löscht' ich so der Seele Brand,
> Lied es wird erschallen;
> Schöpft des Dichters reine Hand,
> Wasser wird sich ballen.

Jetzt rühmt Goethe, der bisher die Abgeschlossenheit als dasjenige
Moment gefordert hatte, durch welches die Kunst sich über das Leben
erhöht, die Grenzenlosigkeit des Hafisischen Gesanges.

> Unbegrenzt.
> Daß du nicht enden kannst, das macht dich groß,
> Und daß du nie beginnst, das ist dein Los.

> Dein Lied ist drehend wie das Sterngewölbe,
> Anfang und Ende immerfort dasselbe,
> Und was die Mitte bringt ist offenbar
> Das was zu Ende bleibt und anfangs war.

Die östliche Verknüpfung der entferntesten, sich scheinbar fremdesten
und sogar sich widersprechenden Dinge durch Bilder, Tropen und
Vergleiche, die der Geist des Ostens vornahm, um auf diesem poetischen
Wege der Alleinheit Ausdruck zu geben, reizte Goethe, der bisher die
reinliche und klare Sonderung aller sich fremden Elemente geübt hatte,
jetzt zur Nachbildung, und die äußere Form östlicher Verschmelzung,
innerer Reimung gleichsam, der Reim als wesentlich gestaltendes
Kunstprinzip wird nun von ihm, der dem antiken, messenden und
sondernden Rhythmus gehuldigt hatte, in seiner Wesensart als Ausdruck der Liebe erkannt und in einem neuen Sinne verwendet.

> Behramgur, sagt man, hat den Reim erfunden,
> Er sprach entzückt aus reiner Seele Drang;
> Dilaram schnell, die Freundin seiner Stunden,
> Erwiderte mit gleichem Wort und Klang.

> Und so, Geliebte, warst du mir beschieden
> Des Reims zu finden holden Lustgebrauch,
> Daß auch Behramgur ich, den Sassaniden,
> Nicht mehr beneiden darf: mir ward es auch.

> Hast mir dies Buch geweckt, du hast's gegeben;
> Denn was ich froh, aus vollem Herzen sprach,
> Das klang zurück aus deinem holden Leben,
> Wie Blick dem Blick, so Reim dem Reime nach.

> Nun tön' es fort zu dir, auch aus der Ferne
> Das Wort erreicht, und schwände Ton und Schall,
> Ist's nicht der Mantel noch gesäter Sterne?
> Ist's nicht der Liebe hochverklärtes All?

Man vergleiche hiermit auch das Gedicht « Nachbildung », das ebenfalls dem Reim eine bei Goethe neue, sinnvolle Bedeutung gibt, und
denke auch daran, wie später im zweiten Teil des Faust diese östliche
Anregung ihre Frucht trägt, als sich die erwachende Liebe Helenas
zu Faust im Übergang von der antik gemessenen Form zum Reime
ausdrückt. Im « Divan » selbst findet sich aber schon ein kleines
Gedicht, das dem Gegensatz der antiken und der östlichen Form gewidmet ist und eine Huldigung an die neue Form bedeutet.

Zugemess'ne Rhythmen reizen freilich,
Das Talent erfreut sich wohl darin;
Doch wie schnelle widern sie abscheulich,
Hohle Masken ohne Blut und Sinn;
Selbst der Geist erscheint sich nicht erfreulich,
Wenn er nicht, auf neue Form bedacht,
Jener toten Form ein Ende macht.

Ein neues Element ist endlich die « symbolische Abschweifung, deren man sich in den Feldern des Orients kaum enthalten kann ». Während Goethe bisher seinem griechischen Ideale folgend unter dem dichterischen Symbol die völlige Einheit von Idee und Erscheinung, Urphänomen und Gestalt verstanden hatte, ließ er sich nun vom Geiste des Ostens leiten, was sich den Sinnen darbietet, als eine Vermummung anzusehen, wohinter ein höheres, geistiges Leben sich versteckt, um uns anzuziehen und in edlere Regionen aufzulocken. In der Ankündigung zum « Buch Suleika » hat Goethe selbst darauf aufmerksam gemacht, daß sich hier manchmal eine geistige Bedeutung aufdringt und der Schleier irdischer Liebe höhere Verhältnisse zu verhüllen scheint. Auch hier tut sich der Weg zum Ende des zweiten Teiles Faust auf, wo alles Vergängliche nur noch ein Gleichnis ist.

Ein Beispiel aus dem « Buch Suleika »:

Gingo biloba

Dieses Baums Blatt, der von Osten
Meinem Garten anvertraut,
Gibt geheimen Sinn zu kosten,
Wie's den Wissenden erbaut.

Ist es Ein lebendig Wesen,
Das sich in sich selbst getrennt?
Sind es zwei, die sich erlesen,
Daß man sie als Eines kennt?

Solche Frage zu erwidern
Fand ich wohl den rechten Sinn;
Fühlst du nicht an meinen Liedern,
Daß ich eins und doppelt bin?

Das Wehen östlichen Geistes ist im « Divan » unverkennbar. Warum aber nannte ihn Goethe west-östlich? Es scheint einen mehrfachen Sinn zu haben. Er wollte Osten und Westen verbinden, er, der immer einen, binden, versöhnen, Harmonien tönen wollte. Das eine, untrennbare, allgemein-menschliche Urphänomen sollte sich im Westen wie im Osten offenbaren. Der wirklich historisch-realen Beziehung, welche die « rollende Zeit » zwischen Ost und West herstellte, gerecht zu werden, war wohl das dritte Motiv.

> Wer sich selbst und andre kennt,
> Wird auch hier erkennen:
> Orient und Okzident
> Sind nicht mehr zu trennen.
> Sinnig zwischen beiden Welten
> Sich zu wiegen lass' ich gelten;
> Also zwischen Ost und Westen
> Sich bewegen, sei's zum Besten!

Goethes Absicht war, auf heitere Weise den Westen und Osten, Vergangenheit und Gegenwart, Persisch und Deutsch zu verknüpfen und beiderseitige Sitten und Denkarten übereinander greifen zu lassen. Er wünschte nur als ein Reisender angesehen zu werden, dem es zum Lobe gereicht, wenn er sich der fremden Landesart mit Neigung bequemt, den Sprachgebrauch sich anzueignen trachtet, Gesinnungen zu teilen, Sitten aufzunehmen versteht. Man entschuldigt ihn, wenn er immer noch an einem eigenen Akzent, an einer unbezwinglichen Unbiegsamkeit seiner Landsmannschaft als Fremdling kenntlich bleibt. Es ist denn auch wirklich so, daß Goethe auch im östlichen Kostüm seine europäische Persönlichkeit durchaus nicht verleugnete, sich vielmehr offen zu ihr bekannte. Er scheute sich auch nicht, griechische und christliche Gottheiten in den Gedichten des « Divan » anzurufen, so wie er sich auch der westlichen wie der östlichen Formen bediente. Freie Rhythmen, Knittelverse und andere deutsche Formen stehen neben den östlichen, wobei es besonders bemerkenswert ist, daß offenbar die neue Jugend, die Goethe damals erlebte, jene deutschen Formen wieder heraufbrachte, denen er im Sturm und Drang gehuldigt, dann aber in seiner klassizistischen Zeit entsagt hatte. Ja, auch die Huris sprechen gelegentlich in Knittelversen. Auch wenn man das echte Ghasel des Ostens mit Goetheschen Nachbildungen vergleicht, wird es ganz augenfällig, in welchem Maße er sich doch selbst zu behaupten wußte. Das persische Ghasel ist wohl der reinste und sprechendste Ausdruck in der Form, den sich der orientalische Geist geschaffen hat. Es ist jener Geist, der auch den Gedanken der Seelenwanderung faßte.

Denn wie eine Seele, so wandert hier ein dichterisches Motiv, das erste Distichon, durch immer neue Verwandlungen hindurch, nimmt immer neue Formen der Erscheinung an, um immer wieder auf den einen Anfang, das Gesetz des Antritts, auf den immer gleichen Reim zurückzukehren. Diese dichterische Bahn ist an sich eine unendliche, weil sie niemals zu schließen braucht, da die Seele des Gedichtes immer neue Verwandlungen erleiden, in immer neue Bilder und Vergleiche eingehen kann. Sie ist eine ungegliederte und eine, weil der immer wiederkehrende Reim alle Teile und Sonderungen überströmt und verbindet. Sie ist nach dem Gesetz des Antritts schicksalhaft bestimmt und kann das Strombett dieses ersten Reimes nie verlassen. Hier geschieht gleichsam die Gestaltwerdung der Einheit und Unendlichkeit. Ein Goethesches Ghasel aber, wie jenes berühmte Gedicht: « In tausend Formen magst du dich verstecken » gliedert den unendlichen Strom in gleichmäßig wiederkehrende Strophen und bringt in die fließende Bewegung des Ostens eine feste Architektur hinein. Es verläßt mit den letzten Strophen das Bett des einen, reichen Reimes und ist auch im Gehalt gegliedert und geschlossen. Auch die unendliche Häufung der Bilder und Vergleiche, der tropische Ausdruck der orientalischen Gedichte erscheint in Goethes « Divan » sehr gemäßigt, und die Bilder Goethes halten sich doch immer in den Grenzen der europäischen Einbildungskraft, auch wo sie der östlichen Welt entnommen sind. Die « symbolische Abschweifung » ist im Vergleich mit der des Hafis nicht nur seltener, sondern auch klarer und durchsichtiger. Wenn man eines der schönsten Gedichte des « Divan » « Selige Sehnsucht » mit seiner Quelle, einem Gedicht von Hafis, vergleicht, wird der Unterschied des östlichen und westlichen Geistes deutlich werden. Aus dem Hafisischen Gedicht in Hammers Übersetzung:

> Wie die Kerze brennt die Seele
> Hell an Liebesflammen
> Und mit reinem Sinne hab' ich
> Meinen Leib geopfert.
> Bis du nicht wie Schmetterlinge
> Aus Begier verbrennest,
> Kannst du nimmer Rettung finden
> Von dem Gram der Liebe.
>
> Du hast in des Flatterhaften
> Seele Glut geworfen,
> Ob sie gleich längst aus Begierde

Dich zu schauen tanzte.
Sieh', der Chymiker der Liebe
Wird den Staub des Körpers,
Wenn er noch so bleiern wäre,
Doch in Gold verwandeln.
O Hafis ! kennt wohl der Pöbel
Großer Perlen Zahlwert?
Gib die köstlichen Juwelen
Nur den Eingeweihten.

Goethes « Selige Sehnsucht »:

Sagt es niemand, nur den Weisen,
Weil die Menge gleich verhöhnet,
Das Lebend'ge will ich preisen
Das nach Flammentod sich sehnet.

In der Liebesnächte Kühlung,
Die dich zeugte, wo du zeugtest,
Überfällt dich fremde Fühlung
Wenn die stille Kerze leuchtet.

Nicht mehr bleibest du umfangen
In der Finsternis Beschattung,
Und dich reißet neu Verlangen
Auf zu höherer Begattung.

Keine Ferne macht dich schwierig,
Kommst geflogen und gebannt,
Und zuletzt, des Lichts begierig,
Bist du Schmetterling verbrannt.

Und so lang du das nicht hast,
Dieses: Stirb und werde !
Bist du nur ein trüber Gast
Auf der dunklen Erde.

Das Gedicht des Hafis ist von jener östlichen Mystik erfüllt, die mit dem Opfer seines Ich auf das völlige Aufgehen und Verschwinden im Einen und Unendlichen zielt. Goethe aber bringt in seinem Gedichte diesen östlichen Geist, der sich jenseits von Raum und Zeit verlieren möchte, auf die Erde zurück, und das « Selbstopfer » (so hieß ein früherer Titel des Gedichtes) bedeutet für ihn die irdische Verwandlung, die jedes Wesen durchmachen muß, um sich am Leben zu erhalten

oder vielmehr sein Leben zu erneuern. Es ist die Goethesche Idee
der Metamorphose, in der das Geheimnis des Lebens besteht. Goethe
stellte im « West-östlichen Divan » wohl der Bewahrung der Persönlichkeit die sich verschwendende Liebe entgegen. Aber die selige
Sehnsucht des Lebendigen nach dem Flammentod ist ja doch gerade
die Sehnsucht nach einem ewig neuen Werden, nach einer immer neuen
Auferstehung der Persönlichkeit aus dem Feuer, nach einer ewigen
Dauer seiner Form durch ihre stetige Wandlung.

Die Hingebung Goethes an den Osten ist selber gleichsam als eine
selige Sehnsucht zu verstehen, durch dieses Opfer seiner selbst verwandelt, gereinigt, verjüngt, wiedergeboren aus dem Osten als europäischer Mensch zu erstehen. Die Übersteigerung des einseitig abendländischen Griechentums, der klassischen Form, hatte die Gefahr
der Erstarrung gebracht. Der europäische Persönlichkeitskult drohte
die Religion: die Allverbundenheit, das Abhängigkeitsgefühl, die Ergebung zu vernichten. Diese Gefahren wurden durch den Osten gebannt. Als dieser aber seine öffnende Sendung für Goethe erfüllt hatte,
konnte er wieder in den europäischen Raum zurückkehren. Er war
westöstlich geworden. Das östliche Allgefühl verhinderte es, daß sich
das « wahre, echte, unentbehrliche Selbstgefühl » des Europäers in
Dünkel und Hybris verlor, so wie das westliche Persönlichkeitsgefühl
es verhinderte, daß Goethe sich an ein formloses All, eine gestaltlose
Unendlichkeit verlor. Jene Religion der Ehrfurcht vor sich selbst,
die in den Wanderjahren verkündigt wird, war die Frucht Goethescher
Westöstlichkeit. Diese Religion der Ehrfurcht vor sich selbst war
wohl die höchste Verklärung, die der abendländische Mensch sich
selbst geben konnte. Denn alle abendländische Kultur ist auf dem
Selbstgefühl des Menschen aufgebaut, und jede europäische Renaissance war immer eine Wiedergeburt des menschlichen Selbstgefühls.
Aber in Goethes Religion der Ehrfurcht vor sich selbst schwingt eben
etwas mit, das weiter und tiefer ist. Die westliche Selbstbehauptung
hat östliche Weihe empfangen und ist humane Religion geworden.
Goethes Selbstvollendung, seine Arbeit an dem eigenen Marmor, war
nicht Selbstsucht, sondern entsagender Dienst an jener ewigen Macht,
die er im Menschen wirksam fühlte, und die ihn zu immer höherer
Bildung auflockt. Goethe tauchte sich tief in das All- und Einheits-
erlebnis des Ostens. Aber es war nur wie ein Bad der Reinigung, aus
dem er neugeboren wieder selbst erstand. Der morgenländische Geist
erfuhr in ihm eine abendländische Verwandlung. Der abendländische

Geist in ihm empfing den Segen morgendlicher Erneuerung. Es ist alles in Goethe westlich und alles doch auch anders, weil es aus einer anderen Mitte kommt. Er ist wie das Urbild, das Beispiel europäischer Geistigkeit, ihre reinste Form. Aber er konnte sich nur deshalb so unentstellt und unentweiht erhalten, weil er dem Osten offen blieb, ob es nun die Bibel oder Spinoza oder Persien und der Islam war. Er war der letzte Abendländer, der sich so im Osten verjüngen und doch auch behaupten konnte. Schopenhauers östliches Evangelium war eine Verneinung europäischer Kultur. Goethe war ein viel zu vornehmer, sich selbst bejahender Mensch, als daß er den europäischen Geist so an den Osten hätte verraten können. Er ist das schönste Beispiel dafür, wie man sich ganz in seiner Form behaupten und doch ganz offen bleiben kann, ja gerade durch die Öffnung und Verwandlung sich behaupten kann. Als er 1827 einige seiner « Divan »-Lieder hatte singen hören, erklärte er Eckermann gegenüber, er habe an diesem Abend die Bemerkung gemacht, daß die Lieder des « Divan » gar kein Verhältnis mehr zu ihm hätten. Was darin orientalisch sei, habe aufgehört in ihm fortzuleben. Es sei wie eine abgestreifte Schlangenhaut am Wege liegen geblieben.

Der Osten hatte seine Sendung erfüllt.

Als dann, wie späte Nachklänge des « Divan », noch im Jahre 1827, Übersetzungen Goethes aus chinesischer Lyrik und Gedichte, die auf Anregungen durch sie zurückzuführen sind, erschienen, da zeigt es sich, daß ihm chinesische Dichtung mehr die Bestätigung für seine Erkenntnis brachte, es gebe in der Dichtung der Völker und Zeiten einen allgemein und ewig menschlichen Gehalt, als daß er hier von spezifisch östlichem Geiste angeweht worden wäre. In einem Gespräch mit Eckermann vom 31. Januar 1827 erklärte Goethe denn auch, daß die chinesischen Romane nicht so fremdartig aussehen, als man glauben sollte. Die Menschen denken, handeln und empfinden fast ebenso wie wir, und man fühlt sich sehr bald als ihres Gleichen, nur daß bei ihnen alles klarer, reinlicher, sittlicher, schicklicher zugeht. Es ist alles verständig und bürgerlich in ihnen, so daß sie darin viel Ähnlichkeit mit « Hermann und Dorothea » besitzen.

Auch die chinesische Lyrik, die er aus den englischen Übersetzungen von Thoms, in seinem « Chinese Courtship » (1824) kennen lernte, sagte ihm, daß es sich in diesem merkwürdigen Reiche noch immer leben, lieben und dichten lasse. Goethes Übersetzungen aus den « Gedichten hundert schöner Frauen », mit denen er in « Kunst und Alter-

tum » unter dem Titel « Chinesisches » bekannt machte, zeigen denn
auch deutlich, wie er gegenüber den englischen Übersetzungen alle
noch fremdartig anmutenden Elemente der Originale so verwandelte,
daß es Gedichte von allgemeinem oder Goetheschem Geiste wurden, und
wie viel mehr noch gilt das von den « Chinesisch-deutschen Tages-
und Jahreszeiten », einer kleinen Folge von Gedichten (1827), die
wohl von Motiven aus chinesischen Romanen und Gedichten angeregt
wurden, aber durch ihren völlig Goetheschen Charakter offenbaren,
wie Goethe der chinesischen Dichtung gegenüber weit mehr Verwandtschaft als Fremdheit empfand. Gewiß erinnert schon der Titel
an den « West-östlichen Divan »: West-östlich: Chinesisch-deutsch.
Aber es sind doch unvergleichbare Dinge. Denn wenn Goethe sich im
« Divan » als ein im Osten reisender Europäer gab, der sich das östliche
Kostüm anlegt, sich der fremden Art bequemt, wenn er auch als
Fremdling kenntlich bleibt, so ist dies alles in den « Chinesisch-deutschen Tages- und Jahreszeiten » mit ganz verschwindenden Ausnahmen
nicht mehr der Fall. Es sind Gedichte Goethescher Altersweisheit
und Alterssprachkunst und zwar von allerhöchstem Rang. War doch
die Eigenart, die er allenfalls in chinesischer Dichtung finden wollte:
daß immer neben dem Menschen die Natur mitlebt, seit jeher auch die
Art seiner eigenen Lyrik gewesen. Westöstlichkeit war nun also nicht
mehr eine weltliterarische Synthese von West und Ost, sondern es
handelte sich nun um die Offenbarung von Weltpoesie: daß Dichtung
eine allgemeine Welt- und Völkergabe sei, ein menschliches Urphänomen, das wohl auch ein Band zwischen Völkern und Erdteilen darstellt, aber nicht durch die Verbindung verschiedener, sich fremder
Elemente, sondern durch Hervorhebung dieses urphänomenalen
Dichtertums und Menschentums, das Westen und Osten gemeinsam ist.

Die sozialisierende Macht Amerikas

Zu den Mächten, die für Goethe noch im späten Alter eine Quelle der
Verjüngung wurden, gehörte nächst dem Fernen Osten auch Amerika,
und auch damit weitet sich der Raum der geistigen Vermittlung
zwischen den Völkern, den Goethe durch die Weltliteratur entstehen
und wachsen sah, über Europa hinaus zum Weltraum. War es aber
wiederum eine neue Himmelsrichtung, in die sein Blick sich wendete,
so war es gleichsam auch eine neue Zeitrichtung. Denn der Osten hatte
ihn in ferne Vergangenheit versenkt. Nun aber wird er durch die neue
Welt nicht nur auf die Gegenwart, die Zeitgenossenschaft gerichtet,
sondern in die Zukunft hinaus. Amerika weckte in ihm prophetische
Gesichte einer neuen, kommenden Welt. Wenn Goethe von den europäischen Literaturen einmal sagte, daß sie sich, um sich zu verjüngen
und zu erfrischen, nicht an ein fertiges, vollendetes Volk wendeten,
sondern an ein werdendes, noch im Streben und Streiten begriffenes,
eben an die Literatur des deutschen Volkes, so wendete sich jetzt
Europa an eine in viel wörtlicherem Sinne neue und werdende Welt.
Nicht daß Amerika erst durch Goethe in den deutschen Blickkreis
gerückt wäre. Aber es war bis Goethe ein anderes Amerika: nämlich
die Heimat der politischen Freiheit, der Verkündigung der Menschen-
rechte, die ja der Französischen Revolution vorausgegangen war. Als
deutsche Dichter, welche diese Revolution zuerst enthusiastisch begrüßt
hatten, sich dann, als sie in die Schreckensherrschaft entartete, von
ihr abwendeten, da richtete sich ihr hoffender Blick nach den Vereinigten Staaten, die nun in Dichtungen eines Klopstock etwa hym-
nisch gefeiert wurden.
Aber durch Goethe erst wurde Amerika zum Gegenbild des alt und
müde gewordenen Europa, das unter der Last seiner kulturellen Traditionen leidet. Ein erstaunliches Phänomen! Goethe, der Inbegriff der
europäischen Kultur, der in der Nachfolge der Antike ging und sich
von allen großen Traditionen Europas hatte bilden lassen, nicht ein
junger, nach Abenteuern begieriger Mensch, begrüßt die Neue Welt,
die unbelastet von Vergangenheit, uranfänglich, geschichtslos, aber
zukunftsträchtig neu beginnt. Im Grunde aber ist es nicht erstaunlich,

sondern gerade höchst charakteristisch für Goethe, der ja immer das
Leben durch Verwandlung zu erhalten suchte, dessen Wahlspruch
« Stirb und werde ! » lautete, der dadurch, nicht nur durch sein langes
Leben, den Bogen über die Zeiten spannen konnte und aus dem 18. Jahrhundert über die Romantik hinweg bis in die moderne Zeit hinüber-
ragte. Jung in seiner Jugend, hatte er die Formen des alten Europa
zerbrochen. Reif als Mann hatte er sie, von allen Kulturen gebildet,
organisch fortgestaltet. Als alter Mann prophetisch, hielt er es nach
seinem Wort der Mühe wert, « in solch wachsende Welt hinein zu sehen »,
und erkannte in ihr den zukunftbestimmenden Geist. Er spürte, wie
die klassizistische Tradition zu große Macht auch über ihn selbst
gewann und ihn zur Erstarrung zu bringen drohte. Aber nicht nur die
klassizistische Tradition war es, in der er die Gefahr erkannte. Es war
vielleicht mehr noch der Vergangenheitskult, der Ruinenzauber, die
Erinnerungswehmut der Romantik, worin Goethe ahnungsvoll einen
Keim zum Niedergang Europas sah. Daß er das Heil Amerikas in
seinem Mangel an klassischer Tradition erblickte, geht aus einer Auf-
zeichnung aus dem Jahre 1819 hervor: « Nordamerikaner glücklich,
keine Basalte zu haben. Keine Ahnen und keinen klassischen Boden. » [20]
Aber sein berühmtes Gedicht « Den Vereinigten Staaten » (1827) stellt
offenbar Amerika der europäischen Romantik entgegen.

> Amerika, du hast es besser
> Als unser Kontinent, das alte,
> Hast keine verfallene Schlösser
> Und keine Basalte.
>
> Dich stört nicht im Innern,
> Zu lebendiger Zeit,
> Unnützes Erinnern
> Und vergeblicher Streit.
>
> Benutzt die Gegenwart mit Glück !
> Und wenn nun eure Kinder dichten,
> Bewahre sie ein gut Geschick
> Vor Ritter-, Räuber- und Gespenstergeschichten.

Ein Erdteil ohne Klassik und Romantik und darum auch ohne Streit !
Was konnte das für eine europäische Verjüngung bedeuten.
Es wäre aber falsch zu meinen, daß der alte Goethe ohne Übergang
und plötzlich so den Blick von Europa abgewendet hätte. Das war

durchaus nicht der Fall. Er trug gleichsam in jedem Augenblick seines Daseins bereits den Keim der Zukunft in sich, wodurch die Linie seines Lebens bei aller Verwandlung doch eben eine Linie blieb. Sein großer Bildungsroman «Wilhelm Meisters Lehrjahre» trägt diesen Keim schon in sich, der dann in den Wanderjahren zur Frucht heranreifen wird.

In den Lehrjahren wird also bereits angedeutet, daß aus dem alten «Turm», jener Geheimgesellschaft, die Wilhelm Meisters Bildungs- weg lenkt, eine Weltorganisation werden solle, die sich in alle Teile der Welt ausbreiten, in die man aus jedem Teile der Welt eintreten kann. Jarno beschließt, nach Amerika auszuwandern, und fordert Wilhelm auf, mit ihm zu gehen. Zwar will dieser von Auswanderung noch nichts wissen, und Lothario kehrt aus Amerika, wo er nützlich und notwendig zu sein geglaubt hatte, in seine europäische Heimat zu- rück, um in seinem Hause, in seinem Baumgarten, mitten unter den Seinigen zu sagen: «Hier oder nirgends ist Amerika.» Aber das in den Lehrjahren angetönte Motiv, der Gedanke der Auswanderung nach den Vereinigten Staaten und die bereits angedeutete Umwandlung des «Turms» in eine Weltsozietät bildet doch das Band, das den ersten Teil des Romans mit dem zweiten verbindet, in welchem die Verwirk- lichung geschieht, in welchem auch Wilhelm Meister die Auswanderung beschließt. Denn in der Alten Welt findet er nur Schlendrian, wo man das Neue immer auf die alte, das Wachsende nach starrer Weise be- handelt. Die neue Weltorganisation, in der jedem Glied sein Platz zugewiesen werden soll, an dem er dem allgemeinen Wohl dienlich und nützlich sein kann, die eine neue Gesellschaft, einen neuen Staat heraufführen wird, kann nur auf neuem, jungfräulichem Boden be- ginnen, wie Amerika ihn bietet. Zwar ist auch in den Wanderjahren das Motiv der Rückwanderung wieder aufgenommen. Der «Oheim» kommt aus Amerika nach Europa, wo eine unschätzbare Kultur, seit mehreren tausend Jahren entsprungen, gewachsen, ausgebreitet, einen ganz andern Begriff davon gibt, wohin die Menschheit gelangen kann. Er wollte nicht in Amerika um Jahrhunderte verspätet den Orpheus und Lykurg spielen. Aber das soll doch nur heißen, daß in dem alten Europa eben Menschen aus der Neuen Welt notwendig sind, um für die Gestaltung einer neuen Gemeinschaftsordnung zu wirken. Sein Wahl- spruch lautet: «Besitz und Gemeingut», und das will sagen, daß in der aufzubauenden Welt jeder Besitz, wenn er auch von der Gesell- schaft heilig gehalten wird, einem Menschen nur gleichsam als Ver- walter anvertraut ist, und er ihn zum allgemeinen Wohl zu nutzen habe. Weit wichtiger aber ist in den Wanderjahren (und zwar in ihrer Fassung von 1827) das Motiv der Auswanderung.

Zwischen den Lehrjahren und den Wanderjahren liegt das gewaltige Studium, das Goethe der Neuen Welt, ihren geologischen, klimatischen, sozialen, ökonomischen und politischen Verhältnissen widmete. Werke über Amerika, Karten, Reisebeschreibungen türmten sich um ihn, so daß die jungen Amerikaner, die ihn in Weimar besuchten, über seine genaue und ausführliche Kenntnis ihres Landes höchst erstaunt waren. Man kann nicht sagen, daß Goethes Welt- und Menschenbild sich durch die geistige Schau dieses zukunftsträchtigen Erdteils völlig verwandelt habe. Schon in der Idee der harmonischen Bildung der Persönlichkeit, einer europäischen Idee, die Goethe in den Lehrjahren gestaltete, war auch die Forderung von nützlich-tätigem, dem Allgemeinwohl dienenden Menschentum enthalten. Dies aber hat sich unter dem Eindruck der neuen, auf solches Menschentum gegründeten Welt herausgehoben, und die Wanderjahre sind ganz dem Gedanken einer organisierten und gelenkten Weltgemeinschaft geweiht, in welcher der menschliche Wert nach der ihr nützlichen Tat gemessen wird. Es ist eine oft zu bemerkende und sehr organische Entwicklung, die von der Idee der in sich selbst geschlossenen Persönlichkeit zu der einer solchen Gemeinschaft führt. Aber auch organische Entwicklungen können von außen her gefördert werden. Schon im Urfaust hat der Erdgeist, den Goethe selbst den Tatengenius nennt, das Bild des Täters vor die Augen Fausts gestellt. Aber Faust begreift ihn damals noch nicht, weil er ihm noch nicht gleicht. Am Ende des zweiten Teils aber wird er ihm gleich, und das Ende seines irdischen Weges ist die zivilisatorische Tat im Dienst der menschlichen Gemeinschaft. Es ist wahrscheinlich, zum mindesten sehr möglich, daß dieses Ende Fausts, wie er dem Meere neues Land zur Siedlung für Millionen Menschen abgewinnt, Kanäle baut, Flotten ausrüstet, Sümpfe trocknet, Boden fruchtbar macht, unter dem Eindruck amerikanischen Pioniertums entstanden ist. Der alte Goethe war von dieser neuen, jungen Welt so fasziniert, daß er einem jungen Amerikaner, Cogswell, der ihn 1819 besuchte, einmal erklärte: Wäre er zwanzig Jahre jünger, so segelte er nach Amerika.

Die jungen Amerikaner, die von der Harvard-Universität nach Deutschland kamen, um ihre Studien fortzusetzen, zu ergänzen oder zu vollenden, konnten Goethe auch einen Begriff davon geben, wie die Wissenschaften in Amerika aufzublühen begannen, und keine Sorge nötig war, daß die Kultur im geistigen Sinne jenseits des Ozeans verschwinden werde. Unter diesen jungen Amerikanern, die ihn in Weimar oder Jena besuchten, befand sich der Altphilologe Everett; Ticknor, der spätere Verfasser der berühmten Literaturgeschichte Spaniens; der Mineraloge Cogswell, mit dem sich die innigste Beziehung herstellte; Bancroft, der zukünftige Historiker der Vereinigten Staaten; Calvert, der Goethe von dem amerikanischen Wahlsystem unterrichten konnte; Brisbane, mit dem sich eine geistreiche Unterhaltung über die neue, französische Philosophie entwickelte. Von amerikanischer Dichtung konnte damals freilich noch nicht viel die Rede sein. Mit Everett und Ticknor sprach Goethe über Byron. Aber er sprach auch über die Zukunft der amerikanischen Literatur, und die Romane Coopers beschäftigten ihn in den Jahren 1826—1829 intensiv. Auch schlug er öffentlich in «Kunst und Altertum» 1827 eine Bearbeitung von Ludwig Galls «Auswanderung nach den Vereinigten Staaten» vor, dessen Bearbeiter den Stolz haben müßte, mit Cooper zu wetteifern. Goethe selbst empfand den Wunsch, etwas für Wissenschaft und Kunst in dieser Neuen Welt zu tun, und als er von Cogswell eine mineralogische Sammlung aus Amerika zugeschickt erhielt, beschloß er teils eigene, teils fremde Schriften, welche über dem Meere einiges Interesse haben könnten, der öffentlichen Bibliothek in Boston zu widmen. «Möge mir hierdurch das Vergnügen und der Vorteil werden, immer näher mit dem wundervollen Lande bekannt zu werden, welches die Augen aller Welt auf sich zieht, durch einen friedlichen, gesetzlichen Zustand, der ein Wachstum befördert, welchem keine Grenzen gesetzt sind.»[21] Goethe schickte wirklich 1819 dreißig eigene Werke an die Harvard-Universität mit diesem Widmungsbrief: «Die beifolgenden dichterischen und wissenschaftlichen Werke schenke ich der Bibliothek der Universität Cambridge in Neu-England als Zeichen meiner tiefen Teilnahme für ihren hohen wissenschaftlichen Charakter und für den erfolgreichen Eifer, den sie in einer so langen Reihe von Jahren für die Förderung gründlicher und anmutiger Bildung bewiesen hat. Mit der größten Hochachtung der Verfasser J. W. Goethe.»

DRITTER TEIL

GOETHES EUROPÄISCHE SENDUNG

Die Leiden des jungen Werther

Wenn bisher dargestellt wurde, wie Goethe durch die europäischen
Literaturen zu einem Europäer gebildet und durch den Osten und
Amerika über sein Europäertum hinausgeführt wurde, und wie diese
ihm zum Bewußtsein kommende Erfahrung zu einer wesentlichen
Quelle seiner Weltliteraturidee werden mußte, so ist nun die Frage
zu stellen, wie Goethe seinerseits auf die fremden Literaturen Einfluß
gewann, und auch diese Erfahrung zur Bildung seiner Weltliteraturidee führte, indem sie dadurch zur letzten Reife und Vollendung
gebracht wurde. Ja, wenn Goethe seit seinem « West-östlichen Divan »
überhaupt noch entscheidende Befruchtungen von außen her, von
fremden Literaturen und Kulturen empfangen hat, so geschahen sie
im Erlebnis seiner Ausstrahlungen in die Welt, der Wirkungen, die
er überall in Europa bemerken konnte, und dieses Erlebnis offenbarte
sich ihm als ein ebensolcher Segen, wie das der vom Ausland her
empfangenen Bildung. Indem er seine eigene Jugend in der europäischen Jugend auferstehen sah, fühlte er sich selbst verjüngt; indem
er sie seine frühen Wege gehen sah, wurden ihm die eigenen Irrungen
und Wirrungen klar. Indem er sich in ihrem Spiegel schaute, gelangte
er zu tieferer Erkenntnis seiner selbst. Wenn er nach langen Widerständen und Hindernissen die Wirkung seiner geleisteten Arbeit hervortreten sah und bemerken konnte, daß die Zeitgenossen seine Hoffnungen in sich aufnahmen, sie verwirklichten und förderten, empfand
er sich erst mit ihnen zusammen als ein ganzes und wahrhaft lebendiges
Wesen. Er hatte bei allem, was er schuf, nicht an die Wirkung nach
außen, sondern an die eigene Bildung gedacht. Nun aber, da die
Wirkung ganz von selbst eintrat und sein Beispiel zu einem europäischen Vorbild wurde, bewegte es ihn nicht nur tief, sondern es
wurde auch wiederum zu einer Bildungsmacht für ihn, der letzten
und vollendenden. Es brachte auch seine Weltliteraturidee zur Reife.
Wenn er im Jahre 1827 das Wort Weltliteratur prägte, so war
das nur die Benennung für eine schon herangereifte Frucht, die
im Erlebnis seiner von der Welt empfangenen Bildung und seiner
auf die Welt ausstrahlenden Wirkung entstanden und also bereits

zur Wirklichkeit geworden war, bevor sie auf diesen Namen getauft wurde.

Man kann zusammenfassend sagen, daß sie durch das Erlebnis der europäischen Romantik zur Vollendung kam, und ihre wichtigsten Stadien auf dem Wege zur Vollendung, wenn man in diesem immer fließenden Strome der Entwicklung überhaupt bestimmte Momente herausheben kann, sind etwa durch die Namen Frau von Staël, Byron, Manzoni, Carlyle und durch die französische Zeitschrift « Le Globe » zu bestimmen. Daß er in all diesen Erscheinungen seine eigene Ahnenschaft erlebte, daß er huldigende Widmungen von den bedeutendsten Geistern des Auslandes empfing und Briefe mit ihnen wechselte, daß er zum Mitglied der europäischen Akademien ernannt wurde, daß er sich in alle Sprachen übersetzt sah, daß er persönlichen Besuch aus aller Welt empfing und Weimar wirklich zu einem Zentrum des geistigen Europa wurde, von dem aus « die Tore und Straßen nach allen Enden der Welt » gingen, daß er besonders bemerkte, wie der Streit der Klassiker und Romantiker sich von Deutschland aus über alle Literaturen ausdehnte und er selbst an der Erweckung der europäischen Romantik nicht unbeteiligt war, das alles geschah schon in den letzten Jahrzehnten vor dem Jahre 1827, in dem sich der Begriff der Weltliteratur zum Wort verdichtete.

Das gleiche Erlebnis brachte ihm freilich auch die Erkenntnis ein, daß seine Wirkung auf die europäischen Literaturen durchaus nicht nur ein Segen war und daß sein « Einfluß » auch zu einer gefährlichen « Influenz », in seinem Sinne, wurde. Es machte ihn an seiner Weltliteraturidee nicht irre. Denn er wußte wohl, daß auch die Irrwege und Abwege, die nun Europa nach seinem und dem deutschen Vorgang überhaupt zu gehen begann, schließlich doch zu einem guten Ende führen würden, wie sie es bei ihm selbst getan hatten. « Es irrt der Mensch, solang er strebt ». Aber es beschattete doch die Freude an seiner europäischen Geltung. Es verdüsterte manchmal das Licht seiner Ausstrahlungen in die Welt. Besonders die welterschütternde Wirkung seines Werther konnte ihn nicht freuen, und er hat immer, wenn er davon sprach, versucht, die Verantwortung für die europäische Wertherkrankheit abzulehnen: sein Werther habe keineswegs dieses Fieber erregt, sondern nur das Übel aufgedeckt, das in der Jugend der ganzen Zeit verborgen war. Ein andermal stellt er es als ein allgemein menschliches Jugendphänomen überhaupt hin, das nicht dem Gange der Weltkultur angehört. Es ist freilich ganz unmöglich, eine klare

Grenze zwischen dem zu ziehen, was Goethe in die Zeit hineinwarf und was er als ihr Repräsentant nur zum Ausbruch brachte. Ein dänischer Dichter, Rahbek, erklärte einmal, er wisse nicht, « ob er ein Schwärmer wurde, weil er immer ‚Werther' in der Tasche trug, oder ob er immer ‚Werther' bei sich hatte, weil er ein Schwärmer geworden war ». Jedenfalls konnte Goethe die Wirkung seines Werther nicht zu den Phänomenen rechnen, um derentwillen ihm eine Weltliteratur wünschenswert erschien. Es hatte ihn auch selbst nicht gefördert, was doch immer ein wesentlicher Gesichtspunkt für ihn war. In den « Venezianischen Epigrammen » von 1790 heißt es:

Hat mich Europa gelobt, was hat mir Europa gegeben?
Nichts ! Ich habe, wie schwer ! meine Gedichte bezahlt.
Deutschland ahmte mich nach, und Frankreich mochte mich lesen.
England ! Freundlich empfingst du den zerrütteten Gast.
Doch was fördert es mich, daß auch sogar der Chinese
Malet, mit ängstlicher Hand, Werthern und Lotten auf Glas?

Als die erste Weltwirkung des Werther geschah, war Goethe selbst schon nicht mehr der « Werther »-Dichter, für den er in Europa galt, und wie es später in der Zeit der europäischen Romantik der Fall war, daß Goethe staunend sehen mußte, er werde überall in Europa als Romantiker gesehen, und die Werke seiner Jugend seien es, die an der Wiege der europäischen Romantik standen, er werde als « Antiklassiker » in Anspruch genommen, so mußte ihm schon damals in der Werther-Zeit Europas die Seltsamkeit seiner europäischen Situation aufgehen. Denn in dem Augenblick, da er den Werther vollendete, hatte er ihn auch schon überwunden. Damit, daß er in ihm die Leiden seiner Jugend bekannte und gestaltete, befreite er sich auch von ihnen, wie ja all seine Dichtung eine Art von Selbstbefreiung durch Bekenntnis und Gestaltung seiner Leiden war. Als er auf seiner Schweizer Reise 1779 in Genf zum erstenmal erfuhr, daß auch die Franzosen von seinem Werther bezaubert seien, versicherte er dagegen, wie er der Frau von Stein nach Weimar mitteilte, daß es ihm unerwartet sei, und als man ihn damals in Genf fragte, ob er nicht mehr dergleichen wie den Werther schreibe, antwortete er: « Gott möge mich behüten, daß ich nicht je wieder in den Fall komme einen zu schreiben und schreiben zu können. » Aber auch nach Italien, wo seine Heilung sich vollendete, verfolgte ihn der Schatten Werthers.
Goethe erhielt die erste italienische Übersetzung 1781 zugeschickt

(von Michael Salom), und es interessierte ihn damals, seine Gedanken und Empfindungen in der von ihm so sehr geliebten Sprache Italiens, in einer für ihn neuen und überraschenden Gestalt wieder zu erblicken, wenn er auch finden mußte, daß der glühende Ausdruck von Schmerz und Freude, die sich unaufhaltsam in sich selbst verzehren, ganz verschwunden war, und daß sein vielgeliebter Name Lotte sich in Annette verwandelt hatte. Aber er schrieb damals auch: « Was hat das Irrlicht für ein Aufsehen gemacht », und deutete eben doch damit an, daß ihm dies Aufsehen nicht gerade nach dem Herzen war, weil er eben selbst die geradezu epidemische Wertherkrankheit, die in Europa ausbrach, damals schon überwunden hatte. Als daher der Werther in Italien auf den Widerstand der katholischen Kirche stieß, und der Bischof von Mailand die erste Übersetzung einfach aufkaufte, um sie so aus der Welt zu schaffen, da verstand und billigte Goethe diese Maßnahme durchaus: es verdroß ihn nicht, er freute sich vielmehr über den klugen Herrn, der sogleich einsah, daß der Werther für den Katholiken ein schlechtes Buch sei, und er mußte ihn loben, daß er sofort die wirksamsten Mittel ergriff, es ganz im Stillen wieder aus der Welt zu schaffen. Aber auch die katholische Kirche war auf die Dauer nicht imstande, das Eindringen Werthers in Italien zu verhindern, und bis Ende des Jahrhunderts waren bereits vier italienische Übersetzungen erschienen. Goethe selbst begegnete « den zürnenden Manen des unglücklichen Jünglings » in einem Drama, « Aristodemo », das ihm der italienische Dichter Monti in Rom vorlas. «Das ist nun ein Unglück », schreibt Goethe damals, « was mich bis nach Indien verfolgen würde. » Nach China hätte es ihn sicherlich verfolgt, wohin der Werther ja gedrungen war. Ein Engländer, der ihn in Neapel erkannte, sprach ihn mit den Worten an: Sie sind der Verfasser des Werther, und ein Malteser, der ihn in Palermo nicht erkannte und sich nach dem Verfasser des Werther bei ihm erkundigte, war höchst erstaunt, als Goethe sich zu erkennen gab. « Da muß sich viel verändert haben », rief der Italiener aus, und Goethe antwortete: « O ja, zwischen Weimar und Palermo habe ich manche Veränderung gehabt. »

Goethe mußte also gerade in Italien erkennen, daß er, der zum Dichter der « Iphigenie » geworden war, seine Wirkung und seinen Ruhm in der Welt jenem Werke seiner Jugend verdankte, das er selbst schon lange hinter sich gelassen hatte, und so ging es weiter. Noch im Jahre 1800, als er bereits der Dichter des homerischen Epos « Hermann und

Dorothea » und des « Wilhelm Meister » war, schrieb Frau von Staël
in ihrem Buch « De la Littérature considérée dans ses Rapports avec
les Institutions sociales », Werther sei das Buch par excellence, das
die Deutschen besitzen und den Meisterwerken der andern Sprachen
entgegenstellen können, ein Buch des Enthusiasmus, der Leidenschaft,
der Auflehnung gegen die Gesellschaft, in dem der deutsche Nationalcharakter seinen bezeichnendsten Ausdruck erhalten habe.

Im Jahre 1802 erhielt Goethe von dem italienischen Dichter Ugo
Foscolo den Roman « Le ultime lettere di Jacopo Ortis » zugeschickt,
begleitet von einem Brief « Al Signore Goethe, illustre scrittore tedesco»,
in dem Foscolo selbst bekannte, daß sein Werk dem Werther
seinen Ursprung verdanke.

Als die Frau von Staël 1804 ihren denkwürdigen Besuch in Weimar
machte, war Goethe wahrhaft indigniert darüber, daß sie immer noch
an dem Gegensatz der deutschen und französischen Literatur festhalten wollte. Sie tat, so schrieb Goethe damals an Schiller, als wäre
sie ins Land der Hyperboreer gekommen, deren kapitale alte Fichten
und Eichen, deren Eisen und Bernstein sich noch so ganz wohl in
Nutzen und Putz verwenden ließen. Sie wollte immer mit ihm über
den Unterschied zwischen der deutschen und französischen Literatur
sprechen, während er, der damals schon so tief von französischer
Literatur gebildet und gerade damals damit beschäftigt war, das
deutsche Theater mit Hilfe des französischen Klassizismus auf eine
höhere Kunststufe zu heben, den Unterschied nicht mehr als einen
gegenwärtig aktuellen anerkennen konnte. Er selbst wenigstens stand
über den Nationen und fühlte sich als Europäer, für den die nationalen
Geistesgrenzen nicht mehr existierten. Die Frau von Staël dagegen
wollte ihn durchaus als Repräsentanten des spezifisch deutsch ge-
prägten Geistes sehen. In einem Brief an ihren Vater schrieb sie damals
über ihren Weimarer Besuch: Goethe verderbe ihr leider sehr das
Werther-Ideal. Das sah man in Europa nicht, daß er sich längst
bereits zum Klassiker, nach deutschem Maßstab wenigstens, gewandelt
hatte. Frau von Staël hat es in ihrem Buch « De L'Allemagne »
geradezu geleugnet, daß es eine deutsche Klassik gebe, so wie der
große Kritiker der französischen Romantik, Sainte-Beuve, einmal
erklärte, daß zu der Art einiger Literaturen das Wort Klassiker durchaus nicht klingen wolle. Wer werde zum Beispiel so leicht von deutschen Klassikern reden ! Ein Wort, das noch von Nietzsche mit Genugtuung verzeichnet wurde.

Aber ganz abgesehen davon, daß diese europäische Sicht der deutschen Literatur für die Erkenntnis ihres Wesens höchst aufschlußreich ist, und auch Goethe, der ja den Glauben hatte, daß die Distance es dem fremden Auge ermögliche, klarer als das eigene zu sehen, durch sie manch neuen Aufschluß über sich selbst erhalten konnte, ist bereits von der Werther-Krankheit, mit der das « mal du siècle » einsetzte, zu sagen, daß doch auch sie bereits zeigt, wie Fiebererscheinungen im geistigen Leben auch Symptome kommender Besserung, der Wandlung und Entwicklung sind, daß solche Krisen notwendig werden, um einen unhaltbar gewordenen Zustand der Welt zu ändern. Das wird auch bei den weiteren Ausstrahlungen Goethes, besonders des Faust, immer wieder ins Auge zu fassen sein. Man braucht dabei keineswegs nur an die Literatur zu denken. Es handelt sich um das gesamte Leben, und dies kann man besonders am Beispiel Napoleons bemerken.

Goethe war sehr überrascht, als er in seinem denkwürdigen Gespräch mit Napoleon erfuhr, wie gründlich dieser seinen Werther studiert und begriffen hatte. Man weiß, daß Napoleon den Werther siebenmal gelesen hat. Er las ihn in seiner frühen Jugend, in der er auch selber Romane und Novellen im Werther-Stil dichtete. Er las ihn am Fuß der ägyptischen Pyramiden und las ihn noch auf St. Helena. Der Werther war sein ständiger Begleiter. Was bedeutet dies aber? Wie kommt Napoleon zu Werther, der energischste Held zu dem gefühlsseligen Schwärmer, der aktivste Geist zu dem tatlosen Träumer? Goethe selbst hat sich dieses seltsame Phänomen so erklärt, daß Napoleons Neigung für den Werther ihren Grund in dessen Gegensätzlichkeit zu seiner eigener Natur gehabt hat. So wie Napoleon nur schwermütige und sanfte Musik liebte, so liebte er die schwermütigen und mondscheinhaften Klagelieder des Ossian und Werther. Der Werther hätte demnach für Napoleon die Sendung gehabt, zu schmelzen, was zu fest in ihm gegossen war, und zu entspannen, was zu stark und hoch in ihm gespannt war. Er schenkte ihm die Wohltat der Lösung, Dämpfung und Erweichung, deren gerade der heroisch gesteigerte Mensch bedarf. Aber es mag erlaubt sein, das Phänomen noch anders zu sehen. Napoleon selbst hat oft bemerkt, welch ungeheure Wirkung ein Gedicht auf eine empfängliche Seele auszuüben vermag. Er selbst besaß diese Empfänglichkeit. Seine Seele stand der Dichtung offen. Hat vielleicht der Werther durch seine Wirkung auf Napoleon eine wahrhaft welthistorische

Bedeutung bekommen und an der Gestaltung eines neuen Europa mitgewirkt? Diese Klage um die verlorene Natur, diese Anklage gegen die bestehende Gesellschaft, die einen Menschen mit angeborenem, freiem Natursinn zwingen will, sich in die beschränkenden Formen einer veralteten Welt zu fügen, dieses Schicksal eines Menschen, der, voll Tatendrang und ruhmbedürftig, als Bürger von staatlicher Wirksamkeit zurückgestoßen, nicht Raum für die Entfaltung seiner Kräfte findet, der all seine unverbrauchte Kraft nun in der Liebesleidenschaft entladet, und als auch hier ihm nicht Erfüllung wird, keine Möglichkeit des Lebens mehr besitzt: hat dies vielleicht in Napoleon jenen Weltschmerz geweckt, der zur Quelle großer Taten werden kann? Hat Werther ihm vielleicht die Augen geöffnet für die Unnatur, die Dürftigkeit und Engheit des europäischen Raumes, in dem ein junger, lebendiger Mensch von Vorurteilen, Traditionen und Konventionen erstickt wurde? Nur daß der Schmerz, der Werther in den Tod treibt, Napoleon zur Tat getrieben hat, zur Wandlung dieser erstarrten Welt, zur Sprengung dieses engen Raumes, und daß der deutsche Dichtertraum ihn zur politischen Verwirklichung aufrief. Napoleon tadelte es oft an den Tragödien Racines, daß die Liebe in ihnen den ganzen Lebensinhalt des Menschen ausmache, was die kräftigeren Herzen, die mit der Revolution in die Welt gekommen sind, nicht mehr entflammen könne. Hat er vielleicht zum erstenmal im Werther und also schon vor der Revolution den tieferen Grund dafür entdeckt, warum die Liebe damals zum ganzen Inhalt und zum Schicksal eines Menschen werden konnte, darum nämlich, weil sie der Ersatz für die gehemmte und verdrängte Kraftentladung männlicher Energien sein mußte? Napoleon tadelte gewiß am Werther in jenem Gespräch mit Goethe, daß dieser das Motiv des gekränkten Ehrgeizes noch zu der unglücklichen Liebe gefügt habe, wo doch die Liebe allein den Selbstmord schon hinreichend motiviere. Aber vielleicht dünkte ihm Ehrgeiz, Ruhmbegier und Tatendrang zu groß und von allzu selbständigem Werte zu sein, um nur als ein verstärkendes und nebensächliches Motiv gebraucht zu werden. Mit einem Wort: der Werther gab vielleicht Napoleons dunklem und vitalem Tatendrang den höheren und idealen, dichterischen Schwung. Die Tat entzündete sich an der Idee. Sein revolutionärer Verwandlungstrieb fand einen tieferen Grund und stärkeren Sporn in einem allgemeinen Schmerze an der Welt. Es war ein Funke des faustischen Geistes, der aus dem Werther in Napoleon eindrang und dort zündete. Goethe selbst hat diesen faustisch idealen Zug in Napoleon klar gesehen. Napoleon, so sagte er einmal, lebte in der Idee. Er wollte das Unbedingte und ging daran zugrunde. Sein Leben wurde auf diese Weise eine Tragödie, die ein Beispiel dafür gibt, wie gefährlich es sei, sich ins Absolute zu erheben und alles einer Idee zu opfern. Ja, Goethe nannte ihn, den Realisten, doch auch einen Schwärmer und Phantasten. Wenn Goethe in Byron, der so manche Ähnlichkeit mit Napoleon besitzt, seinen geistigen Sohn erkannte, weil er es war, der den faustischen Geist in ihm entzündet hatte, so hat Goethe vielleicht auch Napoleon gegenüber ein ähnliches Gefühl gehabt. Jedenfalls ist Euphorion im zweiten Teil des Faust, der Sohn von Faust und Helena, der sich ohne Maß und Grenze in die Lüfte wirft und sich im Drang nach kriegerischem Abenteuer zu Tode stürzt, nicht nur auf Byron, sondern auch auf Napoleon zu deuten.

Es war eine Französin, welche die positive und fördernde Seite des mit Werther und Faust in den europäischen Geist eindringenden Weltschmerzes und jener europäischen Bewegung, die in England auf den Namen des « Satanismus » getauft wurde, mit besonderer Klarheit erkannte. George Sand hat in der Vorrede zu ihrem Roman « Lelia », der einen weiblichen Werther und Faust zugleich repräsentiert, jene europäische Poesie der Verzweiflung, wie sie von Byron, von dem polnischen Romantiker Mickiewicz, von Musset und George Sand selbst, von Heine und Lenau vertreten ist, so interpretiert, daß der Zweifel und die Verzweiflung große Krankheiten seien, die das Menschengeschlecht durchzumachen hat, um seinen religiösen Fortschritt zu beschleunigen und zu seinem Ziele zu führen. Der Zweifel ist (nach Herweghs Übersetzung) ein heiliges, unverjährbares Recht des menschlichen Gewissens, das untersuchen darf, um einen Glauben anzunehmen oder zu verwerfen. Die Verzweiflung ist der unselige Wendepunkt, der fürchterliche Fieberparoxysmus des Zweifels. Aber, wie groß und herrlich ist diese Verzweiflung ! Die Aufgabe für dieses Leben, und namentlich für dieses Jahrhundert, ist nicht in eitler Wollust einzuschlafen und unser Herz für das großartige Unglück des Zweifels zu verschließen; wir haben etwas Besseres zu tun, nämlich: dieses Unglück zu bekämpfen und zu überwinden, nicht allein, um die Menschenwürde in uns wieder aufzurichten, sondern noch mehr, um dem kommenden Geschlechte den Weg zu bahnen. Die erhabenen Zeilen, in denen René (von Chateaubriand), Werther, Obermann (von Sénancour), Conrad (von

Mickiewicz), Manfred (von Byron), allen Schmerz ihrer Seele aus-
hauchen, sind für uns eine große Lehre; diese Zeilen wurden mit
ihrem Herzblute geschrieben und mit glühenden Tränen benetzt; sie
gehören weit mehr in die philosophische, als in die poetische Geschichte
des Menschengeschlechtes. Schämen wir uns nicht, mit diesen großen
Wesen geweint zu haben. Die Nachwelt, mit einem neuen Glauben
bereichert, wird sie unter ihre ersten Märtyrer zählen. Auch in ihrem
Aufsatz über das phantastische Drama, das den Goetheschen Faust
mit Byrons «Manfred» und dem «Conrad» von Mickiewicz vergleicht,
verherrlicht George Sand den Zweifel, wenn er auch zur Verzweiflung
führt, weil er der Weg zum Fortschritt der Menschheit ist.

Die Wirkung, welche Goethes Werther in den europäischen Literaturen und weit über die Literatur hinaus im europäischen Leben
auslöste, ist in ihrer ungeheuren und gar nicht ganz zu überblickenden
Bedeutung ein einmaliges Phänomen der Weltliteratur. Wenn man
sich fragt, woher diese Wirkung zu verstehen ist, so wird man antworten müssen, daß es weit weniger die dichterischen Werte als andere
Momente waren, wodurch sie verursacht wurde. Es war die Erscheinung eines neuen Menschen im alten Europa, der es der europäischen
Jugend zum Bewußtsein brachte, daß der europäische Raum zu eng
und dumpf geworden war, um noch in ihm atmen, leben und wirken
zu können. Werthers Wirkung ging mit der Rousseaus Hand in
Hand. Dieser junge Mensch, Werther, legt an alles, an Gesellschaft
und Kunst, den Maßstab der Natur. Er ist ein Künstler, ein Maler
von neuer Erkenntnis: «Die Natur allein bildet den großen Künstler.
Man kann zum Vorteil der Regeln viel sagen, ungefähr was man zum
Lobe der bürgerlichen Gesellschaft sagen kann. Ein Mensch, der sich
nach ihnen bildet, wird nie etwas Abgeschmacktes und Schlechtes
hervorbringen, wie einer, der sich durch Gesetze und Wohlstand modeln
läßt, nie ein unerträglicher Nachbar, nie ein merkwürdiger Bösewicht
werden kann. Dagegen wird aber auch alle Regel, man rede, was
man wolle, das wahre Gefühl von Natur und den wahren Ausdruck
derselben zerstören.» Dieser neue Mensch wird in seiner gesellschaftlichen Stellung von Regeln, Geboten und Verboten, toten Sitten und
Formen an der Auswirkung seiner Gaben und Kräfte verhindert.
Er kann nicht helfen, wo er helfen möchte, nicht tun, was er als notwendig empfindet. Als Bürger hat er keine Geltung in der adligen
Gesellschaft. Nur bei den Kindern und im niederen Volke findet er
Verständnis. Ein Tatenraum ist ihm versagt. Alles, was die Gesell-

schaft bietet, ist « die Erlaubnis, sich die Wände, zwischen denen man gefangen sitzt, mit bunten Gestalten und lichten Aussichten zu bemalen. » Sie bleibt darum doch ein Gefängnis. Das alles kommt zum katastrophalen Ausbruch, als seine heiße, leidenschaftliche Liebe nicht zur Erfüllung kommen kann, weil Konventionen es verbieten. Das ist zu viel, zu unerträglich, die Natur so zu unterdrücken, die Freiheit so einzukerkern, und so wählt er den Tod. Dieser Roman ist nicht eine Liebesgeschichte wie eine andere, sondern die Geschichte eines neuen Menschen im alt und eng gewordenen Europa. Er stellt nicht das zufällige Einzelschicksal eines dem Leben nicht gewachsenen, überempfindlichen Jünglings dar. Werther ist der Repräsentant einer europäischen Jugend, die in dem alten Raume nicht mehr leben und atmen konnte. Dieser Roman hat die Stimmung der vorrevolutionären Zeit in sich. So ist die ungeheure Sensation zu verstehen, die er überall erregte, am stärksten in Frankreich, nicht nur weil hier der Boden schon durch Rousseaus « Neue Héloise » bereitet war, sondern weil es gerade die französische Zivilisationswelt war, gegen die sich diese Dichtung empört. Denn Frankreich war es, das damals die europäische Konvention bestimmte. Man muß dabei zwischen zwei Wellen der europäischen Wertherkrankheit unterscheiden: einer vorrevolutionären und einer nach der Revolution. Für die höhere Literatur war die zweite von weit größerer Bedeutung. Die Revolution brachte nicht das, was man von ihr erhoffte: ein neues Leben, einen neuen Lebensraum für junge, fühlende, tatendurstige, geniale Menschen. Wenn Goethes Werther die Revolution geistig vorbereiten half, so zielte er doch auf eine andere, als auf die, welche wirklich kam. Aus der Enttäuschung über sie entstand erst die tiefe, gewaltige Wirkung des Werther in den europäischen Literaturen und im europäischen Leben überhaupt.

Es ist höchst charakteristisch, daß nicht das revolutionäre Frankreich, sondern die durch die Revolution vertriebenen Emigranten, die in der Schweiz oder in Deutschland oder auch in England lebten, diese Wirkung in ihrem höchsten Grade zeigen. Die Emigrantenliteratur ist wertherisch. Es gibt direkte Zeugnisse dafür, daß wirklich der Werther an ihrer Wiege stand. Als Frau von Staël ihren Roman « Delphine », in dem sie die Empörung einer leidenschaftlichen Frau gegen die Gesellschaft gestaltete und das Recht des Individuums gegen die Regeln konventioneller Sittlichkeit verfocht, an Goethe schickte, schrieb sie dazu: « La lecture de ‚Werther' a fait époque dans ma vie comme un événement personnel.» Chateaubriand, dessen «René» auch zu den wertherischen Dichtungen zu zählen ist, erhob einmal den Vorwurf gegen Byron, daß dieser nie seinen Namen erwähnte und verschwieg, was «Child Harold» seinem «René» verdanke. Er wolle anders handeln und nicht verschweigen, daß Ossian, Werther und Saint-Pierre auf die Gestaltung seiner Ideen eingewirkt hätten. Charles Nodier erklärt in der Vorrede zu einer neuen Auflage seines Romans «Le Peintre de Salzbourg», die Regierung des Direktoriums sei alles andere als sentimental gewesen. Die Sprache der Träumerei und Leidenschaft, der Rousseau dreißig Jahre zuvor eine vorüber-gehende Gunst verschafft hatte, wurde am Schluß des Jahrhunderts als lächerlich betrachtet. Anders war es in Deutschland, diesem wunderbaren Deutschland, dem letzten Vaterlande der europäischen Dichtung, der zukünftigen Wiege einer kommenden, kraftvollen Gesellschaft, wenn überhaupt in Europa noch eine Gesellschaft ge-schaffen werden kann, und Deutschlands Einfluß begann sich damals bei uns geltend zu machen. Wir lasen «Werther», «Götz von Berli-chingen» und «Karl Moor». Nodier hat auch selbst darauf aufmerksam gemacht, daß der Held seines Romans «un Allemand» sei. George Sand vergleicht in ihrer Vorrede zum «Obermann» von Sénancour diesen Roman mit «Werther» und gesteht, daß die deutsche Dichtung mit ihrer tiefen Träumerei den Geist Frankreichs gewandelt habe. All diesen Romanen, dem «René», «Adolphe», «Maler von Salz-burg», «Obermann», ist es gemeinsam, daß ihre Helden wirklich geistige Brüder Werthers sind. Ihre innere Welt ist, wie die Werthers, zu reich gegenüber der äußeren Wirklichkeit, ihre eigene Art zu anders, ihr Traum zu tief, um in der Gesellschaft, so wie sie ist, exi-stieren zu können. Sie finden in ihr keinen Platz, keine Wirkungs-möglichkeit, keine Wesenserfüllung. Sie sind unnütz und überflüssig in ihr. Verzweifelnd an der Dumpfheit und Engheit des gesellschaft-lichen Raumes fliehen sie wie Werther in die Einsamkeit der Natur, Obermann in die Schweizer Alpen, René in die Urwälder und zu den wilden Völkern jenseits des Ozeans. In Constants «Adolphe» ist es die Frau, welche die Rolle Werthers spielt. Adolphe löst unter dem Druck der gesellschaftlichen Konvention die Liebesbeziehung zu ihr, woraus ihre Empörung gegen die Gesellschaft entspringt. Viele dieser wertherischen Gestalten reflektieren auch wie Werther über das Recht des Selbstmords, verteidigen es, und es gibt Zeugnisse genug, daß es nicht bei der Literatur blieb, sondern daß, wie in Deutschland, so

auch in Frankreich die Wertherstimmung zu einer Selbstmord-
epidemie führte. Werther, so sagt Frau von Staël in ihrem Buch über
den Selbstmord, ist an mehr Selbstmorden schuldig geworden als
die schönste Frau. Man kann wirklich von einer Wandlung des « Esprit de notre nation » sprechen, wie George Sand es in ihrem Vorwort zu « Obermann » tat. Die Rechte des Individuums werden gegen
die gesellschaftliche Konvention ausgespielt. Das Einsamkeits-
bedürfnis tritt an die Stelle der Geselligkeit. Gefühl und Leidenschaft
empören sich gegen die Raison, und in die heitere Lebensfreudigkeit
des Rokoko bricht die Melancholie ein. Der Traum macht gegenüber
der Wirklichkeit sein Recht geltend, die innere Welt gegenüber der
äußeren. Was bisher in Harmonie befindlich war, reißt auseinander.
Die Zivilisation, Frankreichs Stolz, wird als Krankheit empfunden.
Diese wertherische Literatur ist Vorklang und auch schon Beginn
der französischen Romantik, und das Wort romantisch taucht denn
auch mehrfach schon in ihr auf. Im « Obermann » gibt es einen Abschnitt « Über den romantischen Ausdruck in den Schweizer Kuh-
reigen », und romantisch wird genannt, was mit einer tiefen Seele und
wahrer Empfindung übereinstimmt. Romantisch ist die Natur und die
Musik, und René ist « ein romantischer Geist ». Goethes Werther
stand als ein Pate — natürlich neben anderen — an der Wiege der
französischen Romantik, und noch Lamartine wanderte mit Werther
und Ossian als seinen Begleitern ins herbstliche Land hinaus. Ja,
auch der « Geschmack für Ossian », der in Europa Mode wurde, soll
nach dem Zeugnis des Engländers Robinson in großem Ausmaß dem
Werther zuzuschreiben sein. Goethe bestritt es seinem englischen
Gast und Vermittler gegenüber nicht (1829). Nur habe man nicht
bemerkt, erklärte er, daß Werther, wenn er bei Sinnen war, dem
Homer, und nur in krankem Zustand Ossian huldigte.

Merkwürdig scheint es aber, daß Werther gerade in England, dem
er so viel verdankt, von allen europäischen Nationen vielleicht den
geringsten Eindruck machte, was wenigstens die höhere Literatur und
die Wirklichkeit des Lebens betrifft. Die Wertherkrankheit kam hier
nicht zum Ausbruch. Man kann vielmehr eine gewisse, oft sogar heftige
Abwehr und Ablehnung konstatieren. Der Gründe gibt es wohl genug.
Der englische Geist hatte gegen die eigene Lebensstimmung des Weltschmerzes und der Melancholie, die von Goethe als Grundton der
englischen Literatur vernommen wurde, doch rettende Gegengewichte,
die solche Stimmung nicht die Oberhand gewinnen ließen. Es gab

dort feste Lebensformen, die den individuellen Wünschen und Träumen ein Halt geboten. Da war etwa die nach außen gerichtete, öffentliche Tätigkeit und Wirksamkeit im großen Raum der Welt, der Dienst
am englischen Staat, dem englischen Weltreich, der Macht und dem
Reichtum Englands. In Deutschland gab es solchen Raum der öffentlichen Wirksamkeit nicht. Der Bürger wurde hier durch politische
Zersplitterung und durch den Absolutismus nach innen, in sich selbst
hineingetrieben. Goethe hat in « Dichtung und Wahrheit » die Wertherstimmung daraus entwickelt. England besaß eine Gesellschaft mit
festen Formen, Sitten und Anschauungen, die es dem Menschen nicht
erlaubte, seinen individuellen Wünschen, Sehnsüchten, Träumen so
hemmungslos nachzugeben. Dazu aber kommt als drittes Gegengewicht, zu Staat und Gesellschaft, die puritanische Kirche, diese
strenge, verpflichtende, das Leben regelnde Institution, während in
Deutschland Mystik und Pietismus die Religion zu einer innerlichen
und individuellen Angelegenheit machte, zu einer Angelegenheit des
reinen Gefühls. Auch der englische Empirismus ist in diesem Zusammenhang zu bedenken: die Anerkennung der Welt, so wie sie ist,
mag sie auch dem eigenen Wunschtraum nicht entsprechen. Man vergleiche einmal unter diesem Gesichtspunkte Hamlet und Faust: zwei
Menschen sicherlich, die vom Weltschmerz befallen sind. Aber Hamlet
nimmt die Wirklichkeit so hin, wie sie ist, wenn er sie auch in ihrer
ganzen Gebrechlichkeit durchschaut. Er ist skeptisch, pessimistisch.
Aber er hat den englischen Stolz, ihr ins Auge zu sehen. Faust dagegen
sucht sich von den durch die Welt gesetzten Grenzen zu erlösen und
die Wirklichkeit nach seinem Traumbild zu verwandeln. Der Unterschied ist auch im englischen und deutschen Humor zu finden. Jean
Paul kann bei aller humoristischen Einsicht in die Nichtigkeit von
Welt und Mensch und Leben doch seinem eingeborenen, faustischen
Drang nach Verwirklichung von absoluten und unbedingten Werten
nicht entsagen, und über seinen Narren und Toren stehen ja doch
seine Phantasien, Träume und Gesichte von einer absoluten Hoheit
und Schönheit des Menschen. Ein Sehnsuchtsbild von einer unbedingten Welt bleibt immer doch bestehen, an dem die Wirklichkeit
gemessen wird, und das in seiner Unerreichbarkeit das Leben zu einem
unheilbaren Schmerze macht. Man kann dieses Bild vielleicht näher
bezeichnen: es ist das einer absoluten, unbedingten Freiheit. Dagegen
Sternes schmerzlich lächelnde Anerkennung und Duldung der bestehenden Welt. So blieb der Weltschmerz, dem gerade der englische

Geist gefährlich offen stand, gebändigt und gehalten. Der junge Goethe, der Dichter des « Werther » wie des « Götz von Berlichingen », der weltschmerzliche und revolutionäre Goethe, konnte in England nicht Eingang gewinnen. Die Zeitschrift « Antijakobin » bekämpfte ihn und den ganzen deutschen Sturm und Drang fast ebenso heftig wie die französische Revolution, und der Werther war es besonders, der als unmoralisch und atheistisch verworfen wurde.

Sonst aber wurde das Wertherfieber eine europäische Krankheit, und es ist eine geradezu tragische Erscheinung, daß die Weltwirkung Goethes und der deutschen Literatur so begann. Man muß nur in Mussets » Confession d'un Enfant du siècle » lesen, wie er dieser verheerenden Wirkung Ausdruck gibt: Goethe, der Patriarch einer neuen Literatur, hatte, nachdem er im Werther die Leidenschaft gemalt hatte, die zum Selbstmord führt, in seinem Faust die dunkelste Figur gezeichnet, die jemals das Übel und das Unglück repräsentierte. Seine Schriften begannen von Deutschland nach Frankreich zu wandern. Von seinem Studierzimmer aus, von Bildern und Statuen umgeben, reich, glücklich und ruhig, sah er mit einem väterlichen Lächeln sein Werk der Finsternis zu uns kommen. Byron antwortete ihm mit einem Schmerzensschrei und neigte seinen Manfred über die Abgründe, als ob das Nichts das Lösungswort des Rätsels wäre. Verzeiht mir, große Dichter, ihr seid Halbgötter, und ich bin nichts als ein leidendes Kind. Aber ich muß euch verwünschen. Warum sangt ihr nicht den Duft der Blumen, die Stimmen der Natur, den Weinstock und die Sonne, den Azur und die Schönheit. Gewiß, ihr kanntet das Leben und ihr hattet gelitten, die Welt stürzte um euch zusammen und ihr weintet über ihren Trümmern, ihr verzweifeltet und eure Geliebten hatten euch verraten, eure Freunde euch verleumdet und eure Mitbürger euch verkannt. Ihr hattet die Leere im Herzen, den Tod vor Augen und ihr wart Giganten des Schmerzes. Aber sage mir, edler Goethe, gab es keine tröstliche Stimme in dem heiligen Rauschen deiner alten deutschen Wälder? Du, dem die Dichtung die Schwester der Wissenschaft war, konnte sie nicht ein heilendes Kraut in der unsterblichen Natur für das Herz ihres Lieblings finden? Du warst ein Pantheist, ein antiker, griechischer Dichter, ein Liebhaber geweihter Formen, konntest du nicht ein wenig Honig in diese schönen Gefässe tun, die du zu bilden wußtest. Du, der doch gewiß zu lächeln hatte und die Bienen auf deine Lippen kommen lassen konntest. Musset erzählt, wie Verzweiflung, Hoffnungslosigkeit, Glaubenslosigkeit und All-

verneinung sich der Jugend bemächtigte, als diese deutschen und englischen Ideen in ihre Köpfe drangen. Alles verlor seinen Wert, Ruhm,
Liebe, Religion. Der Abgrund öffnete sich. Es wird selten so deutlich
wie hier — aber die Stimmen ließen sich mehren — daß nicht der
klassische Formbildner Goethe, sondern der Dichter des Werther
und Faust in Frankreich zündete; die Krankheit des Jahrhunderts,
« le mal du siècle », verbreitete sich durch ihn, ohne daß er die Heilung,
die er selbst gefunden hatte, bringen konnte. Es ist auch deutlich, wie
widerwillig der französische Geist sich dieser Stimmung hingab, die
ihm nicht angemessen und natürlich war, und auf die er von sich aus
nie verfallen wäre, wenn er nicht den Blick nach Norden, zu Ossian,
Goethe und Byron gerichtet hätte. Man versteht es gut, daß in Frankreich immer wieder Stimmen laut wurden, die deutsche Literatur
habe durch Werther und Faust eine lähmende, ja tötende Wirkung auf Europa gehabt. Aber man wird immer auch hinzusetzen
müssen, daß die Wertherkrankheit eben auch positiv als heilsam und
fördernd zu werten sei. Sie hat die Revolution geistig vorbereitet.
Sie hat nach der Revolution den Blick von den Oberflächen des Lebens
in seine Tiefen gelenkt. Sie hat höhere Bedürfnisse geweckt und die
Lösung von bisher noch nicht gestellten Problemen verlangt. Die
schmerzliche Ungenügsamkeit wurde ein Stachel zu neuer Lebens-
gestaltung. Jede Wandlung setzt eine Krisis voraus. Die Wirkung
des Faust wird es in noch erhöhtem Maße zeigen.

Dieser Einfluß des Werther ist jedenfalls wesentlicher als der ab-
geblaßte, spätere, als man im Werther nur ein Lehrbuch der Liebe
fand, einen psychologischen Liebesroman von neuer und eben deutscher
Art. Als Frau von Staël in ihrem Buch « De l'Influence des Passions
sur le Bonheur des Individus et Nations », 1796, den Werther gegen
den (auch von Napoleon später erhobenen) Vorwurf verteidigte, daß
Goethe ihm noch ein anderes Leiden als die Liebe gegeben und ihr die
Erniedrigung seines Stolzes durch gesellschaftliche Verhältnisse hinzugefügt habe: die Gesellschaft müsse ihre Gifte in die von der Natur
geschlagenen Wunden werfen, damit der höchste, zum Selbstmord
führende Grad der Verzweiflung erreicht werden könne, so hat sie
damit jedenfalls die geschichtlich epochemachende Bedeutung des
Werther tiefer erfaßt, als wenn etwa Villers in seiner « Erotique comparée ou sur la manière essentiellement différente, dont les Poètes
français et les allemands traitent l'amour » die ideale, vergeistigte,
schwärmerische Liebe Werthers der schlüpfrigen, frivolen, nur sinn-

lichen Liebe in der französischen Literatur gegenüberstellt, oder wenn
Stendhal die oberflächliche, heitere, physische Liebe in Frankreich,
die großer Leidenschaft und Gefahr aus dem Wege geht, mit der
deutschen, ernsten, tiefen, wertherischen Liebe vergleicht, welche
leidenschaftlich und heroisch ist, ein mystisch übersinnlicher Kult,
oder wenn für Balzac der Werther ein Lehrbuch der Liebe ist und zu den
Werken gezählt wird, welche den Schlüssel zu fast allen Lagen des
menschlichen Herzens in der Liebe geben, oder wenn Gautier den
Werther als den Ahnen des « roman de cœur », des « roman ardent
et passionné » bezeichnet, zu dem seine « Mademoiselle de Maupin »
gehört. Balzac und Stendhal protestierten im Namen tathaften
Menschentums gegen die passive Melancholie des Werther, die der
Zeit nicht mehr angemessen sei. Aber man muß doch dazu bemerken,
daß diese passive Melancholie des Werther durch den Schmerz, den
sie an dem alten Europa erregte, die neue Zeit, die Zeit der Tat, erst
ermöglicht und heraufgeführt hat, und darin liegt die epochale Bedeutung dieses Romans.

Der Norden

Die nordischen Literaturen waren die ersten in Europa, die sich der deutschen Romantik öffneten. Schon ein Jahrzehnt vor dem Buch der Frau von Staël blühte die nordische Romantik auf. Der Widerstand des französisch orientierten Klassizismus, der im 18. Jahrhundert auch den Norden beherrscht hatte, wurde hier zuerst gebrochen. Das ist natürlich kein Zufall der Geschichte. Hatte doch die deutsche Romantik selbst ihre Heimat, ja die Urquelle aller romantischen Poesie im Norden gefunden, in den altnordischen Göttermythen und Heldensagen. Friedrich Schlegel tat es so, und Novalis hat in dem Märchen, das im Zentrum seines Romans « Heinrich von Ofterdingen » steht, die Polarität zwischen Aufklärung und Romantik, Verstand und Phantasie, Prosa und Poesie, in der Polarität zwischen Sonne und Nacht, Süden und Norden, symbolisiert. Die Sonne hat den König des Nordens in Fesseln des Eises geschlagen und die Herrschaft der Welt usurpiert. Aber Fabel, die Poesie, die Tochter der Phantasie, wird, von der Magnetnadel nach Norden gewiesen, zur Befreierin des rechtmäßigen Weltenkönigs. Das Sonnenreich erlischt und das Reich der Romantik beginnt. Wie heißt aber die blaue Blume, die Heinrich, der romantische Dichter, am Anfang des Romans im Traum erblickt, nach welcher er auszieht, die er pflückt, in welcher er die verlorene Geliebte wiederfindet, mit der zusammen er die Welt beherrschen wird? Der Name der blauen Blume, dieses Sinnbildes der Romantik, heißt: Edda. Dieser Roman des Novalis, der selbst wie der Inbegriff der Romantik ist, stellt also ihren Zug nach Norden, nach ihrer Quelle und Heimat dar, und so konnte denn derNorden selbst in der nordischen Romantik seine nationale Wiedergeburt feiern, so wie der Süden einst in der italienischen Renaissance seine nationale Wiedergeburt, die der Antike, gefeiert hatte. Diese nordische Wiedergeburt geschah teils aus eigenen Quellen durch den großen Dichter Dänemarks Ewald, teils aber auch durch Klopstock, der ja lange in Dänemark weilte und dort das Band, das ihn noch mit der klassizistischen Literatur verbunden hatte, zerriß. Klopstock besonders war es, durch den der Norden auf seine eigene Tradition gewiesen wurde.

14   Strich, Goethe

Es ist nun für Goethes Stellung im Norden wichtig zu bemerken, daß dort das nordische Altertum nicht eigentlich als Gegensatz zum Christentum empfunden wurde, sondern als seine Vorahnung, und auch nicht zu der modernen, naturwissenschaftlichen Weltanschauung, soweit sie wenigstens nicht mechanistisch-materialistisch, sondern naturphilosophisch war. Die Naturphilosophie brachte dem Norden gleichsam eine Bestätigung seiner alten Mythen. Der Gegensatz war vielmehr der zum griechischen Heidentum, zwischen Norden und Süden. Der Norden hatte wohl die Tendenz, sich in neueren Zeiten von dem Humanismus zu lösen und sich auf sich selbst zu besinnen, wie er ja auch Klopstock zu solcher Besinnung führte. Aber der Humanismus war natürlich auch nach Norden gedrungen und beherrschte im 18. Jahrhundert in der Form des Klassizismus die nordische Literatur.

Ein ganz vom Klassizismus und der Aufklärung gebildeter Däne, wie Jens Baggesen, hat es nie vermocht, sich von diesem Wurzelreich zu lösen, als seine Heimat es bereits getan hatte, und so erfolgte ein erster Zusammenstoß zwischen Goethe und dem nordischen Geist. Denn auch im Norden war es der junge Goethe mit seinem Werther, Götz und Faust, welcher dort eingedrungen und der klassizistischen Tradition gefährlich geworden war. Der Werther wurde zwar erst 1832 dänisch übersetzt. Aber man las ja dort überall deutsch. Goethe wurde auch in Dänemark, wie überall in Europa, von der älteren, klassizistisch orientierten Generation als Schwärmer, Atheist und unsittlicher Schriftsteller heftig bekämpft, und Baggesen war der Repräsentant dieser Generation. Er schrieb 1803 ein unsagbar verständnisloses Spottgedicht auf Goethe, der doch damals schon der klassische Dichter war. Im folgenden Jahr verfaßte er ein aristophanisches, parodistisches Doppeldrama: «Des vollendeten Faust erster Teil: Die Philisterwelt oder Romanien im Wirtshaus» und «Des vollendeten Faust zweiter Teil: Die romantische Welt oder Romanien im Tollhaus». Dieser zweite Teil spielt in Weimar zur Zeit, da Frau von Staël dort zu Besuch war, und sein Inhalt ist, daß dort der Faust in einem Tollhaus von Tollhäuslern gespielt wird, während sich Goethe, Frau von Staël, Jean Paul und Wieland unter den Zuschauern befinden. Gewiß wird dargestellt, wie Goethe selbst, der unter dem Namen Opitz auftritt, über dem tollhäuslerischen Wesen steht. Aber er wird doch eben als der Vater des durch ihn ausgelösten Sturms und Drangs und ganz besonders der Romantik parodiert, als deren Repräsentant Ludwig Tieck zu gelten hat. In der ersten Fassung dieses seltsamen Faust

war Goethe sicherlich noch weit parodistischer behandelt als in der
Umarbeitung, die erst nach Baggesens Tod 1836 erschien. Dazwischen
hatte sich eine Wandlung Baggesens vollzogen, indem es die von ihm
sehr geliebte Schwester Oehlenschlägers vermochte, ihn zu Goethe zu
bekehren, so daß er 1806 eine «Palinodie» verfaßte, die 1808 in seiner
Gedichtsammlung «Heideblumen» erschien und ein Widerruf jenes
früheren Spottgedichtes auf Goethe war. Dieses Gedicht wurde auch
Goethe bekannt. Die Wandlung war jedoch nicht gerade tiefgehend,
und es war wohl nur der Umstand, daß sich zwischen Goethe und der
Romantik eine Kluft aufgetan hatte, der es Baggesen, diesem fana-
tischen Gegner der Romantik, ermöglichte, Goethe als seinen Zeugen
anzurufen. Wie wenig tiefgehend sie war, zeigt sein Gedicht «Der
Ursprung der Poesie», das in der ersten Fassung von 1785 eine Huldigung an Voltaire bedeutete. In der zweiten Fassung von 1791 war
Wieland an die Stelle Voltaires getreten, und 1807 trat nun an Wielands Stelle Goethe. Aber lediglich der Name hatte sich geändert, und
die Charakteristik Goethes war der früheren von Wieland wörtlich
gleich geblieben. Es dauerte denn auch nicht lange, bis die alte Antipathie Baggesens gegen Goethe wieder zum Ausdruck kam, und Oehlenschläger, der bereits gegen jenes Spottgedicht wie gegen den parodierten
Faust aufgetreten war, hatte, je deutlicher er sich zu Goethe bekannte,
desto mehr von seiten Baggesens zu leiden. Er also war der Repräsentant der alten Zeit, der klassizistischen Generation im Norden.

Aber nicht eigentlich Adam Oehlenschläger, sondern Henrik Steffens
war der Stifter und Begründer der nordischen Romantik. Er war in
Norwegen geboren, in Dänemark aufgewachsen und väterlicherseits
von deutscher Abstammung. Aus tiefer Liebe zur Natur war er zum
Naturforscher geworden. Aber die moderne Naturwissenschaft ließ ihn
völlig unbefriedigt, weil sie die Natur nur tötete, zerlegte und als
Mechanismus, eine geist- und seelenlose Masse behandelte. Da lernte er
Goethes Faust (das Fragment von 1790) kennen. Er hat von dem
ersten Eindruck, den diese Dichtung auf ihn machte, in seiner Selbstbiographie: «Was ich erlebte» und auch in seiner Novelle «Die vier
Norweger» berichtet. Wie überall, so bewirkte Goethes Faust auch
im Norden eine geistige Wandlung, und wie überall, so geschah es auch
hier: die schließlich doch segensreiche Wandlung mußte mit Opfern
an Glück und Zufriedenheit erkauft werden. Sie kostete Steffens seine
religiöse Überzeugung. Der Faust erregte in ihm eine innere, ver-
zehrende Qual, einen stachelnden Drang nach ungemessener Erkennt-

nis, einen unstillbaren Durst nach den Quellen der Natur, ihrer Einheit und Allheit. Dieser schmerzvolle, sehnsüchtige, faustische Wissensdrang wurde zuerst durch die Naturphilosophie eines Schelling beschwichtigt, welche die Natur als die stufenweis aufsteigende Entwicklung des zum Selbstbewußtsein kommenden Geistes begriff. Der große Dankesbrief, den Steffens an Schelling richtete, [1] legt Zeugnis davon ab. Er ging nun 1799 nach Deutschland, so wie die Maler nach Italien, die Pilger nach Jerusalem zogen, und wird Schellings persönlicher Schüler in Jena, lebt dort im Kreise der Romantiker und traf auch Goethe, mit jener eigenen Empfindung, mit der man einem Menschen vorgestellt wird, der einen großen und entscheidenden Einfluß auf unser Leben hatte. Der erste Eindruck, den er von Goethe empfing, war wohl, wie das so oft bei Goethe der Fall war, durch kalte Vornehmheit und Zurückhaltung verletzend. Als er ihn dann aber auf Goethes Einladung hin in Weimar für einige Tage besuchte, erwies sich Goethe, dem es darum zu tun war, einen jungen Naturforscher für seine Ansichten zu gewinnen, höchst mitteilsam, und die Zeit ging mit naturwissenschaftlichen Unterhaltungen, aus denen Steffens die tiefe Verwandtschaft der Goetheschen und Schellingschen Naturauffassung erkennen konnte, wie in einem Taumel dahin. Die Frucht dieser durch Schelling und Goethe bewirkten Wandlung des nordischen Geistes war Steffens' Werk: «Beiträge zur inneren Naturgeschichte der Erde», 1801, in welchem der Erde ein organisierender Geist zuerkannt wird, der die Tendenz hat, die individuellste Bildung hervorzubringen und so vom mineralogischen zum vegetativen und animalischen Reiche aufsteigt, um endlich im Menschen als freier Persönlichkeit sein Ziel zu erreichen. In der Geschichte des Menschen aber setzt sich die Tendenz der Erde fort: zu immer individuellerer Gestalt zu werden und immer individuellere Schöpfungen zu zeugen. Das Werk gipfelt im Preis des schöpferischen, genialen Menschen, des Dichters: «Wem die Natur vergönnt, in sich ihre Harmonie zu finden, der trägt eine ganze, unendliche Welt in seinem Innern. Er ist die individuellste Schöpfung und der geheiligte Priester der Natur.» Es ist klar, daß hier Goethe gemeint ist, und die Widmung des ganzen Buches lautet denn auch: «An den Herrn Geheimderat von Goethe». Ihm, so heißt es, wage er zu weihen, was die Natur auf seine Fragen antwortete. Denn wie sie nur dem dichterischen Geist antwortet, kann auch ein solcher nur das Werk verstehen. Mit heiliger Scheu also lege er seine Schrift im delphischen Tempel der höheren Poesie nieder. Goethe freute sich dieser schönen Gabe und dankte dem Verfasser, daß er ihn als Mitarbeiter anerkannt habe, drückte auch seine Genugtuung darüber aus, daß er jetzt, nachdem er auf seinem Wege, die Natur zu erforschen, in der weiten Welt ganz allein gewesen sei, nun in späteren Jahren an der Jugend Gesellschaft fand. Was Steffens in Goethes Brief besonders interessierte, war dessen Bericht, wie er mit einem französischen Naturforscher das Experiment angestellt habe, ob dieser fähig wäre, den Gang der Betrachtung zu verfolgen, und wie er sich bald überzeugen mußte, daß der Versuch ein durchaus vergeblicher sei. Die Anschauung, behauptete Goethe, fehle dem französischen Geiste völlig, und er weissage hiermit das Schicksal, das die Naturphilosophie überhaupt und Steffens Untersuchungen besonders in Frankreich finden würden, und nicht hier allein, sondern bei allen empirischen Naturforschern.

Als Steffens nach seiner Heimat zurückkehrte, wurde er dort zum Verkünder Goethes und der deutschen Romantik, denn zwischen beiden sah er keinen Unterschied. Das Band war Schelling. Auch hatte er die Empfindung, daß die neue Naturphilosophie eine moderne Wiedergeburt der alten, nicht der griechischen, aber der nordischen Mythologie sei. Indem aber Steffens der Erwecker Adam Oehlenschlägers wurde, den er auf Goethe und die Romantik wies, ist er zum Stifter der nordischen Romantik geworden.

Wenn man das höchst interessante, aber wechselnde und komplizierte Verhältnis zwischen Goethe und Oehlenschläger ganz verstehen will, so muß man zunächst Goethes Stellung zu der Erweckung der nordischen Götter- und Heldenwelt überhaupt bedenken, wie sie seit Klopstock in der deutschen Literatur erfolgte, und deren größter Repräsentant eben Oehlenschläger wurde. Die Götter Griechenlands und Roms wurden durch die des Nordens bedroht. Es ist sehr merkwürdig, wie früh bereits diese nordische Invasion von Goethe zurückgewiesen wurde, zu einer Zeit, als seine Generation ihr noch fast ausnahmslos verfallen war. Die klassische Natur Goethes machte sich schon in den Zeiten seines Sturms und Drangs bemerkbar. Er kannte die nordische Welt aus der Edda, aus Mallets dänischer Geschichte, aus Resenius und durch Herder. Aber er konnte sie nicht in den Kreis seiner Dichtung aufnehmen, wie sehr sie ihm auch die Einbildungskraft erregte. Sie entzog sich allzu weit der plastisch-augenhaften Anschauung, indessen die Mythologie der Griechen durch die größten Künstler und Dichter der Welt in sichtliche Gestalten verwandelt ihm vor Augen stand.

Was hätte ihn, dem überhaupt die Götter außerhalb der Natur, die er
nachzubilden verstand, ihren Wohnsitz zu haben schienen, bewegen
sollen, in seiner Dichtung an Stelle der plastisch umgrenzten, schönen
Gestalten des Südens die nordischen Nebelphantome, ja bloße Wort-
klänge einzuführen. Sie schlossen sich ihm von einer Seite an die
ossianischen, gleichfalls formlosen Helden, nur derber und riesenhafter,
an, von der andern Seite an die heiteren, humoristisch-parodischen
Märchen; denn er sah einen humoristischen Zug durch die ganze
Mythenwelt des Nordens gehen.[2] Diese Stellung zu ihr blieb sein Leben
lang die gleiche. Es ging ihm mit ihr wie mit den indischen Göttern,
als diese durch die Romantik in die deutsche Dichtung eingeführt
werden sollten, und er nichts mit ihnen anzufangen wußte, weil sie
ihm ebenfalls unförmliche Ungeheuer, kunstwidrige Gespenster dünkten, die seinen an Homer gebildeten Schönheitssinn verletzten. Der
Kampf der Klassiker und Romantiker in Europa ging ja zu einem guten
Teil um die griechischen oder nordischen Mythen, und Goethe, der
Dichter des Faust, stand in diesem Kampfe seit Italien auf südlicher
Seite, was ja die Vollendung des ersten Teiles des Faust so sehr erschwerte
und verzögerte, während er dann den zweiten Teil, in dem es eine
Helena und eine klassische Walpurgisnacht zu gestalten galt, mit un-
gleich größerer Zuneigung vollendete.

Aber die Romantik, der sich Goethe, immer zu Wiedergeburt und
Wandlung bereit, doch eine Zeitlang öffnete, so wie die für Goethe so
charakteristische Offenheit den einfach großen Dingen gegenüber, auch
wenn sie außerhalb seines eigenen Kreises lagen, vermochte es doch,
sein Interesse für die nordische Vorzeit zu erwecken, wozu auch das
Schicksal seines Vaterlandes beigetragen haben mag, das Napoleon
ihm bereitete. Das Nibelungenepos begann ihn zu fesseln. Er las daraus
vor. Ja, als man die Aufforderung an ihn richtete, eine dichterische
Erneuerung oder Bearbeitung des Nibelungenliedes zu schaffen, war
er nicht ganz abgeneigt. Ein wenn auch vorübergehender Zug nach
Norden ist etwa seit dem Jahre 1805 bei Goethe unverkennbar.

In diesem Augenblicke gerade kam Adam Oehlenschläger nach Weimar,
und wenn das Wort Ernst Moritz Arndts an den Norden: « Wir sind
ihr Süden. Bei uns sollten sie zuerst ein Maß des südlichen Lebens
lernen, ehe sie nach Frankreich und Italien reisen », einige Gültigkeit
besitzt, so trifft es sicherlich auf den dänischen Dichter zu, der über
Weimar nach Italien zu gehen gedachte. Während also Goethe sich
nach Norden wendete, wendete sich Oehlenschläger nach Süden, und

das war es wohl, was die gleichsam in der Mitte ihres Weges statt-
findende Begegnung möglich machte. Denn Oehlenschläger wurde
damals (1805) so freundlich väterlich von Goethe aufgenommen, daß es
fast schien, als ob er sich jenen Jünglingsgestalten wie Byron, Carlyle,
Ampère und anderen zugesellen sollte, die später Goethes väterliche
Freundschaft empfingen. Dieser junge Däne, der zum dichterischen
Erwecker des nordischen Altertums wurde, war schon früh von Goethe
fasziniert, und zwar wie ganz Europa von dem jungen Goethe, dem
«großen Goten», wie Oehlenschläger ihn einmal nannte. (Das Wort-
spiel gotisch-goethisch, das wohl zuerst von A. W. Schlegel geprägt
wurde, ist in der dänischen wie auch in der schwedischen Romantik
öfters anzutreffen, in letzterer, seit sich dort der «gotische Bund»
gebildet hatte, dessen Haupt E. G. Geijer war, der in seinen Erinnerungen Goethes Wirkung auf ihn unermeßlich nannte und erklärte,
von keinem mehr gelernt zu haben.) Gotisch war identisch mit nordisch
und mittelalterlich. Wenn Oehlenschläger die nationale Vorzeit seiner
nordischen Heimat dichterisch zu neuem Leben wecken wollte, so war
dabei Goethes «Götz von Berlichingen», dessen Ähnlichkeit mit den
alten, nordischen Heldengestalten Oehlenschläger hervorhob und den
er auch übersetzte, gewiß nicht unbeteiligt. Als er aber durch Henrik
Steffens von Goethes Dichtertum und Menschentum tiefere Offenbarung erfuhr, wurde Goethe für ihn nach einem eigenen Bekenntnis
der einzige Geist seiner Zeit, vor dem er seine Knie beugte, den er als
seinen Lehrer und Meister anerkannte, dem er eine Liebe und Bewunderung wie keinem anderen Dichter sonst entgegenbrachte. Er verteidigte ihn gegen Baggesens Spottgedicht und Faustparodie. Er
huldigte ihm in Gedichten. Aber das Goethebild hatte sich gewandelt,
und es war nicht mehr der große Gote, sondern Goethe der Klassiker,
dem nun die nordische Sehnsucht zustrebte. Oehlenschläger faßte die
Absicht, die nordisch-mittelalterliche Barbarei «in Goethesche Poesie» zu
verwandeln. Er wollte die nordische «Nationalität klassisch machen». Er
spricht wirklich von nordischer Klassik und von nordischem Humanismus. Seine Dramen aus der nordischen Geschichte, wie etwa «Hakon
Jarl», sind in die Form der deutschen Klassik gefaßt. Sein mythisches
Drama «Baldurs Tod» hat sich sogar mit seinen antiken Rhythmen und
Chören und seiner großen, einfachen Handlung der erhabenen Form
der griechischen Tragödie genähert, die er frei benutzte, ohne dem
nordischen Geist zu entsagen. Die antike Form schien ihm nun den
nordischen Helden- und Göttersagen ganz angemessen zu sein. Oehlen-

schläger nannte einmal Sophokles geradezu einen seiner Meister. Der
nordische Geist sollte ganz offenbar in solcher Dichtung gemäßigt,
humanisiert werden, wobei sich der Dichter auch wirklich auf Goethes
« Iphigenie » berief. Der Zug nach Süden, den der nordische Dichter
nahm, ist unverkennbar. Die nordische Kraft sollte sich mit südlicher
Schönheit vermählen. Dieser Zug war es, der ihn nach Weimar führte,
wo er von Goethe herzlichst aufgenommen wurde. Er mußte Goethe,
der, wie gesagt, sich gerade damals dem Norden zugewendet hatte,
seinen ganzen « Hakon Jarl » und « Aladdin » aus der Handschrift und
dem Stegreif deutsch übersetzen und vorlesen. Als er sich dabei vieler
Dänismen schuldig machte, verwarf Goethe sie nicht, sondern meinte,
die beiden verwandten Sprachen, aus einer Wurzel entsprungen, könnten einander mit guten Worten schwesterliche Geschenke machen.
Umgekehrt las Goethe der Gesellschaft, in der sich auch Oehlenschläger
befand, einige Gesänge aus dem Nibelungenliede vor, und weil vieles
in der alten Sprache mit altdänischen Worten sich als verwandt erwies,
konnte Oehlenschläger manches deuten, was sonst nicht verstanden
worden wäre. Goethe dachte auch daran, die « verdienstliche » Tragödie
« Hakon Jarl » in Weimar zur Aufführung zu bringen, und es wurden
schon Kleider und Dekorationen dazu ausgesucht. « Allein späterhin
schien es bedenklich, zu einer Zeit, da mit Kronen im Ernst gespielt
wurde, mit dieser heiligen Zierde sich scherzhaft zu gebärden. »[3] Auch das
Drama « Aladdin oder die Wunderlampe » wurde damals von Goethe
wohl aufgenommen, wenn er auch nicht alles, besonders im Verlauf
der Fabel, gut heißen konnte. Er trug sich sogar mit dem Plan, als
« Aladdin » 1808 im Druck erschienen war, dieses « problematische
Werk » öffentlich anzuzeigen.[4] Auch dazu ist es nicht gekommen.
Aber Oehlenschläger gestand in einem Brief an Goethe, daß er bei der
Umarbeitung des « Aladdin » für den Druck viel von Goethes Winken
benutzt und befolgt und auch den « Hakon Jarl » nach Goethes Vor-
schlägen umgearbeitet habe.[5] Wenn es also in diesem Fall nicht zu einer
öffentlichen Teilnahme Goethes an dem dänischen Dichter kam, so
doch zu einer schöpferischen, anregenden Einwirkung. Oehlenschläger
hat denn auch den « Aladdin » in deutscher Sprache Goethe gewidmet,
und zwar mit einem großen Gedicht, 1807, das seinen Dank für die
Erweckung, Wandlung, ja Wiedergeburt zum Ausdruck brachte, die er,
der Dichter nordischer Kraft, durch die Schönheit Goethescher Dichtung erfuhr.
Eine hoffnungsreiche, zukunftsverheißende Begegnung war damit

zwischen dem sich nach Norden wendenden Goethe und dem nach Süden sich wendenden Oehlenschläger erfolgt.

Als dann aber Oehlenschläger 1809 aus Italien zurückkehrte und noch einmal zu Goethe nach Weimar kam, wurde er von ihm zwar höflich aber kalt und fremd empfangen. Es war die größte Enttäuschung seines Lebens. Er rang um Goethe wie Jakob um den Engel; aber es half nichts. Er hoffte, daß nach der Vorlesung des inzwischen in Italien entstandenen Künstlerdramas «Correggio» sich das alte Verhältnis wiederherstellen würde; aber Goethe weigerte sich energisch, sich das Werk vorlesen zu lassen. Er wolle es für sich lesen. Oehlenschläger nahm darauf in schmerzlichster Aufwallung, die allerdings einen übertriebenen und Goethe abstoßenden Ausdruck fand, Abschied von ihm. Sie tauschten dann später wohl noch gelegentlich Grüße miteinander aus. Aber es kam nicht einmal zu einem Briefwechsel und zu keinem Austausch ihrer Werke. Selbst das Urteil Oehlenschlägers über Goethe kühlte sich merklich ab. Er habe, so erklärte er nun, immer nur den großen Goten in Goethe geliebt und fühle sich von dem vornehmen Griechengeschmack Goethes und seinem Haß gegen den Norden abgestoßen. An der Bewunderung für seine jungen Werke hielt er fest. Aber der klassische Goethe war ihm jetzt zu klar, besonnen, abgeklärt, allgemein und besonders zu objektiv. Er vermißte die Begeisterung und das Feuer der Jugend und sah im zweiten Teil des Faust nur wie in Nebel und Dampf das metaphysische Gespenst Goethes trübselig spuken.

Wie kommt das alles? Warum wandelte sich die so verheißungsvoll einsetzende Begegnung des deutschen und nordischen Geistes in eine Tragödie? Denn es ist eine solche. Wenn man zunächst bemerkt, wie unterschiedlich die Stimmung war, in der Goethe und Oehlenschläger nach Italien zogen und von Italien Abschied nahmen, wird man schon manches begreifen. Als Oehlenschläger nach Italien ging, schrieb er eine dichterische Rechtfertigung «An einen Freund», warum diese Reise für ihn nötig sei. Er brauche Bildung, Erfahrung, Weltkenntnis. Der Vorwurf, daß es nicht nordisch sei, sein Vaterland so zu verlassen, bestehe nicht zu Recht. Denn er werde die Sitten und die Götter des Nordens und den nordischen Sinn mit sich nach dem Süden bringen und werde auch nicht lange dort verweilen. Als er von Italien zurückkam, verfaßte er das Gedicht «Auf dem Simplon», in dem wahrlich kein Abschiedsschmerz zu vernehmen ist. Er atme, so heißt es hier, leichter und freier, seitdem er wieder die nordische Landschaft um sich habe, wo es nicht Lorbeer und Myrthen, Tauben, Rosen, Zephir und Himmelsblau gebe. Er sei wohl vom Süden entzückt gewesen und könne den Griechengott Apoll dafür zum Zeugen anrufen. Die südliche Kunst habe ihn « zum herrlichsten Gewinn » gebildet. Aber der Gott des nordischen Gesanges rufe ihn dorthin zurück, wo seine wahre Heimat sei.

Die Himmelsrichtung also wechselte, und Oehlenschläger nahm wiederum den Zug nach Norden, während Goethe umgekehrt sich wieder südlich wendete.

In Italien entstand das Künstlerdrama Oehlenschlägers « Correggio » und zwar nach seinem eigenen Geständnis nicht ohne die Erinnerung an Goethes Jugenddrama « Künstlers Erdenwallen », das er auch dänisch übersetzte, und an den « Tasso ». Warum hat Goethe sich so entschieden geweigert, sich dieses Drama vorlesen zu lassen? Ahnte er vielleicht, daß etwas von jener christlich-mystischen Kunstauffassung darin sein werde, die er an der Romantik so verurteilte, und gegen die er zusammen mit dem Schweizer Heinrich Meyer sein berühmtes Manifest erließ? Spuren der « Herzensergießungen eines kunstliebenden Klosterbruders » und der « Phantasien über die Kunst » von Wackenroder und Tieck sind ja sicherlich darin zu finden. Es war wohl also die sich wieder regende Abneigung Goethes gegen die Romantik, die einen Grund seiner Weigerung bildete. Vielleicht fürchtete er auch, jenen Konflikt zwischen dem Künstler und der Welt wieder erleben zu müssen, über den er, der den Frieden mit der Welt geschlossen hatte, längst hinaus war. Lehnte er doch alles ab, was ihn aus seinem schwer errungenen Gleichgewicht hätte bringen können. Was übrigens die Goetheschen Züge betrifft, die man öfters in dem Gegenspieler zu Correggios naturhaft kindlichem Genie, in Michelangelo, dem bewußten und selbstbewußten, gebildeten, aber kalten Meister finden wollte, so sei hier die Vermutung ausgesprochen, daß diese erst nachträglich unter dem Eindruck der gewaltigen Enttäuschung Oehlenschlägers in das Bild hineingezeichnet wurden. Sonst hätte er wohl kaum gewagt, von Goethe zu verlangen, daß er sein Drama anhöre.

Was nun das Hauptwerk Oehlenschlägers, seinen « Aladdin » betrifft, der ja immer der « nordische Faust » genannt wird, so tut sich auch hier, und gerade hier, ein Gegensatz auf, den Goethe damals, als ihm Oehlenschläger diese dramatische Dichtung vorlas, noch nicht in seinem ganzen Umfang erkannte, wenn ihn auch damals schon diese Produktion « problematisch » dünkte. Oehlenschläger kannte, als er den « Aladdin » schuf, das Goethesche Faustfragment, und sein Eindruck ist unverkennbar. Aber welch ein Unterschied! Ob es sich um einen allgemeinen Unterschied zwischen deutscher und nordischer Geistigkeit handelt, kann und soll hier nicht entschieden werden. Aber der dänische Schriftsteller Georg Brandes hat den « Aladdin » nicht nur als die Eingangsgestalt vor dem ganzen Geistesleben Dänemarks im 19. Jahrhundert bezeichnet, sondern auch als das Symbol, den Repräsentanten des nordischen Geistes überhaupt, dessen tiefstes Fundament das Vertrauen in die schöpferische Kraft der Phantasie, der Glaube an die durch Gnade und Wunder der Natur gegebene Genialität sei. Der nordische Geist sei nicht Geist der Arbeit und der Forschung; er sei sorglos, kindlich, instinktiv, naiv, genial. Nordisch sei es, das Recht des begnadeten, schöpferischen Genius der auf Arbeit gegründeten, modernen Zivilisation entgegenzustellen, und das habe Oehlenschläger in seinem « Aladdin » getan. Man wird in der Tat als eine Bestätigung dieser Anschauung darauf hinweisen können, daß diese Idee noch bei Ibsen zu finden ist. In seinen « Kronprätendenten » ist es der begnadete, von der Natur auserwählte, zum König geborene Mensch, dem die Krone zufällt, während all seine Gegner mit ihren Listen, Künsten und Fähigkeiten nichts gegen ihn auszurichten vermögen. Auch Ibsens Peer Gynt ist Oehlenschlägers Aladdin tief verwandt, und man nennt ja auch ihn oft genug den nordischen Faust. In ihm hat freilich Ibsen Gericht gehalten über diesen nordischen Geist, in dem die Phantasie nur allzuleicht zur Phantasterei wird und jeder Sinn für Wirklichkeit verloren geht. Jedenfalls ist der Unterschied zwischen Faust und Aladdin ganz offenbar. Aladdin, ein phantasiebegabter, dichterischer Mensch, dem die Natur und die Menschenherzen sich öffnen, dem alles, Liebe, Reichtum, Macht, zufällt, ohne daß er irgend etwas dazu tun muß, ohne Arbeit, Mühe und Anstrengung. Sein Gegenspieler, der Magier Nureddin, ein Mensch des Verstandes, ein Streber, der doch durch alle Arbeit, Forschung, Mühe und Sorge nichts von dem, was er will, erreicht, dem nichts gelingt. Man sieht: Aladdin ist geradezu der umgekehrte Faust. Er selber ist die Apotheose des begnadeten, mühelosen, spielenden und auserwählten Genius, wie er der Romantik als höchster Menschentypus vorschwebte. Ja, man kann diese Dichtung überhaupt als die Apotheose der romantischen Poesie verstehen, wie Ludwig Tiecks « Kaiser Oktavian », wie des Novalis « Heinrich von Ofterdingen ». Faust aber ist nicht der mühelose, spielende Geist, dem alles ganz von selbst zufällt, der Günstling des Glücks und der Natur, sondern der immer strebend sich Bemühende, und die Rolle Fausts ist in der Dichtung Oehlenschlägers offenbar von Nureddin übernommen! Oehlenschläger stand eben doch geistig der Romantik näher als Goethe und wurde auch von ihr als der Erwecker des nordischen Altertums höher geschätzt. Was Goethe an Oehlenschlägers Dichtung vermißte, war denn auch das gleiche Moment, das er an der Romantik vermißte. In einem Brief an Zelter (1808) nimmt er Zacharias Werner, Arnim, Brentano und Oehlenschläger zusammen, um gegen sie den gleichen Vorwurf zu erheben, daß alles bei ihnen durchaus ins Form- und Charakterlose gehe. Kein Mensch wolle begreifen, daß die höchste und einzige Operation der Natur und Kunst die Gestaltung sei und in ihr die Spezifikation, damit eine jede Gestalt ein Besonderes, Bedeutendes werde, sei und bleibe. Von Oehlenschläger aber schreibt er später (1828) Worte, die darauf hindeuten, daß er seine italienische Wendung, die er seinerzeit ja persönlich beobachten konnte, nicht für tiefgehend und fruchtbar hielt: « Diese Nordsöhne gehen nach Italien und bringen's doch nicht weiter als ihren Bären auf die Hinterfüße zu stellen, und wenn er einigermaßen tanzen lernt, dann meinen sie, es wär' das Rechte. » Wie Goethe einmal in der Einleitung zu den Propyläen bemerkt, ist es dem nordischen Künstler besonders schwer, ja beinahe unmöglich, von dem Formlosen zur Gestalt überzugehn und wenn er auch bis dahin durchgedrungen wäre, sich dabei zu erhalten. Er selbst hatte diesen Weg zur Gestalt gefunden. Oehlenschläger wurde ihm zum Beispiel des nordischen Künstlers, dem es nicht gelang.

Dagegen konnte sich Goethe zu einer Dichtung bekennen, die sich aus der schwedischen Romantik herausentwickelte und dem romantischen Stoff der nationalen Mythen- und Heldensagen eine klassische, klare und plastische Form zu geben und damit die Synthese des Nordens und der Antike herzustellen versuchte. Es war das Epos eines Dichters, der auch, wie Oehlenschläger, der Weltliteratur angehört, die Frithiofs Saga von Tegnèr. Dieser Jünger Schillers war kein Romantiker mehr. Er bezeichnete einmal die unbestimmte und unerfüllbare Sehnsucht, die durch alle romantische Dichtung geht, als geistige Schwindsucht und deutsche Invasion. Seine Abneigung galt allem mystischen Dunkel, jeder Verschwommenheit und Formauflösung. Es war freilich nicht Goethe, den er als seinen Meister anerkannte. Er schrieb einmal von ihm: « Den Dichter seh ich stets, den Menschen

find ich nirgends ». Er bekannte sich zu Schiller und dem deutschen
Idealismus eines Kant und Fichte. Aus diesen Quellen stammt der
philosophisch-ethische Gedankengehalt, den er in die alten, nordischen
Sagen legte, so wie Schiller ihn in antike Mythen gelegt hatte. Es war
die Idee einer hohen, ernsten Sittlichkeit, Willensreinheit und Humanität. Die Frithiofs Saga hatte offenbar die Intention, das nordische
Heldentum zu versittlichen, seine Kraft zu mäßigen und zu huma-
nisieren und so die Versöhnung des nordischen mit dem sittlichen
Geist des Christentums herzustellen. Nachdem also Frithiof die
Tempel der alten Götter angezündet hat, wird Baldurs Tempel errichtet und ihm, dem Gott des Friedens, der Liebe, der Versöhnung,
dem milden und lichten Gott eine Auferstehung bereitet. Wie eine
christliche Botschaft klingt die Verkündigung des Baldurpriesters
am Ende des Epos, daß dieser sanfte, milde Liebesgott die altnordische
Wildheit, den Haß, die Rache schmelzen werde. « Versöhnung » heißt
der letzte Gesang. Es geht um die Versöhnung des nordischen Helden-
geistes mit christlicher Humanität, aber auch mit dem antiken Schönheitsideal. Denn die christliche Botschaft des nordischen Baldurpriesters ist in antike Form gefaßt. Das Epos Tegnèrs ist wie ein griechischer Tempel, in welchem ein nordischer Priester der christlichen
Gottheit dient. Es geht hier um ein bedeutungsvolles, vielleicht um
das bedeutungsvollste Problem des nordischen Geistes überhaupt.
Soll er sich rein erhalten, nordisch bleiben oder wieder werden, wie es
Grundvig wollte? Oder soll er sich mit jenen anderen Mächten verbinden und versöhnen, auf denen die europäische Kultur beruht,
dem christlichen Geist und der antiken Form? Tegnèr entschied
dieses nordische Problem durchaus im Sinne der deutschen Klassik,
deren tiefste Intention die Versöhnung des germanischen mit dem
antiken und dem christlichen Geiste war. Er ließ sich dabei wohl mehr
von Schiller als von Goethe leiten, und auch seine Form verrät mehr
den rhetorisch-pathetischen Stil Schillers. Aber im Geiste und in der
Idee, der Humanisierung des Nordens, steht er doch auch Goethe nahe,
und so ist es zu verstehen, daß eine Jüngerin Goethes, Amalie von
Helvig, ihre Übersetzung der Frithiofs Saga — es ist die klassische
Übersetzung, in der sie zum dauernden Bestand der deutschen Literatur
wurde — Goethe mit einem Zueignungsgedicht widmete (1826):

Die Frucht, die köstlichste, von allen Zonen
Brach Deine Hand, aus allen Dichterkronen
Flocht höchste Gunst der Götter Dir den Kranz;
Zum Lorbeer, den des Südens Lüft' umkosen,
Schlang sie die Myrth', und an des Ostens Rosen,
Gedrängt, schwoll üpp'ger Trauben Purpurglanz.

So wende Deinen Blick der Heldensage
Gefällig zu, bei der Du selbst als Brage
Mich mutbegeistert — Dir sei sie geweiht! —
Erprobt ist von Idunens Frucht die Tugend,
Dem Dichter beut die Göttin ew'ger Jugend
Die goldnen Äpfel der Unsterblichkeit! —

Goethe hat in « Kunst und Altertum », 1823, eine höchst anerkennende Besprechung des « genialen Tegnèr » gegeben, soweit die Helvigsche Übersetzung damals schon erschienen war. Er hob dabei besonders hervor, « dass die alte, kräftige, gigantisch barbarische Dichtart uns auf eine neue, sinnig zarte Weise höchst angenehm entgegenkommt. »
Wo Goethe überhaupt im Norden eine tiefere Wirkung erreichen konnte, war sie naturgemäß anders geartet als in Frankreich oder Italien, wo er Romantik zu wecken half.
Aber er hat im Norden doch niemals so tief gewirkt, wie in anderen Literaturen Europas. Es gab wohl Goetheschwärmer wie Oehlenschläger und geistesverwandte Dichter wie Tegnèr, aber es waren doch nur vereinzelte Erscheinungen. Der Widerstand, auf den Goethe im Norden stieß, war doppelter Art. Es war die griechisch-klassische, im Grunde also antinordische Richtung Goethes, die besonders von dem höchst einflußreichen Grundvig, den man den nordischen Jakob Grimm genannt hat, heftig bekämpft wurde. Wie Oehlenschläger war auch Grundvig, durch Steffens erweckt, zu seiner Intention gekommen, die nationale Individualität des Nordens von allen fremden Einmischungen zu reinigen, ihr eine eigene Prägung und Sendung zu geben, die in der Kraft und nicht in der Schönheit liegen sollte. Er wollte darum die Tore nach Süden schließen. Der nordische Mythos, die nordische Sage und Geschichte sollte nicht nur wissenschaftlich erweckt und gelehrt, sondern zur Grundlage nordischer Kultur und nordischen Lebens werden. Darum kämpfte Grundvig gegen das Griechentum Goethes, wie auch gegen seine naturwissenschaftliche Richtung. Wo die Naturwissenschaft Goethes die Königin der Zeit wird, da ist Saga von ihrem Thron gestoßen. Auch warf er Goethe vor,

daß er sich vornehm von der Geschichte abwendete, um eigene, wohl-
gefällige Romane zu dichten. Die Geschichte werde sich zur Rache
nicht minder vornehm von ihm wenden, wie sie sich einst von Voltaire
wendete, so daß er ihres Ruhmes verlustig gehen werde.

Das zweite Moment aber, das Goethe im Norden Widerstand bereitete,
war seine Stellung zum Christentum. Um dies an einem repräsentativen Beispiel deutlich zu machen, muß man freilich über die Goethezeit hinausgreifen. Denn es war Kierkegaard, der sich um die Mitte des
19. Jahrhunderts von diesem Standpunkte aus mit Goethe auseinandersetzte. Er tat es oft, besonders im zweiten Teil seiner « Stadien auf dem
Lebenswege » und in « Entweder — Oder ». Dieser Vorkämpfer für ein
radikales, nicht mehr modern-liberalistisches Christentum, der unbedingte Entscheidung verlangte, mußte sich geradezu aus seiner
strengen Moralität und Glaubensverpflichtung heraus gegen Goethe
wenden. Nicht etwa, weil Goethe einem heidnischen Griechentum huldigte. Das wäre doch wenigstens in dem Entweder — Oder eine Entscheidung gewesen. Sondern weil Goethe überhaupt keine Entscheidung
traf, weil er nicht einmal der Antichrist war, vielmehr nur ein moderner
Liberalist, dem Kierkegaard den Vorwurf machte, daß er sich nicht
gegen diese Entwicklung des modernen Geistes stemmte, sondern sich
gerade zu seinem Verkünder machte. Was den dänischen Christen
an Goethe in erster Linie abstieß, war seine olympische Objektivität,
die ihn in Kierkegaards Augen zum Repräsentanten der modernen
Charakterlosigkeit machte. Er sei der reine Künstler, der alle Konflikte
löst, indem er sie ästhetisch gestaltet. So klagte ihn Kierkegaard etwa
an, daß er sich von dem Liebesverhältnis mit Friederike, als es ihn zu
überwältigen drohte, dadurch befreite, daß er als Dichter in der künstlerischen Gestaltung dieses Erlebnisses Rettung suchte. Goethe, der
Epikuräer, der immer der Entscheidung aus dem Wege ging, hatte
nur ein Möglichkeitsverhältnis zum Guten, Edlen, Uneigennützigen.
Er konnte es wohl im Reiche der Phantasie künstlerisch gestalten.
Aber er blieb in Wirklichkeit der Egoist. Er konnte Vorbilder edler
Aufopferung schaffen, und vermochte es doch selber nicht, ein Opfer
zu bringen. Er gab sich den Schein der Heiligkeit, und befriedigte unter
dieser Maske doch nur seine kalte Eigensucht. Goethe, der Ästhet,
der auch zum Christentum und zur Sittlichkeit nur ein ästhetisches
Verhältnis hatte. Besonders war es die Beziehung Fausts zu Gretchen,
woran Kierkegaard Anstoß nahm. Es waren gewiß keine neuen Anklagen
und Vorwürfe, die hier gegen Goethe erhoben wurden. Denn die Eigen-

sucht, die olympische Objektivität, das Ästhetentum waren auch die
wesentlichen Züge im Goethebild des jungen Deutschland etwa. Aber
was man hier an Goethe vermißte, war der soziale Sinn. Dem nordischen
Denker blieb es vorbehalten, den Dichter der Iphigenie zum Symbol
des modernen Menschentums zu machen, das der Entscheidung nicht
mehr fähig ist.

Frankreich

Wie es mit der Kenntnis Goethes in Frankreich noch um die Jahrhundertwende bestellt war, kann man aus Briefen Wilhelm von Humboldts aus Paris an Goethe entnehmen. Er konnte ihm zwar mitteilen, daß Bitaubés Übersetzung von « Hermann und Dorothea » ein ziemliches Publikum gefunden habe und auch in der letzten Sitzung des Nationalinstituts öffentlich erwähnt wurde. Auch bildete man sich in Paris ein, wie Humboldt schreibt, von deutscher Literatur viel zu wissen; deutsche Namen gingen den Leuten mehr als sonst durch den Mund, und Goethe glaube man besonders zu kennen und zu lieben. Aber Humboldt mußte doch diese Kenntnis der deutschen Literatur in Paris eben nur eingebildet und die Liebe zu Goethe nur eine geglaubte nennen. Man müsse nur genauer hinhören, um herauszufinden, wie es in Wahrheit damit steht. Die Franzosen seien noch zu weit von uns entfernt, als daß sie uns da, wo wir auch nur anfangen eigentümlich zu werden, begreifen könnten, so weit, daß die Verschiedenheit der Sprachen nur als ein kleines Hindernis dagegen erscheine.[6]

Erst französische Emigranten, die den Versuch machten, die französische Literatur durch Einstrom deutschen Geistes zu verjüngen, ja ihr eine Wiedergeburt zu bereiten, hatten mehr Erfolg. Man kann in der Geistesgeschichte immer finden, daß Emigranten für die Vermittlung zwischen den Kulturen und Literaturen der Völker eine bedeutende Rolle spielen. Hatten doch die protestantischen Emigranten Frankreichs im 16. und 17. Jahrhundert, die Hugenotten, französische Bildung nach Deutschland gebracht und waren an der Entstehung einer deutschen Renaissance stark beteiligt. Jetzt aber zeigt sich das umgekehrte Phänomen, was von der unterdessen eingetretenen, gewaltigen Entwicklung und Verselbständigung der deutschen Literatur und von dem ganz anders gearteten, historischen Augenblick beredtes Zeugnis ablegt: daß nämlich die französischen Emigranten nun umgekehrt unter den überwältigenden Einfluß des deutschen Geisteslebens, deutscher Philosophie und Dichtung gerieten, die sie, im Zusammenhang mit Land und Volk und im persönlichen Verkehr mit den deutschen Dichtern und Philosophen erlebt, tiefer kennenzulernen

Gelegenheit hatten, als es bisher den Franzosen möglich war, und
daß sie, welche durch ihre Opposition gegen das bestehende Frankreich,
ob das revolutionäre oder das napoleonische, fortgetrieben worden
waren, es sich zur Lebensaufgabe machten, den deutschen Geist an
Frankreich zu vermitteln und dadurch eine Wiedergeburt der französischen Literatur und Frankreichs überhaupt zu versuchen. Sie
waren wohl vor der Revolution geflohen, aber der Geist der Revolution
lebte doch auch in ihnen und erweckte dieses Bedürfnis nach Wandlung und Befreiung von starr gewordenen Formen und Traditionen.
Die Bereitschaft zur Öffnung und zur Erfrischung aus anderen, jüngeren
Quellen war damit gegeben. Hier seien drei französische Schriftsteller genannt, welche von dieser Sendung erfüllt waren. Charles
Villers, vor der Revolution nach Deutschland ausgewandert, versenkte sich dort in deutsche Literatur und Philosophie, verkehrte mit
den ersten Geistern Deutschlands und stand mit Goethe in persönlicher
und brieflicher Beziehung. In einem Brief an Goethe (1803) nannte er
den Kampf gegen die « culture matérialistique » und die « inphilosophie
française » seine wichtigste Beschäftigung. « Puisse le noble esprit de la
sagesse et de la poésie germanique vaincre le pernicieux démon de
l'immoralité et de la superficialité française ». [7] In diesem Sinne und
zu diesem Zwecke schrieb er « La philosophie de Kant ou principes
fondamentaux de la philosophie transcendentale » (1801), ein Werk,
das sich gegen den französischen Rationalismus und Materialismus
richtete und die Rettung und Wiedergeburt Frankreichs durch den
kantischen Idealismus erwartete. Gegen Napoleons Konkordat mit
Rom wendete er sich mit seinem « Essay sur l'esprit et l'influence de
la réformation de Luther » (1804), der die deutsche Reformation als
Quelle der wahren Religion und Sittlichkeit verkündete. Dann folgte
1806 die « Erotique comparée ou Essay sur la manière essentiellement
différente dont les poètes français et allemands traitent l'amour ».
Hier wird die Liebe in deutscher Dichtung, besonders nach Goethes
Werther gezeichnet und als reine, ideale, vergeistigte Liebe gegen
die schamlose, schlüpfrige und ausschweifende Erotik in französischer
Dichtung gestellt. Goethe dankte Villers darauf, daß er ihn so bei
seinen Landsleuten eingeführt habe. Er nannte ihn auch gern, weil er
nach Deutschland und Frankreich blickte: « Janus bifrons ».
Auch Benjamin Constant, im Waadtland geboren, aber aus einer
hugenottischen Emigrantenfamilie stammend, seit der Revolution in
Frankreich, dann vor Napoleon flüchtend, als dieser noch erster

Consul war, und mit Frau von Staël die europäischen Länder bereisend, betätigte sich als Vermittler deutscher Literatur an Frankreich und steigerte seine Sensibilität für deutsche Poesie zu einem bemerkenswerten Grad. Gelegentlich einiger Gedichte Goethes machte er in seinem Tagebuch (1804) Bemerkungen über den Unterschied zwischen der zweckhaften, aufklärerischen, reflektierenden Poesie Frankreichs und der träumerischen, an die Natur ganz hingegebenen Dichtung Deutschlands, die aufhorchen lassen. Er übersetzte oder bearbeitete vielmehr Schillers Wallenstein (1809) und legte in der Vorrede dazu den Unterschied zwischen dem deutschen und französischen Theater dar. Der Sinn seiner Bearbeitung war, den französischen Klassizismus durch deutschen Einstrom aufzulockern und zu verjüngen. Er wollte eine Versöhnung und Verbindung zwischen der deutschen und französischen Tragödie herstellen. Man kann nicht gerade behaupten, daß dieser Versuch, der an sich Goethescher Intention gewiß nicht fremd war, geglückt sei, und Goethe schrieb 1809 dies kleine Gedicht:

> Der du des Lobs dich billig freuen solltest,
> O ! guter Constant, bleibe still;
> Der Deutsche dankt dir nicht, er weiß wohl, was er will,
> Der Franke weiß nicht, was du wolltest.

Die Vorrede zum « Wallstein » hat jedoch in Frankreich einen fast ebenso starken und nachhaltigen Eindruck hinterlassen, wie das Buch der Frau von Staël « De l'Allemagne », und das französische Bild vom deutschen Geist für lange Zeit wesentlich mitbestimmt. Als Constant mit Frau von Staël nach Weimar kam, gelang es ihm sogar auch umgekehrt, Goethe in vertraulichen Unterredungen einige « belehrende Stunden » zu bereiten und ihm von größtem Nutzen zu sein: dadurch nämlich, daß Goethe aus der Art, wie Constant seine Natur- und Kunstbetrachtung aufzunehmen und den eigenen Begriffen anzunähern versuchte, bemerken konnte, was noch an unentwickelten, unklaren, unmitteilbaren, unpraktischen Elementen in seiner Behandlungsweise liegen dürfte.

Gewiß gab es auch Emigranten ganz anderer Art, die den Graben zwischen dem deutschen und französischen Geist mehr verbreiterten als überbrückten, und gerade in Weimar saß seit 1793 einer, Mounier, von dem Goethe einmal ironisch berichtet, daß er Kants Ruhm untergraben habe und ihn nächstens in die Luft zu sprengen denke. In Gesprächen mit ihm, die Goethe offenbar sehr verstimmten, stellten sich wirklich wesentliche Verschiedenheiten heraus, die Goethe dann noch bis in sein spätes Alter zwischen deutschen und französischen Denkern bemerkte. « Die Franzosen », so schrieb er damals an Humboldt, « begreifen gar nicht, daß etwas im Menschen sei, wenn es nicht von außen in ihn hineingekommen ist. » Er schrieb dies auf Mouniers Behauptung hin, das Ideal sei aus verschiedenen, schönen Teilen «zusammengesetzt», was Goethes Ganzheitsidee, seinem Gestaltbegriff, seinem Organismusgedanken so völlig widersprach, wie er denn überhaupt eine heftige Abneigung gegen das von Frankreich her eingeführte, « ganz niederträchtige Wort »: « Composition » mehrfach bekundete: Künstler setzen ihre Werke nicht aus Teilen zusammen, so wenig die Natur es tut, sondern sie entwickeln ein ihrem Geiste innewohnendes Bild. « Composition ! », so heißt es noch in einem Gespräch mit Eckermann 1831, « als ob es ein Stück Kuchen oder Biscuit wäre, das man aus Eiern, Mehl und Zucker zusammenrührt ! » Eine geistige Schöpfung ist aus einem Geist und Guß und vom Hauch eines Lebens, einer Seele durchdrungen, wobei der Künstler nicht nach Willkür mit Teilen experimentierte und stückelte, sondern der dämonische Geist seines Genies ihn in der Gewalt hatte, so daß er ausführen mußte, was jener gebot.

So schien sich damals im Verkehr mit Mounier eine wirkliche Kluft zwischen Goethe und dem französischen Geiste aufzutun, und es ging hier ja wirklich um ein wesentliches Problem der Kunst und Naturbetrachtung.

Das weitaus wichtigste und folgenschwerste Vermittlungswerk aber war das Buch der Frau von Staël « de l'Allemagne », das Goethe und der deutschen Literatur den Weg in die Welt gebahnt hat, nicht nur nach Frankreich, an das sie natürlich zunächst dachte, sondern auch nach England, Italien, Spanien und überall hin. Sie war schon durch ihre Herkunft wie prädestiniert dazu, indem ihr Vater, Necker, ein Genfer von deutscher Abstammung, ihre Mutter eine Waadtländerin, sie selbst aber in Paris geboren und aufgewachsen war. Auch sie verfaßte dieses Buch als Emigrantin, vor Napoleon fliehend. Schon lange bevor sie ihn in Weimar besuchte, hat Goethe ein großes Interesse für diese Frau und ihre Werke bekundet. Er übersetzte ihren « Versuch über die Dichtungen » für die « Horen » 1796. Dieses Interesse ist wohl besonders darauf zurückzuführen, daß Goethe in Frau von Staël zum erstenmal eine tiefere und wesentlichere Wirkung der deutschen Literatur- und Gedankenwelt und auf jeden Fall eine bis dahin ungewohnte Schätzung dieser Welt bemerken konnte. In jenem Aufsatz, den er übersetzte, zeigt sich in der Tat eine auffallende Ähnlichkeit mit deutschen Ideen über das Wesen der Dichtung, weit mehr dann freilich noch in ihrem Buch « De l'Influence des Passions sur le Bonheur des Individus et des Nations », das Goethe durch Wilhelm von Humboldt kennen lernte und wenigstens auszugsweise für die « Horen » zu übersetzen plante. Zwar hatte Humboldt ihm von diesem Buch geschrieben, daß Frau von Staël alle fremden Literaturen doch eigentlich als Französin ansehe, gleichzeitig aber auch auf einige, allerdings damals noch merkwürdige, Aussprüche über die deutsche Literatur aufmerksam gemacht, in denen sie auf den in ihr hervortretenden Idealismus, den Enthusiasmus für höchste Ideale der Sittlichkeit und Schönheit, die Liebe zur Freiheit in Religion, Philosophie und Gesellschaft hinwies, Aussprüche, in denen das Buch « De l'Allemagne » schon fast vorweggenommen war. [8] Solche Betrachtungen mußten natürlich das Interesse Goethes lebhaft erregen. Auch ihm kam es schon damals so vor, als sei ihr der Kreis, in dem Erziehung und Bildung unter Franzosen und durch französische Literatur sie bannte, zu eng, als strebe sie, sich davon loszumachen. Darum mochte er an eine Übersetzung gedacht haben. Dies Werk der Frau von Staël mußte ihm die Erkenntnis geben, daß in dem « umgeschaffenen », aus dem « grimmigen Läuterfeuer » der Revolution hervorgehenden Frankreich sich auch eine Revolution im Verhältnis zum deutschen Geiste anbahne. Er wollte sicherlich mit seiner Übersetzung des « Versuchs über Dichtungen », wie mit der geplanten Übersetzung aus dem größeren Werk diese sich anbahnende Annäherung zwischen dem geistigen Frankreich und Deutschland fördern, so wie er mit seinem gleichzeitigen « Märchen » die politische Versöhnung fördern wollte. Er wünschte auch, daß Schiller, als Herausgeber der « Horen », der Übersetzung einige Betrachtungen anfüge, die der Frau von Staël gegenüber so « klar und galant als möglich » seien, damit man es ihr zuschicken und dadurch einen Anfang machen könnte, den « Tanz der Horen » auch in das umgeschaffene Frankreich hinüberzuleiten.

Als Frau von Staël 1804 nach Weimar kam, litt freilich dieser Besuch unter einigen Unzuträglichkeiten. Ihre unermüdliche Zungenfertigkeit, die allerdings stets geistvoll und anregend war, machte die Weimarer, um es kurz zu sagen, etwas nervös. Goethe äußerte sich nach einer Begegnung mit ihr: «Es war eine interessante Stunde. Ich bin nicht zu Worte gekommen; sie spricht gut, aber viel, sehr viel.» (Übrigens soll Frau von

Staël nach der gleichen Begegnung geäußert haben: sie sei nicht zu Worte
gekommen, wer aber so gut spricht wie Goethe, dem höre man gerne zu.)
Sie wollte ständig wirken und sich anregend, sprechend, vorlesend und
deklamierend Ruhm erwerben. Auch hielt sie mit ihrer Absicht nicht hin-
term Berge, ihre Gespräche mit Goethe in einem werdenden Buch über
Deutschland zu verwenden, und es ist gewiß nicht angenehm, eine
solche Absicht bei jeder Frage zu spüren, und zu wissen, daß jede
Auskunft bald gedruckt, jedenfalls benutzt werden würde. Goethe
wurde vorsichtig und verschloß sich einigermaßen. Ein ungezwungener
Verkehr war so unmöglich, und darunter litt der Besuch. Es kam dazu,
daß sich Frau von Staël besonders gern über den Unterschied zwischen
der deutschen und französischen Literatur mit Goethe unterhalten
wollte, was ihm, der sich damals schon über den Gegensatz hinaus und
als Europäer fühlen durfte, lästig war. Sie tat, als wäre er immer noch
der Dichter des « Götz » und « Werther ». Auch über unauflösliche
Probleme in der Gesellschaft zu reden, war ihre eigentliche Lust und
Leidenschaft, wobei sie es bis zu den Angelegenheiten des Denkens und
Empfindens trieb, « die eigentlich nur zwischen Gott und dem Einzelnen zur Sprache kommen sollten. » Selbst im Gespräch unter vier
Augen verlangte sie « bei den wichtigsten Gegenständen, eben so schnell
bei der Hand zu sein, als wenn man einen Federball aufzufangen
hätte. » So steht es in Goethes Tag- und Jahresheften 1804. Auf
einzelne Mißverständnisse braucht weniger Wert gelegt zu werden.
Frau von Staël las ihm ihre Übersetzung des « Fischer » vor, in der sie
an der Stelle « was lockst du meine Brut hinauf in Todesglut » das
letzte Wort mit « air brûlant » übersetzte. Goethe berichtigte, es sei
die Kohlenglut in der Küche gemeint, an der die Fische gebraten
werden. Das fand nun Frau von Staël äußerst « maussade » und
geschmacklos, sich aus ihrer schönen Begeisterung so auf einmal in
die Küche verwiesen zu sehen. Das sei es eben, woran es den deutschen
Dichtern fehle, τὸ πρῶτον, das feine Gefühl des Schicklichen. Frau
von Staël dehnte auch ihren Besuch in Weimar zu lange aus. Sie fand
nicht den richtigen Augenblick zum Abschiednehmen. All das kam zusammen, daß Goethe ihr manchmal aus dem Wege ging, sich sogar von
einem Abend, da sie « Phädra » vortrug, entschuldigte, und daß « der
böse Genius » in ihm aufgeregt wurde, ihr ständig zu widersprechen.
Trotz alledem aber interessierte er sich sehr für ihren Plan, ein
Buch über Deutschland zu schreiben. Er forderte sie auch 1808 in
einem Brief zu baldiger Veröffentlichung auf. « Wir verdienen », so

schrieb er, « durch den guten Willen einer freundlichen Nachbarin und Halb-Landsmännin aufgeregt, ermuntert zu werden und uns in einem so lieben Spiegel zu beschauen ». Seit 1812 lernte Goethe dann handschriftliche Bruchstücke des Werkes kennen, die ihm sehr viel Vergnügen machten: « Es ist sehr belehrend, seine Nation einmal aus einem fremden Gesichtspunkte billig und wohlwollend geschildert zu sehen. Die Deutschen sind gewöhnlich untereinander ungerecht genug, und die Fremden haben auch nicht immer Lust, ihnen Gerechtigkeit widerfahren zu lassen. Es gehörte dazu, daß eine so geistreiche Frau uns in dem Grade achtete, um sich die Mühe mit und für uns zu nehmen. Ich hoffe denn doch, dieses Werk soll endlich zu der allgemeinen Erbauung noch öffentlich erscheinen. » [9] Als es dann wirklich heftweise zu erscheinen begann, las Goethe es 1814 « mit immer neuem Anteil ». « Das Buch macht auf die angenehmste Weise denken, und man steht mit der Verfasserin niemals in Widerspruch, wenn man auch nicht immer gerade ihrer Meinung ist. Alles was sie von der Pariser Sozietät rühmt kann man wohl von ihrem Werke sagen. Man kann das wunderbare Geschick dieses Buches wohl auch unter die merkwürdigen Ereignisse dieser Zeit rechnen. Die französische Polizei, einsichtig genug, daß ein Werk wie dieses das Zutrauen der Deutschen auf sich selbst erhöhen müsse, läßt es weislich einstampfen, gerettete Exemplare schlafen, während die Deutschen aufwachen und sich, ohne solch eine geistige Anregung, erretten. In dem gegenwärtigen Augenblick tut das Buch einen wundersamen Effekt. Wäre es früher da gewesen, so hätte man ihm einen Einfluß auf die nächsten großen Ereignisse zugeschrieben, nun liegt es da, wie eine spät entdeckte Weissagung und Anforderung an das Schicksal, ja es klingt, als wenn es vor vielen Jahren geschrieben wäre. Die Deutschen werden sich darin kaum wiedererkennen, aber sie finden daran den sichersten Maßstab des ungeheuern Schrittes den sie getan haben. Möchten sie, bei diesem Anlaß, ihre Selbstkenntnis erweitern, und den zweiten großen Schritt tun, ihre Verdienste wechselseitig anzuerkennen, in Wissenschaft und Kunst, nicht, wie bisher, einander ewig widerstrebend, endlich auch gemeinsam wirken, und, wie jetzt die ausländische Sklaverei, so auch den inneren Parteisinn ihrer neidischen Apprehensionen untereinander besiegen, dann würde kein mitlebendes Volk ihnen gleich genannt werden können. » [10] Von dem fertigen Werk erwartete Goethe, daß es zu schönen Betrachtungen über Deutschland und Frankreich Anlaß geben werde, vorzüglich weil es während einer so großen Umwälzung

erscheine, welche den inneren Zustand sowohl als die äußeren Verhältnisse bedeutend verändern werde. « Wir Deutschen hätten uns
nicht leicht selbst so reassumirt, wie es in diesem Schlegelisch-Staëli-
schen Werke geschieht. Freilich, wenn man einen großen Teil der
Epoche, von welcher die Rede ist, selbst miterlebt und mitgewirkt
hat, so glaubt man manches, wo nicht besser, doch anders zu wissen. »
« Jenes Werk über Deutschland », so heißt es dann endlich 1825, « ist
als ein mächtiges Rüstzeug anzusehen, das in die chinesische Mauer
antiquierter Vorurteile, die uns von Frankreich trennte, sogleich eine
breite Lücke durchbrach, so daß man über dem Rhein und in Gefolg
dessen über dem Kanal endlich von uns nähere Kenntnis nahm, wodurch wir nicht anders als lebendigen Einfluß auf den fernern Westen
zu gewinnen hatten. » [11] Man wird dieses Urteil Goethes verstehen,
wenn man bedenkt, daß es zu einer Zeit geschrieben wurde, als er
bereits mit der Idee der Weltliteratur lebhaft beschäftigt war, wenn
er auch den Namen noch nicht geprägt hatte. Er mußte damals einen
solchen Versuch begrüßen, der deutschen Literatur die Tore Frankreichs zu öffnen. Er mußte es begrüßen, daß eine Französin dem deutschen Schrifttum solche Gerechtigkeit widerfahren ließ. Es entsprach
durchaus seiner Idee, daß die Völker sich durch ihre Literaturen kennen
lernen und einander näherrücken sollten. Er konnte damals auch
schon bemerken, daß kein zweiter Versuch dieser Art von solcher
Durchschlagskraft und von solch epochalen Folgen begleitet war.
Denn damals, 1825, stand Europa schon mitten in der Romantik, die
ohne dieses Buch der Frau von Staël gar nicht zu denken ist. Man
kann es verstehen, daß Goethe jetzt all jene Unbequemlichkeiten
und den « Konflikt nationeller Eigentümlichkeiten », die ihm damals
bei dem Besuch der Frau von Staël in Weimar so ungelegen kamen und
keineswegs förderlich schienen, segnen wollte.
Seit diesem Buche mehrten sich die Zeichen, daß die französische
Literatur sich der deutschen zu öffnen bereit war. Eine Folge dieses
Werkes war es, wenn Goethe, als er die Übersetzung seiner dramatischen Werke durch Stapfer und andere Autoren (1821) kennen
lernte, die Befreiung von Vorurteilen in der französischen Literatur
und die tiefe Einsicht bewundern konnte, mit der Stapfers Einleitung
in die geheimste Eigenart seiner Dichtung eindrang; wenn er, 1824,
von dem täglich zunehmenden Interesse der Franzosen an deutschen
Werken sprechen und 1825 erklären konnte, die jetzige Epoche der
französischen Literatur sei gar nicht zu beurteilen, denn das, was von

deutscher Literatur in sie eindringe, bringe eine solche Gärung in ihr
hervor, daß man erst in zwanzig Jahren das Resultat davon erblicken
werde. Als er freilich die Übersetzung seiner Anmerkungen zu Diderots
Dialog « Rameaus Neffe » las, kamen ihm, angesichts der willkürlichen
Behandlung, noch einmal starke Zweifel, ob eine wirkliche Verständigung zwischen dem deutschen und französischen Geiste möglich sei.
In seiner öffentlichen Anzeige äußerte er sich sehr höflich und mild:
es erscheine ihm höchst merkwürdig und lehrreich, wie diese guten,
jungen Männer, die mit Leidenschaft deutschen Schriftstellern zugetan
sind, oftmals, indem sie manches nach eigenem Sinne vortragen, den
Zwiespalt französischer und deutscher Denkweise unbewußt aussprechen. Es sind nun einmal gewisse Dinge, von denen sie nicht
abgehen, andere, die sie sich nicht zueignen können; doch sucht ihr
Urteil überall irgendeine Vermittlung. Die Gedanken der Frau von
Staël kommen zur Sprache und werden teils aufgenommen, teils
abgelehnt; im ganzen aber sieht man den Zweck, beiden Nationen
einen wechselseitigen, guten, obgleich bedingten Begriff mitzuteilen.
Er riet ihnen auch, sich eine genauere Kenntnis der deutschen Schriftsteller und ihrer Produktionen anzueignen. Dann könne, wenn sie ihren
guten Willen gegen ihn und seine Nation behalten, daraus ein wechselseitig nützliches und erfreuliches Verhältnis entstehen. Privat dagegen
lautete Goethes Urteil viel schärfer: daß seine früheren Arbeiten nun
endlich auch in das Strudelgetriebe der französischen Literatur aufgenommen werden, mache ihm wenig Freude; es bleibe allen diesen
Dingen kaum etwas mehr als sein Name. « Die Franzosen haben gegen
die deutsche Literatur eine wunderliche Lage; sie sind ganz eigentlich
im Fall des klugen Fuchses, der aus dem langen Halse des Gefässes
sich nichts zueignen kann; mit dem besten Willen wissen sie nicht,
was sie aus unseren Sachen machen sollen. Sie behandeln alle unsere
Kunstprodukte als rohen Stoff, den sie sich erst bearbeiten müssen.
Wie jämmerlich haben sie die Noten zum Rameau durcheinander ent-
stellt und gemischt. Da ist auch gar nichts an seinem Fleck stehen-
geblieben (1825). » Erst als Goethe die Zeitschrift der französischen
Romantik « Le Globe » kennenlernte (1826), konnte er sich davon
überzeugen, daß Frankreich wirklich imstande war, mit tiefem Verständnis und größter Aufgeschlossenheit sich die deutsche Literatur
anzueignen. Denn diese von Dubois und Leroux 1824 gegründete
Zeitschrift, welche die Absicht hatte, alle wissenschaftlichen, literarischen und philosophischen Arbeiten von Bedeutung dem französischen

Publikum bekanntzumachen, « dans le grand mouvement pacifique qui commençait à emporter le concert des nations civilisées du monde », stellte die deutsche Literatur dabei in vorderste Linie, und Goethe erkannte sofort, daß sie diese Aufgabe mit einem solchen Verständnis, so gebildetem Urteil, solcher Übersicht, von solch hohem Standpunkte aus erfüllte, wie er es bis dahin kaum für möglich gehalten hätte. Das Buch der Frau von Staël offenbarte sich in seinen segensreichen Folgen.

Durch Goethe, Schiller, Wilhelm von Humboldt und besonders durch A.W. Schlegel unterrichtet, gründete Frau von Staël ihr Buch über Deutschland auf die in der deutschen Literatur damals übliche Unterscheidung zwischen Klassik und Romantik. Die französische Literatur wird für die klassischste aller modernen Literaturen, die deutsche für die romantischste erklärt. Die klassisch-französische Literatur beruht auf der Antike, die romantisch-deutsche auf dem christlich-germanischen Mittelalter. Der Wesensunterschied aber — und dies ist das Leitmotiv des ganzen Werkes und die spezifisch französische Wandlung der von Deutschland her übernommenen Unterscheidung — ist der, daß die französische Literatur einen durch und durch gesellschaftlichen, die deutsche aber einen individualistischen Charakter trägt. Daher in der französischen Literatur die Herrschaft allgemein verpflichtender, von Übereinkunft festgesetzter Regeln, in der deutschen aber die Freiheit der schöpferischen Individualität. Der deutsche Dichter lebt und wirkt für sich in Einsamkeit. Ein jeder geht seinen eigenen Weg, spricht seine eigene Sprache, schafft sich seine eigene Form, sein eigenes Gesetz. Die Werte, die in der französischen Literatur gelten, sind gesellschaftliche Werte, und sie heißen: Schönheit, Anmut, Eleganz, Esprit, Geschmack, Vernunft, Ordnung, guter Ton, Klarheit und Maß. Die Werte dagegen, die in der deutschen Literatur den höchsten Rang behaupten, heißen: Phantasie, Leidenschaft, Gefühl, Tiefsinn, Enthusiasmus und besonders Traumkraft. Denn unter allen Gefühlen ist die Träumerei das einsamste. Kaum läßt sich, was wir träumend dachten, den innigsten Freunden mitteilen; wie sollte es möglich sein, die Gesellschaft daran teilnehmen zu lassen. Die französische Literatur hält sich denn auch an die der allgemeinen Erfahrung und Vernunft bekannte und von ihnen begrenzte Welt. Der deutsche Dichter und Denker aber dringt über diese Grenzen der erfahrenen und bekannten Wirklichkeit hinaus in dunkle, ferne, unbekannte Sphären. Er will das Geheimnis des Universums ergründen.

Er läßt sich nicht durch Tradition, Erfahrung, Konvention, Vernunft und Regel die Flügel seiner Phantasie beschneiden. Sein unbegrenzter Wahrheitsdrang macht auch vor keinem noch so heiligen Dogma halt, wie es die deutsche Reformation und die deutsche Mystik zeigt. Der deutsche Dichter liebt die ungebahnten Wege, wandert sie in Einsamkeit noch unbekannten Zielen zu, mögen sie auch in der Unendlichkeit liegen. Ist es doch eben gerade die Unendlichkeit, wonach es ihn verlangt. Daher denn auch die Melancholie der Grundton deutscher Dichtung ist (Goethe hatte sie als den der englischen Literatur gehört). Denn die stetige Messung der Endlichkeit an der Unendlichkeit, der sie ja doch nie entsprechen kann, stimmt notgedrungen zur Melancholie. So ist er der geborene Idealist. Das Ideal um seiner selbst willen ist es, das seinen Enthusiasmus, diese deutscheste Eigenschaft entzündet, während es der französischen Gesellschaft um Genuß und Nutzen geht und sie den Enthusiasmus für Ideen durch Gespött, Vernunft und Skeptizismus auslöscht und erstickt. Ein Hochgesang auf diesen deutschen Enthusiasmus schließt denn auch das Werk der Frau von Staël. Er ist die Quelle der Veredlung der Menschheit, der Weg in die Zukunft, den der deutsche Geist gewiesen hat, und den auch Frankreich nun beschreiten sollte. Frau von Staël leugnet nicht, daß auch Deutschland von Frankreich lernen kann und soll. Eine Wechselwirkung ist notwendig. Der Franzose müßte religiöser, der Deutsche weltlicher werden. Der französische Dichter müßte begreifen, daß der gute Geschmack nicht das einzige Maß sei und ein Verstoß gegen die gesellschaftlichen Sitten nicht zu verdammen sei, wenn es sich um hochfliegende Ideen und um den Ausdruck wahrer Empfindung handelt. Die deutsche Dichtung sollte sich mehr davor hüten, den Geschmack zu beleidigen, und mehr nach Maß und Ordnung, Klarheit, Umriß und Bestimmtheit streben. Der Franzose könnte sich durch deutschen Tiefsinn vor Frivolität bewahren, der Deutsche durch französische Form vor allzugroßer Ungebundenheit. Beide Nationen sollten sich einander zu Führern dienen, und sie würden größtes Unrecht begehen, wenn sie sich der Einsichten beraubten, die sie sich gegenseitig schenken könnten. Wenn Goethe in diesem Buch der Frau von Staël als Inbegriff der deutschen Literatur hingestellt wird, so ist es also nicht jener Goethe, der ja schon selbst solche Verbindung des deutschen und französischen Geistes in sich vollzogen hatte, sondern Goethe als der Sammelpunkt aller deutschen Eigenschaften, als Individualist, als Repräsentant der Romantik. In seiner Lyrik findet sie den Ausdruck

des romantischen Gefühls, der Träumerei und Melancholie, in seinem
Götz und Egmont die Ungebundenheit der Form, die Freiheit
von den Regeln, die nationale Geschichte als Gegenstand an Stelle
des antiken Mythos, im Tasso den Kampf des Genies gegen die
Gesellschaft. Die antikisierenden Dichtungen, Iphigenie und Hermann und Dorothea, beweisen ihr nur, daß Goethe keinen allgemein-
gültigen Kanon der Kunst besitzt, sondern im Unterschied von der
französischen Dichtung nach immer neuen Formen des Ausdruckes
greift, sich immer anders gibt als man erwartet, diesmal antik, und
also immer sucht und strebt. (Diese protheische Verwandlungsmöglich-
keit Goethes wurde auch von Ampère im « Globe » besonders hervorgehoben.)

Der Faust bedeutete der Frau von Staël somit die allumfassende
Verkörperung des Goetheschen Geistes. Ihm widmet sie die aus-
führlichste Analyse: Im Faust bleibt nichts sich selber gleich; alles
ist Wechsel von höchster Verzückung und tiefster Verzweiflung, von
Sehnsucht nach geistigster Erkenntnis und nach sinnlichstem Genuß,
Wechsel der Rhythmen, Wechsel von Tragik und Komik. Sein Ideen-
flug ist schwindelerregend, sein Teufels- und Hexenwesen schlägt jeder
Vernunft ins Gesicht. Er reißt die Grenzen des Menschen, wie die der
poetischen Gattungen und der Kunst überhaupt nieder. Frau von
Staël tadelt die Unform des Faust, den Mangel an Geschmack, Maß,
wählender und begrenzender Kunst. Sie wünscht, daß keine neuen
Versuche solcher Art unternommen werden. Aber sie macht doch
Frankreich durch die ausführliche Analyse dieses Werkes — es ist
die ausführlichste ihres ganzen Buches — und durch Übersetzungen
aus ihm mit dem Faust bekannt, und es ist ganz offenbar, daß der
deutsche Geist, als dessen Repräsentant Goethe hingestellt wird, in
seiner Wesenheit von ihr als faustisch empfunden wird. Das ist es,
was dieses neue Goethe-Bild von dem früheren, so ganz durch Werther bestimmten Bilde unterscheidet. Es ist sehr auffallend, wie der
Werther in diesem Werk der Frau von Staël in den Hintergrund
gerückt erscheint, und das ist sicherlich mit voller Absicht geschehen.
Sie wollte Goethe und der deutschen Literatur nun eben eine andere,
fördernde Wirkung verschaffen. Nicht mehr der lähmende, trostlose,
in den Tod treibende Pessimismus macht jetzt den wesentlichen Zug
des deutschen Bildes aus, sondern auch der Schmerz an Leben und
Welt, die Unzufriedenheit, die Unersättlichkeit wird nun als ein
fruchtbares und zukunftsträchtiges Moment offenbart, indem seine

Quelle im faustischen Idealismus gefunden wird, im deutschen Enthu-
siasmus für Ideen, in der Sehnsucht, die dem Menschen gesetzten
Grenzen zu überwinden, seine Kräfte zu steigern und damit eine bessere
Zukunft der Menschheit heraufzubringen. Der deutsche Geist erscheint
nun mutiger, wagender, heroischer; nicht mehr das « Zurück zur
Natur », sondern der vorwärts in die Zukunft gerichtete Blick und
Schritt wird als sein Wesen empfunden, und sein dichterisch-repräsen-
tativer Ausdruck nicht im Werther, sondern im Faust gesehen.
Dies Buch der Frau von Staël will Frankreich neuen Mut und neue
Hoffnung geben und ihm durch Erschließung solcher Verjüngungs-
quellen den Weg in die Zukunft weisen.

Man kann nicht übersehen, welch neuer Schwung dem französischen
Geist durch solche Erschließung des Faust gegeben wurde, wie er
durch ihn den Trieb und Mut erhielt, die bisher so ängstlich eingehalte-
nen Grenzen der Vernunft und der empirischen Erfahrung zu überfliegen, den Aufbruch in dunkle, unbekannte Sphären zu wagen,
Nebel und Wolken, abgründige Tiefen und eisige Höhen und auch die
Qual der Einsamkeit nicht zu scheuen, um das Geheimnis der Schöpfung und des Schöpfers zu enträtseln, wie sich die dem französischen
Geist bisher so fraglos, sicher, klar erschienene Welt in ein Mysterium
vertiefte, zu dessen Ergründung es des Aufgebotes anderer Kräfte
als der Vernunft und Empirie bedarf, okkulter, visionärer und phanta-
stischer, wie der titanische Trieb nach übermenschlicher Erhöhung
erwacht und der Genuß der bloßen Gegenwart zum Drang in eine unbegrenzte Zukunft wird.

Es soll hier nicht auf einzelne Stellen in einzelnen Werken gewiesen
werden, die an Stellen im Faust erinnern. Man soll auch nicht ein
zu großes Gewicht darauf legen, daß nun Teufelspakte und ähnliche
Motive, die bisher der französischen Literatur wenig geläufig waren,
so häufig in ihr werden. Es kommt mehr auf den faustischen Geist an.
Immerhin: wenn Teufelspakte, Hexenwesen, Zauberei, Magie, nach
Goethes Faust in der französischen Romantik an die Stelle der
antiken Mythologie im französischen Klassizismus treten, so ist das
doch auch ein wichtiger Ausdruck geistiger Wandlung. Gehört es doch
zu den wesentlichsten Streitpunkten zwischen der europäischen
Romantik und dem europäischen Klassizismus überhaupt, ob die
griechische Götter- und Heldenwelt oder die mittelalterlich-nordische
Teufels- und Gespensterwelt die Quelle der modernen Dichtung sein
solle. Manchmal scheint es fast, als ob hierin — nächst den Regeln —

überhaupt der wesentliche Unterschied und das Motiv zum Kampf gefunden werde. In diesem Unterschied liegt jedoch ein tieferer Sinn. Es handelt sich darum, ob ein reines Schönheitsideal, Klarheit und Plastik, oder Dunkel, nebelhafte Dämmerung in der Dichtung herrschen solle, ob sie von allgemein menschlichem oder nationalem Gehalte, ob antik oder mittelalterlich, ob eben klassizistisch oder romantisch zu sein habe. Der erste Artikel, den Goethe aus dem « Globe » übersetzte und in seiner Zeitschrift « Kunst und Altertum » veröffentlichte, war eine französische Verteidigung der mittelalterlichen Teufelswelt für den Gebrauch des modernen Dichters gegen den Klassizismus, und zwar eine Verteidigung von zwei deutschen Werken: dem Freischütz und dem Faust, deren « Unwahrscheinlichkeit » durchaus nicht größer sei als die der klassisch-antiken Mythen, die man nur durch Gewöhnung glaubhafter findet. Nun aber sei es an der Zeit, die Grenzen der Gewöhnung zu überfliegen. Aber wichtiger bleibt es natürlich, daß faustischer Geist in die französische Dichtung dringt. Es ist die Unzufriedenheit, die Unersättlichkeit des Lebensdranges, der alle Höhen und Tiefen erleben, alle Schmerzen und Freuden der Welt ausschöpfen möchte, in keinem Augenblick Erfüllung findet und auch über den schönsten hinaus von Sehnsucht nach einem unendlichen Ziel getrieben wird. Es ist ein grenzenloser Erkenntnisdrang, der sich mit dem bisher so sicheren und fraglosen, weil auf Vernunft und Erfahrung gegründeten Weltbild nicht mehr zufrieden gibt, sondern mit anderen, tieferen, dunkleren und abenteuerlicheren Kräften in das Mysterium einzudringen und den Schleier der Welt zu heben versucht. Eine metaphysische Sehnsucht erwacht, ein Mut, in dunkle, unbekannte, gefährliche Regionen aufzubrechen. Die französische Dichtung, bisher so gesellschaftlich geprägt, versenkt sich in die schmerzvolle Lust der grenzenlosen Einsamkeit. Sie zersprengt auch ihre bisher so geschlossene, umgrenzte, klare und gemessene Form. Denn dem faustischen Geist ist jede Form ein Gefängnis, jede Grenze ein unerträglicher Schmerz. Die Einheit des Ortes ist nun die Grenzenlosigkeit des Raums, die Einheit der Zeit wird die Unendlichkeit. Die traditionelle Gebundenheit der französischen Form löst sich in der französischen Romantik auf, was nicht ohne die befreiende Wirkung des Faust geschieht. Es ist kaum auszudenken, wie Goethes Faust auf einen Geist wirken mußte, der an den Klassizismus seit Jahrhunderten gewöhnt war. George Sand schrieb einmal einen « Essay sur le drame fantastique » (in der « Revue des Deux-Mondes »). Es handelt sich um Goethes Faust und die durch ihn bewirkten, faustischen Dramen: « Manfred » von Byron, « Conrad » von Mickiewicz. Ihr Unterschied wird darin gefunden, daß der deutsche Faust mit Gott um die Wahrheit ringt, der englische Manfred um Vergessen, der polnische Conrad um die Befreiung seines Vaterlandes. Sie alle aber sind « metaphysische Dramen ». Sie mußten, wie George Sand erklärt, in Frankreich auf Widerstand stoßen, weil Frankreich « zu klassisch » war. Als der Faust erschien, empörte sich der akademische Geist Frankreichs über die Unordnung und Dunkelheit dieses Meisterwerkes, weil die Form so neu und der Plan nicht zu der durch die Regel geheiligten Gewohnheit Frankreichs paßte, weil Faust nicht auf die Bühne zu bringen war und weil diese Mischung « de la vie métaphysique et de la vie réelle », worin die Neuheit des Faust besteht, vom Verstande nicht zu fassen ist.

Es ist nun höchst interessant zu sehen, wie man versuchte diese Widerstände zu überwinden. Man tat es zunächst, indem man die Hilfe der Musik anrief. Sie schien dem französischen Geist notwendig, um überhaupt in diese jenseits der Vernunft und der Erfahrung liegende Welt einzudringen und die Sphäre zu schaffen, in der diese phantastische, dem Verstand so unwahrscheinlich dünkende Dichtung zu erleben möglich wurde. Immer wieder wurde der Versuch gemacht, sich auf dem Wege der Musik in dieses Reich hineinzufinden und sicherlich: ohne die großartige Faustmusik von Berlioz und die weniger großartige, aber sehr eingängliche Musik Gounods hätte Frankreich kaum den Zugang gefunden, wahrend der deutsche Geist in diesen faustischen Regionen an sich zu Hause ist und der Musik gar nicht bedarf. Berlioz hat selbst seine Faustpartitur: « Huit Scènes de Faust, Tragédie de Goethe, Traduites par Gérard (de Nerval) » mit einem huldigenden Brief an Goethe geschickt. In seinen Memoiren erzählt er, was der « Faust » ihm bedeutete. Er rechnete ihn zu einem der bemerkenswertesten Glücksfälle seines Lebens. Sein Eindruck war seltsam und tief. Das wunderbare Buch faszinierte ihn vom ersten Augenblicke an und ließ ihn nicht mehr los. Er las es fortwährend, bei Tisch, im Theater, auf den Straßen, überall. In jenem Brief an Goethe schreibt er, daß dieses erstaunliche Werk seit einigen Jahren seine ständige Lektüre sei. Goethe möge einem jungen Komponisten verzeihen, der, das Herz geschwellt und die Phantasie entflammt durch sein Genie, einen Bewunderungsschrei nicht zurückhalten konnte.

Ein anderer Weg, auf dem sich Frankreich dem Faust zu nähern versuchte, war der, daß es die bildende Kunst zu Hilfe rief und diese unfaßbaren Gestalten dem schauenden Auge greifbar vorzustellen trachtete. Der Versuch gelang in großartiger Weise, und was keinem deutschen Künstler gelang, nicht Retzsch, Cornelius, Kaulbach: einem französischen Künstler, Delacroix, ist es gelungen, kongeniale Bilder zum Faust zu schaffen, die der Übersetzung von Stapfer beigegeben wurden. Sicherlich haben die Gretchenbilder von Ary Scheffer einen noch größeren Erfolg beim französischen Publikum gehabt. Aber sie sind süß und kitschig, während die Bilder von Delacroix in ihrer düsteren und genialen Wildheit dem Gegenstande seltsam angemessen scheinen, so daß Goethe einmal bei einem Vergleich der Faustbilder von Delacroix und Cornelius die von Delacroix für deutscher in ihrer Art erklärte. Er mußte gestehen, daß dieses Ungestüm der Konzeptionen, das Getümmel der Kompositionen, die Gewaltsamkeit der Stellungen und die Roheit des Kolorits, wenn er sie auch keineswegs billigen wolle, Delacroix' Befähigung verrieten, sich in den Faust zu versenken und sich mit dieser Produktion dergestalt zu befreunden, daß er alles Düster in ihr ebenso aufgefaßt und einen unruhig strebenden Helden mit gleicher Unruhe des Griffels begleitet habe. [12] Auch diese Bilder haben jedenfalls den Zugang zum Faust und sein Verständnis erleichtert.

Der dritte Weg war durch die französische Sprache selbst gegeben, die mit ihrer eingeborenen Klarheit, Präzision und Durchsichtigkeit das Dunkel der Dichtung aufhellte. Goethe hat es selber so empfunden, wenn er französische Übersetzungen des Faust las. Schon 1808, als Lemarquand ihm bei einem flüchtigen Besuch in Weimar aus dem Faust, das Buch vor sich haltend, übersetzte, fiel ihm die Freiheit, die Anmut, die Heiterkeit der Übersetzung auf, und er begrüßte Lemarquands Absicht, den ganzen Faust so zu übertragen. Das Resultat werde immer höchst merkwürdig sein, « weil der französische und deutsche Geist vielleicht noch niemals einen so wunderbaren Wettstreit eingegangen haben. » [13] Zwar, daß Goethe an Gérard de Nerval einen Brief geschrieben habe: er hätte seinen Faust in dessen Übersetzung selbst zum erstenmal verstanden, worauf die französische Romantik sich so viel zugute tat, und was noch heute in deutscher und französischer Faustliteratur spukt, ist eine Legende. Aber es gibt ein bezeugtes Urteil Goethes über Gérard de Nervals Übersetzung in den Gesprächen mit Eckermann: Es seien ihm wunderliche Gedanken durch den Kopf gegangen, wenn er bedenke, daß

Faust jetzt in einer Sprache gelte, in der vor fünfzig Jahren noch
Voltaire geherrscht habe. Deutsch mochte er den Faust nicht mehr
lesen; aber in dieser französischen Übersetzung wirke alles wieder
durchaus frisch, neu und geistreich. Jener Brief ist eine Legende. Aber
Goethe hat wirklich von einer anderen Übersetzung, nämlich der von
Stapfer, welche mit den Bildern von Delacroix erschien, gesagt: « Ist
nun jenes Gedicht seiner Natur nach in einem düsteren Element empfangen, spielt es auf einem zwar mannigfaltigen, jedoch bänglichen
Schauplatz, so nimmt es sich in der französischen, alles erheiternden,
der Betrachtung, dem Verstande entgegenkommenden Sprache schon
um vieles klarer und absichtlicher aus. »[14] Der Stolz eines Théophile
Gautier hat somit doch einige Berechtigung, wenn er in seiner « Histoire du Romantisme » von Gérard de Nervals Übersetzung schreibt:
daß es eine schwere Aufgabe damals war, die bizarren und mysteriösen
Schönheiten dieses ultraromantischen Dramas in die bis zum Exzeß
furchtsam gewordene französische Sprache zu übertragen; aber es
gelang, und die Deutschen, welche die Prätention haben undurchsichtig
zu sein, mußten sich diesmal für besiegt erklären: die deutsche Sphinx
war durch den französischen Oedipus erraten worden.

Es sei nun einiger Dichtungen der französischen Literatur gedacht,
die in der Nachfolge Fausts gegangen sind, wenn sie auch Goethe mit
wenigen Ausnahmen nicht mehr kennenlernen konnte. Es war ein
für Frankreich neuer Menschentypus, der sich in zwei Dichtungen
Alfred de Mussets, dem dramatischen Gedicht «La coupe et les lèvres»
(1832) und in der epischen Dichtung « Rolla » (1833) darstellt. Es sind
zwei Helden, die an ihrem unersättlichen Lebensdurst zugrunde gehen.
Rolla: sich in alle Ausschweifungen der Sinne stürzend, nie befriedigt
und im Genuß nach Begierde verschmachtend, bis er sich selbst den
Tod gibt. Faust wird in dieser Dichtung denn auch mit langem Anruf
beschworen. Der Held des Dramas ist nicht anders. Er möchte den
Becher des Lebens ausschöpfen. Aber immer bleibt zwischen Lipp'
und Kelchesrand ein unüberwindliches Hindernis. Der Fluch, den er
gegen Gott und die Natur schleudert, weil sie solchen Durst in den
Menschen legen und ihm doch das Mittel versagen, ihn zu stillen,
klingt fast wörtlich an Fausts Fluch an. Es scheint wirklich, als habe
Musset mit diesem Drama ein dem Faust analoges Werk Frankreich schenken wollen. Man kann es gewiß an Bedeutung ernstlich
nicht mit Faust vergleichen, wohl aber im Motiv. Ein neuer Ton
erklingt in der französischen Literatur. George Sand schafft mit ihrer

« Lelia » eine weibliche Faustgestalt, die von keinem Liebeserlebnis
ganz erfüllt, von keinem Augenblick ganz befriedigt werden kann.
Balzac hat oft sein Interesse für « le monde nocturne et fantastique
des ballades allemandes », für Faust und E.T.A. Hoffmann bekundet.
Er nannte das deutsche Volk das Volk der okkulten Wissenschaften,
und als typisch deutsche Gestalten galten ihm: Jakob Böhme, Agrippa
von Nettesheim, Paracelsus, Faust, « les grands chercheurs de causes
occultes ». Er selbst durchwühlte alle Wissenschaften, Philosophien
und Religionen, versenkte sich in den Okkultismus, um auf solchen
faustischen Wegen tiefere Erkenntnis zu gewinnen, den Schleier der
Welt zu heben, ihr Geheimnis zu ergründen. Er vertraut nicht mehr
jener Macht der Erkenntnis, zu der sich der französische Geist bis
dahin bekannte: der Vernunft. In seinen Romanen finden sich überall
solche « chercheurs de l'infini », « chercheurs de secrets », Magier,
Okkultisten, Alchimisten, Geheimnisträger, die in der französischen
Literatur so neu und so befremdend dastehen, und wenn es nicht
solche Sucher auf dunklen Wegen sind, so sind seine Menschen doch
von einem inneren Stachel getrieben: « le désir », der bis zur Leidenschaft, zur wilden Jagd nach Liebe, Reichtum, Macht gesteigerten
Begier. Seine Erfinder, Künstler, Denker sind besessen von der Leidenschaft der Idee. Überall dieser nie zu befriedigende Dämon, überall
diese Sucher sinnlicher und idealer Grenzenlosigkeit. Das ist die
menschliche Komödie. Balzac war das Haupt der « satanischen
Schule » in Frankreich, wie es Byron in England war, und diese ganze
Bewegung beginnt mit Goethes Faust. Zweimal, mit seinen Romanen
« La Recherche de l'Absolu » und « La Peau de Chagrin », besonders mit
diesem, scheint Balzac wirklich den Wettkampf mit Goethes Faust
(und E.T.A. Hoffmann) aufgenommen zu haben. Aber gerade in
diesem Jugendwerk bleibt es bei einer nur sehr äußerlichen, durch den
Teufelspakt gegebenen Ähnlichkeit. Balzac schickte dieses Werk vielleicht zum Zeichen daß der Faust zu seinen geistigen Ahnen
gehöre, mit einer großen Sendung der französischen Romantiker 1831
nach Weimar. Aber Goethe, der darin wohl das Produkt eines ganz
vorzüglichen Geistes erkannte, fand doch auch, daß es auf ein nicht zu
heilendes Grundverderbnis der Nation deute, welches immer tiefer um
sich greifen wird, « wenn nicht die Départements, die jetzt nicht lesen
und schreiben können, sie dereinst wieder herstellen, insofern es möglich wäre ». Goethe war damals mit dem Abschluß des zweiten Teiles
Faust beschäftigt.

Noch einmal sei gesagt, daß Faust gewiß nicht Glück und Segen für die jungen Dichter Frankreichs brachte, und Musset hat in seiner « Confession » nicht nur dem Werther sondern auch dem Faust geflucht. Aber die gewaltige Erweiterung des allzu eng gewordenen, französischen Bereiches, die der Faust ihm brachte, ist nicht abzuleugnen, und es gibt nun auch eine ganze Reihe französischer Dichtungen, die, von Faust beeindruckt, doch ein hoffnungsreicheres, trostvolleres Welt- und Geschichtsbild entwerfen. Man kann in Faustbesprechungen der französischen Romantik häufig lesen, daß dieses Drama mehr als die Geschichte eines einmaligen Menschen darstelle. Es sei die Geschichte des Menschengeistes überhaupt, und Faust sei der symbolische Repräsentant der Menschheitsgeschichte. In dieser Dichtung offenbare sich der Sinn und das Ziel der Geschichte, die sich nach einem gewaltigen Weltplan vollzieht. Die Geschichte der Menschheit sei ein Weg der Schmerzen und Irrungen. Aber der Menschengeist wandelt und läutert sich durch solche Prüfungen. Faust wurde als eine philosophische Dichtung, eine Philosophie der Geschichte in dichterischer Gestalt verstanden.

Dazu ist aber zu bemerken, daß mit Goethes Faust zusammen ein anderes Werk der deutschen Literatur die Erregung faustischer Geistigkeit in Frankreich bewirkte. Es sind Herders « Ideen zur Philosophie der Geschichte der Menschheit », welche die Geschichte als die Entwicklung der Humanität, aller in der menschlichen Natur angelegten Möglichkeiten, begreifen, die sich je nach der verschiedenen Veranlagung der Nationen, der Verschiedenheit des Raumes und der Zeit und in der Zusammenarbeit der Völker entfalten und einem zukünftigen Ideal entgegenführen. Die Geschichte der Menschheit als die unendlich werdende Verwirklichung der Humanitätsidee: das war es, was mit der Goetheschen Faustidee zusammenschmolz. Goethe selbst hatte ja an Herders Werk mitgearbeitet, so daß man es fast ein gemeinsames Werk nennen darf. Die Goethe-Herdersche Idee, daß die Menschheit ein lebendiger Organismus sei, in dem ein jedes Volk eine bestimmte Funktion zu erfüllen hat, wodurch die natürliche Bestimmung des Menschen sich nach und nach verwirklicht, zündete in der französischen Romantik. Schon einmal hatte der philosophische Schriftsteller und Philantrop Degérando Frankreich auf Herder gewiesen, Aufsätze über ihn veröffentlicht, auch einige Partien aus den « Ideen » übersetzt. Seine Bemühungen waren erfolglos geblieben. Aber Degérando hat den jungen Edgar Quinet dazu angeregt, Herders

« Ideen » ganz zu übersetzen. Die Übersetzung erschien mit einer großen Einleitung: « Introduction à la Philosophie de l'Histoire de l'Humanité » 1825. Zwei Jahre später folgte Quinets « Essay sur les Oeuvres de Herder ». Quinet widmete die Übersetzung, als sie 1857 neu erscheinen konnte, den Manen Goethes, nachdem er erst nach Goethes Tod erfahren hatte, daß dieser sie in « Kunst und Altertum » der Aufmerksamkeit Deutschlands empfohlen hatte. Sie war für Goethe natürlich ein willkommenes Zeichen der sich bildenden Weltliteratur: ein Geist, der in Deutschland selbst schon ausgewirkt hatte, erstand nun in Frankreich zu neuer Wirksamkeit. Quinet hat selbst erzählt, welch erhebende und sein ganzes Leben entscheidende Wirkung schon in früher Jugend von Herder auf ihn ausgegangen war. Durch seine « Ideen » offenbarte sich ihm in dem trostlosen und verwirrenden Chaos der historischen Zeitbegebenheiten ein lenkendes und ordnendes Prinzip: daß der Same zur Humanität, zur Freiheit, Gerechtigkeit, Sittlichkeit und Schönheit von Natur in den Menschen gelegt sei und in der Universalgeschichte der Menschheit durch Zusammenarbeit der Zeiten und Völker aufgehe. Damit fand er die Bestimmung des Menschen und seine eigene Bestimmung. Der Mensch, der nach seiner Kraft, an seinem Platz, zum Aufbau dieses zukünftigen Reiches der Humanität hilft, reicht über die eigene Individualität, über seine Zeit und sein Volk hinaus und strömt als Welle in dem einen Strome der Geschichte, der, von fernster Vergangenheit über die Gegenwart in die Zukunft führend, alles mit allem verbindet und durch ewige Wandlung und Entwicklung der letzten Bestimmung der Menschheit entgegenführt, der Herrschaft des Geistes, der Freiheit, Gerechtigkeit, Sittlichkeit und Schönheit in der menschlichen Gesellschaft. So meinte dieser französische Geschichtsphilosoph die Philosophie des Egoismus von Helvetius, den skeptischen Spott Voltaires und das Nützlichkeitsprinzip der Engländer zu überwinden.

Was also hat so wandelnd von Herder her auf den französischen Geist gewirkt? Quinet selbst hat es in der Einleitung zu seiner Übersetzung und in seinem Essay über Herder bekannt. Eine sittliche Wandlung vollzog sich in ihm durch die Idee, daß der Mensch dazu bestimmt sei, einem höchsten Ideal um seiner selbst willen, nicht um persönlichen Glückes, nicht um irgendwelcher Zwecke und Interessen willen zu dienen. Dies « um seiner selbst willen » wurde ja im Ausland als besonders deutsch empfunden. Man kann sogar feststellen, daß Frankreich die Heimat des Prinzipes « l'art pour l'art » in Deutschland, in

der kantischen Philosophie und der Weimaraner Kunst gefunden hat.
Das zweite Moment war die Entstehung eines historischen Weltbildes,
der Welt als einer unendlich werdenden Entwicklung. Denn jedes
Ideal hat ja als solches ein unendliches Ziel, das nur in ewiger An-
näherung, nie aber ganz erreicht werden kann. Diese Annäherung aber
— und das ist das dritte Moment — kann nur in dem harmonischen
Zusammenwirken der Menschen, Völker und Zeiten geschehen, und
damit wurde jede Isolierung eines Menschen, eines Volkes, einer Zeit
aufgehoben. Ein neues Ethos kündigt sich auch hierin an. Wenn die
Geschichte ein einziger Strom ist, in welchem jeder Mensch, jedes
Volk und jede Zeit nur als eine Welle strömt, wenn sie eine unendliche
Melodie ist, in der alles nur als mitschwingender Ton seine Bedeutung
hat, so war damit gerade für den französischen Geist, der bisher geneigt
war, sich zu isolieren, zu verschließen, sich selbst genug zu sein, die
neue Erkenntnis gegeben, daß Öffnung, Einstrom und Mitstrom nötig
sei. Er muß im Nebeneinander des Raumes mit andern Völkern
zusammenwirken, im Nacheinander der Zeit sich an die Vergangenheit
schließen und die Zukunft im Auge haben. Es ist kein Zufall, daß der
Jünger Herders, Edgar Quinet, einer der ersten der französischen
Schriftsteller war, der die Idee einer Weltliteratur in seiner bedeutenden
Abhandlung « De l'Unité des Littératures Modernes » (1838) verkündete, in welcher er eine neue Wissenschaft verlangte, die alle
Literaturen zusammen als eine untrennbare Einheit erschaut und
darstellt, und in der er die Forderung erhebt, daß keine Literatur sich
in sich selbst verschließe, sondern Wechselbeziehung und Öffnung
nach allen Seiten suche. Nur in der Zusammenarbeit aller Völker
kann sich die Entwicklung der Humanität, dieser großen Bestimmung
der Menschheit, vollziehen.

Diese Herderschen Ideen also einten sich mit Goethes Faust, und
Quinet selbst, der Jünger Herders, sein Übersetzer und Verkünder in
Frankreich, faßte den Plan, diese Philosophie der Geschichte in einer
mythischen Gestalt zu verkörpern. Seine epische Dichtung « Ahasver »
(1833) ist an sich nicht gerade von dichterisch großer Bedeutung, aber
sie spielt in der Geschichte der französischen Literatur doch eine wichtige Rolle, indem sie eine Reihe faustischer Dichtungen eröffnet, in
denen es um die Geschichte des Menschen und der Menschheit geht.
Eine Gestalt wie Ahasver, die schon manchmal mit Faust verglichen
wurde, ist ja an sich in der französischen Literatur damals als ein
Fremdling aufgetreten, nicht nur deshalb, weil sie nicht der antiken

Mythologie oder Geschichte angehört, sondern als der ewig ruhelose, von ewigem Stachel getriebene, gehetzte Mensch. In dieser mythischen Gestalt also, in den Wanderungen des ewigen Juden durch die Zeiten und über die Völker hin hat der Dichter symbolisch die Geschichte der Menschheit dargestellt und damit einen Weg eröffnet, der vielfach fortgesetzt wurde. Lamartine schuf 1838 seine epische Dichtung «La Chute d'un Ange», welche die Entwicklung des menschlichen Geistes, die Phasen darstellen wollte, die er durchläuft, um seine göttliche Bestimmung zu erfüllen und auf dem Wege der Vorsehung durch seine irdischen Prüfungen zu seinem Ziel zu kommen. Die «Psyche» von La Prade (1841) hat den Abfall der Seele von Gott durch den Erkenntnisdrang zum Motiv, ihre Verbannung, ihre Prüfungen und ihre Läuterung auf dem Wege der Geschichte bis zu ihrer Vereinigung mit Amor, dem Gott der Liebe. Victor Hugos vielbändiges Epos «Légende des Siècles» (seit 1859) wollte die Entwicklung der Menschheit von Zeitalter zu Zeitalter, den einheitlichen und gewaltigen Aufstieg zum Licht, von Eva, der Mutter der Menschen, bis zur Revolution, der Mutter der Völker, von Barbarei zur Zivilisation erzählen. Jedes Zeitalter wird als eine Wandlung der Physiognomie der Menschheit dargestellt. Der geheimnisvolle Faden durch das Labyrinth der Geschichte ist der Fortschritt, «le progrès», in welchem der Mensch aus Finsternissen zur Verklärung aufsteigt, «la transfiguration paradisiaque de l'enfer terrestre, l'éclosion lente et suprème de la liberté». Es sollte eine Art von religiösem, tausendstrophigem Hymnus sein, gemischt aus Geschichte, Mythos und Legende der Völker und der Zeiten. Der zweite Teil des Faust war diesen Dichtern sicherlich, wenigstens in seinem Gedankengehalt, bereits bekannt geworden, wodurch die Entwicklungsidee des Faust, der Aufstieg aus Dunkel zum Licht erst klar in die Erscheinung trat. In der «Futura» von Vacquerie aber ist nun wirklich der Faust des zweiten Teiles der Held. Faust, der freie Gedanke, vermählt sich mit Helena, der Schönheit, und zeugt mit ihr Futura, die Zukunft, die das Reich Gottes auf Erden gründet, das Reich der Liebe, der Menschlichkeit, der Gerechtigkeit, der Humanität. Wie das Epos wird auch das französische Drama vom faustischen Geist ergriffen, und es gibt nun Dramen, in denen Albertus Magnus, als faustische Legendengestalt des Mittelalters, den Helden darstellt, der von unersättlichem Durst nach Allerkenntnis gequält, der Teufelsverführung zu erliegen droht, aber wie Goethes Faust, durch Läuterung und weibliche Liebe gerettet wird.

So ist es in dem « Drame fantastique » der George Sand: « Les sept
Cordes de la Lyre » (1839). Die Dichterin, die ja auch eine bedeutende
Abhandlung über den Faust im Vergleich mit Byrons Manfred und
Mickiewicz' Conrad schrieb, bezeugt denn auch in diesem Drama
damit, daß ihr Mephisto Faust als Ahnen des Albertus und Gretchen
anruft, aber diesmal auf andere Weise die Verführung dieses neuen Faust
und seiner Helena probieren will, die Ahnenschaft des Goetheschen
Faust für ihre Dichtung und zwar nicht nur des ersten, sondern auch
des zweiten Teils, worauf sowohl der Name der Mädchengestalt
« Hélène », wie das mystische Symbol der Leyer, die Rettung durch
himmlische Mächte, der überirdische Aufstieg Helenas deutet. Auch
Théophil Gautier hat einen Albertus Magnus verfaßt, und es gibt
außerdem französische Dramen, in denen Faust selbst als Held
erscheint. Gautier kontrastiert in seiner « Comédie de la Mort »
den alten Faust und Don Juan, ein in der französischen wie
auch in der deutschen Literatur häufig werdendes Motiv. In seinem
Drama « Fin de la Comédie ou la Mort du Faust et Don Juan » (1836)
läßt Adolphe Dumas Don Juan die Wandlung vom Liebesgenießer zum
faustischen Erkenner durchmachen, während Faust sich vom erkennenden zum liebenden Menschen wandelt.

Das ist die faustische Dichtung der französischen Romantik, die so
deutlich die Erweckung durch Goethes Faust verrät und doch auch
wiederum so französisch anmutet, weil alles, in den meisten Fällen,
unter den Aspekt der menschlichen Gesellschaft gestellt wird, und sich
die Idee der Entwicklung als die des sozialen Fortschritts zeigt.
Denn wenn auch Goethes Faust am Ende der Zivilisator ist, der dem
Meer in heißem Kampfe neues Siedlungsland für Menschen abgewinnt,
so ist doch das nur die letzte Stufe der Vollendung seiner Persönlichkeit, die Stufe der Tat. In den faustischen Dichtungen Frankreichs
aber geht der Weg dem Reiche Gottes auf Erden zu, einem Reich
der Gerechtigkeit, der Freiheit, der Humanität, einer idealen Gesellschaft, so daß sich doch wieder der Unterschied zwischen der auf der
Idee der Persönlichkeit beruhenden, deutschen Literatur und der auf
der Idee der Gesellschaft ruhenden, französischen erweist. Durch die
Sozialisierung deutscher Ideen, die sich auf allen Gebieten zeigt, wurde
ja die französische Romantik auch fähig, rückwirkend auf die deutsche
Literatur diese aus der Romantik herauszuführen. Das junge Deutschland, eine durchaus sozialpolitische Bewegung, entspricht innerhalb
der deutschen Literatur dem, was innerhalb der französischen die

französische Romantik ist, und es steht auch stark unter ihrem Einfluß.

Wenn aber in der französischen Romantik der Konflikt der Persönlichkeit mit der Gesellschaft, besonders des Genies, des Dichters, ein Hauptmotiv geworden ist, so ist auch das auf Goethe zurückzuführen. Frau von Staël hat den grundlegenden Unterschied zwischen der deutschen und französischen Literatur darin gefunden, daß die französische einen gesellschaftlichen Charakter trägt, die deutsche aber auf der Freiheit der dichterischen Individualität beruht. Der französische Dichter ist der Exponent, die Stimme der Gesellschaft, der deutsche lebt und dichtet in Einsamkeit für sich. Solange die deutsche Literatur unter französischem Einfluß stand, wie das im 18. Jahrhundert der Fall war, trifft das freilich nicht zu. Aber seit sie sich im Sturm und Drang auf ihre eigene Natur besann, erweist es sich als Wahrheit. In Goethe und seiner Dichtung hat sich wirklich zum erstenmal in der Weltliteratur das Verhältnis zwischen Dichter und Gesellschaft als ein tief problematisches offenbart, und Goethe hat zum erstenmal in der Weltliteratur Künstlertragödien gestaltet. Er tat es in seinem kleinen Jugendwerk: «Künstlers Erdenwallen» und dann in seinem Tasso. Das englische Drama «Tassos Melancholy» von einem unbekannten Dichter, das zu Ende des 16. Jahrhunderts in London aufgeführt wurde und verlorengegangen ist, war ohne Zweifel kein Künstlerdrama. Goethes Tasso aber hat das Problem von Dichter und Gesellschaft gestellt. Es ist die Tragödie eines Dichters, der im Reiche seiner idealen Träume und Visionen lebend, ein eigenes Maß und Recht für sich, den Genius verlangend, in der Gesellschaft keinen Lebensraum besitzt, in dem er atmen kann, und, weil er gegen ihre Sitte und ihr Maß verstößt, von ihr verstoßen und geächtet wird. So wie Goethe schon im Werther sich nicht mit dem Motiv der Liebe begnügte, sondern ihm ein soziales hinzufügte, so tat er es auch im Tasso. Als Goethe dieses Werk vollendete, war er gewiß schon nicht mehr seinem Tasso gleich, so wie er nicht mehr Werther war, als er diesen vollendet hatte. Er hatte es in Weimar gelernt, sich entsagend in die Ordnung der Gesellschaft einzufügen, und sein Tasso, der seine Vollendung in Italien erfuhr, wurde so zu einer Art von Selbstgericht. Aber wieder sehen wir: die Welt sah nicht den Goethe, der sich selber überwand. Sie sah in seinem Tasso und in Goethe selbst den einsamen Dichter, der kraft seines Dichtertums in Konflikt mit der menschlichen Gesellschaft gerät, sein dichterisch-geniales Maß an sie legt und ihr darnach

das Urteil spricht. Man kann ohne Übertreibung sagen, daß sich durch
Goethe das Bild des Dichters und des Künstlers überhaupt in der
Welt gewandelt hat, und daß die Beziehung von Dichter und Gesellschaft erst durch ihn zu einem tragischen Problem geworden ist.
Man kann das so gewandelte Dichterbild in allen europäischen Literaturen finden, im « Correggio » des dänischen Romantikers Oehlenschläger, der sich denn auch in seiner Selbstbiographie dabei auf
Goethes Künstlerdramen beruft, in Mickiewicz' « Conrad », in Byron
als Gestalt sowie als Dichter eines Tasso, in Shelley, bei dem es auch
kein Zufall war, daß er den Plan zu einer Tassotragödie faßte, von
der einige Fragmente erhalten sind, in « Tassos Coronation » von
Felicia Hemans, in dem russischen Drama « Torquato Tasso » von
Nestor Kukoljnik (1830/31). Shelley und Byron wurden ja auch selbst
von der englischen Gesellschaft geächtet, aus England verbannt, und
trugen gleichsam das Kainszeichen des Dichters auf der Stirn. In
seiner epischen Dichtung « Alastor, oder der Geist der Einsamkeit »
(1815) hat Shelley eine faustische Gestalt als Helden dargestellt,
aber einen Faust, der ein Dichter, und zwar einer von Tassos Geschlecht
ist. Es ist die Geschichte eines Dichters, dem ein so hohes Traumbild
seiner Phantasie vor der Seele schwebt, daß er vergeblich nach einem
Ebenbilde in der Wirklichkeit sucht, weil Wirklichkeit dem Dichtertraum niemals entsprechen kann, und so verlöscht und stirbt er in
der Einsamkeit.

Am auffälligsten aber ist eine solche Wandlung des Dichterbildes doch
in der französischen Literatur, weil sich der Dichter gerade in ihr
bisher so ganz als Repräsentant der Gesellschaft empfunden und sich
nach ihrem Maß und Brauch gerichtet hatte. War doch der Kult der
Form in der französischen Literatur ganz wesentlich ein Kult gesellschaftlicher Form, der Form als Göttin der Gesellschaft. Es war die
Frau von Staël, welche die Welt auf den Unterschied zwischen der
deutschen und französischen Literatur in dieser Hinsicht aufmerksam
machte. Sie war es auch, welche zum erstenmal in Goethes Tasso
die Tragödie des Konfliktes zwischen Dichter und Gesellschaft, Poesie
und Konvention erblickte und die Welt in ihrem Buch « De l'Allemagne » darauf wies. Durch ihre Vermittlung geschah es wohl, daß
Goethe das Dichterbild in der französischen Romantik umgestaltete.
Man braucht dabei nicht einmal an die französische Nachbildung des
Goetheschen Tasso zu denken : « Le Tasse » von Alexandre Duval (1826),
von der Goethe in « Kunst und Altertum » berichtet, daß sie die Auf-

merksamkeit der ganzen Nation erregt und sich eines glänzenden
Beifalls erfreut habe. Es handelt sich in ihr jedoch nur um eine Wandlung des Goetheschen Tasso in eine höchst konventionelle, höfische
Liebes- und Eifersuchtstragödie. Von einem tragischen Dichter-
schicksal ist nichts in ihr zu finden. Aber einer der ersten und entscheidenden Siege der französischen Romantik war ein Drama Alfred
de Vignys: «Chatterton» (1835), und es stellt das Martyrium eines
englischen Dichters dar, der eine zu hohe Idee von Dichtung und
Dichtertum in sich trägt, als daß er in seiner eigenen Dichtung auf die
Forderung der Gesellschaft Rücksicht nehmen könnte. Die Gesellschaft
aber rächt sich dafür an ihm und treibt ihn in Elend, Hunger und
Tod. Es ist ganz offenbar, daß Chatterton in diesem Drama Tassosche
Züge trägt, und Alfred de Vigny hat wohl auch das Goethesche Drama
gekannt. Zum mindesten kannte er es aus der eingehenden Bespre-
chung der Frau von Staël in ihrem Buch «De l'Allemagne». Er hat auch
in seinem Roman « Stello » (1832) drei Dichtergestalten beschworen:
Gilbert, der in Wahnsinn endete, Chatterton, der sich vergiftete,
André Chénier, der hingerichtet wurde, um an ihnen zu beweisen,
daß der Dichter als solcher zu dem ewig von den Mächten der Erde,
dem Staat und der Gesellschaft verfluchten Geschlecht gehöre.
Kein Wunder denn auch, daß zu den wesentlichsten Zügen des
Goethebildes in der französischen Romantik seine Originalität und
seine Selbstdarstellung gehört. Darauf beruht die große und wirklich
tiefe Charakteristik Goethes, die von Ampère im « Globe » entworfen
und von Goethe selbst übersetzt wurde. Der Originalität schrieb
Ampère es zu, daß Goethe so langsam in Frankreich Eingang fand,
und was ihn besonders erstaunte, war dies, daß Goethe den Stoff
seiner Produktionen so ganz in sich selber suchte, daß er nichts dichten
wollte, als was er selbst gesehen oder gefühlt hatte. In jeder Dichtung,
auch im Drama, drückt er aus, was ihn erfreut, geschmerzt, beschäftigt
hatte. Liest man ihn, so muß man von dem Gedanken ausgehen,
daß ein jedes seiner Werke auf einen gewissen Zustand seiner Seele
oder seines Geistes Bezug habe: man muß darin die Geschichte der
Gefühle suchen, wie der Ereignisse, die sein Dasein ausfüllten. Welch
ein Schauspiel, einen kühnen Geist zu sehen, nur auf sich selbst gestützt,
nur seinen eigenen Eingebungen gehorchend ! Das war nun der Leit-
gedanke Ampères, die Person Goethes und sein ganz persönliches
Erlebnis in seinen Dichtungen zu finden, und daß es ihm gelungen ist,
hat Goethe selbst ihm bezeugt. Das alles scheint ja freilich für den

deutschen Leser Goethes eine Selbstverständlichkeit zu sein. Für
Frankreich aber war es eine neue Offenbarung und Erkenntnis, daß
ein großer Dichter durchaus nicht nur das Sprachrohr der Gesellschaft
zu sein habe, sondern sich selbst, sein innerstes und eigenstes Erlebnis
im Gedicht bekenne und gestalte, und diese Offenbarung hat vielleicht einem oder dem andern der französischen Romantiker, etwa Musset
und Lamartine, den Mut gegeben, einen ähnlichen Weg zu gehen.

Natürlich war es in erster Linie die französische Lyrik, welche so eine
Wandlung erfuhr, und wenn schon das ganze Goethebild der französischen Romantik im Grunde das eines sich selbstbekennenden, auch
im Drama, auch im Epos, aus seiner eigenen Innerlichkeit schöpfenden
Lyrikers war, so haben doch die Lieder Goethes in dieser Richtung
besonders tief gewirkt und zu der Wandlung beigetragen, die sich
von den rein geselligen Chansons oder den allgemein reflektierenden
Gedichten Frankreichs zu jenen Liedern der französischen Romantik
vollzog, in denen tiefere, dunklere, innigere, aus Einsamkeit und
Sehnsucht geborene Töne, Töne des Schmerzes und der Seligkeit,
des Einklangs nicht mit der Gesellschaft sondern der Natur, und einer
Liebe angeschlagen werden, die nicht mehr Galanterie ist, sondern
innigstes Gefühl. Goethe wurde für die französische Romantik und
weit über sie hinaus zum Inbegriff des Lyrikers überhaupt, und nur
Heinrich Heine kann in Frankreich darin noch mit ihm wetteifern.
Ja, « lyrisch » fällt geradezu, seit Frau von Staël ihr Goethebild errichtet
hatte, mit deutsch zusammen, sowie für Musset « romantisch » und
deutsch identische Begriffe waren. Nannte doch Musset die Romantik
die Tochter Deutschlands; sprach er doch von der « douce obscurité
que le romantisme importa d'Allemagne ». La douce obscurité !
Wie seltsam klingt das im Lande der clarté und der raison. « Le
romantisme », sagt Musset einmal, « c'est la poésie allemande ». Noch
André Suarès hat in seiner zu Goethes hunderstem Todestag 1932
erschienenen Schrift « Goethe Le Grand Européen », in der Goethe der
größte Mensch der modernen Zeiten und unser aller Meister genannt
wird, die Lieder für die hinreißendsten und schönsten seiner Schöpfungen erklärt, und selbst im « Faust » findet er die Lieder bewunderns-
werter als alles sonst. Denn hier hat der Gedanke seine Musik gefunden.
Auch sind es die Lieder Mignons und des Harfners, welche für ihn die
tiefste Schönheit des « Wilhelm Meister » ausmachen. Romain Rolland
hat nicht viel anders empfunden. Das Phänomen ist aber zur Zeit der
Romantik um so erstaunlicher, als die Übersetzungen Goethescher

Lyrik damals eigentlich alles zu wünschen übrig ließen, und auch
Gérard de Nerval macht davon mit seinen « Poésies Allemandes » (1830)
keine besonders bemerkenswerte Ausnahme. Überdies wurden die
Lieder und Balladen Goethes damals noch meistens in Prosa übersetzt,
wodurch ihnen von vornherein ihre Seele genommen wurde, und es
fehlten auch der französischen Dichtersprache damals noch die Töne,
die erst Verlaine ihr geschenkt hat, um eine angemessene Übertragung
Goethescher Lieder möglich zu machen. Bedenkt man dazu, daß
überhaupt gerade die Lyrik der Übersetzung die größten Schwierig-
keiten bereitet, und daß ihr Duft, ihr Schmelz, ihre Stimmung, ihre
Musik, sich nur allzuleicht dabei verflüchtigt, so wird man um so mehr
darüber staunen, daß Goethes Lieder (in Verbindung mit denen
anderer deutscher Lyriker, wie Bürger, Schiller, Uhland, Heine
und auch mit englischer Lyrik) eine solche Wandlung in der französischen Lyrik bewirkten. Denn sie taten es wirklich durch Übersetzungen, weil die französische Romantik, mit allergeringsten
Ausnahmen, auf Übersetzungen angewiesen war. Gleich an den
« Poésies de Goethe, auteur de ‚Werther', traduites pour la première
fois de l'allemand par Mme E. Panckoucke » (1825) (in Wahrheit von
verschiedenen Mitarbeitern des Verlagshauses Panckoucke, wie Aubert
und Loeve-Veimars) tadelte Goethe selbst, daß sie nur « paraphrasiert
und die Poesie zerstört ». Die Erklärung ist wohl darin zu finden, daß
die Lieder Goethes auf den Flügeln Beethovenscher und Schubert-
scher Musik nach Frankreich getragen wurden, wie man überhaupt
nie vergessen darf, welch große Hilfe der deutschen Dichtung bei
ihrem Zuge in die Welt durch die deutsche Musik geleistet wurde.
Musik, nicht Dichtung, galt seit den Tagen der europäischen Romantik
als die eigentliche Weltsprache Deutschlands und als der natürlichste
Ausdruck der deutschen Seele, ihr Atem gleichsam, wie Victor Hugo
es in seinen Hymnus auf Deutschland bezeichnet hat, « la grande
communication de l'Allemagne avec le genre humain », wie es in
Hugos Shakespeare-Buch heißt. « C'est par la musique que ces idées
qui pénètrent les âmes sortent de l'Allemagne. » Beethovens Ausspruch, daß Musik die Weltsprache sei, die keiner Übersetzungen
bedarf, weil sie unmittelbar von Seele zu Seele spricht, trifft gerade
im deutschen Falle besonders zu. Musset glaubte im letzten Fieber-
traum, auf seinem Sterbebett, noch deutsche Musik zu hören: Beethoven, Mozart, Schubert. Heinrich Heine berichtet in seiner « Lutetia»,
wie die deutsche Musik sich Frankreich eroberte und auch dazu be-

stimmt war, das Verständnis der deutschen Literatur zu fördern. Aber auch ohne Vertonung hörten die französischen Lyriker in den Gedichten Goethes und Heines durch die Übersetzung hindurch ihre innere Musik, und in ihr empfanden sie den wesentlichsten Unterschied von der bisherigen Lyrik Frankreichs, die so rhetorisch, deklamatorisch, reflektierend, räsonierend war. Ein Goethesches Gedicht dagegen, ein deutsches Gedicht überhaupt, so fand man jetzt in Frankreich, verlangt von innen her nach Vertonung, und der Komponist hat gleichsam nur die immanente Melodie des Gedichtes zu erlauschen. Das von innen her zum Gesang bestimmte Gedicht, der sprachlich-musikalische Ausdruck der Seele, des Herzens, der Empfindung, mit einem Wort: das Lied galt als die eigentlich deutsche Kunst oder besser gesagt, die eigentlich deutsche Natur. Jetzt erst begriff man, daß Lyrik aus dem Geiste der Musik geboren werde, und ohne solche Erkenntnis hätte vielleicht Musset sein berühmtes Gedicht « Rappelle-toi, Paroles faites sur la musique de Mozart » nicht gedichtet. (Es ist wohl einem deutschen Liede nachgebildet, dessen Musik aber nicht von Mozart stammt.) Man kann auch bemerken, wie oft nun aus deutschen Dramen und Balladen französische Opern entstehen, nach Goethe: « Faust » von Berlioz und Gounod, die « Braut von Corinth », die von Scribe für Auber bearbeitet wurde, « Mignon » von Thomas, « Werther « von Massenet, und Théophil Gautier plante gar aus dem « Erlkönig » ein Ballett zu machen ! Aber es gibt nichts, was für das Wesen des deutschen Einflusses in der französischen Literatur so charakteristisch wäre wie dies: daß die deutsche Bezeichnung « Lied », wirklich das deutsche Wort: « Lied » zum Namen für französische Gedichte wurde, die solchen seelisch-musikalischen Charakter tragen. Das begann in der französischen Romantik bei Musset, Gautier, Sainte-Beuve, setzte sich im Symbolismus fort, und noch heute ist diese Bezeichnung « lied » dem französischen Sprachgebrauch ganz geläufig, so wie man auch bei anderen, unübersetzbaren Worten, wie etwa « Gemüt » und « Stimmung » bei den deutschen Ausdrücken blieb. Will man die Wandlung, die sich in den Beziehungen der beiden Völker vom 18. zum 19. Jahrhundert vollzog, mit möglichster Deutlichkeit fassen, so braucht man nur daran zu denken, wie oft im 18. Jahrhundert das heitere, gesellige, in Gesellschaft zu singende Lied von deutschen Dichtern « Chanson » genannt wurde.

Das aber deutet auf eine weitere Verschiedenheit zwischen den Stimmen der Völker und noch eine andere Wandlung in der französischen

Lyrik hin. Denn unter « Lied » wurde in Frankreich meistens gerade
nicht das heitere Gedicht verstanden, sondern das schwermütige,
schwärmerische, träumerische, in die Natur und in sich selbst versunkene, nicht das gesellschaftliche, sondern das volksliedhafte, und
auch daran war Goethe nicht unbeteiligt. Denn was den französischen
Geist an Goethe ganz besonders erstaunte, war dieses, daß ein Dichter
von so hohem Rang, so erlesener und universaler Bildung, solcher
stolzen Position in der Gesellschaft, es doch wagte, seine Lieder, die er
aus der eigenen Seele sang, im Ton des Volksliedes zu singen, so wie
er sich nicht scheute, seine größte Dichtung, den Faust, aus einem
Volksbuch zu schöpfen. Das war für Frankreich damals ganz so neu,
wie die Erlebnisdichtung. Das Volkslied galt in der französischen
Literatur sozusagen nicht für gesellschaftsfähig, und nun vernahm
man aus dem Munde eines so großen Dichters Lieder im Ton des
Volkes. Es ist dabei für das nun erwachte Verständnis Frankreichs
gegenüber der deutschen Dichtung sehr bezeichnend, daß jenes Bild
Goethescher Einsamkeits- und Selbstbekenntnisdichtung so gut
zusammenging mit diesem Bilde des volkstümlichen Dichters Goethe,
des Sängers der Gretchen-, Klärchen-, Mignon- und Harfner-Lieder,
so wie Edgar Quinet in Faust und Gretchen zwei Seiten des deutschen
Geistes erkannte, die immer im deutschen Volk nebeneinander bestehen: « l'extrème réflexion et l'extrème naivité, tout l'héritage de
science du genre humain et toute la poésie virginale d'une race nou-
velle » (Allemagne et Italie). Es gibt ja wirklich nichts, was mehr aus
dem Geist der Einsamkeit geboren wäre als ein deutsches Volkslied,
das denn auch sinnvoll eigentlich nur allein zu singen ist, so ganz im
Unterschied von den französischen Chansons. Goethe, der ein großer
Bewunderer Bérangers war, dieses Meisters der Chansons, und ihn bei
vielen Gelegenheiten in Deutschland bekanntzumachen versuchte,
mußte doch Eckermann gegenüber erklären, daß solch politische
Lieder in Deutschland nicht am Platze waren. Es fehlte an Gegenstän-
den, welche die Begeisterung der ganzen Nation erregen könnten.
Es werden Lieder einer Partei. So ist es denn charakteristisch, daß erst
Chamisso, der geborene Franzose, es dann doch vermocht hat, die
Lieder Bérangers in Deutschland einzubürgern und selber deutsche
Chansons in ihrem Stil zu schaffen. Die Lieder Goethes aber brachten
mit dem Echo, das sie in Frankreich fanden, ganz neue Töne in den
bisher so exklusiven, hochgesellschaftlichen Raum der französischen
Literatur und bedeuteten auch gegenüber Béranger eine Neuheit.

Nach dem Vorbild deutscher Volksliedersammlungen wurden nun auch die alten Volkslieder Frankreichs gesammelt, und auch sie wurden « lieds » genannt, lieds de France. Zur Zeit des Symbolismus, der so stark im Zeichen Richard Wagners stand, mit dem denn auch ein beispielloser Kult getrieben wurde, drang in seiner Gefolgschaft auch eine neue Welle von Begeisterung für deutsche Lyrik nach Frankreich. Damals schrieb der fanatische Wagnerianer Camille Mauclair sein Buch « La Religion de la Musique », und nennt darin die älteste und echteste Poesie « le lied », spricht von den « lieds » der Bibel, der Chinesen, Perser und Japaner. Warum aber bezeichnet er diese Poesie mit diesem deutschen Wort? Weil solch älteste, ursprünglichste, natürlichste Poesie in Deutschland zuerst durch Goethe, Heine, Schubert und Schumann ihre Auferstehung fand. Aber er nennt auch die Gedichte eines Baudelaire und Verlaine mit diesem Namen, weil auch sie in musikalischer Sprache die reine Empfindung ausdrücken. « On reconnaît un poète à ce qu'il a le sens du lied, c'est-à-dire de la racine du sentiment ». Die Anknüpfung an die Tradition, die mit Goethes Wirkung in Frankreich begann, ist deutlich.

Nimmt man endlich noch dazu, daß Goethe mit seinem Götz von Berlichingen und Egmont auch an der Wiege des historischen Dramas oder vielmehr der dramatisierten Historie in Frankreich stand, so wird man den gewaltigen Umfang des Goetheschen Wirkungskreises ermessen. Goethe selbst hat es in den letzten Jahren seines Lebens bemerkt, daß die französische Tragödie eine Wandlung durchzumachen begann, welche die deutsche Literatur schon vor mehr als fünfzig Jahren durchmachte und deren Keim in seinem Götz zu finden sei. Natürlich waren neben Goethe auch Schiller und besonders Shakespeare daran beteiligt, wenn nun die dramatisierten Historien eines Vitet entstanden: « Scènes historiques », « Les Barricades » (1826), « Les Etats de Blois » (1827), « La Mort d'Henri III » (1829), Dramen also, welche ihren Gegenstand nicht aus der Mythologie, sondern aus der mittelalterlichen und neueren Geschichte schöpften und sich an die historische Wahrheit hielten, die an Stelle einer mehr abstrakten Atmosphäre in der klassizistischen Tragödie das historische Zeitkolorit zu wahren suchten und damit dem Theater eine neue Farbigkeit und Mannigfaltigkeit verliehen, die endlich die klassizistischen Regeln aufgaben und damit besonders die alte Tragödie überwanden. Ein solches Drama ist nur eine lose Reihung von Szenen, und wenn man bedenkt, daß der Streit zwischen der europäischen Klassik und

Romantik zu einem guten Teil der Streit um die Einheitsregeln war, versteht man, in wie weitem Maße sich die französische Romantik als eine Bewegung erwies, die den Klassizismus stürzte. Die Goethesche Wirkung: die Erweckung des faustischen Geistes, die Erschließung neuer Quellen, wie der nordischen Sage und der nationalen Geschichte, die musikalische Beseelung der Lyrik, die Befreiung von der Regelhaftigkeit: alles lief darauf hinaus, die klassizistische Tradition und Convention in Frankreich überwinden zu helfen.

Daß solche Wandlung sich nur langsam und nur im Kampf gegen heftigste Widerstände durchsetzen konnte, war selbstverständlich. Als das allentscheidende Buch der Frau von Staël erschien, das auch Goethe den Weg nach Frankreich bahnte, stand die französische Literatur durchaus noch unter der Herrschaft der Akademie, die ihre fast religiös empfundene Aufgabe darin erblickte, die französische Tradition, den guten Geschmack, die heilige Regelhaftigkeit des Klassizismus unangetastet zu erhalten. Für sie war Deutschland immer noch das Land der Barbaren, der nordischen Hyperboreer. In ihren Augen war das Buch der Frau von Staël ein Staatsverbrechen, ein Hochverrat, der den gefährlichsten Feinden der französischen Kultur die Tore Frankreichs öffnen wollte, und eine Französin war es, die solches tat. Man läutete Sturm. Das Vaterland ist in Gefahr! Hannibal ante portas! Faust vor den Toren von Paris! Noch 1823 eröffnete Lacretelle die « Société des Bonnes Lettres » mit einer Rede, in der es hieß: O Schmach und Schande! Man ruft gegen unsere Klassiker die Autorität einer Frau auf, die mehr durch Geisteskraft als durch die Sicherheit ihres Geschmacks berühmt ist, und die es wagt, zwischen Corneille und Schiller, zwischen Racine und Goethe ein Gleichgewicht herstellen zu wollen. Sollen wir wirklich den fremden Göttern opfern, wirklich die schönsten Kronen Frankreichs zu ihren Füßen niederlegen und wie ein besiegtes Volk ausrufen: Vive la Germanie, vivat Teutonia? Zu welch extremen Konsequenzen würde die deutsche Invasion nicht nur in unserer Literatur, sondern auch in unserm Staat und unserer Gesellschaft führen. Die Räuber, diese Lieblinge der Romantik, würden unsere Wälder, Straßen und Städte bevölkern. Die Akademie erließ ein offizielles Manifest, den « Discours sur le Romantisme » von Auger (1824) gegen die von Deutschland her eindringenden, formlosen Ungeheuer, gegen die Barbaren, welche die Phädra und Iphigenie des Racine gegen Faust und Götz von Berlichingen eintauschen wollten. Als Gérard de Nerval, der Über-

setzer des Faust, von Wahnsinn befallen wurde, da wurden allen
Ernstes Stimmen laut, die den Grund der Erkrankung darin fanden,
daß Gérard sich in diese Regionen der faustischen Unvernunft gewagt
habe: das erste Opfer der deutschen Phantastik, an dem die französische Vernunft ihre Rache nahm. Gegen solche Widerstände mußte
die französische Romantik sich durchsetzen. Aber es gelang ihr,
und damit siegte auch das Bild der deutschen Literatur und Deutschlands überhaupt, wie es Frau von Staël entworfen hatte: als das Bild
eines Volkes von Dichtern und Denkern, Musikern, Träumern,
Schwärmern, Enthusiasten und Idealisten, Königen im Reich der
Phantasie. Dies Bild hat sich lange erhalten, solange bis der Krieg
von 1870/71 kam, und Frankreich erkennen mußte, daß es in Deutschland nicht nur Dichter und Denker, sondern auch Soldaten, und nicht
nur romantische Dichtung und Musik, sondern auch Kanonen gebe, und
daß es sich nicht mit einem Wolken- und Traumreich begnüge, sondern
ein sehr irdisches Reich begründen wolle. Da stürzte das Bild der
Frau von Staël, und nun erhob sich die Anklage gegen sie, daß sie
am Unglück Frankreichs die Schuld trage, indem sie ihr Vaterland
mit ihrem Bilde Deutschlands in Sicherheit wiegte und mit der geistigen
Invasion, der sie den Weg geöffnet hatte, die wirkliche vorbereitete.
Jetzt machte der französische Schriftsteller Barbey d'Aurevilly den
berühmten Versuch, das Goethebild Frankreichs als falsches Götzen-
bild zu entlarven und umzustürzen. Es war ein Vorgang, der sich
dann im Weltkrieg 1914/18 noch einmal wiederholte, als Jacques
Bainville in seiner Schrift « Cent Ans d'Illusion sur l'Allemagne » den
deutschen Idealismus « une mystification abominable et dangereuse,
la pure légende staëlienne » nannte, und Péladan, der Wagnerenthusiast,
in seinem Buch « L'Allemagne devant l'Humanité et le devoir des
civilisés » gegen Frau von Staël die gleiche Anklage des Verrats erhob.
Als sich die Leidenschaft gelegt hatte, der Blick wieder klarer geworden
war, da zeigte sich freilich, daß Goethe den Sturm überlebte, ja, daß
man ihn nun richtiger, nämlich in seiner Ganzheit sah, wenn auch als
ein deutsches Wunder: als Europäer, als Brücke zwischen den Nationen
und ein Band der Völker, als die Synthese des romanischen und germanischen, des klassischen und romantischen Geistes, als Faust, der sich
mit Helena vermählte.

Das war ja nun Goethe wirklich, schon damals, als er zu einem Erreger
der französischen Romantik wurde, und so wird man es verstehen, daß
er sich seiner gewaltigen Wirkung und der Verehrung, die man ihm

entgegenbrachte, nicht restlos freuen konnte. Die Wandlung der französischen Literatur geschah wohl gewiß im Sinne seiner Weltliteraturidee und machte ihm den Segen offenbar, den eine Literatur von einer anderen empfangen kann. Er sah Verjüngung eines überalt gewordenen Schrifttums, Erweichung allzu starr gewordener Regeln, Befreiung von zu eng gewordenen Bindungen, Öffnung der nationalen Grenzen, Bereicherung an Stoffen, Formen und Motiven. Daß sich jedoch die französischen « Antiklassiker » auf ihn beriefen, in seinem Namen an den heiligen Bezirk der alten Göttertempel Feuer legten, mußte ihn verwundern und auch ängstigen. Denn alles Herostratentum lag ja schon so weit hinter ihm.

So hat er sich denn auch manchmal genötigt gefühlt, seine warnende Stimme zu erheben, und gerade als er aus dem « Globe » eine Abhandlung übersetzte und in « Kunst und Altertum » veröffentlichte, in der die nordische Gespensterwelt seines Faust gegen die griechische Mythologie ausgespielt wurde, da setzte er die eigene Bemerkung hinzu, es müsse wohl dem Dichter erlaubt sein, auch aus einem solchen Element Stoff zu seinen Schöpfungen zu nehmen, daß aber die griechische Mythologie als höchst gestaltet, als Verkörperung der tüchtigsten, reinsten Menschheit mehr empfohlen zu werden verdiene, als das häßliche Teufels- und Hexenwesen, das nur in düsteren, ängstlichen Zeitläufen, aus verworrener Einbildungskraft sich entwickeln und in der Hefe menschlicher Natur seine Nahrung finden konnte. So sprach der Dichter des Faust. Den grandiosen Faustbildern von Delacroix hielt er bei aller Bewunderung doch entgegen, daß dessen wilde Art, das Ungestüm seiner Konzeptionen, das Getümmel seiner Kompositionen, die Gewaltsamkeit der Stellungen und die Roheit des Kolorits keineswegs zu billigen sei. Er erkannte an, daß diese Art dem ersten Teil des Faust gewiß die angemessene war. Aber er war eben selbst schon weit über diesen Faust hinweg. Der Rollentausch zwischen dem französischen und deutschen Geist, der sich vollzogen hatte, wird hier wieder einmal deutlich. Goethe verkannte gewiß nicht, daß die revolutionäre Wandlung der französischen Literatur ihr manchen Vorteil brachte. Er freute sich gewiß, daß der « Globe » die Befreiung von den Fesseln nichtssagender Regeln verteidigte. « Was will der ganze Plunder gewisser Regeln einer steifen, veralteten Zeit ! » so heißt es bei dieser Gelegenheit in einem Gespräch mit Eckermann, « und was all der Lärm über klassisch und romantisch ! Es kommt darauf an, daß ein Werk durch und durch

gut und tüchtig sei, und es wird auch wohl klassisch sein. » Hatte
Goethe doch schon in seinem Gespräch mit Napoleon, als dieser sich
wunderte, daß ein so großer Geist, wie er, die Regeln nicht beachte,
die Antwort gegeben: Die Regeln sind für uns nicht wesentlich. Aber
er billigte die einseitige Tendenz der französischen Romantiker ebensowenig wie die beschränkte Pedanterie gewisser Klassizisten. Er würde
empört sein, so erklärte er, wenn man irgendeine Form von vornherein ablehnen wollte; die großen, nach festen Regeln gebauten
Stücke sind für gewisse Stoffe, die den klassizistischen Stil geradezu
herausfordern, unentbehrlich. Er selbst sei ja das Beispiel. Er habe in
strengster, klassischer Form Stoffe behandelt, die im Stil der alten
Griechen erscheinen mußten, um in sich wahr zu bleiben. Er wäre verrückt gewesen, hätte er sich in seinem Götz an die drei Einheiten halten
wollen; aber ebenso wäre es eine Sünde gegen den heiligen Geist der
Schönheit gewesen, wenn er seine Iphigenie im Stil der Romantiker
herausgeputzt hätte. «Kurz», sagt Soret, «Goethe ist in diesem
unnützen und dummen Streit völlig unparteiisch.» Hierzu ist freilich
zu bemerken, daß der Götz und die Iphigenie doch eben zwei
ganz verschiedenen Stilperioden seiner Entwicklung angehören, und
daß auch die Verschiedenheit der Stoffe, die eine so verschiedene
Form verlangen soll, eben nicht zufällig war. Die Beachtung oder
Nichtbeachtung der Regeln ist nicht nur von der Art des Stoffes
abhängig. Es ist eine Frage des Stils. Aber hinter dem nicht ganz
stichhaltigen Argument Goethes verbirgt sich ein tieferer Grund. Die
französischen Romantiker nämlich bestätigten ihn in seiner Ansicht
und Erfahrung, daß bei keiner Revolution die Extreme zu vermeiden
sind. Sie wollten, so sagte er einmal, anfänglich nichts weiter als eine
freiere Form. Aber sie blieben dabei nicht stehen, sondern verwarfen
neben der Form auch den bisherigen Inhalt. Die Darstellung edler
Gesinnungen und Taten fängt man an für langweilig zu erklären, und
man versucht sich in der Behandlung von allerlei Verruchtheiten.
An die Stelle des schönen Inhalts griechischer Mythologie treten
Teufel, Hexen und Vampire, und die erhabenen Helden der Vorzeit
müssen Gaunern und Galeerensklaven Platz machen. Dergleichen ist
pikant, das wirkt! Victor Hugos Roman «Notre Dame de Paris»
wurde von Goethe das abscheulichste Buch genannt, das je geschrieben
wurde. Nur Mérimée gestand er zu, daß dieser solch ultraromantische
Dinge erträglich behandelt habe, weil all diese Widerwärtigkeiten ihn
innerlich nicht berührten und er sie mit Objektivität zu gestalten

wußte. Sonst aber warf er den französischen Romantikern (und der europäischen Romantik überhaupt) gerade den Mangel an objektiver Kunstgestaltung, die subjektive Willkür vor, die Unfähigkeit, sich selbst in der Darstellung zu vergessen. Ein weiterer Vorwurf war die viel zu weit getriebene Befreiung von den Regeln. Unter dem Eindruck der französischen « Ultraromantik » geschah es, daß Goethe sein vielzitiertes und vielmißbrauchtes Wort sprach: das Romantische sei das Kranke, das Klassische das Gesunde. Ja, er sprach geradezu von Fäulnis und Verwesung. All das entfremdete ihn in seinem hohen Alter seiner Zeit, und es mußte ihn besonders beängstigen, daß er bei diesem europäischen Prozeß den eigenen Einfluß, ja den Anstoß, den er mit seinen Jugendwerken und seinem Faust dazu gegeben hatte, nicht übersehen konnte. Wurde es ihm doch von den europäischen Romantikern hundertfach versichert, daß sie ihn als ihren geistigen Ahnen betrachteten. Auch daß der Einfluß der deutschen Literatur überhaupt (besonders E. T. A. Hoffmanns) solche Wirkungen zeitigte, beschwor die Gefahr herauf, ihm seine Idee der Weltliteratur fragwürdig zu machen. Er hatte selbst gewünscht und dazu beigetragen, daß Frankreich sich dem deutschen Schrifttum öffne, und nun mußte er diese ihm unselig scheinenden Folgen sehen und erkennen, daß die deutsche Literatur nicht immer stolz auf ihre Weltwirkung sein dürfe. Er hoffte nur, daß diese Extreme und Auswüchse nach und nach verschwinden würden und zuletzt der große Vorteil bleiben werde, daß man neben einer freieren Form auch einen reicheren, verschiedenartigeren Inhalt erreicht habe, und man keinen Gegenstand der breitesten Welt und des mannigfaltigsten Lebens als unpoetisch mehr ausschließe. Er sah die französische Romantik (und nicht nur sie) als ein heftiges Fieber an, das eine bessere Gesundheit zur heiteren Folge haben werde.

Auch erhoffte er eine segensreiche Rückwirkung auf die deutsche Literatur. Denn die « Globisten » schienen ihm geradezu das Musterbeispiel für eine Zusammenfassung, eine Konzentration der geistigen Kräfte einer Nation zu sein, während er in Deutschland nur lauter Particuliers erblickte, von denen jeder die Meinung seiner Provinz, seiner Stadt, seines Individuums hat. Auch war es ihm natürlich eine Genugtuung, daß jetzt die deutsche Literatur in Frankreich so hoch im Kurse stand. Sein Interesse für die französische Romantik war jedenfalls, trotz allem, außerordentlich groß. Der « Globe » war seine liebste Lektüre. Er war sofort wie gebannt von ihm, wollte kaum noch etwas anderes lesen, machte sich Auszüge aus ihm, die er mit eigenen

Betrachtungen begleitete, übersetzte ganze Artikel und veröffentlichte sie mit seinen Bemerkungen in « Kunst und Altertum ». Er berichtete dem deutschen Publikum fortlaufend von allen Äußerungen und Urteilen, die er dort über sich, Schiller, Herder, die deutsche Literatur überhaupt fand. Ist es wirklich so merkwürdig, Goethe, den deutschen Klassiker, als Vermittler der französischen Romantik an Deutschland zu sehen? Mußte er doch schon dadurch allein hocherfreut sein, sich dort so tief verstanden zu fühlen. Freilich: mit den Urteilen der Frau von Staël über seine Werke in ihrem Buch « De l'Allemagne » erklärte er sich Riemer gegenüber für sehr unzufrieden. Sie seien so abgerissen, isoliert, wie fragmentarisch gesehen, ohne Ahnung ihres inneren Zusammenhangs und ihrer Genesis. Als er aber die Abhandlungen über sich von Stapfer und Ampère las, hatte er die Empfindung, daß diese französischen Schriftsteller tiefer in ihn gesehen hätten, als irgend jemand in Deutschland. Er bewunderte es, wie man aus seinen Werken seinen Seelenzustand herauslas, ja wie man sah, was er selbst nicht ausgesprochen hatte, und was nur zwischen den Zeilen zu lesen war. Aber nicht nur dies. Er konnte aus dem öffentlichen Zugeständnis im «Globe» wie aus privaten Zeugnissen erkennen, daß die jungen Dichter Frankreichs ihn als ihr geistiges Oberhaupt liebten und verehrten. Aus einem Brief von Deschamps an ihn ging hervor, welcher Einfluß ihm auf das neue Leben der französischen Literatur zugebilligt wurde. So hatte, setzt Eckermann dazu, in Goethes Jugend Shakespeare gewirkt. Wenn Stendhal eine ganz andere Haltung Goethe gegenüber einnahm, so war er damit innerhalb der französischen Romantik so gut wie isoliert. Zwar hat er, wie Goethe selber mit Verwunderung und auch nicht ohne Ironie bemerkte, in seinem Buch über Rom, Neapel und Florenz manche Züge aus Goethes italienischer Reise benutzt und für eigenes Erlebnis ausgegeben. Das hinderte ihn aber nicht, über Faust die bekannte Bemerkung zu machen: Goethe habe dem Doktor Faust den Teufel zum Freund gegeben und mit einem so mächtigen Helfer tue Faust, was wir alle mit zwanzig Jahren getan haben: Er verführt eine Modistin. Daß Goethe sich für wichtig genug nahm, um in seiner vierbändigen Selbstbiographie zu berichten, auf welche Art er mit zwanzig Jahren seine Haare getragen habe und daß er eine Tante namens « Anichen » hatte, dünkte Stendhal ein Gipfel von Lächerlichkeit zu sein. Wenn man solche Urteile auf einen gemeinsamen Nenner bringt und deutet, so scheint daraus hervorzugehen, daß diesem von der Renaissance begeisterten Dichter, der nicht mit Unrecht oft als ein

Vorläufer Nietzsches bezeichnet wird, Goethes dichterische und schrift-
stellerische Art nicht heroisch genug, zu alltäglich, zu gewöhnlich war.
Goethe umgekehrt war von Stendhal sehr gefesselt. Jenes Buch über
Italien zog ihn an, stieß ihn ab, interessierte ihn und ärgerte ihn, so
daß er gar nicht von ihm loskommen konnte. Er hielt « Rouge et Noir »
für sein bestes Werk und schätzte seine große Beobachtung und seinen
psychologischen Tiefblick hoch. Nur schienen ihm einige seiner Frauen-
charaktere, wie er Eckermann erklärte, ein wenig zu romantisch, was
immerhin bei Goethes sonstigem Urteil über die Auswüchse der französischen Ultraromantik eine sehr milde Bemerkung war. Merkwürdig
erscheint es freilich, daß dieser Verehrer Winckelmanns, Henri Beyle,
der sich nach dessen Geburtsort Stendhal nannte, gar nicht bemerkte,
daß Goethe es doch war, der Winckelmanns Evangelium in dichterische
Tat umgesetzt hatte, was aber wohl so zu verstehen ist, daß eben
Stendhal, wie seine ganze Zeitgenossenschaft, das antike Element in
Goethe übersah, weil es für sie, die Goethe als Helfer im Kampf gegen
den Klassizismus nötig hatten, nichts bedeuten konnte. Aber wie
gesagt: Stendhal war in seiner kühlen Stellung zu Goethe innerhalb
der französischen Romantik eine Ausnahme. Denn sonst empfing Goethe
von dieser Seite nur Zeichen der Verehrung, und auch die Spuren,
die seine Dichtungen in den Werken der französischen Romantiker
hinterließen, sind weit bedeutender als die geringen und belanglosen,
die man bei Stendhal finden kann.

Von dem Bildhauer David erhielt Goethe eine Sendung der in Gips
abgegossenen Porträts von Mérimée, Victor Hugo, Alfred de Vigny,
Deschamps. Sainte-Beuve, Ballanche, Hugo, Balzac, de Vigny, Janin
schickten ihm eine Sendung ihrer Werke, und diese Huldigung beglückte ihn innerlichst. Die jungen Dichter Frankreichs, so sagte er
damals zu Eckermann, beschäftigten ihn nun schon die ganze Woche
und gewährten ihm durch die frischen Eindrücke, die er von ihnen
empfing, ein neues Leben. Er gab diesen Sendungen in seiner Kunst-
sammlung und Bibliothek einen besonderen Ehrenplatz und legte
einen Katalog von ihnen an. Er erhielt persönliche Besuche von Ampère,
dem führenden Kritiker des « Globe », und Stapfer, dem Übersetzer
des Faust. Ampère erzählte ihm von Mérimée, de Vigny und
Béranger. Goethe berichtet den französischen Gästen von seinem
Tellplan und unterhält sich über Tasso und Helena mit ihnen. Die
« kleine Indiskretion » und « Platitude », deren sich Ampère in einem
Artikel schuldig machte, in welchem er dem französischen Publikum

von diesem Besuch in Weimar erzählte, tat dem herzlichen Verhältnis
zwischen ihnen keinen Abbruch.

Was Goethe der französischen Romantik schenkte, kam ihm selbst
zunutze. Er konnte sich in diesem fremden Spiegel sehen und erkennen,
wie er, der Olympier, der über die Romantik hinausgewachsen war
und seinen faustischen Geist gebändigt hatte, so anders und mit anderen
Seiten seines Wesens auf die Welt wirkte, als die er selbst damals auf
der letzten Stufe seiner Entwicklung an sich für wesentlich und charakteristisch hielt. Er mußte bemerken, daß es die «Antiklassiker»
waren, denen er als Beispiel sehr gelegen kam. Nicht Iphigenie, sondern Götz von Berlichingen, Werther und der erste Teil des Faust,
Schöpfungen also, über die er selbst schon weit hinweg war, bewegten
die Welt. Das beschäftigte ihn tief und mochte ihm die Idee eingeben,
daß doch offenbar gerade in diesen Werken das enthalten war, was die
Welt als Beitrag des deutschen Geistes zur Weltliteratur nötig hatte,
und das, wenn es auch durchaus nicht nur eine erfreuliche Wirkung
hatte, so doch befreiend, sprengend, befruchtend, wandelnd war. Es
mochte ihm zum Bewußtsein bringen, daß hier die eigensten Quellen
seines und des deutschen Wesens überhaupt zu finden waren. Seine
klassische Dichtung hatte er der Bildung durch die Antike und die
romanische Geisteswelt zu danken. Hier aber war das, was er der Welt
zu geben hatte. Wovon er selbst nichts mehr wissen wollte, gereichte
doch nun spät der Welt zur Förderung. Er bemerkte, daß ein durch
so viel Prüfungs- und Läuterungsepochen durchgegangenes Volk, wie
das französische, als es sich nach frischen Quellen umsieht, um sich
zu erquicken, zu stärken und herzustellen, nicht zu einem vollendeten,
anerkannten, sondern zu einem lebendigen, selbst noch im Streben und
Streiten begriffenen Nachbarvolke sich hinwendet. «Die Freiheit, ja
Unbändigkeit unserer Literatur war jenen lebhaft tätigen Männern
(vom «Globe») eben willkommen, welche gegen den Klassizismus noch
im Streite liegen, da wir uns schon so ziemlich im Stande der Ausgleichung befinden.» Besonders auf dem Theater, wo die alte Form
erstarrt war und das Bedürfnis nach Befreiung und Erneuerung
besonders stark empfunden wurde, kam das deutsche Beispiel Frankreich zunutze, und man fing an, die deutschen Produktionen, über
die man lange gespottet hatte, gerechter anzusehen und für sich zu
brauchen. Die Befreiung von den Regeln erfolgte nach deutschem
Vorgang. Aber die französische Literatur war auch in einem allzu
engen Stoffkreis befangen und mußte sich nach außen wenden und

aus der deutschen Dichtung neue Motive schöpfen, weil diese der
französischen an Reichtum der Stoffe und Motive überlegen ist.
Frankreich konnte soziale Bildung über die Welt verbreiten. Dagegen
konnte es in Absicht auf tiefere Bildung fremdem Einfluß nicht ausweichen. Man wurde auch der deutschen Philosophie nach und nach
gewahr und fand daraus manches für sich zu brauchen und zu benutzen,
was die Ideenwelt aufschließt. Man begann in ideelleren Formen zu
arbeiten, die in der empirischen und unvollkommenen Erscheinung
romantisch heißen. Die französische Romantik brachte Goethe Verjüngung und Klärung über sich selbst, während er für sie ein Befreier
von alten Formen und Fesseln wurde. Wenn er auch selbst schon so
anders war, als wie er in die Welt hinauswirkte, so lebte doch seine
Jugend wieder in ihm auf, indem er nun auch Frankreich ihre Wege
gehen sah. Er fühlte sich nicht mehr allein, sondern im Einklang mit
seiner Zeitgenossenschaft, und das war es ja, was er von der Weltliteratur erwartete. Weltliteratur ist denn auch die Idee, die sich durch
alles hindurchzieht, was Goethe in « Kunst und Altertum » von der
französischen Romantik berichtet. Neben seinen Briefen an Carlyle
ist hier die wichtigste Quelle für die Kenntnis dieser Idee zu finden.
Er konnte auch zu seiner Freude feststellen, daß seine Idee wie in
England so auch in Frankreich ein vielversprechendes Echo fand.
In einem Aufsatz « Bezüge nach außen » (1828) teilte er mit hoher
Genugtuung mit, sein hoffnungsreiches Wort, daß bei der gegenwärtigen,
höchst bewegten Epoche und durchaus erleichterter Kommunikation
eine Weltliteratur baldigst zu hoffen sei, hätten seine westlichen
Nachbarn, die allerdings hierzu Großes wirken dürften, beifällig
aufgenommen und sich im « Globe » (Tome V, Nr. 81) folgendermaßen
darüber geäußert: « Fürwahr eine jede Nation, wenn die Reihe an sie
kommt, fühlt jenes Anziehen, welches, wie die Anziehungskraft der
physischen Körper, eine gegen die andere hinreißt und in der Folge
alle die Geschlechter, aus welchen die Menschheit besteht, in einer
allgemeinen Harmonie vereinigen wird. Freilich ist das Bestreben der
Gelehrten, sich einander zu verstehen und ihre Arbeiten aneinander
zu reihen, keineswegs neu, und die lateinische Sprache diente vormals
auf eine bewundernswürdige Weise zu diesem Zwecke. Aber wie sie
sich auch bemühten, so bewirkten die Schranken, wodurch die Völker
getrennt wurden, auch eine Trennung unter ihnen und schadeten
ihrem geistigen Verkehr. Selbst das Werkzeug, dessen sie sich bedienten,
konnte nur einer gewissen Ideenfolge genügen, so daß sie sich gleich-

sam nur durch die Intelligenz berührten, anstatt gegenwärtig durch das Herz und die Poesie. Die Reisen, das Studium der Sprachen, die periodische Literatur haben die Stelle jener allgemeinen Sprache eingenommen und bestätigen übereinstimmend viel innigere Verhältnisse als jene niemals bereiten konnte. Sogar die Nationen, die sich vorzüglich mit Gewerbe und Handel abgeben, beschäftigen sich am meisten mit diesem Ideenwechsel. England, dessen innere Bewegung so groß, dessen Leben so tätig ist, daß es scheint, es könne nichts anderes studieren als sich selbst, zeigt in diesem Augenblick ein Symptom dieses Bedürfnisses, sich nach außen zu verbreiten und seinen Horizont zu erweitern; seine Um- und Übersichten (Reviews), an die man bisher gewöhnt war, sind ihnen nicht genug; zwei neue Zeitschriften, besonders fremden Literaturen gewidmet, sollen zusammenwirkend regelmäßig ausgegeben werden. »

Wenn aber Goethe es auch zum Segen der Weltliteratur rechnete, daß Streit und Zank innerhalb einer Literatur durch eine andere, ferne, fremde geschlichtet und versöhnt werden kann, so hat er auch selbst solche Vermittlung für Frankreich zu leisten versucht. Man kann schon in seiner gesamten Stellung zu der französischen Romantik eine Vermittlung zwischen den Romantikern und Klassizisten erkennen. Aber am augenfälligsten und wohl auch bewußtesten tritt ein solcher Versuch auf dem Gebiet der Naturwissenschaft hervor, während er auf dem der Philosophie nur einem in Frankreich selbst unternommenen Versuch zu einer Synthese freudig zuzustimmen brauchte.

Goethe hatte noch 1798 unter dem Eindruck von Mouniers Angriff gegen die Kantische Philosophie über die Franzosen geschrieben: « Sie begreifen gar nicht, daß etwas im Menschen sei, wenn es nicht von außen in ihn hineingekommen ist. » Inzwischen aber war durch Victor Cousin eine entscheidende Wandlung in die französische Philosophie gekommen und zwar, wie auf dem Gebiete der Dichtung, indem sie sich aus deutschen Quellen verjüngte und ergänzte. Auch Goethe selbst war an dieser Wandlung nicht ganz unbeteiligt, da er bei einem Besuch Cousins (1817), der nach Deutschland gekommen war, um sich tiefer über die deutsche Philosophie zu unterrichten, diesem mit solcher Klarheit, Reinheit, Einfachheit, aber auch solcher « Magie de l'Infini » ein Bild der deutschen Philosophie entwarf, wobei er selbst sich zu den Kantischen Prinzipien bekannte, daß Cousin sich ganz erleuchtet und hingerissen fühlte.

Als Goethe dann die ausgebildete Philosophie Cousins kennenlernte, begrüßte er dessen Versuch, den deutschen Idealismus mit dem französischen Sensualismus und dem englischen Empirismus zu verbinden: Über diese Dinge zu Franzosen zu sprechen, werde jetzt um so viel leichter als vor Jahren, da gerade gegenwärtig (1828) Herr Cousin von der deutschen Schule ausgehend, die Hauptfragen, die einer jeden Methode zum Grunde liegen, auf eine faßliche Weise zu erörtern bemüht sei. Es ist das alte, sich immer erneuernde, miteinander streitende, sich unbewußt immer helfende, in Theorie und Praxis unentbehrliche, analytische und synthetische Wechselwirken, dessen vollkommenes Gleichgewicht immer gefordert und nicht erreicht wird. [15] Die Franzosen haben dem Materialismus entsagt und den Uranfängen etwas mehr Geist und Leben zuerkannt; sie haben sich vom Sensualismus losgemacht und den Tiefen der menschlichen Natur eine Entwicklung aus sich selbst zugestanden; sie lassen in ihr eine produktive Kraft gelten und suchen nicht alle Kunst aus Nachahmung einer äußeren Wahrnehmung zu erklären. Sie bekennen sich zu einer höheren Philosophie, die das, was dem Innern angehört, gelten läßt und solches von dem, was wir von außen empfangen, zu unterscheiden weiß.

Es handelte sich also bei Cousin um den Versuch, den deutschen Idealismus in Frankreich einzuführen und mit dem französischen Geiste zu versöhnen, einen Versuch, der dem ganz analog erscheint, die deutsche Romantik nach Frankreich zu vermitteln. Denn Cousin hat die Kantische Philosophie wie eine romantische Dichtung aufgefaßt: als die Verkündigung, daß die Imagination, der Traum, die Innenschau, die schöpferische Kraft der Phantasie die Quelle der Realität sei, die also nicht aus Sinneseindrücken und Erfahrung zur Kenntnis des Geistes gelangt. Daß diese Auffassung Kants höchst fragwürdig ist, darüber kann kein Zweifel bestehen. Aber Cousin versuchte sie mit der in Frankreich so traditionellen Psychologie zu versöhnen, indem er die apriorischen Formen der Erkenntnis bei Kant auf die empirische Beobachtung der menschlichen Natur gründen und aus ihr verstehen wollte. Goethe hat nun im Schema zu einem geplanten Aufsatz: « Teilnahme der Franzosen an deutscher Literatur » diesen Versuch als höchst charakteristisch für Frankreich bezeichnet, den Idealismus, der dort als reine Spekulation aufgefaßt wird, mit Realismus, Sensualismus, Empirismus verbinden zu wollen. Er billigte die Absicht, mißbilligte nur den Namen « Eklektizismus », den Cousin seiner allverbindenden Philosophie gegeben hatte, und wollte sie lieber « Totalismus » oder « Harmonismus » nennen. [16] Übrigens begrüßte auch Schelling den Versöhnungsversuch Cousins. Zwar konnte Cousin, wie Goethe meinte, dem deutschen Geiste wenig geben, indem die Philosophie, die er seinen Landsleuten als Neuheit bringt, in Deutschland seit vielen Jahren bekannt ist. Allein er ist für die Franzosen von großer Bedeutung. Er wird ihnen eine ganz neue Richtung geben. Besonders aber begrüßte Goethe — Eckermann gegenüber — Cousin und seine Schule, weil sie ganz auf dem Wege seien, eine Annäherung zwischen Frankreich und Deutschland zu bewirken, indem sie eine philosophische Sprache bilden, die durchaus geeignet sei, den Ideenverkehr zwischen beiden Nationen zu erleichtern.

Wenn aber Cousin diesen Versuch der Versöhnung zwischen dem Idealismus und Empirismus auf philosophischem Gebiete machte, so brach auf dem Boden der Naturwissenschaft der Streit zwischen diesen beiden Denkweisen ganz offen und mit ungewöhnlicher Heftigkeit aus, und zwar in jener denkwürdigen Sitzung der Pariser Akademie von 1830, bei der die beiden großen Naturforscher Cuvier und Saint-Hilaire gegeneinander stießen, und die Goethe weit bedeutungsvoller zu sein schien als der gleichzeitige Ausbruch der Julirevolution. Er war dabei auch ganz persönlich beteiligt. Noch 1810 interessierte er sich nicht dafür, wie seine Farbenlehre in Frankreich aufgenommen würde. Eine freundliche Aufnahme hätte ihn überrascht. Aus Degérandos Discours: «Philosophie expérimentale» gewann er freilich für die Zukunft eine wunderbare Aussicht zur Vereinigung deutscher und französischer Vorstellungsarten. Denn in diesen Blättern fand er nichts, was seiner Art zu denken widersprochen hätte. [17]

Goethe selbst hatte in seinen naturwissenschaftlichen Forschungen die Verbindung des ideellen und empirischen Prinzips vollzogen und damit der Naturwissenschaft neue und gewaltige Impulse gegeben. Die empirische Erfahrung, so war ihm aufgegangen, kann jede Erscheinung nur in ihrer Isoliertheit und Einzelheit erfassen. In der Natur aber gibt es nichts, was nicht in Verbindung mit der Ganzheit stände, und diese Ganzheit, Einheitlichkeit, Allgemeingesetzlichkeit der Natur wird nicht von der Erfahrung, sondern vom Geiste erfaßt, der schöpferischen, unabhängigen, bildenden Kraft des Geistes, welche die empirischen Erscheinungen nach apriorisch geschauten Ideen zusammenfaßt, ordnet und zur Ganzheit und Einheit des Naturbildes verbindet, so gleichsam die Natur noch einmal schaffend, welche selbst die einzelnen Erscheinungen nach einer Idee bildet und aus ihrer Ganzheit entwickelt. In jenem Streit zwischen Cuvier und Saint-Hilaire also, in

welchem Saint-Hilaire die These verfocht, daß die Natur einen einheitlichen Organisationsplan bei allen Tieren besitze, handelte es sich
um den Kampf zwischen der analytischen und synthetischen, der
empirischen und ideellen, der sondernden und verbindenden, der von
der einzelnen Erscheinung und von der Ganzheit ausgehenden Naturbetrachtung. Man darf wohl sagen, daß Goethe in seiner naturwissenschaftlichen Laufbahn durch nichts so hoch erfreut und befriedigt
wurde, wie dadurch, daß er nun am Ende seines Lebens in Saint-Hilaire
einen mächtigen Bundesgenossen gewann. Er hatte seit fünfzig Jahren
um eine synthetische Naturbetrachtung gekämpft und hatte nach
langen Zeiten der Einsamkeit wohl einige Helfer und Weggenossen,
wie Schelling, Steffens, Oken, Carus, gefunden. Nun aber konnte er
über den allgemeinen Sieg einer Sache jubeln, der er sein Leben gewidmet hatte, und die ganz vorzüglich auch die seinige war. Dieses Ereignis
war für ihn von unschätzbarem Wert: « Von nun an », heißt es im
Gespräch mit Eckermann, « wird auch in Frankreich bei der Natur-
forschung der Geist herrschen und über die Materie Herr sein. Man
wird Blicke in große Schöpfungsmaximen tun, in die geheimnisvolle
Werkstatt Gottes! Was ist auch im Grunde aller Verkehr mit der
Natur, wenn wir auf analytischem Wege bloß mit einzelnen materiellen
Teilen uns zu schaffen machen, und wir nicht das Atmen des Geistes
empfinden, der jedem Teil die Richtung vorschreibt und jede Aus-
schweifung durch ein inwohnendes Gesetz bändigt und sanktioniert! »
Hier durfte Goethe sich einmal ganz ohne Vorbehalt freuen, wenn
Saint-Hilaire sich auf die deutsche Naturwissenschaft und auch auf ihn
selbst berief, der ihr so entscheidende Anregungen gegeben hatte, wenn
es auch wieder eine Art von romantischer Ausstrahlung war, die
damit von Deutschland ausging. Goethe selbst spricht von « ideelleren
Formen », in denen die französische Naturwissenschaft nun zu arbeiten
begann und die « in der empirischen und unvollkommenen Erscheinung
romantisch heißen. » Er verglich den naturwissenschaftlichen Unterschied der Betrachtungsweisen mit Schillers Unterscheidung zwischen
naiver und sentimentalischer Poesie, womit dieser den ersten Grund zur
ganzen, neuen Ästhetik legte: « Denn hellenisch und romantisch und
was sonst noch für Synonymen mochten aufgefunden werden, lassen
sich alle dorthin zurückführen, wo vom Übergewicht reeller oder
ideeller Behandlung zuerst die Rede war. »[18] Die idealistisch-synthe-
tische Naturbetrachtung war ja auch wirklich das, was Goethe mit
der romantischen Naturphilosophie verband. Zwar glaubte er daraus,

daß die Naturphilosophie eines Carus, obwohl mit französischer
Übersetzung an der Seite versehen, den westlichen Nachbarn unbekannt
geblieben war, entnehmen zu müssen, daß ganze Strecken der chinesischen Mauer, welche bisher das wissenschaftliche und kunstreiche
Deutschland von Frankreich trennte, noch aufrecht zu stehen schienen.
Doch durfte er nun hoffen, daß auch diese nach und nach demoliert
würden, und daß sich die deutsche Wissenschaft von jetzt an einer
fortgesetzten, teilnehmenden Mitarbeit von französischer Seite erfreuen
werde. Wie denn überhaupt in der neueren Zeit es Frankreich niemals
zum Schaden gedieh, wenn es von deutschem Forschen und Bestreben
einige Kenntnis nahm. [19]

Nicht etwa, daß Goethe eklektisch alles mit allem versöhnen wollte.
Die physikalische Preisaufgabe der Petersburger Akademie, deren
Ehrenmitglied er war, eine Aufgabe die ihn besonders anging: die
verschiedenen Theorien über das Licht sollten miteinander versöhnt
werden, wurde von ihm in einer kritischen Abhandlung für völlig
unlösbar erklärt. [20]

Wie aber Goethe selbst in seinen naturwissenschaftlichen Forschungen
eine Verbindung zwischen der synthetischen und analytischen Natur-
behandlung hergestellt hatte, so stellte er sich nun auch zwischen die
französischen Parteien, oder besser über sie, und suchte zu vermitteln.
Er tat es mit seiner großen Abhandlung « Principes de Philosophie
Zoologique par Geoffroy de Saint-Hilaire », welche den in der französischen Akademie zum Ausbruch gekommenen Streit in seiner
ganzen und allgemeinen Bedeutung würdigt. Welche Ursache, welche
Befugnis aber hat der deutsche Geist, so fragt er hier, von diesem
Streit nähere Kenntnis zu nehmen? Weil jede wissenschaftliche Frage,
wo sie auch zur Sprache kommt, jede gebildete Nation interessieren
muß, wie man denn auch wohl die szientifische Welt als einen einzigen
Körper betrachten darf, und weil Saint-Hilaire sich auf die deutsche
Wissenschaft berief, während Cuvier (übrigens ein geborener Deutscher)
gerade diese als «pantheistisches System», «welches sie Naturphilosophie nennen», ablehnte. Nun konnte Goethe gewiß nicht hoffen, die
streitenden Nachbarn wirklich zu versöhnen: «Hier sind zwei verschiedene Denkweisen im Spiele, welche sich in dem menschlichen
Geschlecht meistens getrennt und dergestalt verteilt finden, daß sie,
wie überall, so auch im Wissenschaftlichen, schwer zusammen verbunden
angetroffen werden und, wie sie getrennt sind, sich nicht wohl vereinigen mögen. Ja es geht so weit, daß wenn ein Teil von dem andern

auch etwas nutzen kann, er es doch gewissermaßen widerwillig aufnimmt. Haben wir die Geschichte der Wissenschaften und eine eigne
lange Erfahrung vor Augen, so möchte man befürchten, die menschliche Natur werde sich von diesem Zwiespalt kaum jemals retten
können.» [21] Es ist nach Goethe ein unheilbarer Zwiespalt. Guelfen
und Ghibellinen wird es auch in der Wissenschaft immer geben. Aber
einige Annäherung wenigstens hielt Goethe doch für möglich, welche
zu einer Versöhnung, vielleicht gar zu geselliger Mitarbeit die Einleitung geben könnte. Denn «möge doch jeder von uns bei dieser
Gelegenheit sagen, daß Sondern und Verknüpfen zwei unzertrennliche
Lebensakte sind. Vielleicht ist es besser gesagt: daß es unerläßlich ist,
man möge wollen oder nicht, aus dem Ganzen ins Einzelne, aus dem
Einzelnen ins Ganze zu gehen, und je lebendiger diese Funktionen
des Geistes, wie Aus- und Einatmen, sich zusammen verhalten, desto
besser wird für die Wissenschaften und ihre Freunde gesorgt sein.» [22]
Im Geiste eines wahren Naturforschers, heißt es ein andermal, muß
es sich immerfort wechselweise wie eine sich im Gleichgewicht
bewegende Systole und Diastole ereignen, und so können der trennende
und unterscheidende Empiriker und der nach einer Voranschauung,
Vorahnung verbindende Idealist in fruchtbarste Wechselwirkung
miteinander treten.
Durch den Streit zwischen Cuvier und Saint-Hilaire wurde Goethe dazu
angeregt, seiner Metamorphose der Pflanzen eine von Soret hergestellte
Übersetzung beizugeben und ein Widmungsexemplar davon 1831 an
Saint-Hilaire zu schicken, der es mit einem kurzen Bericht der Pariser
Akademie überreichte, weil er der französischen Übersetzung entnehmen
zu können meinte, daß Goethe damit der Akademie seine Hochschätzung zum Ausdruck zu bringen die Absicht hatte. Er schickte
diesen Bericht auch an Goethe. Den Dank der Akademie aber sprach
Cuvier als ihr Sekretär in einem Brief an Goethe aus, worauf dieser
auch damit eine Art von Vermittlung übernahm, daß er nun auch
Cuvier seine Dankbarkeit und Bewunderung bezeugte. Im Laufe seines
langen Lebens, so schrieb er ihm, habe kein Begegnis ihn auf angeneh-
mere Weise berühren können, als zu erfahren, daß Studium und An-
strengungen, die er zunächst nur zu seiner eigenen Ausbildung unternommen hatte, auch nach außen die günstigste Wirkung hervor-
brächten. So werde er denn noch am Ziele seiner Laufbahn mit inniger
Dankbarkeit gewahr, wie eine berühmte Sozietät seinen Forschungen
freundliche Aufmerksamkeit gönne und den Tribut seiner Hochachtung

wohlwollend aufnehme. « Wieviel ich Ihnen, mein Herr, persönlich
verdanke, wie oft Ihre unschätzbaren Werke mir zum Leitstern bei
meinen Forschungen dienten, vermag ich nicht genugsam auszusprechen. » Der Brief wurde von Soret französisch übersetzt. [23]
So trat Goethe noch ganz am Ende seiner irdischen Laufbahn als
Schlichter und Versöhner nicht nur zwischen den Nationen, sondern
auch innerhalb der Nationen auf. Er hätte sich selbst den Namen geben
dürfen, den er dem Führer des Weltbundes in den Wanderjahren
Wilhelm Meisters gab: das Band.
Aber schon ein Jahrzehnt früher hatte er für die italienische Literatur
eine ähnliche Vermittlerrolle auf dem Gebiet der Dichtung übernommen. Denn auch auf dem klassischen Boden Italiens war der
Kampf zwischen « Guelfen und Ghibellinen », zwischen Klassikern
und Romantikern, entbrannt.

Italien

Während sich in Frankreich bereits in den sechziger Jahren des 18. Jahrhunderts eine germanophile Richtung bemerkbar machte, die dem französischen Geiste neue, verwandelnde Kräfte zuführte, hat in Italien erst Bertola 1779 mit seiner Schrift « Letteratura allemanna » und 1784 mit seiner « Idea della Letteratura allemanna » auf die neue Literatur Deutschlands aufmerksam gemacht, die bis dahin gänzlich unbekannt geblieben war, und nicht etwa, daß er den deutschen Sturm und Drang verherrlicht hätte, der damals schon in voller Blüte stand, und nicht, weil hier ein neuer Geist sich regte, der für Italien fruchtbar hätte werden können, sondern darum, weil die deutsche Literatur, die in Italien bis zu jenem Augenblick noch für völlig barbarisch galt, sich der antiken Formen bemächtigt hatte. An den Ufern der Elbe und der Spree sah Bertola einen deutschen Parnaß sich erheben, auf welchem ein Gleim die Rolle Anakreons, ein Günther die des Horaz, ein Klopstock die des Homer spielte. Auch wenn Bertola Geßner übersetzte, so darum, weil seine Idyllen mit der antiken Dichtung eines Vergil und eines Theokrit verglichen werden konnten. Vor dem jungen Goethe aber, vor dem deutschen Sturm und Drang überhaupt, erhebt Bertola seine Warnung. Wenn diese Richtung, die einen Rückfall in die Barbarei bedeute, siegen würde, wäre die deutsche Literatur verloren. Welchen Ruhm, ruft Bertola aus, könnte sich Herr Goethe erwerben, wenn er sich eines Tages überzeugen würde, daß die Regellosigkeit nur für kurze Zeit zu täuschen vermag.

Aber auch in Italien war die deutsche Invasion nicht aufzuhalten, wie in ganz Europa nicht. Es gibt eben immer eine allgemein europäische Bewegung der Literatur, die, wenn auch mit zeitlichen Verschiebungen, alle Grenzen überschreitet. Goethes Werther war es, welcher der deutschen Literatur auch in Italien Bahn brach und allen Unterdrückungsversuchen des Katholizismus trotzend sich behauptete und am Anfang der italienischen Romantik steht. Ugo Foscolos Roman « Le ultime lettere di Jacopo Ortis » entstand nach dem eigenen Geständnis des Dichters unter dem Eindruck von Goethes Werther, und Foscolo schickte denn auch sein Werk mit einem Brief an Goethe, der die Verwandtschaft mit seinem Werther sofort erkannte und sich auch mit der Absicht trug, wenigstens einige Briefe daraus zu übersetzen. Foscolo berichtete an Goethe auch, daß die Gräfin Antonietta Aresi den Werther im Stil des « Ortis » übersetzte, und das wird, so schreibt er, die einzige italienische Übersetzung sein, welche die Unwissenheit der Übersetzer oder die Gewalttätigkeit der Regierungen nicht verstümmelt hat. Foscolo selbst kannte übrigens, als er seinen Roman dichtete, den Werther nur in französischer Übersetzung, wie man denn überhaupt bemerken kann, daß deutsche Literatur in Italien damals nicht direkt aus der deutschen Sprache, sondern auf dem Umweg über die französische übertragen wurde. Man findet etwa auf Titelblättern die Bemerkung: « Übersetzt aus dem Deutschen ins Französische und aus dem Französischen ins Italienische. » Auf diesem Umweg verwandelte sich freilich die deutsche Dichtung schon bedeutend. Denn sie wurde in Frankreich den Regeln angepaßt, geordneter komponiert, von Verstößen gegen den guten Geschmack gereinigt, mit einem Worte: europäisiert oder, wie man in Frankreich sagte « réduit aux usages communs de l'Europe ».

Das in der italienischen Literatur geradezu epochemachende Werk von Foscolo war also der Beginn oder vielleicht besser gesagt das Vorspiel der italienischen Romantik, die erst wirklich begann, nachdem das Buch der Frau von Staël « De l'Allemagne » erschienen war und auch für Italien die wichtigste Wegbereitung der deutschen Literatur wurde. Gerade in Italien war ja Frau von Staël schon sehr bekannt und hoch geehrt, weil sie bereits vor ihrem Buch über Deutschland den Roman « Corinne ou l'Italie » 1807 veröffentlicht hatte und dieses Buch für die Italienbegeisterung der europäischen Romantik so wichtig wurde, wie das Buch über Deutschland für die romantische Deutschlandbegeisterung. Das verschaffte der Frau von Staël von vornherein ein williges Ohr in Italien. Auch war der italienische Geist durch Corinna, die ja halb nordischen, halb südlichen Blutes ist, was breite Betrachtungen über Rassenmischungen und Rassenkonflikte in diesem Roman verursacht, für jene Problematik vorbereitet, die in der Romantik eine so entscheidende Rolle spielen sollte. Eine noch tiefere Wirkung aber ging von Frau von Staëls direkter Aufforderung und Mahnung aus, die sie in ihrem Aufsatz « Sulla maniera e la utilità delle Traducioni » 1816 an die italienische Literatur richtete, sie solle sich durch Vermischung mit dem nordisch-germanischen Geist aus ihrer Trägheit und Erstarrung retten und verjüngen und dabei das Beispiel deutscher Übersetzungskunst (besonders von Schlegels Shakespeare-Übersetzung) vor Augen haben. Das erregte zwar ebenso wie in Frankreich so auch in Italien die Empörung der akademisch-klassizistischen, franzosenfreundlichen Partei. Sie gab Frau von Staël in der Zeitschrift « Il Spettatore » die Antwort, eine Heilung der italienischen Decadence könne nicht durch die nordischen Barbaren, sondern nur durch ein erneutes und tieferes Studium der Antike kommen. Denn die Wiedergeburt der Antike wäre die nationale Wiedergeburt Italiens. Die lateinische Welt wurde aufgefordert, im Namen des guten Geschmacks und der Vernunft sich gegen die Verschwörung des germanischen Geistes, deren Häupter Frau von Staël und A. W. Schlegel seien, zur Wehr zu setzen und dem nordischen Vandalismus den Eintritt nach Italien zu verbieten.

Aber dieser Eintritt war nicht mehr aufzuhalten, und 1816 schrieb Giovanni Berchet seine Briefe über den wilden Jäger und die Lenore von Bürger mit beigefügten Übersetzungen dieser deutschen Balladen, die übrigens in allen europäischen Literaturen bedeutend zur Erweckung der romantischen Bewegung beigetragen haben. (Es wäre eine lohnende Aufgabe, die gewaltige Wirkung der Bürgerschen Lenore auf die Entstehung der europäischen Romantik einmal im Zusammenhang darzustellen.) Die Schrift Berchets war die erste Programmschrift der italienischen Romantik. Sie forderte, daß die italienische Literatur nicht mehr aus der nur der gebildeten Welt bekannten Mythologie der Antike schöpfe, sondern aus der Quelle der volkstümlichen Sagenwelt des Nordens, die heute noch lebendig gegenwärtig sei. Der Klassizismus sei eine von der Vergangenheit zehrende Poesie der Toten. Die Romantik dagegen sei die aus Natur, Leben und Gegenwart schöpfende Poesie der Lebenden. Macht euch zu Zeitgenossen eurer eigenen Gegenwart und nicht der begrabenen Jahrhunderte. Damit war der Kampf der Klassiker und Romantiker in Italien ausgebrochen. Gegen Berchet erhob sich Monti, der Übersetzer der Ilias, der trotz der Wirkungen, die er von Goethes Werther empfangen hatte, als wesentlichster Repräsentant des italienischen Klassizismus gelten kann. Mit seinem « Sermone sulla Mitologia » (1825) verteidigte er die lateinisch-griechische Welt gegen die « audace scuola bureal ». Sollen wirklich die schönen Gestalten der antiken Mythologie einem von Liebe verblendeten Mädchen (Lenore) weichen, das in den Armen eines gräßlichen Skeletts auf einem Rappen durch die Mondnacht jagt, die griechischen Götter den nordischen Hexen und Gespenstern, das

Blau des italienischen Himmels dem dunklen Nebel der arktischen
Eisregionen, die südliche Serenitas dem nordischen Weltschmerz?
Soll nur noch das, was finster, traurig, schrecklich ist, für schön
gehalten werden? Um wie viel herrlicher war doch die Welt und das
Leben, als Kunst und Dichtung allen Dingen auf Erden und im
Himmel eine Seele einhauchten, als in den Bäumen Dryaden, in den
Quellen Najaden wohnten, im Schilf die Flöte Pans erklang, die Sonne
auf goldenem Wagen das Licht brachte, und die Horen tanzten! Gegen
Monti aber richtete wiederum Tedaldi-Fores seine « Meditazioni
poetiche sulla mitologia difesa da Vincenzo Monti » (1825) und verteidigte das Gestaltlose, Unendliche, Grenzenlose als das wahre Reich
der dichterischen Phantasie gegen die plastische Gestaltenwelt der
Antike. Das war der neue Stoffbereich nordischer Phantastik, der
von Deutschland her nach Italien drang.
Aber noch andere Gebiete wurden von der italienischen Romantik für die
Dichtung geöffnet. Das eine war die nationale Geschichte, die mit Manzonis Drama « Graf Carmagnola » an die Stelle der für den Klassizismus
einzig gültigen Heldenwelt der Antike trat, wobei man sich auch auf die
deutsche Dramatik, auf Goethes Götz und Schillers historische Tragödien
berief. Das andere war die christlich-katholische Religion, die mit
Manzonis « Heiligen Hymnen » und Tortis poetischer Darstellung der
Leidensgeschichte Christi die griechischen Götter zu verdrängen begann,
denen der Klassizismus huldigte. Wie stark aber der deutsche Sturm und
Drang und auch die deutsche Romantik am Ursprung der italienischen
Romantik beteiligt war, kann man besonders aus dem Wandel der
dramatischen Form erkennen, aus dem nun einsetzenden Kampf gegen
die dem Klassizismus heiligen Einheitsregeln, den Visconti (er war
mit deutscher Philosophie und Dichtung besonders vertraut) in seinem
Dialog über die Einheiten von Ort und Zeit, Silvio Pellico in seiner
Schrift « Sulla nuova scuola dramatica » (1816) und der über Schillers
Maria Stuart im « Conciliatore » (1819), sowie Manzoni theoretisch
gegen Chauvets französische Kritik seines Dramas « Graf Carmagnola »
in seiner « Lettre à Monsieur Chauvet sur l'unité de temps et de lieu
dans la tragédie », und praktisch mit der Tragödie selbst führte.
Denn daß dieser Kampf von Deutschland angeregt wurde, zeigt die
ständige Berufung der Italiener auf Goethes und Schillers Dramatik
und auf A. W. Schlegels Vorlesungen über dramatische Kunst und
Literatur. Dieser Kampf zwischen den Klassikern und Romantikern
in Italien hatte seinen Schauplatz in Mailand, das seiner Lage wegen

die engste, geistige und wirtschaftliche Verbindung mit Deutschland unterhielt, und zwar in der «Biblioteca italiana», und als diese zum Klassizismus abschwenkte, im « Conciliatore ».

Goethe erfuhr vom Ausbruch dieses Kampfes zuerst durch den Groß-herzog Karl August, als dieser von einer Reise aus Mailand (1818) nach Weimar zurückkehrte. Er mußte sofort sein Interesse erregen. War es doch für ihn das erste Fanal jenes von Deutschland entfachten Feuers, das bald in ganz Europa lodern sollte, und dieses Feuer war gerade in Italien ausgebrochen, dem Lande, dem er seine klassische Vollendung dankte ! So mußte es ihn um so mehr überraschen, daß gerade auf diesem klassischen Boden der Kampf entbrannte, und während bisher der Süden nach dem Norden gedrungen war, nun der Norden in den Süden drang. Er selber stand damals bereits über den Parteien und Nationen. Der faustische Geist hatte sich in ihm mit der hellenischen Schönheit vermählt. Der Gegensatz von Germanen-tum und Romanentum hatte sich in seinem allumfassenden Europäer-tum zur Harmonie versöhnt, und so machte er denn sofort den Ver-such, zu dem er einzig von allen Dichtern berufen war, zwischen den streitenden Parteien zu vermitteln und gleichzeitig der deutschen Literatur, die über den Kampf schon hinaus und zu einer Art von Gleichgewicht gekommen war, einen Spiegel ihres Weges und Irr-weges vorzuhalten. « Klassiker und Romantiker in Italien, sich heftig bekämpfend », so nennt sich dieser Goethesche Vermittlungsversuch in « Kunst und Altertum » (1820), der 1825 italienisch übersetzt in der « Antologia » erschien. « Romantico ! den Italienern ein seltsames Wort... macht in der Lombardei, besonders in Mailand, seit einiger Zeit großes Aufsehen. Das Publikum teilt sich in zwei Parteien, sie stehen schlagfertig gegeneinander, und wenn wir Deutschen uns ganz geruhig des Adjectivum romantisch bei Gelegenheit bedienen, so werden dort durch die Ausdrücke Romantizismus und Kritizis-mus zwei unversöhnliche Sekten bezeichnet. Da bei uns der Streit, wenn es irgendeiner ist, mehr praktisch als theoretisch geführt wird, da unsere romantischen Dichter und Schriftsteller die Mitwelt für sich haben und es ihnen weder an Verlegern noch Lesern fehlt, da wir über die ersten Schwankungen des Gegensatzes längst hinaus sind und beide Teile sich schon zu verständigen anfangen, so können wir mit Beruhigung zusehen, wenn das Feuer, das wir entzündet, nun über den Alpen zu lodern anfängt. » Daß in Italien antike Kultur in großer Verehrung steht, läßt sich gar wohl denken. Ja, daß man auf

diesem Grunde, worauf man sich erbaut hat, nun auch allein und
ausschließlich zu ruhen wünscht, ist der Sache ganz gemäß. Aber solche
Anhänglichkeit läuft leicht in eine Art Starrsinn und Pedanterie aus,
und wer bloß mit der Vergangenheit sich beschäftigt, kommt zuletzt
in Gefahr, das, was entschlafen, für uns mumienhaft und vertrocknet
ist, an sein Herz zu schließen. So kommt es jederzeit zu einem revolutionären Übergang, wo das, was vorstrebend und neu ist, nicht länger
zurückgedrängt und gebändigt werden kann, so daß es sich von der
Vergangenheit losreißt, ihre Vorzüge nicht anerkennen, ihre Vorteile
nicht mehr benutzen will, und diese modernen Künstler, die das
bringen, was die Zeitgenossen lieben, wonach sie streben, deren Überzeugung sich an die ihres Jahrhunderts anschließt, werden natürlich
beim Publikum denjenigen Künstlern gegenüber, welche es in entfernte, abgelegene Regionen zurückzuführen suchen, im Vorteil sein
und den größten Teil des Publikums mit sich reißen. Einen solchen
Verlauf, wie ihn die Dicht- und Kunstgeschichte in Deutschland nahm,
nimmt sie nun auch in Italien. Goethe nennt hier von italienischen
Romantikern — deren Werke er übrigens damals, als er den Aufsatz
begann, noch nicht kannte — Torti mit seiner poetischen Darstellung
der Leidensgeschichte Christi und seinen Terzinen über die Poesie,
ferner Manzoni, den Verfasser des Trauerspiels «Carmagnola» und
der heiligen Hymnen, und den Theoretiker Hermes Visconti; auf
klassischer Seite Monti, den er persönlich in Rom kennengelernt
hatte, und der ihm damals sein vom Werther angehauchtes Drama
«Aristodemo» vorlas. Goethe hatte dessen römische Tragödie «Cajus
Gracchus» 1810 in Weimar zur Aufführung gebracht, um damit ebenso
wie mit Tragödien des französischen Klassizismus das deutsche
Theater über den Naturalismus hinaus zu einem edleren Kunststil zu
erheben. An Montis italienischer Übersetzung der Ilias, die, wenn
komponiert und gesungen, wie für homerische Rhapsoden geschaffen
schien, erkannte er die Macht der antiken Tradition in Italien, die dem
deutschen Homerübersetzer, J. H. Voß fehlte, so daß sein Homer nicht
von allgemeiner Faßlichkeit werden konnte. Monti erschien ihm nun
freilich als ein seltsamer Fall: Er selbst gibt sich als Klassiker; aber
seine Freunde und Verehrer nennen ihn einen Romantiker und versichern, seine besten Werke seien romantisch, worüber Monti selbst
sehr aufgebracht war. Mußte das nicht Goethe an sich selbst erinnern? Hier setzt nun sein Schlichtungsversuch ein, indem er erklärt, daß dieser Widerstreit leicht zu lösen sei, wenn man bedenkt,

was dieses Wort romantisch in Italien bedeutet und an verschiedenen Inhalten in sich schließt. Die Romantiker in Italien verstehen unter romantisch etwas anderes, als was man in Deutschland darunter versteht. Sie wollen zeitgemäß dichten und wirken. Sie nennen romantisch, was in der Gegenwart lebt und lebendig auf den Augenblick wirkt, und darum machen sie den Klassikern, die in Geist und Form der Antike dichten, den Vorwurf, daß sie mumienhaft und bei lebendigem Leibe schon tot sind und für die Toten dichten. Sie selbst aber meinen modern zu sein, wenn sie aus so verschiedenen Quellen, wie der christlichen Bibel, der nationalen Geschichte, der nordisch-mittelalterlichen Phantomenwelt schöpfen, weil all dies ihrer Meinung nach der Gegenwart näher steht und lebendiger ist als das klassische Altertum. Romantisch ist also in Italien gleichbedeutend mit modern. Man kann zu dieser Goetheschen Bemerkung hinzufügen, daß diese eigentümliche Gleichsetzung auch in Frankreich auftauchte, daß auch Stendhal etwa in seinem Buch « Racine et Shakespeare », das Goethe kannte, diejenige Dichtung romantisch nennt, welche zeitgemäß ist und nicht dem Geiste einer toten Vergangenheit, sondern dem der lebendigen Gegenwart entspricht. Er nannte von diesem Standpunkte aus auch Racine einen Romantiker. Das junge Deutschland dagegen, das innerhalb der deutschen Literatur die Romantik überwand, stellte «moderne», zeitgemäße Dichtung der romantischen gegenüber, die den Geist der toten Vergangenheit verkörpert.

Die Gleichsetzung von romantisch und modern in Italien mag ihren Ursprung darin haben, daß man unter romanischer Sprache anfänglich diejenige verstand, die sich durch die Vermischung des antiken mit dem neu hinzukommenden, germanischen Elemente bildete und somit nicht die lateinische Sprache der gelehrten Welt, sondern die lebendig gegenwärtige Volkssprache war. Romantisch war ja auch ursprünglich gleichbedeutend mit romanisch ! Dazu aber kommt noch ein anderer Grund. Die Antike nämlich war dem Italiener in Blut und Geist noch gegenwärtig, der römische Katholizismus dem antiken Geiste nicht eigentlich entgegengesetzt, die nationale Geschichte Italiens eine Fortsetzung der römischen, und der italienischen Romantik ging es in höchstem Maße um eine moderne, fortschrittliche Neugestaltung des in der europäischen Entwicklung zurückgebliebenen, unter dem Joche Oesterreichs schmachtenden Italien. Sie war in Wahrheit eine zeitgemäße, aktuelle, moderne Freiheitsbewegung.

Goethe versuchte also zwischen den streitenden Parteien zu vermitteln. Genau besehen, führt er aus, herrscht hier kein Widerstreit. Denn jeder, der von Jugend an seine Bildung den Griechen und Römern verdankt, wird nie ein gewisses antikes Herkommen verleugnen und jederzeit dankbar anerkennen, was er abgeschiedenen Lehrern schuldig ist, wenn er auch sein ausgebildetes Talent der lebendigen Gegenwart widmet und, ohne es zu wissen, modern endigt, wenn er antik angefangen hat. Ebensowenig können wir die Bildung verleugnen, die wir von der Bibel hergenommen haben, ob sie uns gleich so fern liegt und so fremd ist, wie irgendein anderes Altertum. Daß wir sie näher fühlen, kommt daher, weil sie auf Glauben und höchste Sittlichkeit wirkt, während andere Literaturen nur auf Geschmack und «mittlere Menschlichkeit» hinleiten. Das klassische Altertum und die Bibel sind uns gleich nahe und gleich fern. Sie beide zusammen müssen und können uns gleichermaßen die ewigen Quellen unserer Bildung sein, das Altertum die unserer ästhetischen, die Bibel die unserer sittlichen. Auch unsere vaterländische Vergangenheit liegt unseren durch Jahrhunderte an der Antike gebildeten Sitten durchaus nicht näher als die griechisch-römische. Sie kann aber dem allgemein menschlichen Gehalt ein bestimmteres, charakteristisches Gepräge geben. Als Goethe dann später, 1826, noch einmal in seinem kleinen Artikel: «Moderne Guelfen und Ghibellinen» auf den italienischen Streit zurückkam, der sich nun zwischen Monti und Tedaldi-Fores abspielte, unterdessen aber bereits zu einem allgemein europäischen geworden und weit über den Bereich der Dichtung hinaus gedrungen war, versuchte er wiederum mit neuen Gründen zu versöhnen. Die antike Dichtkunst bringt der Einbildungskraft Gestalt und Form entgegen, während die neuere sie frei walten läßt und dem inneren Gefühl, dem Gemüt, also der Humanität zusagen will. Aber die Antike bringt ja doch auch unter bestimmten Formen «das eigentlich Menschliche» dar. Beide Parteien haben ihre Vorteile, laufen aber gleichermaßen Gefahr, die Klassiker: daß ihre Götter zur Phrase werden; die Romantiker: daß ihre Produktionen zuletzt charakterlos erscheinen, wodurch sie sich denn beide im Nichtigen begegnen.

Das also ist der großartige Schlichtungsversuch Goethes: Der Dichter habe wohl als lebendig gegenwärtiger Mensch auf seine Zeit und Gegenwart zu wirken. Aber wirken heißt bilden, und nur der allseitig gebildete Mensch vermag es. Die Quellen der Bildung sind aber ganz ebenso in der Antike, wie im Christentum und der nationalen Vergangenheit zu finden. Ein ewig menschlicher Kern liegt allen diesen

Mächten zugrunde, daher sie uns alle gleich nahe und lebendig sind und uns gleichermaßen zu bilden vermögen, wenn sie eben nur wirklich als ewig lebendige Bildungsmächte, die über alle Zeit erhaben sind, in Wirksamkeit gesetzt werden. Der von aller großen Vergangenheit gebildete Mensch wird dann auf seine eigene Zeit und Gegenwart wirken, das heißt, er wird sie bilden können. Wenn wirklich, wie es Italien (und auch Frankreich) wollte, das romantisch ist, was der eigenen Gegenwart gehört, dann sind alle lebendigen Bildungsmächte romantisch zu nennen. Dieser Versöhnungsversuch wurde offenbar von Goethe aus eigenster Erfahrung gemacht. Er war ja selbst der Geist, der sich von allen diesen großen Mächten der Vergangenheit, vom antiken wie biblischen Altertum hatte bilden lassen, und der gerade damals so lebendig gegenwärtig auf seine Zeit zu wirken vermochte, wie kein anderer neben ihm. Er hatte antik begonnen und endete modern. Er war es, der die brennendsten Probleme seiner eigenen Zeit in seinen Dichtungen gestaltete und sie visionär einer Lösung entgegenführte, wie es besonders Wilhelm Meisters Wanderjahre zeigen. Auch seine Wirksamkeit für die Weltliteratur, welche die Völker einander nahebringen und miteinander verbinden sollte, war ein solch brennendes und höchst modernes Problem.

Wenn Goethe freilich die Dichtungen der italienischen Romantik las, so mußte er bemerken, daß der in der Theorie so heftig und leidenschaftlich geführte Kampf in der poetischen Praxis durchaus nicht so sichtbar hervortrat, wie man wohl erwarten sollte, und wenn man oft in fremden Literaturen die Meinung hören kann, daß es eine deutsche Klassik gar nicht gebe, so kann man auch umgekehrt von deutscher Seite her vernehmen, daß es in Wirklichkeit eine italienische Romantik gar nicht gebe. Wenn man sich allein an die Dichtung und nicht an Theorien und Programme hält, so liegt dieser Idee in der Tat eine gewisse Wahrheit zugrunde, besonders dann, wenn man die italienische Romantik mit der deutschen vergleicht. Dann wird man wirklich den Eindruck gewinnen, daß, an ihr gemessen, die italienische Romantik doch immer noch ein klassisches Antlitz trägt, weit mehr noch sogar, als wie man es bis zu einem gewissen Grad auch von der französischen Romantik sagen dürfte. Italien ist in der Auflösung klassischer Gestalt niemals so weit gegangen wie Frankreich, geschweige Deutschland. Man darf nicht übersehen, daß schließlich die italienische Formenwelt, des lyrischen Sonetts, der epischen Ottave, der prophetisch kündenden Terzine, es war, die den deutschen, romantisch

schweifenden und unbestimmten Geist in feste und sichere Bahnen
lenkte, der romantischen Subjektivität die vorbestimmte, objektive
Form geschenkt hat. Alles, was in der deutschen Romantik, wo sie sich
selbst überlassen blieb, formlos, gestaltlos, unbestimmt, unendlich
blieb, gewann von Italien her Form und Umriß, Gestalt und Begrenzung. Von der Novellenkunst der italienischen Renaissance erhielt
die Erzählungskunst eines Kleist, Brentano und Arnim die episch
objektive Haltung und Gestaltung. Ja, auch der römische Katholizismus hat der deutschen Romantik, die so stark zu ihm neigte, die
schöne Gestalt der Religion und der religiösen Kunst gegeben. Auch
hier gewann die unbestimmt verschwimmende, romantische Religiosität
die wohltätig begrenzende Form. Hat doch auch Goethe selbst am
Schluß des zweiten Teiles « Faust », als er genötigt war, Faust auf
seiner Himmelfahrt in grenzenlose, übersinnliche Sphären zu führen,
den Segen der « scharf umrissenen, christlich-katholischen Figuren
und Vorstellungen » empfunden und dankbar davon Gebrauch gemacht.
Der Grund für all dies mag sein, daß eben doch dem Italiener das
antike Erbe noch zu tief im Blute lag, als daß er es je ganz hätte
verleugnen können, daß er ja schließlich noch im gegenwärtigen
Anblick der antiken Denkmäler und auf demselben Boden, in der
gleichen Landschaft, unter dem gleichen Himmel lebte, wo die antike
Kunst und Literatur erwuchs. Die Wiedergeburt des klassischen Altertums am Ausgang des Mittelalters geschah nicht umsonst in Italien.
Die Renaissance war Italiens nationale Neugeburt. Die antike Tradition
war also dort ein Bollwerk gegen die deutsche Romantik. Das zweite
war der Katholizismus, der ja doch auf römischem Boden erwachsen
war und mit seiner weltlichen Schönheit und Leiblichkeit, seiner
strengen Fügung und Gesetzlichkeit das Erbe der Antike übernommen
hatte, so daß Italien niemals aus dieser Tradition herausgerissen
wurde, während der Katholizismus in Frankreich nicht nur durch die
Hugenotten an Boden verloren hatte — es waren ja besonders
Protestanten, wie die Frau von Staël, welche der deutschen Literatur
Eingang in Frankreich verschafften — sondern auch durch die französische Revolution seine Herrschaft verlor und jene schützende
Rolle nicht mehr zu spielen vermochte. In der deutschen Romantik aber
war die katholische Religion doch nur das Ziel einer sentimentalischen
Sehnsucht.
Daß die italienische Romantik im Grunde etwas ganz anderes war
als die deutsche, wenn sie ihr auch den Ursprung verdankte, das ging

Goethe an ihrem größten Repräsentanten, an Manzoni auf, und darum hat er auch keinem europäischen Romantiker sonst eine so unbedingte und rückhaltlose Bewunderung entgegengebracht wie ihm. Er hat sofort in seiner ersten Schrift über die italienische Romantik die heiligen Hymnen von Manzoni besonders herausgehoben, die sich von jenen den olympischen Göttern gewidmeten Hymnen Montis so charakteristisch unterscheiden, weil solche Religion und Poesie, « wenn sich über mannigfaltige Vorkommenheiten der Zeit die Menschen entzweien », die sämtliche Welt vereinigen kann. Denn dieser Dichter christlich-katholischer Hymnen war, wie Goethe sah, als Christ ohne Schwärmerei, als römisch-katholisch ohne Bigotterie, als Eiferer ohne Härte. Der mystisch-fromme Gehalt der Hymnen, so wird es dann später heißen, ist durchaus einfach behandelt, kein Wort, keine Wendung, die nicht jedem Italiener von Jugend auf bekannt wäre. Ein katholisch geborener und erzogener Dichter versteht eben einen ganz anderen Gebrauch von den Überzeugungen seiner Kirche zu machen, als die Poeten anderer Konfessionen, die eigentlich nur durch die Einbildungskraft sich in eine Sphäre hinüber zu versetzen bemüht sind, in der sie niemals einheimisch werden können. Das ist ganz deutlich gegen die katholisierenden Tendenzen der deutschen Romantiker gerichtet, die ja doch zum weitaus überwiegenden Teil Protestanten waren oder nur aus sentimentalischer Sehnsucht, einem Heimweh gleichsam, und von dem ästhetischen Zauber der katholischen Kirche gebannt, in ihren Schoß zurückkehrten. Was Goethe sagen wollte, ist dies, daß der Katholizismus bei den italienischen Romantikern als ein angeborener und selbstverständlicher Besitz naiv und wirklich war, während er bei den deutschen Romantikern doch nur aus Sehnsucht nach einem verlorenen Paradies entstand, ein Phantasie-erlebnis und also in Wahrheit romantisch war.

In Manzonis Dramen aus der nationalen Geschichte des italienischen Mittelalters, « Graf Carmagnola » und « Adelchi », die in der italienischen Literatur wohl eine romantische Revolution bedeuteten, erkannte Goethe ebenfalls den Unterschied von der deutschen Romantik, die aus dem deutschen Mittelalter schöpfte. Denn wenn wir, so schreibt er, die Maske des Mittelalters viel zu sehr bis in Kunst und Leben herein als wirklich gelten ließen, so hat Manzoni eine halbbarbarische Zeit mit solchen zarten Gesinnungen und Gefühlen ausgestattet, welche nur die höhere, religiöse und sittliche Bildung unserer Zeit hervor-zubringen fähig ist, und so muß es auch sein. Alle Vergangenheit, die

wir hervorrufen, um sie nach unserer Weise den mitlebenden Zeitgenossen vorzutragen, muß dem Altertum eine höhere Bildung, als es
wirklich hatte, verleihen. In den mittelalterlichen Dramen Manzonis
spürte Goethe also den gleichen Geist der Humanität, den er selbst
in seiner Iphigenie auch dem barbarischen Tauris verliehen hatte, wie
er überhaupt immer das humane und zarte Gefühl dieses schönen,
wahrhaft poetischen Talentes bewunderte.

Er sah ja auch, daß Manzoni, der in der italienischen Literatur als
der repräsentativste Gegner und Überwinder des Klassizismus dasteht,
doch keineswegs die Bildung an dem antiken Altertum verleugnete.
Er fand sie besonders greifbar in den Chören seiner Tragödien. «Wie
im Grafen Carmagnola der Chor, indem er die vorgehende Schlacht
schildert, in grenzenloses Detail vertieft sich doch nicht verwirrt,
mitten in einer unaussprechlichen Unordnung doch noch Worte und
Ausdrücke findet, um Klarheit über das Getümmel zu verbreiten und
das wild Einherstürmende faßlich zu machen: so sind die beiden Chöre,
die das Trauerspiel Adelchi beleben, gleichfalls wirksam, um das
Unübersehbare vergangener und augenblicklicher Zustände dem Blick
des Geistes vorzuführen.»

Was Goethe an Manzoni auszusetzen hatte, war überhaupt nur ein
einziges Moment: daß er die Personen des Grafen Carmagnola in historische und ideelle eingeteilt hatte, was allerdings einen romantischen
Zug darstellt, dem gegenüber Goethe auf dem klassischen, aristotelisch-
lessingschen Standpunkt beharrt: «Für den Dichter ist keine Person
historisch, es beliebt ihm, seine sittliche Welt darzustellen, und er
erweist zu diesem Zweck gewissen Personen aus der Geschichte die
Ehre, ihren Namen seinen Geschöpfen zu leihen.» Goethe bat Manzoni
geradezu, daß er jenen Unterschied niemals wieder gelten lasse, womit
Manzoni sich übrigens ganz einverstanden erklärte. Denn, so schrieb
er an Goethe, er müsse bekennen, daß die Abteilung der Personen in
geschichtliche und ideelle ganz sein Fehler sei, verursacht durch eine
allzu große Anhänglichkeit an die genau geschichtliche Wirklichkeit,
welche ihn bewog, die realen Personen von denjenigen zu trennen, die
er ersann, um eine Klasse, eine Meinung, ein Interesse symbolisch
zu repräsentieren. In einer neueren Arbeit («Adelchi») habe er schon
diesen Unterschied aufgegeben, und es freue ihn, dadurch Goethes
Mahnung zuvorgekommen zu sein. Immerhin blieb hier eine Divergenz
zwischen Goethe und Manzoni bestehen. Denn die weitere Entwicklung
führte Manzoni nicht etwa in die ideelle, sondern die historische

Richtung, und er versuchte die Dichtung immer mehr der Geschichte
anzunähern, was Goethe in dem späteren Roman Manzonis « I promessi sposi » nicht billigen konnte. Manzonis Abhandlung « Über die
geschichtlichen Romane und über die aus Geschichte und Erfindung
gemischten Werke überhaupt » (1845) lernte Goethe nicht mehr
kennen. Hier führte Manzoni aus, daß Geschichte und Erfindung nur
mühsam in einem Werke zu vereinen seien, ohne daß beide ihre Eigentümlichkeit aufgeben. Nur wo solche Verbindung schon unbewußt
vom Volke vollzogen worden ist, da kann sie auch vom künstlerischen
Standpunkt aus als berechtigt gelten. Manzoni verurteilte also in seiner
Spätzeit historische Dichtung, welche die geschichtliche Realität mit
Erfindungen der Phantasie vermischt. Auch darin war die italienische
Romantik anders als die deutsche, und man braucht nur an die
« Kronenwächter » Arnims oder auch Hauffs « Lichtenstein » zu
denken, um den Unterschied zu sehen. Das, was in Italien Romantik
genannt wurde, war ebenso wie in Frankreich eigentlich die Geburt
des modernen Realismus, während in der deutschen Literatur der
wirklich historische Roman, wie er unter dem Einfluß Walter Scotts
entstand, bereits eine Überwindung der Romantik bedeutete. Goethe
aber fand schon in den « promessi sposi » zu viel Respekt vor der
Geschichte und der Realität: Der Historiker schadet hier dem Poeten;
der Roman wird zur Chronik. Das war gewiß kein klassisches Moment,
aber es war auch kein romantisches, sondern hier tat sich eben der
Weg zum modernen Realismus auf, dem Goethe sich nicht anschließen
konnte.

Sonst jedoch herrschte volles Einverständnis zwischen ihnen. Besonders
fiel es Goethe auf, wie maßvoll doch Manzoni vorging, auch wenn er sich
von der strengen Regelhaftigkeit des Klassizismus, von den Einheiten
lossagte, wobei er sich auf Goethes Jugenddramen und auf die von
A. W. Schlegel vorgebrachten Gründe stützte. Auch die englische
Kritik (Quarterly Review) bemerkte diese gemäßigte Freiheit des
Italieners, aber tadelte sie: Manzoni erklärt den Einheiten den Krieg.
Wir aber, privilegierte Freidenker, wofür wir uns, und zwar auf Shakespeares Beispiel hin erklären, werden durch diesen Neubekehrten
für unsere nordischen Begriffe von dramatischer Freiheit wenig
Bestätigung gewinnen. Wir fürchten, daß die Italiener bedeutendere
Übertretung der altfestgesetzten Regeln verlangen werden, bevor sie
dazu gebracht werden, sie zu verlassen. Goethe aber verteidigte nun
den italienischen Romantiker gegen diese englische Kritik, wofür

ihm — ein wahrhaft weltliterarisches Phänomen — der französische
Philosoph Victor Cousin bei einem Besuch in Weimar seinen Dank
aussprach. Goethe erklärte es gerade für lobenswert, daß Manzoni so
Maß gehalten und nur durch sanftes Ausweichen versucht habe, eine
löbliche Freiheit zu erlangen. Er habe sich von alten Regeln losgesagt,
sei aber auf der neuen Bahn so ernst und ruhig fortgeschritten, daß man
nach seinem Werke gar wohl wieder neue Regeln bilden könne. Und
nun fällt das entscheidende Wort: « Wir geben ihm auch das Zeugnis,
daß er im einzelnen mit Geist, Wahl und Genauigkeit verfahren, indem
wir bei strenger Aufmerksamkeit, insofern dies einem Ausländer zu
sagen erlaubt ist, weder ein Wort zu viel gefunden, noch irgendeines
vermißt haben. Männlicher Ernst und Klarheit walten stets zusammen,
und wir mögen daher seine Arbeit gerne klassisch nennen. » Es gibt
wohl keinen zweiten Fall, in dem Goethe irgendeinem anderen der
europäischen Romantiker sonst dieses Beiwort « klassisch » zuerkannt
hätte. Kein Engländer, aber auch kein Franzose, nur dieser Italiener
erhielt es, und dieses klassische Bild Manzonis erklärt es auch, trotzdem
er innerhalb der italienischen Literatur als Repräsentant der Romantik
galt, warum Goethe sich mit so dauernder Teilnahme an ihm sich
bemühte, die deutsche, ja die europäische Lesewelt auf ihn aufmerksam
zu machen. Er tat es durch die ausführlichsten Besprechungen seiner
Werke, besonders die des « Grafen Carmagnola ». Er plante eine solche
auch von der Tragödie « Adelchi » zu verfassen. (« Ach ! warum kann
man denn nicht einem deutschen Zeitgenossen den gleichen Liebes-
dienst erweisen. ») Er tat es ferner durch die Übersetzung der Manzoni-
schen Hymne auf Napoleons Tod und dadurch, daß er den Dante-
übersetzer Streckfuß zu einer Übersetzung der Tragödie « Adelchi »
anregte, die dann wirklich 1827 erschien und « Goethen ehrerbietig,
liebevoll und dankbar zugeeignet » war. Er tat es endlich besonders
durch die Zusammenstellung von allem, was er für Manzoni getan
hatte, und was sich an Beziehungen zwischen ihnen entwickelt hatte.
Sie erschien unter dem Titel « Teilnahme Goethe's an Manzoni », und
zwar als Einleitung zu einer italienischen Ausgabe von Manzonis Werken,
die in Jena 1827 herauskam. Es war in der Tat Goethe, dem Manzoni
nicht nur seinen deutschen, sondern auch seinen italienischen, ja
seinen Weltruhm verdankte. Goethes Anzeige des Grafen Carmagnola
erschien in der Florentiner Ausgabe von Manzonis Trauerspielen 1825,
sein Urteil über « Adelchi » 1822 im « Eco », eine italienische Übersetzung seines Aufsatzes «Teilnahme Goethe's an Manzoni» 1827. Fauriel

fügte die Anzeige des Grafen Carmagnola seiner französischen Übersetzung der Trauerspiele (1823) bei und gab sie auch gesondert 1827 französisch heraus. Victor Cousin teilte das Gespräch, das Goethe mit ihm 1825
über Manzoni geführt hatte, im « Globe » dem französischen Publikum
mit. Dabei kannte ja Goethe, als er Manzonis Weltruhm begründete,
das Meisterwerk des Dichters, das zum dauernden Bestand der Weltliteratur gehört, noch nicht: den Roman « I promessi sposi », der
1825/26 erschien. Als er ihn kennenlernte, gab er wohl in den Gesprächen
mit Eckermann seiner höchsten Bewunderung Ausdruck und pries
die innere Bildung des Dichters, die als eine durchaus reife Frucht
beglückt und in diesem Roman auf einer solchen Höhe erscheint, daß
ihm schwerlich etwas gleichkommen kann, die Klarheit in der Behandlung, die wie der italienische Himmel selber ist, die Deutlichkeit und
das bewunderungswürdige Detail in der Zeichnung der Lokalität.
Aber es war, wie gesagt, nicht dieser Roman, der seinen weltliterarischen Bemühungen um Manzoni zugrunde lag. Er hat sich öffentlich
nicht mehr über ihn ausgesprochen, wenn er sich auch noch mit einem
Plan dazu trug. Ja, er dachte sogar daran, das Werk zu übersetzen.
« Hinderten nicht die wachsenden Jahre und so manche zudringenden
Obliegenheiten, so tät ich an diesem Werk, was ich für Cellini getan
habe. » Die Besprechung des Romans in « Kunst und Altertum » wurde
von Streckfuß übernommen.
Goethe brauchte es auch nicht mehr zu tun. Denn er hatte Manzonis
Weltruhm bereits gegründet, weil er eben von Anfang an die Größe
und das Wesen Manzonis mit tiefer Richtigkeit erkannt hatte, und
hier erlebte er den seltenen Fall, daß er sich seiner eigenen Wirkung
restlos freuen konnte. Denn daß er selbst an der Bildung Manzonis
nicht unbeteiligt war, das hatte ihm der Dichter selbst bezeugt: Nicht
nur, daß Goethes öffentliche Beurteilung ihn seinen eigenen Wert erst
erkennen ließ, ihn stärkte und ermutigte, daß Goethes Kritik ihn in
seiner Entwicklung förderte, sondern daß Goethe von seiner frühen
Jugend an, bevor er noch in irgendwelche Beziehung zu ihm getreten
war, ihm als ein Leitstern vor Augen stand. Er schrieb nicht umsonst
in das Widmungsexemplar der Tragödie « Adelchi », das er an Goethe
schickte, die Worte aus Egmont: « Du bist mir nicht fremd. Dein
Name war's, der mir in meiner ersten Jugend gleich einem Stern des
Himmels entgegenleuchtete. Wie oft hab ich nach dir gehorcht,
gefragt ! » Als die Besprechung Goethes über den « Graf Carmagnola »
erschienen war, schrieb er einen Dankbrief nach Weimar, in dem es

heißt: Wenn ihm jemand während der Arbeit an dieser Tragödie vorausgesagt hätte, daß Goethe sie lesen würde, so wäre es ihm die größte Aufmunterung gewesen und hätte ihm die Hoffnung eines unerwarteten Preises dargeboten. Sein italienischer Verleger teilte Goethe in einem französisch geschriebenen Briefe mit, Manzoni sei in höchstem Grade bewegt durch die Probe der Zuneigung eines Geistes (es handelte sich um die Abhandlung « Teilnahme Goethe's an Manzoni »), den er seit seiner Jugend gewohnt sei « à vénérer comme maître dans sa noble carrière ». Auch als Victor Cousin die lobenden Worte Goethes im Gespräch mit ihm Manzoni übermittelte, war dieser tief gerührt. Es waren in erster Linie wohl der Götz von Berlichingen und Egmont, die zu Manzonis Ablösung vom Klassizismus, zu der Wahl von Gegenständen aus der nationalen Geschichte, der historischen Wahrhaftigkeit und der Befreiung von den Regeln halfen. Aber Goethe konnte in diesem Fall sich der Wirkung seiner Jugendwerke freuen, weil sie bei dem italienischen Romantiker mit solchem Maß geschah, sich so mit Klarheit und plastischer Gestaltung verband, daß er ihm das Beiwort « klassisch » geben konnte. Die Auswüchse der französischen Romantik ängstigten ihn. Die Wirkung, die er dort auslöste, entsprach nicht mehr seiner eigenen Entwicklungsstufe. Sie artete in Wildheit aus. Er lernte wohl auch Werke italienischer Romantiker kennen, die ihn wie « gespenstische Ungeheuer » verschüchterten, so etwa die « Ildegarda » von Grossi, wunderliche Produktionen, die er nicht mitteilen wollte, weil sie so unerfreulich waren, indem sich das willkürliche Subjekt in ihnen gegen Objekt und Gesetz wehrte und sich einbildete, dadurch etwas zu werden und wohin zu gelangen.[24] Aber es waren doch nur nebensächliche Erscheinungen. Der eigentliche Repräsentant der italienischen Romantik, Manzoni, dieser « wahrhafte, klar auffassende, innig durchdringende, menschlich fühlende » Dichter verleugnete das alte Erbe der Antike und des italienischen Geistes nicht. Dieses Jüngers durfte er sich freuen. Italien, das ihm die klassische Vollendung gebracht hatte, öffnete sich wohl der nordischen Romantik. Aber der klassische Geist ging nicht verloren. Auch die italienische Romantik bezeugte, daß sie unter italienischem Himmel und auf dem Boden des römischen Altertums und der Renaissance entstand. Wenn Manzoni durch Goethe angeregt wurde, so war es jedenfalls nicht der faustische Geist, dessen Funken er in ihm entzündete, so wie es in Byron geschah. Manzoni glich nicht, wie Byron, einem heftig auflodernden Feuer, das sich schnell verzehrt und verlodert. Es ist sehr

charakteristisch, daß Goethes Faust erst spät, erst nach der
Romantik in Italien übersetzt und bekannt wurde. In den siebziger
Jahren waren freilich schon fünf Übersetzungen erschienen. Maffei
widmete die seinige dem deutschen Übersetzer der göttlichen Komödie,
König Johann von Sachsen, um so ein brüderliches Band zwischen den
beiden Nationen durch Austausch ihrer größten Dichtungen zu
schlingen. In Guerrieris volkstümlicherer Übertragung wurde der
Faust zum Eigentum der italienischen Jugend. Aber eine tiefer
gehende Wirkung des Faust in der italienischen Literatur ist,
verglichen mit der französischen und englischen, doch nicht fest-
zustellen. Manzoni jedenfalls hätte von Goethe nicht wie Byron als
Sohn von Faust und Helena sein dichterisches Denkmal empfangen
können. Die weltliterarische Sendung, die Goethe für Italien hatte,
war nicht die faustische.

Aber Goethe konnte das Echo seiner Weltliteraturidee in Italien
vernehmen, als er die Zeitschrift « L'Eco » 1828 kennenlernte, die es
sich, dem « Globe » ähnlich, zur Aufgabe machte, Italien mit den
ausländischen Literaturen, besonders aber der deutschen bekanntzumachen, und die auch Übersetzungen Goethescher Gedichte brachte.
Er schrieb an die Herausgeber, daß sie gewiß durch ihren Gehalt und
die freundliche Form zur allgemeinen Weltliteratur, die sich immer
lebhafter verbreite, auf das freundlichste mitwirken werde, und daß
er sie seines Anteils aufrichtig versichere. Die Frage, welche die Herausgeber an ihn stellten, was sie von seinen Werken und wie sie es auf
das schicklichste und sicherste benutzen könnten, wurde von Goethe
damit beantwortet, daß sie sich vorerst, wie sie es ja selbst schon getan
hatten, sich seiner kleinen Gedichte bedienen sollten. Er legte auch
dem Briefe jenes Gedicht « Ein Gleichnis » bei, auf das sich übrigens
die Herausgeber selbst in ihrem Schreiben an ihn berufen hatten, und
in dem er auf das erfrischende Gefühl hindeutete, das er empfand,
wenn er seine Gedichte in fremden Sprachen las, und das sich, wie
er nun an die Herausgeber schrieb, gar wohl auf die Bemühungen
beziehen lasse, welche diese sich um seine Arbeiten gaben. Das Gedicht
wurde Juni 1828 im « Eco » abgedruckt. « Sodann bemerke », schrieb
Goethe damals an Zelter, « daß die von mir angerufene Weltliteratur
auf mich, wie auf den Zauberlehrling, zum Ersäufen zuströmt; Schottland und Frankreich ergießen sich fast tagtäglich, in Mailand geben
sie ein höchst bedeutendes Tagesblatt heraus, ‚L'Eco' betitelt; es ist
in jedem Sinne vorzüglich, in der bekannten Art unsrer Morgenblätter,

aber geistreich weitumgreifend. Mache die Berliner aufmerksam darauf,
sie können ihre täglichen Schüsseln gar löblich damit würzen. »[25]
Die öffentliche Empfehlung geschah in « Kunst und Altertun », wo er
den reinen, geistvoll-heiteren Freisinn, die hinlängliche Übersicht
fremder Literatur neuesten Datums und überhaupt die Umsicht von
hohem Standpunkte rühmt. Sie sind auf dem Altertum und auf ihrer
ältesten Literatur gegründet, sodann aber vernimmt man, was sie
dem Ausländer mitteilen möchten, was sie von der mit besonderer
Gunst angesehenen deutschen Literatur und wie sie es brauchen können,
wie sie sich gegen die Franzosen, die Engländer, die Spanier verhalten.
« Dieses Blatt, auf solche Weise fortgesetzt, wird auch dazu dienen,
jene Nation in Begriffen und Sprache weiter zu fördern und ihren
ästhetischen Gesichtskreis zu erweitern. »

England

Wenn Goethe in den romanischen Literaturen Frankreichs und Italiens erlebte, wie sich der Kampf zwischen den Klassikern und Romantikern von Deutschland aus über die Grenzen verbreitete, so war es in einer germanischen Literatur wie der englischen doch wesentlich anders. Byron schrieb in seiner Widmung des «Marino Falieri» an Goethe (1820), er bemerke, daß in Deutschland wie in Italien ein großer Streit über das ausgebrochen sei, was sie klassisch und romantisch nennen, Ausdrücke, die in England — wenigstens als er es vor vier oder fünf Jahren verließ — nicht zur Klassifikation verwendet wurden. Vielleicht möge etwas Derartiges später entstanden sein, aber er habe nicht viel davon gehört, und es würde auch von einem so schlechten Geschmack zeugen, daß er sehr bedauern würde, es glauben zu müssen. Es ist in der Tat sehr merkwürdig, daß von einem solchen Kampf in der englischen Literatur nur wenig zu merken ist, daß er zum mindesten niemals eine so scharfe Form angenommen hat wie in Italien und Frankreich. Der Grund ist klar. Geht man den Quellen der europäischen Romantik nach, so stößt man auf ihren Urquell in der englischen Literatur. Denn auch der deutsche Sturm und Drang, auch der junge Goethe, der zu einem der wesentlichsten Erwecker der europäischen Romantik wurde, war ja seinerseits von der englischen Literatur zu sich selbst erweckt worden und hatte sich unter ihrem Einfluß vom französischen Klassizismus befreit. Der englische Klassizismus, der seine Repräsentanten in Pope und Dryden gehabt hatte, war in England längst um seine Herrschaft gekommen, als die europäische Romantik sonst ihren Kampf gegen den Klassizismus, der noch überall in dem kontinentalen Europa seine Herrschaft behauptete, beginnen mußte. England brauchte diesen Kampf nicht mehr zu führen, weil es ihn hinter sich hatte. Andererseits aber hatte auch die junge Bewegung in England nie solche radikalen Formen angenommen, wie sie sich dann im deutschen Sturm und Drang und in der Romantik des Festlandes zeigten. Es gab in England eben Gegengewichte, die ein heilsames Gleichgewicht der Kräfte zwischen Freiheit und Bindung herstellten. Der traditionsbewußte, konservative Geist Englands hatte aus seiner politisch-demokratischen Revolution, die der französischen vorausgegangen war, ein festes und sicheres Staatsgefüge gebildet, in welchem die alten, autoritären Mächte sich mit der jungen Freiheit von Volk und Individuum versöhnten und vertrugen. Die alte Ordnung der Gesellschaft hatte sich nicht aufgelöst, sondern nur aufgelockert. Wenn Goethe den Ton der Melancholie und Unzufriedenheit als Grundton der englischen Literatur vernahm, so sorgte doch die mögliche Betätigung des einzelnen Menschen im großen, öffentlichen Raum des Weltreichs dafür, daß die unerfüllten Wünsche und Sehnsüchte der Jugend nicht lähmend nach innen schlugen oder sich nach außen gegen die bestehende Wirklichkeit empörten. Die anglikanische Kirche, fest und aufrecht stehend, bildete ein sicheres Bollwerk gegen den Sturz der geltenden Moralität, wie gegen die Verzweiflung an der Welt. Der tief eingewurzelte Empirismus Englands, sein Vertrauen in die praktische Erfahrung und den « common sense » machte den englischen Geist mißtrauisch gegen alle romantische Phantastik und jede Überfliegung der Erfahrungs- und Verstandesgrenzen. Wenn der junge Goethe in der englischen Literatur auf heftigen Widerstand stieß, so ging dieser nicht, wie in Frankreich, von einem akademischen Klassizismus aus, sondern eben von jener politischen, religiösen und moralischen Stabilität. Der Werther hat in keiner Literatur und auch im Leben keiner Nation eine so wenig tief gehende Wirkung gehabt, wie in England, und nicht nur darum, weil so vieles im Werther der englischen Literatur, die schließlich seine Ahnen stellte, schon ganz geläufig war, sondern weil sie ihm auch all jene rettenden Gegengewichte entgegenhalten konnte, die den andern, bereits unterwühlten Ländern, fehlten. Dem jungen Goethe wurde der Eintritt verwehrt, weil er für revolutionär, unsittlich und atheistisch angesehen wurde. Ästhetische Gründe spielten dabei die geringste Rolle. Als die erste Übersetzung des Werther 1779 erschien, wendete sich die englische Kritik mit einmütiger Heftigkeit gegen die Unmoralität und Irreligiosität dieses Romans. In den achtziger Jahren konnte wohl eine ganze Anzahl von Nachbildungen, Umdichtungen und Fortsetzungen des Werther in England und Schottland entstehen, aber es waren doch nur recht obskure Dichter, von denen sie stammten, und als Rosa Lawrence die erste englische Übersetzung des Götz von Berlichingen 1799 herausgab, mußte sie ausdrücklich versichern, daß die Immoralität des Werther in ihm nicht zu finden sei. Die französische Revolution und Napoleons Auftritt verstärkten

den englischen Widerstand noch gewaltig, und die Zeitschrift «Antijakobin» machte es sich zur Aufgabe, den konservativen Geist
Englands gegen den Revolutionsversuch auf politischem, religiösem
und sittlichem Gebiete zu verteidigen, den sie in den Dichtungen
des jungen Goethe, im Werther, im Götz und in der Stella zu
finden meinte. Goethe wurde als der Feind von Staat und Kirche und
Gesellschaft gebrandmarkt. Selbst wenn gegen den Sturz der Regeln
protestiert wurde, so geschah auch dies nicht aus ästhetischen, sondern
aus politischen Gründen. Er galt als ein Symptom des revolutionären
Geistes. Die Wirkung der deutschen Sturm- und Drangliteratur war
freilich auch in England nicht aufzuhalten. Der berühmte Vortrag von
Henry Mackenzie in der «Royal Society» zu Edinburgh (1788) über
die deutsche Sturm- und Drangdramatik, die Mackenzie aus französischen Übersetzungen kennengelernt hatte, machte in der englisch-
schottischen Literatur Sensation und Epoche. Dieser Vortrag war es,
der einen Walter Scott zu seiner Übersetzung des Götz von Berlichingen (erschienen 1800) anregte, und die Spuren des Götz, wie
auch Egmonts, sind auch in Scotts epischen Werken weiter zu
verfolgen. Man darf wohl sagen, daß Walter Scott durch Goethes
Götz den äußeren Anstoß zu seiner historischen Romantik empfing.
Freilich nur den äußeren Anstoß, und von einer Revolutionierung der
englischen Literatur durch den jungen Goethe kann gar nicht die
Rede sein. Wenn sich das englische Drama vom Götz her historisch-
nationalen Gehalt und die Freiheit von den Regeln gewann, so hat es
sich dabei doch nur zurückgenommen, was es schließlich erst selbst
durch Shakespeare dem deutschen Drama gegeben hatte. Die Wandlung, die der Götz in Scotts Übersetzung erfuhr, ist denn auch ganz
augenfällig. Wenn man überhaupt im Götz von einer revolutionären,
sozialpolitischen Tendenz sprechen kann, so wurde sie von Scott
völlig getilgt. Er hat aus dem Götz eine ganz konservative, die
Tradition heiligende Dichtung gemacht, er, der glühende Feind der
französischen Revolution, wie dann Napoleons. Er bereicherte dagegen
den Götz aus eigenen Mitteln und machte aus ihm durch die Darstellung alter Sitten und Bräuche, die Einlage von Tänzen, Festen und
Aufzügen, ein farbig koloriertes, historisches Gemälde der alten
Ritterzeit, einen Hochgesang auf den patriarchalisch-aristokratischen
Feudalismus des Mittelalters. Er suchte dazu eine viel weitergehende
Treue gegenüber der historischen Realität zu wahren. Auch wenn
er den Erlkönig Goethes, den untreuen Knaben, das Räuber-

lied aus « Claudine von Villa Bella » oder Bürgers « Lenore » übersetzte, so hat er auch damit nur zurückgenommen, was England durch Percys « Reliques » der deutschen Balladendichtung gegeben hatte. Diese volkstümlichen Balladen Deutschlands sind ohne die Erweckung durch England gar nicht zu denken. Es war wohl die Begeisterung für den Götz, welche Walter Scott die Idee eingegeben hat, die schottisch-englische Vergangenheit in einem Zyklus von historischen Romanen zu gestalten, so daß Goethe in dieser Hinsicht doch an der Wiege der englischen Romantik stand und ein Führer für sie in die nationale Vergangenheit war. Aber Walter Scott hat auf Grund eines wissenschaftlichen Studiums dem historischen Roman einen solchen Realismus und in der Form der Erzählung eine solch epische Objektivität verliehen, daß er im deutschen Sinne doch wieder nicht romantisch zu nennen ist, und daß er, der eine europäische Gattung wurde, in der deutschen Literatur dazu geholfen hat, die Romantik zu überwinden, an die Stelle eines romantischen Traumbildes von Vergangenheit die historische Realität zu setzen und damit den entscheidenden Schritt zum Realismus überhaupt zu tun. Goethe hat denn auch seiner Bewunderung für Scott besonders Eckermann gegenüber rückhaltlosen Ausdruck gegeben: für die Sicherheit und Gründlichkeit der Zeichnung bis ins kleinste Detail, die aus seiner umfassenden Kenntnis der realen Welt hervorgeht, wozu er durch lebenslängliche Studien und Beobachtungen gelangte, für die Kenntnis der menschlichen Natur, deren tiefste Geheimnisse ihm offenbar lagen, für die reale Basis, die sprechende Wahrheit und besonders auch die epische Kunst der Erzählung, ihre präzise Genauigkeit, den großen Kunstverstand überhaupt. Goethe hat Scott nicht als einen Romantiker gesehen. Ja, er hat Scott als Helfer in seinem Kampf gegen die krankhaften Verirrungen eines E. T. A. Hoffmann, die in Deutschland als bedeutend fördernde Neuigkeiten ausgegeben wurden, aufgerufen, indem er genauen Bericht von Scotts Aufsatz « On the Supernatural in Fictitious Composition » gab (ohne Scotts Autorschaft zu kennen), wo Scott am Beispiel Hoffmanns zeigt, wie bei Mangel an bändigender Kunst die sich selbst überlassene Einbildungskraft sich zu fieberhaften Träumen, ja Verrücktheiten steigere, die nicht als Muster der Nachahmung, sondern als Warnungstafeln aufzustellen seien. Goethe konnte diesen Artikel seinen deutschen Lesern nicht genugsam empfehlen. [26] Als Scott in späten Jahren nach Byrons Tod (1827) einen Brief von Goethe erhielt, in welchem dieser ihm dafür dankte, daß er in früherer Zeit von ihm und seinen Arbeiten gründliche Kenntnis genommen und sogar die englische Nation zum Anteil daran herbeigerufen habe, da antwortete Scott wohl hocherfreut und geehrt, daß er schon seit 1798 (da er den « Götz » übersetzte) zu Goethes Bewunderern gehöre, und daß er auch jetzt noch auf jenen jugendlichen Übersetzungsversuch, wenn er auch aus mangelhafter Sprachkenntnis unvollkommen gewesen sei, einigen Wert lege, weil er doch wenigstens zeige, daß er einen Gegenstand zu wählen wußte, welcher der Bewunderung würdig war. Aber auch dazu ist zu sagen, daß ein solcher Gegenstand dem Lande Shakespeares keine Neuheit war. Man kann also nicht behaupten, daß Goethe durch das Medium Scotts und der von ihm geschaffenen Gattung des historischen Romans auf Europa gewirkt habe. Diese Wirkung geschah erst durch das Medium Shelleys und in erster Linie Byrons. Denn mit ihm hat Goethe wirklich einen englischen Geist aus den englischen Traditionen gerissen. Hier zündete Goethescher Geist in einem Genius, der auf alle Literaturen Europas gewaltigsten Einfluß gewann, einen Einfluß, der handgreiflicher zu fassen ist als der von Goethe selbst. Es war der faustische Geist, der in Byron aufloderte, und es ist charakteristisch, daß Shelley und Byron, die von Goethe tief erfüllten Dichter, aus England verbannt und verstoßen wurden.

Es sei noch einmal gesagt: daß der junge Goethe die Regeln stürzte, die antike Mythologie durch nationale Geschichte und nordische Phantome verdrängte, Dinge, die in den anderen Literaturen den Kampf der Klassiker und Romantiker erregten, konnte einer Literatur nicht viel bedeuten, die Shakespeare zum Ahnen hatte, die einen Ossian und Percy besaß. Wenn das Jahr 1796 gleich fünf englische Übersetzungen von Bürgers « Lenore » auf einmal brachte, wenn Monk Lewis, der Goethe 1792 in Weimar besucht hatte, den Erlkönig übersetzte, wie es auch Scott tat, so nahm sich die englische Literatur damit doch nur zurück, was sie selbst der deutschen erst gegeben hatte. Von einer Revolutionierung der englischen Dichtung durch Goethe, durch den faustischen Geist, kann erst bei Shelley und Byron die Rede sein. Denn wenn gewiß die englische Literatur die Fausttragödie Christoph Marlows aufzuweisen hat, die von englischen Schauspielern nach Deutschland getragen und in ihrer zum deutschen Puppenspiel gewandelten Form auch für Goethes Faust von Bedeutung wurde, wenn Faust im 16. und 17. Jahrhundert überhaupt eine populäre Gestalt in England war, der auch Shakespeare einmal

in den « Lustigen Weibern von Windsor » gedenkt, so ist ja doch dies
alles auf die frühe Übersetzung des deutschen Volksbuches von
Dr. Faust zurückzuführen, aus dem Marlow seine Tragödie gestaltete,
und wenn sich diese Tragödie auch vom deutschen Volksbuch völlig
unterscheidet, indem sie es war, die zum erstenmal in dem deutschen
Faust den edlen, hohen, nur allzuhoch strebenden und so gegen das
göttliche Gesetz verstoßenden Geist erkannte und ihn damit zu einem
wirklich tragischen Helden machte, so war doch der faustische Geist
in der englischen Literatur nicht aufgekommen, auch damals nicht,
als sie zuerst von allen Literaturen Europas sich vom Klassizismus
befreite. Sie konnte den Wertherschmerz in dem jungen Goethe
hervorrufen, aber der Funke der faustischen Empörung wurde von
Goethe in sie geworfen. Es ist sehr vielsagend, daß noch die Dichter der
See-Schule, Coleridge, Southey, Wordsworth, die doch sonst der deutschen Literatur durchaus nicht verschlossen waren, sich mit Entschie-
denheit vom Faust abwendeten. Als Coleridge, der Goethesche Gedichte
übertrug, von Byron, Shelley und auch von Scott aufgefordert wurde,
den Faust zu übersetzen, weigerte er sich, wenn er auch eine kurze Zeit
sich mit der Absicht trug. Der Faust dünkte ihm zu unsittlich und
heidnisch, seine Sprache zu vulgär und blasphemisch zu sein, als daß er
es mit seinem moralischen Charakter hätte vereinbaren können, einer
solchen Dichtung durch eine englische Übersetzung Vorschub zu
leisten. Ja, er faßte sogar den Plan, einen Antifaust zu schreiben.
Ähnlich war auch Southeys und Wordsworths Stellung, die sich
ebenfalls vom Faust abwendeten. Es herrschte eben damals immer
noch das alte Goethebild in England: Goethe der Feind der Gesellschaft,
der Sittlichkeit und Religion. Wordsworth erhob ganz offen gegen
ihn den Vorwurf des Egoismus. Er habe nie seine eigene Person vergessen können. Der englische Dichter stellte dieser Goetheschen
Ichsucht einen Pantheismus gegenüber, der Natur und Mensch in
ihrer höheren Einheit begreift und diese Einheit in Dichtung gestaltet.
Für Goethe sei der Mensch allein der Sinn der Welt; vielmehr: er,
Goethe, sei es. Man sah damals noch nicht, daß dieser sogenannte
Egoismus, der doch schwerste Arbeit an sich selbst bedeutete, nur
unter schmerzlichster Opferung und Entsagung sich auswirkte und
gerade im Dienst der Höherentwicklung der Menschheit stand. Wenn
Faust in Frankreich aus ästhetischen und rationalen Gründen
von den Klassizisten verworfen wurde, so wurde er es in England
aus moralischen und religiösen. Auch William Taylor, der Über-

setzer von Goethes Iphigenie, griff den Faust heftig an und konnte
es nicht begreifen, daß Goethe, der sich als Dichter der Iphigenie
und des Tasso als würdigen Jünger des Sophokles gezeigt hatte, ein
so elendes Drama schreiben konnte. Es wimmle dermaßen von Absurdi-
täten und Obszönitäten, daß man keine englische Übersetzung wünschen
könne («Monthly Magazine» 1810). Die Umrißzeichnungen zum
Faust von dem deutschen Künstler Retzsch, die in Kopien von
Henry Moses mit englischem Kommentar in London 1820 erschienen,
erregten wohl in England, wie Goethe erfuhr, eine große Neugierde
hinsichtlich dieser Tragödie, und eine neue Auflage davon brachte
große Partien des Faust in Blankversen, die durch Prosaerzählung
verbunden waren. Aber Teile, die den englischen Leser wegen Unsittlichkeit und Irreligiosität hätten verletzen können, wurden unterdrückt. Der Prolog im Himmel konnte wohl im Bild, aber nicht in
Übersetzung erscheinen! Die dramatische Bearbeitung des Faust
von dem gleichen Übersetzer, George Soane, hat wohl Goethes kaum
begreiflichen Beifall gefunden, als er 1822 in Besitz der ersten Bogen
mit nebengedrucktem Original kam. Er fand seinen Faust darin
bewunderungswürdig verstanden und dessen Eigentümlichkeiten mit
denen der englischen Sprache und den Forderungen der englischen
Nation in Harmonie gebracht. Er nahm sie als Zeichen dafür, daß die
Nationen sich untereinander mehr als je verstehen lernen. [27] Weit
weniger dagegen konnte Goethe die Faustübersetzung Lord Gowers
(1823), der ihn dann 1826 in Weimar besuchte, schätzen: Sie «ist
eigentlich eine völlige Umbildung, vom Original blieb fast gar nichts
übrig, deshalb er auch soviel auslassen mußte, worüber er nach seiner
Weise nicht Herr werden konnte.» Unter den Weglassungen aus
«considerations of decency» und religiösen Gründen befindet sich auch
der Dialog des «Prolog im Himmel» von dem nur die Engelsgesänge
übersetzt sind: «There is a tone of familiarity on both sides, which is
revolting in a sacred subject». Gowers Zueignung an Goethe erschien
in «Kunst und Altertum» 1823.
Die fragmentarische Faustübersetzung Shelleys war Goethe seit 1826
bekannt [28], aber er hat nie auch nur ein Wort über sie geäußert, obwohl
sie die schönste Übersetzung ist, die der Faust in englischer Sprache und
nicht nur in ihr gefunden hat. Shelley stand eben überhaupt bei Goethe
immer im Schatten Byrons. Er wurde durch das Buch der Frau von
Staël «De l'Allemagne» auf Goethe gewiesen und sofort von dem, was
dort über den Faust geschrieben stand, so gewaltig gepackt, daß er

Deutsch lernte und an die Übersetzung ging, die den Prolog im Himmel, die Erdgeistszene, den Osterspaziergang, die Walpurgisnacht, umfaßt. Es gibt einen zeitgenössischen Bericht, wie man Shelley in Pisa über den Goetheschen Faust gebeugt fand, ein Wörterbuch in der Hand: Seine Augen leuchteten mit einer so furchtbaren Energie, wie der des gierigsten Goldsuchers. Er las den Faust mit Gefühlen, wie kein anderes Werk sie in ihm hervorzurufen vermochte. Wir, so sagte er, die Bewunderer Fausts, sind auf dem wahren Weg zum Paradies. Man braucht nur den Anfang von Shelleys epischer Dichtung « Alastor, oder der Geist der Einsamkeit » zu lesen, um sofort die tiefen Spuren des Faust darin zu erkennen. Klingt er doch wie eine wundervolle Variation des Monologs: «Erhabner Geist, du gabst mir, gabst mir alles, warum ich bat.»

Von dieser Dichtung hat Goethe nicht Notiz genommen. Als er aber den « Manfred » Byrons 1817 kennenlernte, fand er sofort darin den Sohn seines Faust. « Die wunderbarste Erscheinung », so schreibt er an Knebel, « war mir dieser Tage das Trauerspiel Manfred von Byron, das mir ein junger Amerikaner zum Geschenk brachte. Dieser seltsame geistreiche Dichter hat meinen Faust in sich aufgenommen und für seine Hypochondrie die seltsamste Nahrung daraus gesogen. Er hat alle Motive auf seine Weise benutzt, so daß keins mehr dasselbige ist, und gerade deshalb kann ich seinen Geist nicht genug bewundern. Diese Umbildung ist so aus dem Ganzen, daß man darüber und über die Ähnlichkeit und Unähnlichkeit mit dem Original höchst interessante Vorlesungen halten könnte, wobei ich freilich nicht leugne, daß einem die düstre Glut einer grenzenlosen reichen Verzweiflung denn doch am Ende lästig wird. Doch ist der Verdruß, den man empfindet, immer mit Bewunderung und Hochachtung verknüpft. » Auch Goethes öffentliche Besprechung des « Manfred » in « Kunst und Altertum » begann mit diesen Worten. Byron freilich, der von dieser Kritik Kenntnis erhielt, konnte mit gutem Grunde in seiner Widmung des « Marino Falieri » an Goethe erklären, daß Goethe selbst durch ein einziges Prosawerk, den Werther, größere Lebensverachtung erweckt habe als alle englischen Bände von Poesie, die je geschrieben wurden. Er hat es auch geleugnet, daß seine Manfredtragödie vom Faust inspiriert sei. Er habe ihn gar nicht gekannt, denn er verstehe nicht Deutsch. Nicht Faust, sondern die Jungfrau im Berner Oberland habe ihm die Inspiration dazu gegeben. Aber die Kenntnis der deutschen Sprache war ja gar nicht nötig, und man weiß

von Byron selbst, daß unmittelbar bevor der « Manfred » entstand,
sein Freund Monk Lewis ihm den Goetheschen Faust mündlich und
wörtlich viva voce übersetzte und Byron sehr davon erschüttert war.
Auch hatte er ja schon aus dem Buch der Frau von Staël, das 1813 in
London erschienen war, und welchem Byron seine erste Kenntnis
von deutscher Literatur verdankte, eine gewiß sehr unvollkommene,
aber mit reichlichen Übersetzungen belegte Idee vom Faust erhalten.
Man bedarf indessen solcher Zeugnisse gar nicht. Denn Manfred trägt
die untrüglichen Spuren des Goetheschen Faust in sich, die denn
auch von Anfang an keinem der europäischen Leser entgingen,
nachdem Goethe selbst in seiner Anzeige des « Manfred » darauf
hingewiesen hatte, mag sich auch alles auf noch so eigenartige Weise
gewandelt zeigen. Der Geist dieser Tragödie des Übermenschen, der
unerträgliche Qualen leidet, weil Gott den nach seinem Bilde geschaffenen Menschen wohl mit göttlichem Funken begabt und doch an den
Staub gefesselt und zu seinem Knecht gemacht hat, der sich der
magischen Kunst bemächtigt, die ihn zum Meister über die Dämonen
erhebt, und doch erfahren muß, daß auch Magie ihn nicht von seiner
Seelenqual erlösen, ihm nicht Vergessenheit bereiten kann, ist Geist
vom Geiste Fausts. Byron beneidete Shelley um nichts so sehr,
als daß dieser den Faust « that astonishing production » im Originale
lesen konnte. « I would give the world to read Faust in original ».
Er drängte Shelley, ihn ganz zu übersetzen. Er führte den Faust
auf seinen Weltreisen mit sich, wie Napoleon den Werther. Von
seinem Drama « The Deformed transformed » hat Byron selbst im
Vorwort erklärt, daß dieses Werk sich « partly » auf den Faust des
großen Goethe gründe, und er überreichte es Shelley mit den Worten,
er habe da « a faustish kind of drama » geschrieben. (Shelley fand
allerdings, daß es « a bad imitation of Faust » sei.)
Aber der faustische Geist spricht auch sonst aus Byrons Produktionen.
Seine Tragödien waren Sturmzeichen eines neuen Menschentums und
eines neuen Europa, wie Faust es war. Zu Manfred, der erkennen muß,
daß der Baum des Wissens nicht der Baum des Lebens ist, daß alle
Geistesmacht nicht Glück und Hilfe bringen kann, und der, zu stolz
die Hilfe Gottes anzunehmen, sich selbst zerstört, tritt Kain: Ankläger
gegen Adam, seinen Vater, der die Frucht der Erkenntnis pflückte
und nicht die des Lebens, womit er den nie zu stillenden Wissensdurst
erregte, Ankläger gegen Gott, der auf die verbotene Erkenntnis den
Fluch der Arbeit und des Todes setzte und die Erkenntnis überdies

so eng begrenzte. Als aber Lucifer diese Grenzen für ihn bricht und
ihm auf dem Fluge durch den Weltenraum das Geheimnis des Todes,
der Vergangenheit und der Zukunft offenbart, bleibt ihm nur dieses
als der Weisheit letzter Schluß, daß Gott wohl allmächtig, aber nicht
allgütig ist, der ewige Zerstörer seiner Schöpfung, der Tyrann, der
außer sich nur Staub und Ohnmacht duldet. Mit solcher Wissenschaft
kann Kain es nicht ertragen, daß Abel diesem grausamen Gott ein
Opfer darbringt, und erschlägt den Bruder. Das Mysterium « Himmel
und Erde » war wiederum eine empörerische Anklage gegen Gott, der
die Vermischung irdischer mit himmlischen Wesen verbot und sie mit
der alles verschlingenden Sintflut straft. Das Gedicht « Prometheus »
endlich: ein Hymnus auf den Titanen, der gegen Gottes Verbot die
Flamme der geistigen Kraft in den Menschen entzündete und nun in
ewige Ketten geschmiedet, ewig von Geiern zerrissen, stolz und un-
beugsam dem Gott die Kraft seines Geistes entgegensetzt.
Solche Dichtungen liest Goethe ahnungsvoll und staunend, sieht aber
auch, wie der Dichter selber, Byron, als er auf seine quälenden Fragen
keine Antwort findet, sich, gleich seinem Faust, aus Erkenntnisdrang
ins Leben stürzt, sein Glück und seinen Schmerz, und alles Wohl und
Weh der Welt auf seinen Busen zu häufen. Es bedarf keines weiteren
Wortes darüber, daß der Grund für die tiefe, aufwühlende Wirkung
des Goetheschen Faust in Byrons eigener, faustischer Natur zu finden
ist. Sie war es natürlich, die den von Goethe in ihn geworfenen Funken
zur Flamme entfachte. Er selbst erkannte sich im Faust. Ein neuer,
unbegrenzter Menschenstolz empörte sich in ihm gegen jede dem
Menschen gesetzte Grenze. Als englischer Lord Reichtum und Macht,
als Dichter Ruhm und Gunst der Frauen besitzend, braucht er sich
keinen Wunsch zu versagen. Aber sein durchstürmtes Leben führt ihn in
geheimnisvolle Schuld und Qual. Aus den süßesten Früchten der Liebe
weiß er nur Gift zu saugen. Er taumelt wie Faust von Begierde zum
Genuß und verschmachtet im Genuß nach Begierde. Der Unfrieden mit
sich selbst wird zur Unzufriedenheit mit der Welt. Überall findet er das
Leben unterdrückt und getötet. Er hofft auf Napoleon, daß er der
Befreier Europas und der Erwecker eines neuen Lebens werden würde.
Napoleons Untergang benahm ihm jede Hoffnung. Die Schlacht von
Waterloo wurde der Beginn einer allgemeinen Reaktion in Europa.
Absolutismus und Feudalismus bedrückte die Völker, die Kirche nahm
dem Geiste seine Freiheit, die Gesellschaft bannte den Menschen in
die starren Formen einer heuchlerischen Moralität. Da beginnt Byron

an allen festen Lebensformen Europas zu rütteln und erschüttert sie
mit der Gewalt seines Wortes und Geistes, seines Pathos und seines
Hohnes. Er ruft die Völker zur Befreiung auf, daß sie den irdischen
und himmlischen Tyrannen nicht mehr dienen. Er reißt der Gesellschaft
ihre Masken ab. Mehr aber noch als den Unterdrückern gilt seine
Verachtung den europäischen Menschen, die ihre erbärmlichen Sklaven-
ketten weitertragen wollen, und den Dichtern Europas — außer einem
— welche sich dem Dienst der Macht verschrieben. Seine eigene Dichtung wird zur politischen Tat. Aber auch dabei bleibt er nicht stehen,
und als die Griechen ihren Freiheitskampf gegen das Joch der Türken
beginnen, stellt er sich als Feldherr an ihre Spitze und geht heldisch
unter, kurz bevor ihm die verheißene Krone Griechenlands zuteil
geworden wäre.

Von seinem stillen Weimar aus begleitete der alte Goethe die Laufbahn dieses jungen, strahlenden Kometen mit staunender und
immer steigender Bewunderung, wie eines neuen Sternes, so ohnegleichen in vergangenen Jahrhunderten· daß ihm die Elemente
zur Berechnung einer solchen Bahn völlig zu fehlen schienen. Er
wirkte öffentlich für ihn durch Ankündigungen seiner Werke und
Übersetzungen aus ihnen, wodurch er Byron zu seinem europäischen
Glanz und Ruhm verhilft. Er sieht wie Byrons Licht in der Tat alles
überstrahlt und niemand mehr Liebe und Gefolgschaft erntet. Byron
hatte offenbar das Wort gefunden, das Europa hören wollte. Er gab
der europäischen Situation den Namen « Byronismus ». Ein magischer,
dämonischer Zauber war es, der Goethe zu Byron zog. Er sucht privat
von ihm zu hören, wo er nur kann, spricht unermüdlich von ihm in
Briefen und Gesprächen, nennt ihn den größten Genius des Jahrhunderts, den einzigen, den er neben sich gelten lasse. Wo immer er von
Eigenschaften spricht, die ein wahrer Dichter besitzen muß, wie
Dämonie und Antizipationskraft, dient Byron ihm als Beispiel. Er
spielt ihn gegen Shelley aus, obwohl man vielleicht sagen kann, daß
Shelleys Dichtertum bedeutender war, weswegen sich denn auch heute
die Beurteilung Byrons sehr zu seinen Ungunsten, aber freilich bis
zur Ungerechtigkeit gewandelt hat. Jedenfalls: Kein anderer seiner
Zeitgenossen hat Goethe so dauernd und tief beschäftigt. An keinem
hat er so menschlichen Anteil genommen. Von keinem empfing er auch
mit solcher Genugtuung und innerer Beglückung Zeugnisse der Verehrung, wie Byron sie in Widmungen, Briefen und Grüßen an ihn
ablegte. Byron trug sich mit dem Plan, seine Tragödie « Marino

Falieri » (1820) Goethe zu widmen. Die Widmung wurde nicht gedruckt und kam erst spät, 1830, in Goethes Hände. Ihr Schluß lautete: « Considering you as I really and warmly do, in common with all your own, and with most other nations, to be by far the first literary Character which has existed in Europe since the death of Voltaire, I felt, and feel, desirous to inscribe to you the following work... as a mark of esteem and admiration from a foreigner to the man who has been hailed in Germany the Great Goethe. » Als diese Widmung nicht zustande kam, beschloß Byron, ihm seine Tragödie « Sardanapal » mit folgenden Worten zuzueignen: « To the Illustrous Goethe a Stranger presumes to offer the homage of a literary vassal to his liege Lord, the first of existing writers, who has created the literature of his own country and illustrated that of Europe. The unworthy production which the author ventures to inscribe to him is entitled Sardanapalus. » Als auch dieses Drama dann doch, weil die Widmung sich verspätete, ohne sie im Druck erschien, fand Goethe sich schon glücklich im Besitze eines lithographierten Faksimile, das er von der Handschrift anfertigen ließ. Byrons Trauerspiel « Werner » erschien dann wirklich mit der Widmung: « To the Illustrious Goethe, by one of his humblest Admirers, this Tragedy is dedicated. » (In Medwins Gesprächen mit Byron steht, daß er dieses Drama Goethe zuzueignen gedenke, weil er auf ihn als den größten Genius, den das Zeitalter hervorgebracht hat, blicke.)
Jetzt beschloß Goethe zum Dank für solche Zeichen der Zuneigung mit Klarheit und Kraft auszusprechen, von welcher Hochachtung er für seinen unübertroffenen Zeitgenossen durchdrungen, von welchem teilnehmenden Gefühl für ihn er belebt sei. Aber die Aufgabe erwies sich als zu groß, weil Byrons Verdienste durch Betrachtung und Wort nicht zu erschöpfen seien. Als nun ein junger Mann (Sterling) im Frühjahr 1823 seinen Weg von Genua, wo er mit Byron zusammengetroffen war, nach Weimar nahm und eigenhändig geschriebene Worte Byrons als Empfehlung überbrachte, als bald darauf das Gerücht verlautete, der Lord werde seinen großen Sinn, seine mannigfaltigen Kräfte an erhaben gefährliche Taten über Meer verwenden, da schrieb Goethe eilig dieses Gedicht:

> Ein freundlich Wort kommt eines nach dem andern
> Von Süden her und bringt uns frohe Stunden;
> Es ruft uns auf, zum Edelsten zu wandern,
> Nicht ist der Geist, doch ist der Fuß gebunden.

Wie soll ich dem, den ich so lang begleitet,
Nun etwas Traulichs in die Ferne sagen?
Ihm, der sich selbst im Innersten bestreitet,
Stark angewohnt, das tiefste Weh zu tragen.
Wohl sei ihm doch, wenn er sich selbst empfindet!
Er wage selbst sich hoch beglückt zu nennen,
Wenn Musenkraft die Schmerzen überwindet,
Und wie ich ihn erkannt, mög' er sich kennen.

Weimar, 22. Juni 1823

Das Gedicht gelangte nach Genua, fand aber Byron nicht mehr dort. Durch Stürme auf dem Meer jedoch zurückgehalten, landete er noch einmal in Livorno, wo es ihn gerade noch traf, um es im Augenblick seiner Abfahrt nach Griechenland mit einem reinen, «schöngefühlten» Blatt erwidern zu können, das für Goethe kostbarster Besitz wurde. In diesem Briefe schrieb Byron, er könne, da er gerade im Begriffe sei, nach Griechenland abzugehen, seinen glühenden Dank für die Verse nur in hastiger Prosa abstatten. Er wage es auch nicht, mit Goethe, der seit fünfzig Jahren der unbestrittene Souverän der europäischen Literatur sei, Verse auszutauschen. Aber das Gedicht bedeute ihm ein gutes Omen, und wenn er je wieder zurückkehre, so wolle er Goethe in Weimar besuchen, um ihm das aufrichtige Opfer eines der vielen Millionen seiner Bewunderer darzubringen. Aber das Omen täuschte, und Goethes Hoffnung, den vorzüglichsten Geist, den glücklich erworbenen Freund und zugleich den menschlichsten Sieger persönlich zu begrüßen, ging nicht in Erfüllung. An Stelle Byrons kam die Nachricht von seinem Tod, den er in Griechenland gefunden hatte, nach Weimar (1824). «Der schönste Stern des dichterischen Jahrhunderts ist untergegangen, den Hinterlassenen bleibt es Pflicht, sein unauslöschliches Andenken immer frisch in großen und kleinen Kreisen zu erhalten.» Was konnte Goethe jetzt anderes tun, als seinen Schmerz durch Musenkraft zu bändigen und ihm die Totenklage zu singen.

Stark von Faust, gewandt im Rat
Liebt er die Hellenen;
Edles Wort und schöne Tat
Füllt sein Aug' mit Tränen.

Liebt den Säbel, liebt das Schwert,
Freut sich der Gewehre;
Säh' er, wie sein Herz begehrt,
Sich vor mut'gem Heere!

Laßt ihn der Historia,
Bändigt euer Sehnen;
Ewig bleibt ihm Gloria,
Bleiben uns die Tränen.

Im gleichen Jahr (1824) noch schrieb Goethe für Medwins Erinnerungsbuch « Gespräche mit Byron » seinen « Beitrag zum Andenken Lord
Byrons », in welchem er von dem Verhältnis, wie es sich zwischen ihm
und Byron entwickelt hatte, Nachricht gab, und der in der Hoffnung
gipfelt, daß auch England, welches diesen seinen genialen Sohn verstieß, zu der Erkenntnis dessen kommen werde, was es an ihm besaß.
Im zweiten Teil des Faust setzte ihm dann Goethe in der Gestalt
Euphorions, des Sohnes von Faust und Helena, das ewige Denkmal.
Wie kommt dies alles? Ist Goethes unbegrenzte Liebe für Byron nicht
sehr seltsam? Wo Byron doch durchaus nicht das Bild des Menschen
und des Dichters darstellt, das dem alten, fertigen und weisen Goethe
vor der Seele stand, und das er in sich selbst verwirklicht hatte. Er
hatte sich nach Kampf und schmerzlicher Entsagung doch in die
Bindung eines edlen Maßes, einer strengen Form gefügt und sich dem
Dienst der Ordnung, des Gesetzes und der Sitte menschlicher Gesellschaft geweiht. Byron aber stürmte ohne Maß, Gesetz und Bindung
durch das Leben, brach mit allen Traditionen seines Volkes, kündigte
allen Sitten der Gesellschaft, allen europäischen Ordnungen den
Gehorsam auf. Goethe hatte sich aus dem Weltschmerz seiner Jugend
zur Weltbejahung durchgerungen: « Wie es auch sei, das Leben, es
ist gut. » Er hatte seinen Frieden mit der Welt gemacht. Byron aber
verharrte in grenzenloser Menschen- und Weltverachtung, und seine
Poesie war eine Poesie der Verzweiflung und Verneinung. Goethe fand
von allem Schmerz Erlösung durch die Kraft der Musen. Byron aber
hatte keinen Glauben an die reine Kunst mehr. Sie diente ihm als
politische Waffe der Empörung. Seine Dichtungen wurden einmal
von Goethe « verhaltene Parlamentsreden » genannt. Goethe betete
zu den Göttern der Antike. Byron aber nannte diese Götter Töpferware und sagte zu seinem Führer auf Itaca, er hasse antiquarisches
Geschwätz. Wofür er starb, war nicht die Wiedergeburt des antiken
Griechenland, seiner Kultur und Kunst, sondern die politische
Befreiung des modernen Griechenland, und wenn eine antike Gestalt
ihn entflammte, so war es nicht Apollo, Goethes Gott, sondern Prometheus, der titanische Empörer gegen die olympischen Götter.
Goethe aber hatte dem prometheischen Titanentum seiner Jugend

längst entsagt. Man braucht nur, um dies zu erkennen, die Prometheus-
gestalt seiner Sturm- und Drangzeit mit der in der « Pandora » zu
vergleichen. Warum liebte der alte Goethe diesen jungen Dichter so,
der so gar nicht das Ideal des Menschentums und Dichtertums verkörperte, wie es Goethe damals vor der Seele schwebte. War es nur
dies, daß er nach eigenem Geständnis die Anerkennung fremder
Größe als das sicherste Mittel eigener Bildung betrachtete und nicht
danach fragte, wie diese Größe beschaffen sei? « Alles Große bildet,
sobald wir es gewahr werden », sagte Goethe zu Eckermann, als dieser
seinen Zweifel äußerte, daß aus Byrons Schriften für reine Menschen-
bildung ein entschiedener Gewinn zu schöpfen sei. « Byrons Kühnheit,
Keckheit und Grandiosität, ist das nicht alles bildend? Wir müssen
uns hüten, es stets im entschieden Reinen und Sittlichen suchen zu
wollen. » War es der Dämon in Byron, der ihn so magisch bannte und
bezauberte, wie ihn immer dämonischer Geist ergriff?

Aber in Goethes Beziehung zu Byron schwingt eben noch ein anderer
und tieferer Ton als Bildungstrieb und Genienverehrung mit. Es ist
die Liebe. Es ist die Liebe eines Vaters zu seinem Sohn, seinem
geistigen Sohn, was Goethe an Byron band. Er erkannte in ihm den
Sohn seines Faust, seines eigenen Fausttums überhaupt, nicht nur im
« Manfred » und der « umgestalteten Mißgestalt », sondern in Byron,
dem ganzen Menschen und dem ganzen Dichter. Hatte der faustische
Geist in dieser ausgeprägtesten Persönlichkeit auch eine ganz verwandelte und eigene Gestalt empfangen, so blieb er doch dem Seher-
auge Goethes unverkennbar. Auch fühlte er umgekehrt in der Verehrung, die Byron ihm entgegenbrachte, die Liebe des Sohnes zu
seinem geistigen Vater. « Von Byron redete er mit Liebe, fast wie ein
Vater von seinem Sohn », berichtet Fürst Pückler-Muskau. Er wollte
die Widmung des « Sardanapal » nicht seinem Verdienst zugute-
schreiben, sondern dem, daß ein jüngerer Mensch in seinem Vorgänger
die Ahnung jenes Strebens enthusiastisch verehrt, das er in sich selbst
unwiderstehlich empfindet. In Byron stieg dem alten Goethe noch
einmal seine eigene Jugend auf, mit all ihrem Schmerz, doch auch
mit all ihrem Glanz, mit all ihren Irrungen, aber auch mit all ihrer
dämonischen Schönheit. Ja, es kam ein Augenblick, da Byron ihm
schmerzhaft ins Bewußtsein rief, was er dem höheren Menschenbild
in sich zu opfern hatte, und Byron hat in dem alten Goethe noch einmal
den faustischen Funken seiner Jugend geweckt. Wie England es
einst gewesen war, das dem jungen Goethe den Mut zu sich selber

gab, so geschah es dem alten Goethe noch einmal durch den englischen
Genius. Als der 74jährige Dichter in Liebe für die junge Ulrike von
Levetzow entbrannte, und der Kampf zwischen Leidenschaft und Entsagung ihn zerriß, da erreichte ihn ein Brief von Byron, der die Gestalt
dieses jungen, glühenden und nicht entsagenden Genius herauf-
beschwor, und noch einmal erwacht das Feuer, der Stolz und der Mut
seiner Jugend: er will nicht mehr entsagen, sondern an sich reißen,
was er so glühend begehrt. Er will um Ulrike werben. Die « Trilogie
der Leidenschaft », das tiefste und schönste Liebesgedicht, das er
je gedichtet hat, ist wie von Byronschen Tönen durchzittert, und
ihre Introduktion « An Werthers Schatten » könnte an Byron gerichtet
sein. Als Eckermann aus der ungewöhnlichen Stärke der ausgespro-
chenen Gefühle auf einen Einfluß Byrons schließen wollte, hat Goethe
es denn auch nicht abgelehnt.

In diese väterliche Liebe des alten Goethe für seinen geistigen Sohn,
in dem seine Jugend wieder auferstand, mischte sich aber noch ein
anderes Gefühl, nämlich das der Sorge, ja der Angst, und das ist es
besonders, was die Beziehung Goethes zu Byron so sehr von jener
zu Manzoni unterscheidet, dem er das Beiwort « klassisch » geben
konnte. Er sah, wie hier ein hochgenialer, gewaltig produktiver Geist
sich in der düstern Glut einer grenzenlosen Verzweiflung selbst ver-
zehrte, kein Maß und kein Gesetz und keine Grenze anerkannte,
zwischen Ideal und Wirklichkeit nicht scheiden konnte, sich keinen
Zügel anzulegen wußte. Goethe begrüßte es wohl, Eckermann gegenüber, daß Byron, der jede Einschränkung verabscheute, der sich
im Leben nie gefügt und nie nach einem Gesetz gefragt hatte, sich
endlich, im « Marino Falieri », doch wenigstens den Forderungen der
französischen Tragödie fügte und sich in ihre strenge, enge Form zu
finden wußte. Aber Goethe mußte lachen, daß es gerade « das dümmste
Gesetz der drei Einheiten » war, dem er sich unterwarf. Hätte er sich
doch auch im sittlichen Bereich so zu begrenzen gewußt. Daß er dieses
nicht konnte, war sein Verderben, und es läßt sich sehr wohl sagen,
daß er an seiner Zügellosigkeit zugrunde gegangen ist. Sein rücksichts-
loser Kampf gegen Staat und Kirche trieb ihn aus England und hätte
ihn mit der Zeit auch aus Europa getrieben. Es war ihm überall zu
eng, und bei der grenzenlosesten, persönlichen Freiheit fühlte er sich
beklommen. Die Welt war ihm ein Gefängnis. Sein Gang nach Griechenland war kein freiwilliger Entschluß, sein Mißverhältnis mit der Welt
trieb ihn dazu. Daß er sich von aller Tradition lossagte, hat ihn nicht

nur persönlich zugrunde gerichtet, sondern sein revolutionärer Sinn und die damit verbundene, beständige Agitation des Gemüts, die ewige Opposition und Verneinung eines Geistes, der sich selber alles erlaubte, und an anderen nichts billigte, ist auch seinen Werken höchst schädlich geworden. Denn die Verneinung steht der produktiven Wirksamkeit entgegen. Das war es also, was in die Liebe und Bewunderung Goethes doch den Wermutstropfen mischte. Er sah übrigens auch, daß durch Byron in der englischen Literatur überhaupt solcher Stimmung der Boden bereitet wurde, wofür ihm ein ultraromantisches Drama von Maturin « Bertram or the Castle of St. Aldobrand », das in der deutschen Übersetzung ihm, « dem höchsten Dichter Goethen in tiefster Verehrung » (von Iken) gewidmet war, ein deutliches Symptom zu sein schien. « Übertriebenheiten, der englischen Bühne unentbehrlich, rasen fieberhaft durch das ganze Stück. » Wenn man es verstehen will, muß man auf Shakespeare zurückblicken, der die fürchterlichsten Tiefen der menschlichen Natur himmelklar entfaltet hat, worauf denn im Laufe der Zeit, bei ermangelnder Heiterkeit, immer mehr abstruse Elemente sich in der Dramatik häuften. Hierdurch verführt, begann das Publikum wilde Unzufriedenheit als würdigsten Gegenstand der Poesie höchlich zu schätzen, und energischen Geistern wurde unbedingte Huldigung dargebracht, ohne zu überlegen, daß diese gerade die fähigsten sind, alle Kunst zu zerstören. [29]   Es mag Goethe besonders beunruhigt haben, daß er in Maturins Werk « deutsche Originalelemente » erkannte, Elemente der deutschen Romantik, und die Spuren seines Götz und Faust werden ihm auch nicht entgangen sein, eines Faust allerdings, der völlig mißverstanden als Schauerromantik wirkte, was in Maturins « Melmoth », wie auch in dem damals weltbekannten « Mönch » von Lewis und im « Frankenstein » von Shelleys Gattin noch deutlicher ist. Goethe wollte natürlich nicht einen Byron mit Maturin vergleichen. Aber er konnte doch aus solchen Phänomenen erkennen, daß es sich eben bei Byron nicht nur um eine vereinzelte Erscheinung handelte, und nicht nur in England, sondern in der ganzen Romantik Europas, besonders in der französischen, war diese Stimmung wilder Unzufriedenheit zu bemerken.

Goethes Sorge galt also nicht nur dem Menschen und dem Dichter Byron, sondern dem ganzen Europa, das sich von der Flamme dieses Genius ergreifen ließ, und er mußte dabei empfinden, daß er selbst an dieser allgemeinen Weltstimmung nicht schuldlos war. Wurden doch die Namen Byron und Goethe ebenso wie Manfred und Faust in den europäischen Literaturen immer zusammen genannt, und in welchem Sinne? In Frankreich verwies etwa Lamenais Byron und Goethe zu den glaubenslosen Leugnern Gottes, zu den verzweifelten Bejahern « du mal infini éternel ». Als Goethe 1830 gleichzeitig mit dem Papst schwer erkrankt war, berichtete Balzac in den « Lettres sur Paris »: Goethe und der Papst liegen im Sterben: « l'auteur du Faust et le vicaire de Jésus-Christ », und Goethe wurde als das Haupt der satanischen Schule bezeichnet, « le chef de l'école satanique auquel nous devons Lord Byron ». Gérard de Nerval, der Übersetzer des Faust, vergleicht diesen mit Manfred und Don Juan als seinen nächsten Verwandten. Puschkin nennt sie häufig zusammen. George Sand schreibt eine bedeutende Abhandlung, in der sie Goethes Faust, Byrons Manfred und Mickiewicz' Conrad als faustische Dramen nebeneinander stellt, in denen der gleiche Geist verschiedene, nationale Ausprägung erfährt. Mickiewicz selbst verfaßt einen Artikel: « Goethe und Byron ». Nur ausnahmsweise geradezu geschah es, daß man den Vergleich zwischen Faust und Manfred nicht anerkannte, wie etwa Crabb Robinson es im Gespräch mit Goethe in Weimar tat. Wichtiger aber ist noch, daß eben die Wirkungen, die von Goethe ausgingen, von seinem Werther und Faust, ganz mit denen von Byron verschmolzen, so daß man den Wertherismus in den europäischen Literaturen seit Byrons Auftritt ganz ebenso auch Byronismus zu nennen und oft gar nicht zu entscheiden vermag, ob eine Wirkung Goethes nicht erst durch das Medium Byrons erfolgte, ob er oder Byron der Erreger des « mal du siècle » war.

Wieder einmal steht man vor jenem Phänomen, das schon so oft zu bemerken war: daß Goethes Wirkung, die er in die Welt ausstrahlte, so gar nicht mehr der Stufe entsprach, auf der er damals bereits stand. War dies das Feuer, das er selbst auf einem heiligen Altar, dem nämlich der europäischen Kultur, entfachen wollte, und das nun Europa in Flammen zu setzen und zu zerstören drohte? An keinem Beispiel konnte ihm die eigene Tragödie — denn es ist eine solche — so deutlich und so beängstigend zum Bewußtsein kommen, wie an dem Beispiel Byrons, seines geistigen Sohnes, und des Einflusses, den er durch das Medium Byrons auf die europäischen Literaturen übte. Ja, wer in Goethe den gültigsten Repräsentanten des deutschen Geistes überhaupt erkennt, muß hier von der Tragödie dieses deutschen Geistes sprechen, der Europa in Flammen setzte, es des Maßes, der Schönheit, des Gesetzes, der

Ordnung und der Form beraubte, und zwar zu einer Zeit, als er doch selbst sich dieses alles in Goethe bereits gewonnen und erobert hatte. Was in die Welt ausstrahlte, war der deutsche Sturm und Drang und die deutsche Romantik. Dem überdeutschen, europäischen Geiste Goethes blieb — mit wenigen Ausnahmen — die bildende Wirkung versagt.

Es ist vielleicht dieses tragische Erlebnis gewesen, das für Goethe der Antrieb wurde, dem ersten Teil des Faust nach jahrzehntelanger Pause doch noch den zweiten Teil folgen zu lassen, nachdem er kaum mehr an seine Vollendung gedacht hatte. Als der erste Teil fertig wurde, hatte Goethe auch schon (um 1800) das Helenadrama begonnen, und er faßte damals die Idee, bei einer Fortsetzung des Faust ihn mit der Vermählung Fausts und Helenas abzuschließen. Dies war eben die Stufe des faustischen Weges, die Goethe selbst damals erreicht hatte, und er konnte nur gestalten, was er selbst erlebte. Jetzt aber mußte er sehen, daß der faustische Weg, auf den er die europäischen Literaturen mit seinem ersten Teile Faust geführt hatte, ganz anders ging, als sein eigener Weg und die geplante Bahn seines Faust, und daß sein Fortleben in der geistigen Sohnschaft Europas, wie sie ihm in Byron vor Augen trat, ganz anders aussah, als er selbst es erhofft und erwartet hatte. Er hatte opfernd und entsagend den faustischen Drang nach unermeßlicher und unbedingter Freiheit überwunden. Nun aber mußte er sehen, daß all sein Opfer, was seine europäische Wirkung anbetraf, vergeblich war. Er hatte den faustischen Geist in Byron, in Europa überhaupt erweckt, ohne sie doch auch den Weg seines Faust, den eigenen Weg der Opferung und Entsagung führen zu können. Sein Schmerz und seine Empörung war zur europäischen Krankheit geworden, aber seine Heilung und Gesundung wurde nicht zum europäischen Ereignis. Er hatte binden wollen, und er hatte entbunden. Er hatte formen wollen, und er hatte entformt. Er gerade hatte den revolutionären Geist des 19. Jahrhunderts beschworen, den Geist der Empörung und Verneinung, der einen genialen Menschen, Byron, vor seinen eigenen Augen zerstörte. Er trug gleichsam die Verantwortung für dieses Schicksal seines geistigen Sohnes mit. Aus dem Bunde Fausts und Helenas, aus Goethe selber also, war ein Sohn hervorgegangen, der wohl genial und faszinierend, verführerisch und sternengleich leuchtend war, sich aber selbst durch Maß- und Zügellosigkeit und kriegerischen Sinn zerstörte: Byron, Verkörperung des jungen Europa überhaupt. Gewiß hatte Goethe schon im deutschen Volksbuch vom Dr. Faust finden können, daß Faust und Helena einen Sohn bekommen. Aber jetzt erst wurde ihm solche Sohnschaft in Byron zum eigenen Erlebnis, und damit gewann erst der Schatten Blut und Leib. Jetzt konnte er ihn daher gestalten und mußte es tun, weil er sich innerlichst genötigt sah, dem faustischen Irrweg, den Europa ging, zu steuern und den wahren Weg zu weisen, den er selber ging, und der seinen Faust durch Finsternisse und Irrungen hindurch zur Wahrheit und zur Klarheit aufwärtsführt. Der zweite Teil des Faust wurde 1824 begonnen, und es wird kein Zufall sein, daß es eben das Jahr gewesen ist, in welchem Byron sich in das griechische Abenteuer stürzte und in ihm den Tod fand. Byrons Untergang war vielleicht der Antrieb zur Ausführung des zweiten Teiles Faust. Denn nicht nur, daß Goethes phantastische Vision: Faust in Griechenland, für Helenas Rettung kämpfend, zu einer Art von Wirklichkeit gekommen schien: Byron in Griechenland, für die Rettung des griechischen Volkes kämpfend. Am Schicksal seines geistigen Sohnes ging es Goethe blitzhaft auf, wohin der faustische Weg den europäischen Geist zu führen drohte. Daß Goethe bei der Gestalt Euphorions, des Sohnes von Faust und Helena, an Byron dachte, ist von ihm selbst bezeugt. « Ich konnte », so sagte er zu Eckermann, « als Repräsentanten der neuesten poetischen Zeit niemand gebrauchen als ihn, der ohne Frage als das größte Talent des Jahrhunderts anzusehen ist. Und dann: Byron ist nicht antik und ist nicht romantisch, sondern er ist wie der gegenwärtige Tag selbst. Einen solchen mußte ich haben. Auch paßte er übrigens ganz wegen seines unbefriedigten Naturells und seiner kriegerischen Tendenz, woran er in Missolunghi zugrunde ging. » So gestaltete sich nach Byrons Bild Euphorion, der von dem Vater, Faust, den ungemessenen, nie befriedigten Höhendrang, von seiner Mutter, Helena, die Schönheit der Gestalt, die Anmut der Bewegung und Gaben der Musen empfing, sich aber nicht an Saitenspiel, Gesang und Führung des Tanzes begnügen kann, seine überlebendigen, heftigen Triebe nicht zu bändigen und zu mäßigen vermag, voll kriegerischen Feuers, todeslustig und gefahrensüchtig, immer höher und höher klimmt, vom höchsten Gipfel aus in weiter Ferne zwei feindliche Heere im Kampf erblickt, sich ohne Flügel in die Lüfte wirft, um an ihm teilzunehmen, und tot zu der Eltern Füßen niederstürzt. Der Trauergesang des Chores um den toten Euphorion ist die Totenklage Goethes um seinen geistigen Sohn und seine Klage um das junge, sich selbst zerstörende Europa überhaupt. Nun hat gewiß Euphorion für Faust eine hohe und edle Sendung zu erfüllen. Denn

Euphorion ist es, dessen heldischer Tod Faust von Helena scheidet und ihn mahnend über die Stufe der gewonnenen Schönheit hinaus, der reinsten, edelsten Betrachtung also, zur höheren und letzten Stufe seines Erdenweges, zur Stufe der Tat emporführt. Denn die Vermählung mit Helena bringt für Faust die Gefahr, daß er im Besitz der Schönheit seines Strebens vergißt, zu diesem Augenblicke sagt: verweile doch, du bist so schön. Euphorion ist es, der ihn von dieser Gefahr befreit und sein faustisches Streben neu erweckt. Das war ja auch Byrons epochale Sendung gewesen, daß er der Kunstperiode (ein Heinesches Wort) ein Ende machte, den Vorstoß in das Leben der Tat beispielhaft wagte und damit überhaupt eine Wandlung des europäischen Geistes einleitete. Goethes Faust war freilich schon von Anfang an eine Mahnung zur Tat, die mit den Worten des Erdgeistes beginnt und nur von Faust noch nicht verstanden wird. Die Mahnung zur Tat klingt wie ein Leitmotiv immer wieder im Laufe der Dichtung auf. In Byron also trat Goethe gleichsam nur leiblich sichtbar vor Augen, wohin er seinen Faust führen wollte. Goethe war es demnach, der im Grunde diese Wandlung des europäischen Geistes bewirkte. Byron-Euphorion, der nicht mehr Dichter, sondern Täter und Kämpfer sein will! Aber ahnungsvoll prophetisch sieht der alte Goethe, wohin der Weg Europas gehen wird, und es ist ein anderer Weg, den er mit dem zweiten Teil des Faust zu führen dachte. Die faustische Endtat ist eine andere, als die blutig-kriegerische, die Euphorion ersehnt, die Napoleon verwirklichte. Die faustische Tat ist die zivilisatorische, die dem grenzenlosen Meere Grenzen setzt, ihm fruchtbares Land zur Siedlung für Millionen Menschen abgewinnt und es zum Bande der Erdteile macht, die sich auf ihm ihre Güter zum Tausche bringen. Es ist die Liebestat der Völkerbeglückung, und wenn das Glück auch immer neu erobert und erkämpft werden muß, so ist es doch kein Kampf von Völkern gegen Völker. Es ist vielmehr der ewig notwendige Kampf der menschlichen Kultur gegen die immer mit Zerstörung drohenden Naturgewalten. Das ist das Ende des faustischen Erdenweges, den Goethe dem verirrten, durch seinen eigenen Faust verirrten Byrongeist weisen wollte, und der faustische Weg geht auch über diese letzte Liebestat noch hinaus, und Faustens Seele wird zu höherer Tätigkeit in die unendlichen Sphären emporgetragen. Byrons Manfred, zu stolz, um die Gnade des Himmels anzunehmen oder sich von den Mächten der Hölle vernichten zu lassen, zerstört sich selbst, auch noch im Tode der Titan, der Übermensch bleibend, der sich nicht von Dämonen holen oder von Engeln retten läßt. Goethes Faust aber wird von der himmlischen Liebe erlöst, weil er in all seinem Irren doch der immer strebend sich bemühende Mensch geblieben ist. Goethe war nicht wie Byron der Empörer gegen das Christentum, weil es den Menschen vor Gott erniedrigt. Mit jener erst durch Byron entfesselten Bewegung, die in England zuerst den Namen Satanismus erhielt, hatte Goethe nichts zu tun, wenn auch sein Faust ihr ursprünglicher Ahne war. Goethe war nicht wie Byron der Antichrist. Für ihn löste sich der Gegensatz von Griechentum und Christentum in höherer Harmonie. Sie beide waren ihm zwei Führer zu dem gleichen Ziel, zwei Ströme, die in einem Meere münden. Das Griechentum war für ihn nicht in Prometheus, dem Empörer gegen die Götter des Olymp, der den Menschen selbst vergotten wollte, repräsentiert, sondern in Apollo, dem Gott des edlen Maßes, der schönen Form, der ästhetischen Begrenzung. Die Antike gerade half ihm ja zur Überwindung seines titanischen Übermenschentums. Das Christentum aber bedeutete ihm die Botschaft sittlicher Entsagung, Begrenzung und Ergebung, die Religion der Ehrfurcht. Es ist mit der Freiheit, sagte Goethe einmal bei Gelegenheit Byrons, ein wunderlich Ding. Nicht das macht frei, daß wir nichts über uns anerkennen wollen, sondern daß wir etwas verehren, was über uns ist. Denn indem wir es verehren, heben wir uns zu ihm hinauf. Nietzsche, der Erbe des Byronschen Geistes, für den ja auch Byron zu seinen geliebtesten Ahnen gehörte, und der sich ihm schon von Jugend an tief verwandt fühlte, sagte einmal, er habe kein Wort, sondern nur einen Blick für den, welcher vor Byrons Manfred von Goethes Faust zu sprechen wage. Man kann dieses Wort, jedoch in umgekehrtem Sinne, gelten lassen. — Aber nicht nur Byron, die europäische Romantik überhaupt wird im zweiten Teil des Faust zum Problem. Allein schon dies ist so auffallend, daß zu der gleichen Zeit, da in den europäischen Literaturen überall die Gestalt des Magiers auftritt, Faust gerade der Magie entsagt, um als ein Mann, ein Mensch vor der Natur zu stehen.

Wenn bisher von Ausstrahlungen Goethes in die europäischen Literaturen zu sprechen war, die den Intentionen Goethes, damals als sie geschahen, nicht mehr entsprachen, weil sie von Werken ausgingen, die eine frühere, von ihm bereits überwundene Stufe seiner Entwicklung repräsentierten, Ausstrahlungen, die den alten Goethe beunruhigten, da sie seine europäische Sendung in Frage zu stellen, ja, Anarchie und Chaos herbeizuführen drohten, so ändert sich nun das Bild, wenn man die weitere, über Byron hinausführende Entwicklung der englischen Literatur betrachtet. Es sei hier zunächst noch einmal an das erinnert, was von der Eigentümlichkeit der deutschen Klassik auszusagen war: wie sie aus einer ethisch-idealistischen Überwindung der eigenen, deutschen Natur entstand, aus Kampf und Entsagung, während der französische Klassizismus einer angeborenen Vernunft, die italienische Renaissance einem angeborenen Maß- und Formgefühl ihren Ursprung verdankt. Daher es denn auch zu verstehen ist, daß die deutsche Klassik die Hilfe der romanischen Literaturen zu ihrer Bildung in Anspruch nahm, während die romanische Romantik sich aus deutschen Quellen speiste. Anders aber lag es in England, einer germanischen Nation, wo auch im Nationalcharakter jene Doppelseitigkeit zu finden ist: eine natürliche Neigung zur Romantik und das Gegengewicht einer strengen Sittlichkeit, das sie bändigen und mäßigen will. So konnte es denn geschehen, daß Goethe in der englischen Literatur eine doppelte Sendung zu erfüllen hatte, und daß sich zuerst in ihr das europäische Goethebild, das des Romantikers Goethe, vollständig wandelte, und er, der Erwecker des Byronismus, auch sein Überwinder wurde. Wenn Goethe am Schicksal Byrons schuldig geworden war, so konnte er diese Schuld an einem anderen Geiste Englands gutmachen. Im gleichen Jahre, in dem Byron starb, 1824, erschien die Übersetzung des Wilhelm Meister von Carlyle und gab der englischen Literatur eine so entscheidende Wendung, daß man dies Ereignis als eines der wichtigsten der Weltliteratur im 19. Jahrhundert zu betrachten hat. Goethe, nun nicht mehr der Dichter des Werther und Faust, sondern des Wilhelm Meister !

Auch der junge Carlyle war dem Byronismus vollständig verfallen und durch ihn an den Rand des Abgrunds geführt worden. Die Verzweiflung, die ihn packte und beinah zum Selbstmord trieb, wurde zwar nicht durch einen Byronschen Titanismus erregt, der sich in dem Gefängnis der menschlichen Begrenzung zu Tode stieß, wohl aber durch die Zerstörung jeden Glaubens an den Sinn der Welt und des Lebens, durch einen Zweifel an allem und jedem, durch die satanische Allverneinung. Die materialistische Philosophie machte ihm das Universum zu einer toten, seelenlosen, allzerstörenden Maschinerie, zu einem Moloch, der die eigenen Geschöpfe verschlingt. Der Utilitarismus, der nach Zwecken fragte, ließ ihn nirgends einen Zweck erkennen. Der Eudämonismus, der nach Glück verlangte, mußte jede Möglichkeit des Glücks verneinen. Die Welt war ihm tot und leer und finster. Daß Goethes Werther an dieser Stimmung, diesem Weltbild, stark

beteiligt war, ist von Carlyle selbst bezeugt, und wenn der junge
Carlyle von Goethes Faust tief ergriffen wurde, und ihm noch 1822
eine große Abhandlung widmete, so darum, weil er in ihm die eigene
Stimmung trostloser Verzweiflung in genialer Gestaltung fand. Carlyle
hat damals nicht umsonst gerade solche Stellen des Faust wie den
Fluch zitiert, in denen diese Stimmung zum Ausdruck gelangt. Da
lernte er, als die Krise ihren Gipfel erreicht hatte, von demselben
Dichter, der den Werther und Faust erschuf, den Wilhelm Meister
kennen, und er war ihm wie der Aufgang eines neuen Lichtes in der
Dunkelheit, die ihn umgab und zu verschlingen drohte. Nicht etwa
daß dieses Buch ihn so als Kunstwerk, als Roman entzückte. Es
war ihm eine Offenbarung ewiger Weisheit, ein neues Evangelium. Er
hatte bisher immer nach materiellem Glück gefragt und war dadurch
elend und unzufrieden geworden, und nun vernahm er, daß es ein
höheres Gut gebe als das Glück, nämlich die geistige Klarheit und die
sittliche Vollkommenheit. Er hatte nach Zwecken gefragt und hörte
nun, daß die wahre Sittlichkeit keine Zwecke kennt, sondern um ihrer
selbst willen zu üben ist, wohl aber den Sinn und das Ziel des Lebens
erfüllt. Er hatte Sinn und Ziel verloren und fand sie nun in der praktischen Liebestat, die auf die Höherbildung der menschlichen Gesellschaft zielt. Er hatte, im Materialismus befangen, an der menschlichen
Freiheit verzweifelt, und nun hörte er, daß der sittliche Mensch
Herr seines Schicksals, Meisters seines Lebens ist. Er hatte Gott
verloren und fand ihn nun in der tätigen Kraft, die das Chaos zum
Kosmos wandelt und im Menschengeiste selber wirkt und schafft,
wenn er, dem eigenen Glück entsagend, sich in den Dienst der Menschheit stellt und sie ihrer höheren Bestimmung entgegenführt. Er
empfand diese neues Leben weckende Wirkung Goethes wie eine
wahre Wiedergeburt. Aber es war nicht eigentlich das Buch « Wilhelm
Meister », das diese Sendung an ihm erfüllte, sondern mehr noch der
Mensch, Goethe, der sich in seinem Werke offenbarte, oder besser
noch: es war die Wandlung Goethes, die den Dichter des Werther
und Faust zum Dichter des Wilhelm Meister machte. Er sah, daß
hier ein Mensch, so wie er selbst, in Finsternis, Verzweiflung und
Allverneinung begonnen und sich durch Arbeit, Kampf, Entsagung,
zur Bejahung und zum Licht emporgerungen hatte, daß ein Diener
der Leidenschaften zum freien Herrscher über sie geworden war, der
aber im Dienste an der Menschheit den Sinn seines Lebens und seine
Bestimmung fand. Das machte Goethe zum Beispiel, Vorbild, Weg-

weiser und Erzieher für Carlyle. Goethe, der heldische Überwinder
seiner selbst, wurde ihm zum « Evangelisten », und der Anblick eines
solchen Menschen war ihm das « Evangelium der Evangelien », das
ihn vor äußerem und innerem Untergang rettete.

Die Lehrjahre Wilhelm Meisters aber wurden von Carlyle nur als
die erste Stufe des Goetheschen Höhenweges erkannt, und er folgte
seitdem mit steigender Bewunderung der weiteren Fortsetzung dieses
Weges, der vom Werther über die Lehrjahre Wilhelm Meisters zu den
Wanderjahren und vom ersten Teil des Faust zum zweiten Teile
führte. Denn wenn die Bejahung des Lebens und der Dienst an der
Welt in den Lehrjahren ihm noch etwas von Heidentum an sich zu
haben schien, so sah er Goethe in den Wanderjahren, die den Unter-
titel « Die Entsagenden » tragen, die höhere Stufe der Religion betreten,
der Religion der Ehrfurcht vor dem, was über dem Menschen ist, und
der weltlichen Wirksamkeit in diesem Zeichen. Entsagung und Ehrfurcht, die Sterne Goethes, wurden auch die Sterne für Carlyle. Als er
den zweiten Teil des Faust kennenlernte, ging ihm auch die großartige Einheit und Konsequenz des Goetheschen Lebensweges auf.
Denn, rückblickend vom zweiten Teil, erschien ihm auch der erste
nun in anderem Licht. Er hatte den Weg nicht geahnt, den Goethe
seinen Faust zu führen dachte. Er hatte den Faust als die Dichtung der
Verzweiflung und Verneinung verstanden und sich darum in ihm wie
in einem Spiegel erkannt. Jetzt aber sah er, daß schon im ersten Teil
der künftige Weg vorgezeichnet und angebahnt war, daß der Ruf
zur schöpferischen Tat auch ihn schon mahnend durchtönt. Jetzt
zitiert er (im « Sartor Resartus ») nicht mehr den faustischen Fluch,
sondern die Worte des Erdgeistes: « In Lebensfluten, im Tatensturm
Wall' ich auf und ab, Webe hin und her ! Geburt und Grab, Ein ewiges
Meer, Ein wechselnd Weben, Ein glühend Leben, So schaff' ich am
sausenden Webstuhl der Zeit, Und wirke der Gottheit lebendiges
Kleid. » Haben wohl, so schreibt er nun dazu, von den zwanzig Millionen,
welche diese Donnerworte des Erdgeistes gelesen und nachgesprochen
haben, auch nur zwanzig ihre Bedeutung erschöpft? Daß nämlich die
Natur mit ihrer tausendfältigen Produktion und Vernichtung nichts
als ein Reflex unserer eigenen, inneren Kraft, ein Bild unseres Traumes
oder das lebendige Kleid der Gottheit ist. Die berühmte « Kleider-
philosophie » Carlyles ist vielleicht durch das Goethesche Wort von
dem lebendigen Kleid der Gottheit angeregt worden. Erst nachdem
Carlyle den zweiten Teil des Faust kennenlernte, ging ihm auch der

Sinn des ersten auf, und jetzt verstand er auch die Entwicklung Wilhelm Meisters zur praktischen Tätigkeit im Dienst der menschlichen Gesellschaft als die notwendige Konsequenz der im Faust niedergelegten Weltreligion Goethes: Daß Gott die der Welt inwohnende, ewige Aktivität, und das göttliche Teil im Menschen die Tätigkeit und Wirksamkeit ist, die aus dem Chaos eines beziehungslosen Nebeneinander und Durcheinander den Kosmos der menschlichen Gesellschaft macht. So wandelte sich durch Carlyle das Bild des ersten Teiles Faust, der sonst in der Welt so gern als erstes Denkmal der satanischen Verneinung galt, in die Botschaft einer ewigen Bejahung. Aber entscheidend bleibt doch, daß die zentrale Schöpfung Goethes für Carlyle der Wilhelm Meister war, und mehr noch als die Lehrjahre, die ihm zuerst Erleuchtung und Erlösung brachten, die Wanderjahre mit ihrer Idee einer Weltorganisation der Arbeit. Zum ersten Male, darf man sagen, hat Carlyle gesehen und erlebt, daß Goethe eben nicht nur der Dichter des Werther und des ersten Teiles Faust war, als der er in Europa galt und auf Europa wirkte, sondern daß gerade Goethes höchste Bedeutung in der Überwindung des wertherischen und faustischen Geistes zu finden ist. Was man in der französischen Literatur nur als einen ständig überraschenden Wechsel, das immer neue Maskenspiel eines genialen und originalen Geistes sah, der Protheus gleich von Werk zu Werk seine Erscheinung wandelt, das wurde von Carlyle zum erstenmal als eine einheitliche und folgerechte Höherentwicklung offenbart, die sich in heroischer Selbstüberwindung vollzog, und gerade darin erblickte er die Vorbildlichkeit dieses Weges und dieses Menschen. Denn Goethe war ihm wirklich Inbegriff nicht des Übermenschen, sondern des Menschen, der Lehrer und das Vorbild seines Zeitalters.

Wenn aber das Menschenbild Carlyles sich so im Anblick Goethes wandelte, so auch das Dichterbild. Das Bild des Dichters hatte ja überhaupt durch Goethe in den europäischen Literaturen eine Veränderung erfahren. Aber es war der Tasso und der Dichter des Werther und Faust, der sie bewirkte. Der Dichter als Empörer gegen die Gesellschaft, der in ihr keinen Lebensraum finden kann, weil seine Maße und Gesetze andere sind als die ihrigen, weil sein Dichtertum ihn zur Einsamkeit verurteilt und ihn in einem idealen Reich des Traumes fest hält, dem keine Wirklichkeit entspricht.

Aber es war eine völlig andere Wandlung des Dichterbildes, die sich durch den Anblick Goethes in Carlyle vollzog. Der Dichter wird ihm

der Weise, der Seher, der Prophet, der Vater, der das göttliche
Geheimnis der Schöpfung offenbart und dadurch der Menschheit zum
Lehrer und Erzieher, zum Weiser der Bahn, zum Führer in die Zukunft
wird. Der Dichter ist ein Held. Es ist ganz offenbar, daß jenes Werk,
auf dem der Weltruhm Carlyles beruht, «Helden und Heldenverehrung»
(1846), dem Goetheerlebnis Carlyles seinen Ursprung verdankt. Denn
das, was Carlyle unter einem Helden versteht: eine geniale Persönlichkeit, die das erleuchtete Gefäß der ewigen, göttlichen Wahrheit
ist, und, indem sie sich selbst durch Tat oder Rede der Welt offenbart,
die Menschheit ihrer höheren Bestimmung entgegenführt, trat ihm
zum erstenmal in Goethe entgegen. Ja, es wäre möglich, daß auch
der Name «Held» für solche Gestalten dem Lieblingsgedichte Carlyles,
dem Goetheschen «Symbolum» entstammt, das überhaupt immer
wieder in seinen Schriften auftaucht:

> Des Maurers Wandeln
> Es gleicht dem Leben,
> Und sein Bestreben
> Es gleicht dem Handeln
> Der Menschen auf Erden.
>
> Die Zukunft decket
> Schmerzen und Glücke.
> Schrittweis dem Blicke,
> Doch ungeschrecket
> Dringen wir vorwärts,
>
> Und schwer und schwerer
> Hängt eine Hülle
> Mit Ehrfurcht. Stille
> Ruhn oben die Sterne
> Und unten die Gräber.
>
> Betracht' sie genauer
> Und siehe, so melden
> Im Busen der Helden
> Sich wandelnde Schauer
> Und ernste Gefühle.
>
> Doch rufen von drüben
> Die Stimmen der Geister,
> Die Stimmen der Meister:
> Versäumt nicht zu üben
> Die Kräfte des Guten.

Hier winden sich Kronen
In ewiger Stille,
Die sollen mit Fülle
Die Tätigen lohnen!
Wir heißen euch hoffen.

Daß solch ein Held in seiner eigenen Gegenwart, als ganz moderner
Mensch in die Erscheinung trat, das war es, was ihn so erschütterte
und ihm den Glauben an die eigene Zeit und an die Zukunft gab.
Erst der ihm gegenwärtige, der zeitgenössische Goethe lenkte seinen
Blick in die Vergangenheit und ließ ihn nun auch in anderen Zeiten,
Völkern und Erscheinungsformen Helden finden, in deren ehrfurchts-
vollem Dienst sich die Menschheit höher entwickeln konnte. In der
Erscheinung Goethes war ihm zum erstenmal geistiges Helden-
tum sichtbar begegnet; nun fand er es in anderen Erscheinungs-
formen auch: Der Held als Gottheit: Odin. Der Held als Prophet:
Mahommed. Der Held als Dichter: Dante, Shakespeare. Der Held
als Priester: Luther, John Knox. Der Held als Schriftsteller:
Johnson, Rousseau, Burns. Der Held als Staatsmann und König:
Cromwell, Napoleon. Wenn Goethe in dem Buch Carlyles nicht
so ausführlich wie die anderen Helden, ja, nur nebenbei in dem
Kapitel « Der Held als Schriftsteller », (the hero as man of letters)
behandelt wird, so weist das nicht etwa auf eine späte Abwendung
Carlyles von Goethe hin, sondern es hat einen besonderen Grund.
Gegenwärtig nämlich schien ihm, wie er an dieser Stelle erklärt, der
allgemeine Stand der Goethekenntnis noch so, daß es nutzlos wäre,
zu versuchen, hier von ihm zu sprechen. Er würde doch der großen
Mehrheit problematisch und unbestimmt bleiben. Ihn müssen wir
späteren Zeiten überlassen. Immerhin aber hat Carlyle doch auch an
dieser Stelle sein Bekenntnis zu Goethe abgelegt und zwar nicht zu dem
Künstler und dem Dichter, sondern zu dem Schriftsteller im höchsten
Sinne des Wortes, so wie ihn Fichte diesem Wort gegeben hatte: dem
Schriftsteller als dem Propheten, dem Priester, dem Schauer und
Offenbarer des Geheimnisses, daß jede Erscheinung nur ein Kleid der
ewigen Gottheit ist. In diesem Sinne nennt er Goethe hier einen
wirklichen Propheten in diesen höchst unprophetischen Zeiten und
stellt ihn zu den wahren Helden der Menschheit.
Dieser so völlig neu geschaute Goethe also: Goethe nicht als der
Erreger des « mal du siècle », sondern gerade als sein Überwinder und
der Bringer der Gesundheit, nicht als der Dichter des Werther und

Faust, sondern des Wilhelm Meister, hat die innere Wandlung und
Rettung Carlyles bewirkt. Man könnte meinen, daß Schiller, über den
ja Carlyle sein berühmtes Buch, die erste Schiller-Biographie, geschrieben hat, diese Sendung für ihn gehabt hätte. Denn in diesem 1825
erschienenen Schillerbuch war auch der Hauptakzent nicht auf den
Sturm und Drang und die empörerische Dichtung des jungen Schiller
gelegt, sondern auf seine heroische Selbstüberwindung, die Idee und
die Verwirklichung der sittlichen Freiheit. Aber Schiller war doch nur
ein Anfang. Er war für den englisch-schottischen Geist doch auf die
Dauer zu schwärmerisch, zu abstrakt, zu einseitig idealistisch. Er
meisterte nicht eigentlich das Leben, sondern ließ es hinter sich.
Carlyle aber hatte die Sehnsucht, das Leben zu meistern, ohne es zu
überfliegen. Er konnte einen unheilbaren Gegensatz zwischen Leben
und Ideal nicht ertragen. Er wollte das Ideal im Leben selbst finden
und verwirklichen. So kam er zu Goethe, der das Leben meisterte,
dem Dichter des Wilhelm Meister. In dieser Auffassung steht Goethe
dem englischen Geiste näher als Schiller, weil er konkreter war und
das Ideal im tätig-praktischen Leben fand und kündete. Gewiß
erschütterte ihn im Anfang die heroische Geistigkeit Schillers, die sich
nie von der Materie bestimmen ließ, sich nie um Glück bemühte,
sondern um die Befolgung des absoluten Sittengesetzes. Das brachte
ihm die erste Erleuchtung, die von der englisch-schottischen Philosophie nicht hätte kommen können. Aber sein Führer und Bildner
wurde doch erst Goethe. Durch ihn überwand er in sich selbst den
Byronismus, dem auch er zuerst verfallen war. « Schließe deinen Byron,
öffne deinen Goethe », so steht in seinem autobiographischen Roman
« Sartor Resartus ».

So aber selbst gewandelt und gerettet, ging Carlyle daran, zum Verkünder Goethes zu werden und so auch seine Zeit des Goetheschen
Segens, den er selbst erfahren hatte, teilhaft zu machen. Man kann
dies geradezu als die Lebensaufgabe Carlyles bezeichnen, und wenn er
selbst unter die « Helden » zu rechnen ist, so wurde er es durch die
Verkündigung der Goetheschen Botschaft, die ihm ein neues Evangelium bedeutete, dadurch, daß er zum « Evangelisten » Goethes
wurde. In den englisch-schottischen Zeitschriften wirkte er unermüdlich für ihn, in den « Edinburgh Reviews », in der « Foreign Quarterly
Review » und der « Foreign Review ». Er übersetzte Goethesche
Gedichte, die Helena-Tragödie aus dem zweiten Teile Faust, die
Novelle und das Märchen. Die Liebe zu Goethe wurde Liebe zur

deutschen Literatur überhaupt, und er wurde mit seinen vier Bänden
« German Romance » (1827) zum Vermittler der deutschen Romantik
an England. Er hält Vorträge über deutsche Literatur und trägt
sich mit dem Plan einer Geschichte der gesamten deutschen Literatur
von ihren Anfängen bis zur Gegenwart. Aber Goethe blieb der Inbegriff,
die Inkarnation des deutschen Geistes für ihn. Auch seine historischen
und sozial-politischen Werke sind des Goetheschen Geistes voll und
werden manchmal auch in einem Goethewort zusammengefaßt. So
etwa endete er eine seiner bedeutendsten Schriften « Vergangenheit
und Gegenwart » (1843) mit Versen aus dem Goetheschen « Symbolum »,
das überhaupt wie ein Leitmotiv immer wieder in diesem Werke
auftönt. Auch seine berühmte Rektoratsrede in Edinburgh (die
auch von den in der pädagogischen Provinz der Wanderjahre ent-
wickelten Erziehungsprinzipien Goethes spricht) endet mit Worten
aus diesem Gedicht. Die letzten Worte dieses Goetheschen Gedichtes
wurden von Carlyle mit « work and despair not » übersetzt, und so ist
auch dies wohl berühmteste und meist zitierte Wort Carlyles : « Arbeiten
und nicht verzweifeln » auf Goethe zurückzuführen. Es waren besonders
die Wanderjahre Wilhelm Meisters mit ihrer Idee der Auswanderung
und Weltorganisation der Arbeit, die in den Werken Carlyles
die deutlichsten Spuren hinterließen, und das Wanderlied aus
diesem Roman : « Bleibe nicht am Boden haften » wurde von Carlyle
übertragen.
Diese Verkündigung Goethes geschah gewiß in erster Linie für das
englische Publikum, in dem Goethe trotz der regen Vermittlungs-
versuche eines Taylor und Crabb Robinson doch, als Carlyle auftrat,
immer noch ein Fremder war, weil man in ihm nur den Dichter des
Werther und des ersten Teiles Faust erblickte, und die englische
Mentalität sich gegen diesen Goethe wehrte. Auch haftete das Bild
des deutschen Volkes, das Frau von Staël entworfen hatte, das einer
« tumid, dreaming, extravagant, insane race of mortals » noch allzu
stark, als daß der praktische Sinn Englands sich dafür hätte begeistern
können. Darum versuchte also Carlyle mit seinem neuen Goethebild
solcher Versündigung an Goethe, welche England einer so gewaltigen
Bildungsmacht beraubte, abzuhelfen, und er dachte bei seiner Wirksamkeit für Goethe zunächst daran, sein englisches Volk über den
Utilitarismus und Eudämonismus hinauszuführen, ohne ihm etwa seinen
Sinn für praktische Lebenstätigkeit nehmen zu wollen. War doch
Goethe für ihn geradezu das ideale Vorbild solcher Tätigkeit, wenn auch

in einem höheren, vergeistigteren Sinn und mit dem Ziel der Höherbildung von Mensch und Gesellschaft. Aber er dachte doch eben nur
zunächst an England. Denn er sah Goethe als den gemeinsamen
Besitz aller Nationen an, « the common property of all nations », als
europäisches Vorbild und Führer des ganzen Zeitalters, weil Goethe
das größte Gebrechen der Zeit, den Wertherismus, in sich überwunden
hatte und zur Gesundung gekommen war, und er sah ihn nicht nur
als den größten Mann seiner Zeit an, sondern als « a man of universal
time, important for all generations — one of the landmarks in the
history of men ». In der elften seiner Vorlesungen über die Geschichte
der Literatur oder die sukzessiven Perioden der europäischen Kultur
von Homer bis Goethe (1838) hat Carlyle das Bild seiner Zeit gezeichnet
und ihren wesentlichen Zug im Wertherismus und Skeptizismus
gefunden. In der letzten Vorlesung aber verkündet er wie auch in
dem Werke « Past and Present » Goethe als das Morgenrot einer neuen,
geistigen Welt, welche die Mutter neuer, edlerer, praktischer Welten
sein wird, Goethe als den Propheten einer neuen Religion.

Fragt man sich nun, ob das Goethebild Carlyles als richtiges, maß-
gebendes, allgemein gültiges betrachtet werden kann, so ist seine gewisse
Einseitigkeit ganz augenfällig. Denn etwas kommt in ihm nicht zu
seinem Recht: das eigentliche Dichtertum und Künstlertum Goethes.
Von ihm ist bei Carlyle so gut wie überhaupt nicht die Rede. Das liegt
vielleicht nicht einmal an einem Mangel künstlerischen Sinnes in ihm.
Er wollte wohl absichtlich den Blick nicht darauf lenken, weil er
empfand, daß sein Zeitalter nicht einer reinen Kunst bedürfe, sondern
einer höheren Sittlichkeit und Religiosität. Daß er des Sinnes für
Goethes Kunst nicht entbehrte, zeigt etwa seine Abhandlung über die
Helenatragödie im zweiten Teil des Faust, und auch seine Übersetzungen Goethescher Dichtungen zeigen es. Aber es kam ihm alles
darauf an, die prophetisch-seherische Weisheit, die edle Sittlichkeit,
die tiefe Religiosität Goethes zu verkünden, weil gerade dies in Europa
nicht gesehen wurde, und es doch das war, was Europa not tat, und
so geschah es, daß der Dichter, Künstler und Gestalter Goethe bei
Carlyle nicht zu seinem Rechte kam. Auch ist Carlyle ohne Zweifel
zu weit in dem Versuch gegangen, Goethe in Einklang mit dem
puritanischen Christentum zu zeigen. Carlyle war eben selbst ein
Puritaner, und wenn er alle praktisch-sittliche Tätigkeit im Dienst
der Welt als eine gottverlangte, aber glücklose und entsagungsvolle
Überwindung irdischer Verzweiflung, von Erdenleid und Schmerz ver-

stand, eine Kreuztragung Christi gleichsam, und dies nun auch in Goethe sehen wollte, so kam damit ein etwas befremdendes Element in dieses Goethebild, wenn auch gewiß zu sagen ist, daß Carlyle der erste war, der die tiefe und zentrale Bedeutung der Entsagungsidee in Goethe erkannt hat, einer Idee, die nur allzuoft übersehen wird. Nur daß sie nicht so puritanisch zu deuten ist, wie Carlyle es tut, auf dessen Siegel das Wort « Entsage » in deutschen Buchstaben stand.

Aber eines ist gewiß: daß dieses Bild des Sehers, des Weisen, des Verkünders, Lehrers und Erziehers Goethe in der Tat das wahre Bild des alten Goethe ist, dem es in den Wanderjahren Wilhelm Meisters und im zweiten Teil des Faust nicht mehr um reine Kunstgestaltung ging, sondern um die prophetische Verkündigung letzter Weisheit und Wesensschau und um die Führung Europas zu einer höheren Stufe menschlicher Gesittung. Man kann ganz sicher sein, daß Goethe sich in dem von Carlyle aufgestellten Bilde erkannte und es anerkannte, und daß er sich der erzieherischen Sendung freute, die er auf Carlyle auszuüben vermochte. Denn das war die Wirkung, die er auszulösen hoffte, und die er doch sonst in den europäischen Literaturen nicht finden konnte, wo er nur wertherischen Schmerz, faustisch-übermenschliche Empörung gegen Maß und Sitte und Gesetz als seine Wirkung sah. Er hätte sich gewiß auch der erzieherischen Sendung gefreut, die er für Gottfried Keller hatte, und die der für Carlyle nicht unähnlich ist.

Daß aber gerade ein Engländer es war, der solchen Segen von ihm empfangen konnte, mußte ihm noch zu besonderer Genugtuung gereichen, nachdem er hatte erleben müssen, wie Wertherschmerz und faustischer Titanismus einen genialen Geist wie Byron zerstörte. Auch durfte er es als seinen Dank an England empfinden, den er ihm für all das abstatten konnte, was er selbst der englischen Literatur zu danken hatte. Sie hatte ihn einst von unerträglich engen Fesseln befreit, nun konnte er ihr umgekehrt die neue Bindung an Gesetz und Sitte geben. Die tiefe Zuneigung zu seinem geistigen Sohn Carlyle wird so verständlich. Sie war gewiß nicht so brennend und stark wie die zu Byron. Aber sie brauchte nicht mit Schmerz und Angst gemischt zu sein. Mit welchen Gefühlen mag der 78jährige Goethe einen Brief Carlyles (1827) empfangen haben, in welchem dieser ihm schrieb: « Wenn ich je aus Finsternis zum Licht gelangt bin, zur Erkenntnis meiner selbst, meiner Pflicht und Bestimmung, so verdanke ich das mehr als irgendeinem anderen Umstand dem Studium Ihrer Schriften. Ihnen mehr als

21   Strich, Goethe

irgendeinem anderen Menschen schulde ich immer Dank und Ehrfurcht mit dem Gefühl eines Schülers für seinen Lehrer, vielmehr
eines Sohnes für seinen geistigen Vater. Das ist kein leeres Kompliment,
sondern eine von Herzen kommende Wahrheit, und von solchen
Wahrheiten zu vernehmen, muß Ihnen, wie ich bei aller Bescheidenheit
fühle, mehr Freude bereiten als jeder andere Ruhm. » Auch konnte
Carlyle im gleichen Brief berichten, daß von seiner Übersetzung des
« Wilhelm Meister », die doch erst 1824 erschienen war, bereits tausend
Exemplare in den Händen des Publikums seien, so wie er nach Goethes
Tod in seinem Brief an Eckermann 1834 mitteilen konnte, daß in
den letzten 12 Monaten nicht weniger als drei neue Übersetzungen
des Faust, zwei davon in Edinburgh an einem und demselben Tage
herauskamen. Die wichtigste Nachricht aber, die er an Goethe (1831)
schicken konnte, war die, daß sich in England ein Bund von « Philo-
germans » gebildet habe, dessen geistiges Zentrum Goethe sei, was
noch vor wenigen Jahren unmöglich und undenkbar gewesen wäre.
Dieser Bund schickte dann Goethe zu seinem 82. Geburtstag ein
Geschenk. Es war ein goldgeschmiedetes Petschaft, auf dessen vier
Seiten die Worte eingraviert waren: « To the German Master: From
Friends in England: 28. August 1831 ». Das Siegel selbst war ein von
der Schlange der Ewigkeit umwundener Stern, und um ihn herum
stand der Goethesche Spruch: « Ohne Hast, doch ohne Rast », was
höchst charakteristisch für das damalige Goethebild in England war,
wie es von Carlyle geschaffen wurde, der sicherlich auch diesen Spruch
ausgewählt hatte. Denn er ist die allerkürzeste Formulierung faustischen, immer strebend sich bemühenden Menschentums und doch
auch der weisen Mäßigung und Begrenzung. In dem das Geschenk
begleitenden Glückwunschschreiben heißt es: Da es immer höchste
Pflicht und Freude ist, demjenigen Ehrfurcht zu bezeugen, dem sie
gebührt, und da unser wichtigster, vielleicht einziger Wohltäter der
ist, der durch Tat und Wort uns Weisheit lehrt, so wünschen wir,
die wir uns dem Dichter Goethe gegenüber als geistige Schüler
gegenüber ihrem geistigen Lehrer fühlen, diese Empfindung offen
und gemeinsam zum Ausdruck zu bringen als Zeichen der Dankbarkeit, die wir und die ganze Welt ihm schulden. Unter den Stiftern
des Geschenkes befanden sich neben den Herausgebern der Zeitschriften, den Übersetzern Goethescher Werke und Diplomaten,
auch die erlauchtesten Namen der englischen Literatur: Scott,
Wordsworth, Southey und Carlyle selbst. Goethe aber faßte seinen

Dank in ein Gedicht, das er « Den fünfzehn englischen Freunden »
schickte:

> Worte, die der Dichter spricht,
> Treu, in heimischen Bezirken,
> Wirken gleich, doch weiß er nicht,
> Ob sie in die Ferne wirken.
>
> Briten ! habt sie aufgefaßt:
> « Tätigen Sinn, das Tun gezügelt;
> Stetig Streben, ohne Hast. »
> Und so wollt Ihr's denn besiegelt.

Man kann diesem Gedicht entnehmen, daß Goethe sich von Carlyle
und dem von ihm gestifteten Bunde richtig verstanden fühlte, und so
mag er sich dieses Geschenkes der fünfzehn englischen Freunde vielleicht noch mehr gefreut haben als jener Sendung von Werken, welche
ihm die Dichter der französischen Romantik schickten. An der erzieherischen und bildenden Sendung, die er an Carlyle übte, ging ihm in
einem Maße, wie es bis dahin noch nie geschehen konnte, der Segen
und die Fruchtbarkeit auf, welche die Weltliteratur, die geistige Vermittlung zwischen den Nationen haben kann. Denn nicht nur, daß
er an Carlyle eine so hohe und edle Aufgabe erfüllen konnte. Er selbst
empfand sich durch Carlyle gefördert und zählte ihn unter diejenigen,
die in späteren Jahren sich tätig an ihn angeschlossen, ihn durch eine
mitschreitende Teilnahme zum Handeln und Wirken aufgemuntert
und durch ein edles, reines, wohlgerichtetes Bestreben wieder selbst
verjüngt, ihn, der sie heranzog, mit sich fortgezogen haben. So ist
es wohl auch zu verstehen, daß Goethe keinem andern Ausländer
außer Carlyle in Briefen seine Idee der Weltliteratur entwickelte,
wodurch Carlyle (der das Wort mit « Worldliterature » übersetzte)
einen neuen Ansporn erhielt, für die geistige Kommunikation der
Völker zur Heranbildung und höheren Gestaltung des Menschengeschlechts in friedlicher Zusammenarbeit zu wirken, und daß die
vielleicht wichtigsten von Goethes öffentlichen Verkündigungen seiner
Weltliteraturidee in Goethes Anzeige von Carlyles « German Romance »,
welche die Wiederholung eines Briefes an Carlyle war, und in seiner
Einleitung zu der deutschen Ausgabe von Carlyles Schillerbiographie
(1830) zu finden sind. Er eignete dieses Werk einer literarischen Gesellschaft zu, welche bisher ihre Aufmerksamkeit nur der inländischen

deutschen Literatur gewidmet hatte, sie dann aber unter dem Eindruck
der Goetheschen Weltliteraturidee und seiner Ausstrahlungen in die
Welt der ausländischen Literatur zuwandte, « der hochansehnlichen
Gesellschaft für ausländische schöne Literatur zu Berlin », die auf
Goethes Anregung hin Carlyle zu ihrem Ehrenmitglied ernannte. In
dieser Einleitung zu Carlyles Schillerbuch machte Goethe das deutsche
Publikum nicht nur mit Carlyle und seinen Beziehungen zu ihm
bekannt. Sie ist ganz von der Idee der Weltliteratur getragen und
wollte auch Goethes Dank für die Bemühungen Carlyles um ihn und
die deutsche Literatur überhaupt damit abstatten, daß Goethe an
dieser Stelle den großen Dichter Schottlands, der Heimat Carlyles,
nämlich Robert Burns Deutschland angelegentlich ans Herz legte.
Sein hier geäußerter Wunsch nach einer guten Übersetzung von
Burns Gedichten wurde dann noch im gleichen Jahrzehnt von vier
Übersetzern verwirklicht (Gerhard, Heintze, Kaufmann, Freiligrath).
Auch Herweghs Aufsatz über Burns gedachte Goethes. So darf man
wirklich sagen, daß Goethe durch Carlyle, den er selbst herangebildet
hatte, zum Handeln und Wirken aufgemuntert wurde, nämlich zu
neuem Handeln und Wirken für die Weltliteratur, die geistige Kommunikation zwischen den Völkern, so daß die Beziehung zwischen Goethe
und Carlyle ein ragendes Denkmal des Segens wurde, den Weltliteratur üben kann.

In einem Brief an Goethe hatte Carlyle berichten können, daß die
Kenntnis und Liebe der deutschen Literatur, besonders Goethes,
rapide Fortschritte in der gebildeten Welt Englands mache. Seit
seiner Übersetzung des « Wilhelm Meister » hätten sich die Leser
Goethes in sechs Jahren verzehnfacht, und mit den Lesern die Bewunderer. Zwei Zeitschriften, die « Foreign Quarterly Review » und
die « Foreign Review » brächten seitdem regelmäßig Berichte über
deutsche Literatur. Nach Goethes Tod konnte Carlyle an Eckermann
schreiben, seine Mission sei beendet. Der englische Widerstand gegen
den deutschen Idealismus sei gebrochen. England und Deutschland
seien sich nicht mehr fremd, sondern hätten sich geschwisterlich
gefunden.

Jetzt aber nahm Carlyle eine neue Mission auf sich: nämlich Goethe
an Amerika zu vermitteln. Er war es, welcher Emerson, der sich zuerst
heftig gegen Goethe sträubte, für ihn gewann.

Die Übersetzung Carlyles von Goethes Wilhelm Meister aber regte
einen englischen Schriftsteller zu einer dichterischen Nachbildung des

Goetheschen Romanes an, die deutlich zeigt, daß auch er in Goethe seinen Führer und Erzieher fand: Edward Bulwer, der mit seinem Roman « Die letzten Tage von Pompeji » dem Bestand der Weltliteratur angehört. Wie typisch der Fall Carlyle war, wird dadurch bezeugt, daß auch Bulwer mit einem Jugendwerk « Falkland » (1827) noch ganz im Zeichen Werthers, Tassos, Fausts steht. Es ist die Geschichte eines genialen Menschen, der sich in die soziale Welt nicht einzufügen vermag, weil der Genius ein eigenes Maß und Recht für sich in Anspruch nimmt. Es war ein ganz byronistisches Werk. Aber zehn Jahre später, 1837, erscheint Bulwers Roman « Ernst Maltravers Lehrlingsschaft », der nach Bulwers eigenem, in der Vorrede stehendem Bekenntnis eine Nachbildung des Wilhelm Meister, ein Bildungsroman ist, die Geschichte eines schwärmerischen, schwachen und schwankenden Menschen, der durch Enttäuschungen und Erfahrungen, durch Irrungen und Wirrungen, aber auch durch sein reines Streben zum tätigen Glied der menschlichen Gesellschaft heranreift, ein Lehrling des Lebens, der zu seinem Meister wird. Man darf gewiß nicht den in der Verschiedenheit der Nationen begründeten Unterschied übersehen, auf den Bulwer selbst aufmerksam gemacht hat: Goethes Wilhelm Meister, so führt er aus, stellt die Lehrlingsschaft des theoretischen und künstlerischen Lebens dar, sein Roman aber die des praktischen Lebens. Er nennt seinen Roman geradezu den Wilhelm Meister des praktischen Lebens. Aber der deutsche Bildungsgedanke, Goethes Idee der Erziehung, ist trotzdem gar nicht zu verkennen. Auch wenn der englische Dichter sein Werk zu einem « metaphysischen Roman » machen wollte, in welchem ein geistigerer, tieferer Sinn durch die Gestalten und Begebenheiten schimmert, wie in einem transparenten Bilde, so wird man auch darin den Goetheschen Einfluß finden. So geschah es denn mit Grund und Recht, daß Bulwer diesen Bildungsroman « dem großen deutschen Volke » widmete, « einem Geschlecht von Denkern und Kritikern, einer fernen aber freundlichen Zuhörerschaft, tief im Urteil, aufrichtig im Tadel, edelmütig in der Würdigung. » Er konnte ihn Goethe selbst nicht mehr widmen, weil dieser nicht mehr am Leben war. Er hätte es sonst gewiß getan.

So lebte der Bildungsroman Wilhelm Meister in der englischen Literatur nach, und auch der Faust löste seit Carlyles neuem Goethe- und Faustbild andere Wirkungen aus als bisher. Der aufrührende, sprengende, stürmende und drängende Faust weicht dem ethischen Überwinder. In Byron hatte faustisches Titanen- und Übermenschentum Verzweiflung über die menschliche Begrenzung, Empörung gegen sie und damit gegen Welt und Gott überhaupt erregt. Nach Carlyle wurde Faust anders gesehen und wirkte denn auch anders. Sicherlich traf der englische Darwinismus, Darwins Entwicklungsidee, die auf die englische Literatur um die Mitte des 19. Jahrhunderts so tiefen Eindruck machte, mit Goethes faustischer Idee zusammen. Aber die Übertragung von Darwins Idee der natürlichen Entwicklung auf die geistig-kulturelle, historische Entwicklung der Menschheit wird nicht ohne die Wirkung von Goethes Dichtung geschehen sein. Nachdem der zweite Teil des Faust erschienen war, verfaßte Robert Browning seinen « Paracelsus » (1835), der oft der englische Faust genannt wird. Paracelsus also, eine deutsche Gestalt, wie Faust, und gleich diesem ein Magier, der die Grenzen menschlicher Erkenntnis überschreiten will und darum seine Seele aufs Spiel setzt, erfährt durch die erlösende Liebe, daß Erkenntnis ohne Dienst an der Menschheit schuldvoller Egoismus ist. Gott verwirklicht sich nur im unendlichen Fortschritt der Humanität. Ihr dienen, heißt ihm dienen.

Eine andere, noch stärker und schon im Titel an Goethes Faust gemahnende Dichtung war Bayley's « Festus », die einst eine wichtige Rolle in der englischen Literatur spielte und wohl den größten Erfolg der faustischen Dichtungen in England hatte (1839). Der Name klingt gewiß nicht zufällig an den Namen Fausts an. Denn es geht um das faustische Problem, um den Sinn der Sünde und der Schuld in der ja doch von Gott geschaffenen Welt. Die Lösung des Problems ist die, daß Gott der menschlichen Schuld bedarf, um seine Liebe, Güte und Gnade zu entfalten, und daß der Mensch durch die Schuld hindurch muß, um sich von irdischer Unreinheit zu befreien. Wenn die Entwicklung der Welt vollendet ist, dann gibt es keine Sünde und Schuld mehr. Dann kehrt die Schöpfung zu Gott zurück. Festus also, von Lucifer verführt, geht, wie Goethes Faust, den Weg vom Himmel durch die Welt zur Hölle, wird aber durch Christus erlöst und zu Gott zurückgeführt. Es ist ganz deutlich, daß in solchen Dichtungen der englische Darwinismus, die Idee der natürlichen Entwicklung, durch Goethes Faust in die geistig-soziale Entwicklungsgeschichte der Menschheit gewandelt wurde. Der wertherische Weltschmerz, die faustische Empörung, der titanische Pessimismus, wie er in Byron gewaltet hatte, war nach Carlyle überwunden. Goethe hat der englischen Literatur den Weg seines Wilhelm Meister und Faust, den Weg seiner selbst gewiesen.

Aber es blieb noch etwas zu leisten: nämlich Goethe auch als Künstler und Gestalter in seiner wahren Bedeutung zu würdigen, was durch Carlyle noch nicht geschehen war. 1855 erschien die Goethebiographie von Lewes, und es war die erste Gesamtdarstellung Goethes, so wie Carlyle die erste Biographie Schillers geschaffen hatte. Die erste allerdings nur der Idee und nicht dem Zeitpunkt der Veröffentlichung nach. Denn der deutsche Literarhistoriker Viehoff erfuhr von dem Plan des Engländers, setzte sich hin und schrieb so schnell als möglich vier Bände: « Goethes Leben, Geistesentwicklung und Werke ». Die Ehre der deutschen Literatur, so schrieb er in seinem Vorwort, litt es nicht, daß ein Engländer der erste Biograph Goethes sei. Das schmälert indessen das Verdienst Lewes' in keiner Weise. Dies englische Goethebuch, das also Goethe als klassischen Künstler und Gestalter würdigte, errang sich eine gewaltige Beliebtheit in der Welt und hat die Goethekenntnis überall, auch in Deutschland, verbreitet. Der dänische Literarhistoriker, Georg Brandes, erzählt, daß, als es im Anfang der siebziger Jahre dänisch übersetzt wurde, es ihn wie seine ganze Generation lehrte, Deutschland zu verstehen und zu würdigen, wie Goethe ihnen dadurch das ideale Deutschland wurde, nachdem es bis dahin nur durch das Medium nationaler Antipathie gesehen worden war.

Russland und Polen

Wenn das Rußland der Goethezeit vor das geistige Auge tritt, beginnt sich der Blick in grenzenlose Räume zu verlieren; so grenzenlos, wie das europäische Auge sie zu sehen nicht gewohnt ist. In dieser Unendlichkeit ragen zwei kuppelreiche Gipfel auf: Petersburg und Moskau. Aber auch sie vermögen es nicht, das Bild ganz zu verdeutlichen und zu umgrenzen. Petersburg und Moskau! Die westlich-europäische und die den östlichen Geist des Landes bewahrende Hauptstadt: das rätselvolle Doppelantlitz eines Reiches, in dessen Zügen Europa vergeblich sein eigenes Wesen sucht. Man fühlt, daß Napoleon in diesen unendlichen Weiten sich verlieren mußte, als er versuchte, sie seinem europäischen Raume einzugliedern. Die Länder Europas mochten politisch, geistig, durch Ströme und Gebirge, noch so weit voneinander getrennt sein, sie hatten doch einen gemeinsamen Hintergrund und waren doch durch die europäische Schicksalsgemeinschaft miteinander verbunden: Abwandlungen dieser großen Einheit Europa, und der Stern, der über ihnen allen stand, hiess europäische Kultur. Obwohl aber Rußland geographisch zu einem guten Teil dem europäischen Erdteil angehört, und obwohl es sich auch geistig seit Peter dem Großen nach dem westlichen Europa hin orientiert hatte, so war es doch nicht einfach dem Abendlande zuzuzählen, und der westliche Zug in seinem Antlitz mußte es nur noch rätselhafter machen. Rußland und Europa: sie standen doch wie Osten und Westen gegeneinander, und das war nicht nur ein räumlicher, sondern ein ewig menschlicher und geistiger Unterschied. Ex oriente lux. Aus dem Osten das Licht. Von Osten kam die Botschaft Christi in das Abendland, eine östliche Botschaft, denn es ist das Grundgefühl des östlichen Menschen, daß die geschlossene und in sich selber selige Form der menschlichen Persönlichkeit schuldhafter Abfall von der Einheit allen Lebens ist. Er fühlt sich als den Bruder aller Menschen, weil sie Söhne eines Vaters sind, und Bruder sein heißt ihm: die Liebe Gottes in der menschlichen Gemeinschaft zu verwirklichen. Das Ideal des Ostens ist der heilige Mensch, und das will sagen: Hingebung, Opfer und Erlöschung der Persönlichkeit.

Wenn aber der Weg des Geistes in umgekehrter Richtung von Westen

nach Osten ging, so war es eine andere Botschaft als die der Liebe, die
der Westen dem Osten zu bringen hatte. Der Zug Alexanders nach dem
Osten war der eines weltlichen Eroberers. Eine politische Verbindung
des Morgen- und Abendlandes vollzog sich, von Westen östlich
dringend, im oströmischen Reich, und der Gedanke des west-östlichen
Imperiums ging wiederum im Geiste des Hohenstaufen, Friedrichs II
traumhaft und gewaltig auf, bis Napoleons europäischer Wille zur
Macht in den heiligen Fernen des Ostens zu einem Nichts verbrannte.
Vom Osten der Erlöser, vom Westen der Eroberer, vom Osten die
Liebe und vom Westen die Macht, vom Osten der Gottmensch, vom
Westen der Menschgott: dies sind die ewigen Typen, die sich zwischen
Osten und Westen zueinander und gegeneinander bewegen und Morgen
und Abend schaffen.

Aber ist es denn nicht das eine Christentum, welches das gemeinsame
Fundament der russischen wie der westeuropäischen Kultur geworden
ist? Gewiß. Jedoch das europäische Christentum baute sich auf einem
anderen, älteren Fundamente auf, das der russischen Geschichte fehlt:
es ist die Antike. Ja, die Antike lebt im europäischen Christentum noch
fort, das sich auf griechischem und römischem Boden entwickelte und
sich in römischer Form Europa unterwarf. Die römische Kirche ist
sowohl in der Schönheit, der Ordnung, dem Aufbau, als auch in
ihrer Idee, die geistliche Macht in weltlicher Erscheinung zu verwirklichen, die eigentlichste Erbin des römischen Imperiums. Die
russische Kirche aber, die sich in Byzanz aufbaute, entstand auf
diesem klassischen Boden nicht, und der ursprünglich östliche Geist
des Christentums, der eine Auflehnung gegen den der Antike gewesen
war, blieb hier noch in seiner reineren Östlichkeit bestehen. Daher es
denn auch in Rußland zu keiner Renaissance gekommen ist, weil es
eben keine Antike wiederzugebären galt. Dies ist vielleicht der größte
Unterschied zwischen der russischen und westeuropäischen Geistesgeschichte. Selbst Luther, mit dem ja doch Rußland die eine Front
gegen Rom gemeinsam hat, wurde russischerseits von dem Vorwurf
des geistigen Hochmuts, der menschlichen Vermessenheit getroffen,
wodurch es kam, daß Protestantismus und Humanismus in Rußland
unter diesem einen Gesichtspunkt der Menschvergottung zusammen-
geworfen wurden, wie sie ja auch wirklich im deutschen Geistesleben
eine innige Verbindung eingegangen waren.

So ist es zu verstehen, daß Goethe in der russischen Literatur eine
ganz andere Sendung zu erfüllen hatte als in den Literaturen des

Westens, wo er den Klassizismus stürzte, während er in Rußland gerade eine humanisierende und europäisierende Wirkung hatte und damit eine Renaissancebewegung auslöste, die also um Jahrhunderte verspätet etwas im russischen Geistesleben hervorrief, was ihm gegenüber dem westlichen Europa gefehlt hatte. Man wird ja immer in den weltliterarischen Beziehungen zwischen den Völkern bemerken können, daß sie sich von fremden Kulturen das aneignen, was sie selber nicht besitzen.

Es ist sehr auffallend, daß Goethe vielleicht zuerst von allen europäischen Literaturen in der russischen als « Grieche » gesehen wurde, und zwar schon in der Zeit, da er sonst so gut wie überall für den « Antiklassiker » galt. Gewiß wurde der Werther schon 1788 russisch übersetzt und erregte auch dort jenes Fieber, das man aus Westeuropa kennt. Aber es ist merkwürdig, was der russische Geist ihm entgegenzusetzen hatte, wofür hier als, wenn auch später Repräsentant Dostojewskij stehen möge. Dort wo Dostojewskij im «Tagebuch eines Schriftstellers » «Vom großen und kleinen Wagen, vom Gebet des großen Goethe und von schlechten Angewohnheiten im Allgemeinen» spricht, wendet er sich, wie oft, gegen die europäische Erkrankung, die Lähmung des Lebenswillens, die Selbstmordsucht, die auch nach Rußland übergegriffen hatte, findet aber zwischen dem « gedankenlosen » Selbstmord des russischen Menschen und dem gedankenvollen Werthers einen tiefen Unterschied. « Der Selbstmörder Werther bedauert in seinen letzten Zeilen, daß er den großen Wagen, das liebste unter allen Gestirnen, nicht mehr sehen wird, und nimmt von ihm Abschied. » O, wie bezeichnend ist dieser kleine Zug für Goethe, der damals erst begann. Warum waren diese Gestirne dem jungen Werther so teuer? Weil er, so oft er sie ansah, erkannte, daß er gegen sie durchaus kein Atom und kein Nichts sei, daß dieser ganze Abgrund der geheimnisvollen Wunder Gottes durchaus nicht mehr bedeute, als sein Denken, sein Bewußtsein, das in seiner Seele enthaltene Schönheitsideal, daß ihn dies mit der Unendlichkeit des Seins verbinde, und daß er dieses ganze Glück, diesen großen Gedanken, der ihm Antwort auf die Frage gibt, wer er sei, einzig seinem menschlichen Antlitz zu verdanken habe. « Großer Geist, ich danke dir für das menschliche Antlitz, das du mir gegeben hast. So hätte das Gebet des großen Goethe sein Leben lang lauten müssen. Bei uns vernichtet man aber dieses dem Menschen gegebene Antlitz ganz einfach, ganz ohne die deutschen Kunststücke, und es fällt niemand ein, sich vom Wagen zu verabschieden, weder vom großen, noch auch nur vom kleinen, und selbst wenn es jemand einfällt, so tut er es nicht: er müßte sich zu sehr schämen.»

Da haben wir in der Tat den ganzen Unterschied des ost- und westeuropäischen Geistes: In diesem Goetheschen Stolz ein Mensch zu sein, den Werther noch in seinem Tod nicht aufgibt, und jener russischen Demut. Goethes Werther wurde in der russischen Literatur nicht anders verstanden als das antike Heidentum, und ebenso war es auch mit Goethes Faust. In der Poesie der Verzweiflung, wie Goethe sie nannte, oder dem Satanismus, wie Southey sie bezeichnete, sah der russische Geist nichts anderes als vermessenen Selbstvergottungsdrang, und das faustische, ewig sich bemühende Streben, das dem westeuropäischen Geiste Goethes einen Weg zu Gott bedeutete, war dem russischen Geiste gerade das Gegenteil davon. Faustischer Geist schien ihm Wille zur geistigen Macht zu sein, so wie sich in Napoleon der Wille zur weltlichen Macht verkörperte. Diesen Geist hat Dostojewskij in seinem Roman «Dämonen» zu jenen dämonischen Mächten gezählt, die von Westen her nach Rußland drangen und das wahre Russentum vernichteten. Als dann dies machtwillige, sich selbst vergottende Menschentum des Westens in Friedrich Nietzsches Idee des Übermenschentums gipfelte, zeigte es sich, daß Dostojewskij schon prophetisch den ganzen Nietzsche vorweggenommen, die letzten Konsequenzen des europäischen Weges dargestellt hatte, die erst am Ende des 19. Jahrhunderts wirklich wurden, daß er schon etwas bekämpft hatte, was noch gar nicht da war, was aber kommen mußte, weil es nur das notwendige Ende jener europäischen Menschvergottung war, die bei den Griechen begann, sich im europäischen Humanismus fortsetzte und sich in Faust, Napoleon, Byron übersteigerte, um in der Idee des Übermenschen zu münden. Dostojewskij war schon vor Nietzsche der große Gegenspieler Nietzsches, und sie stehen zueinander wie Christ und Antichrist. Dostojewskij hat den europäischen Geist des 19. Jahrhunderts auf dem entgegengesetzten Weg als Nietzsche überwinden wollen, indem er ihn auf den Weg zum Gottmensch Christus und nicht zum Menschgott führte, zum Menschen, der sich nicht erhöhen sondern erniedrigen, nicht herrschen sondern dienen, sich nicht behaupten und vollenden, sondern sich zerbrechen will, der nicht der Herr, sondern der liebende Bruder aller Menschen ist.

Es war unmöglich, daß Dostojewskij, der hier als Repräsentant des Russentums steht, an dem europäischen Problem des wertherischen Weltschmerzes und der faustischen Empörung vorbeigehen konnte,

weil es die größte Gefahr für den so anders gearteten und zu so anderer
Sendung bestimmten Geist des russischen Volkes war. Dostojewskij
hat sich denn auch wirklich nicht nur in jenem Tagebuch eines Schriftstellers, sondern auch in seiner berühmten « Beichte eines Selbst-
mörders » mit dem Problem des Werther beschäftigt und dieser
europäischen wie auch russisch gewordenen Krankheit ein Heilmittel
darzureichen versucht. Ein Selbstmörder rechtfertigt hier seine
Tat damit, daß die Natur nicht das Recht habe, den Menschen
erkenntnisfähig zu schaffen, weil die Erkenntnis in ihrer Begrenzung ein Leiden sei. Darum habe der Mensch das Recht, sich selbst
von diesem Leide zu befreien und sich aus dem Leben auszulöschen. Dostojewskij aber enthüllt nun den trügerischen Sophismus
dieser europäisch-logischen Rechtfertigung, die nur unter der Voraussetzung richtig sei, daß die Seele nicht unsterblich ist. Ohne diesen
Glauben an die Unsterblichkeit der Seele ist das Leben freilich sinnlos
und zwecklos. Wer aber diesen Glauben besitzt, ist um so mehr und
um so fester durch ihn mit der Erde verbunden. Die christliche Idee
des Ostens will hier dem europäischen Krankheitsprozesse Einhalt
gebieten. Das faustische Menschvergottungsproblem aber wird von
Dostojewskij in seinem Aufsatz über den Byronismus aufgerollt.
Er nennt wohl hier den Byronismus eine heilige Krankheit, weil sie
nur aus der Enttäuschung über den Ausgang der französischen Revolution und den inneren Bankrott der Revolutionsidee selbst entstanden
sei und also die Selbstverbrennung der europäischen Zivilisation,
dieses gottlosen Irrwegs des westlichen Rationalismus, bedeute. Aber
der Byronismus ist darum noch nicht der richtige Weg, der aus der
europäischen Verirrung und Verwirrung hinauszuführen vermag, und
daß er ein Irrweg ist, zeigt die Entwicklung des 19. Jahrhunderts. Es
war ja wirklich Byron, durch dessen Medium der faustisch-goethesche
Geist sich Rußland erobert hatte. Goethes Sendung als Klassiker
und Grieche also war in Rußland nur die konsequente Fortsetzung
jener Wirkung, die mit seinem Werther und Faust begann.
Als der berühmte Schriftsteller Rußlands: Karamsin, der den Blick
der russischen Literatur nach Westen richtete und dessen Erzählung
« Die arme Lisa » die Spuren des Werther verrät, 1789 nach Weimar
kam, blieben seine Versuche, Goethe zu besuchen, vergeblich, weil
dieser bei Hofe oder in Jena war. Aber Karamsin sah ihn einmal
am Fenster, blieb stehen und betrachtete ihn einige Minuten. « Ein
wahrhaft griechisches Gesicht », so faßte er seinen Eindruck in den

«Briefen eines reisenden Russen» zusammen. Herder und Goethe, so schreibt er, die mit dem Geiste der alten Griechen vertraut sind, haben auch ihre Sprache griechisch gebildet, wodurch sie die reichste und die für den Dichter angemessenste geworden ist. Darum haben auch weder die Franzosen noch die Engländer so vortreffliche Übersetzungen der Griechen wie jetzt die Deutschen. Homer ist bei ihnen wirklich Homer. Vielleicht hat Goethe von dieser Beurteilung Karamsins durch Herder erfahren, der mit Karamsin über Goethe sprach und ihm auch das «wahrhaft griechische» Gedicht Goethes «Meine Göttin» vorlas.

Die erste, direkte Berührung Goethes mit dem russischen Geiste aber geschah in einem umgekehrten Sinn. Wenn Goethe, wie noch gezeigt werden soll, der russischen Literatur eine klassische Richtung gab, eine westliche, wie man auch sagen könnte, so wurde er umgekehrt von Rußland her nach Osten, nach Asien gewiesen. Bald nachdem sich durch die Vermählung des Weimarer Erbprinzen mit einer russischen Großfürstin zwischen Weimar und Rußland eine Verbindung hergestellt hatte, die Goethe mit einem «Maskenzug russischer Nationen» feierte, übersandte ihm ein junger Russe, Uwarow — es war der später so berüchtigt gewordene, reaktionäre Staatsmann, der er aber damals noch nicht war — 1811 ein Memorial, das Vorschläge zu einer asiatischen Sozietät enthielt, welche die Kenntnis der Sprachen und Literaturen des alten und neuen Orients fördern sollte, und das Goethe mit dem Ausdruck der Bewunderung und Freude und mit dem Wunsch erwiderte, daß Uwarow bald an der Spitze eines asiatischen Institutes neues Licht über die beiden Weltteile, Europa und Asien, verbreiten möge, welchen beiden das russische Reich angehört. Auch wies er in seinem Dankbrief darauf hin, daß seine eigene Liebe zu den indischen Wedas durch die Beiträge und eifrigen Bemühungen der Engländer immer wieder genährt worden sei, daß einige indische Legenden («Der Gott und die Bajadere», «Der Paria») ihn zur Bearbeitung reizten und er schon früher eine poetische Behandlung der Wedas in Gedanken hegte. Nun aber werde durch die orientalische Sozietät eine ganz neue Welt entspringen, wo wir in größerer Fülle wandeln, und die Eigentümlichkeit unseres Geistes stärken und zu neuer Tätigkeit anfrischen können.[39] Als Goethe dann 1814 einige Schriften von Uwarow erhielt (darunter auch einen Aufsatz über den Wilhelm Meister), konnte er ihm in seinem Dankbrief mitteilen, daß er sich unterdessen dem Studium des Orients genähert habe

(West-östlicher Divan!), da ihm denn freilich die Unkenntnis
der Sprachen manches Hindernis in den Weg lege, doch habe er bei
dieser Gelegenheit Uwarows Vorschläge zu einer orientalischen Sozietät
wieder zur Hand genommen und daraus auch für seine Zwecke viel
Nutzen geschöpft. Goethe hat dann den «West-östlichen Diwan» an
Uwarow geschickt und zwar zum Zeugnis, daß er in ein Reich, wo
jener völlig zu Hause war, nicht ganz ohne Geschick und Glück hinein-
streifte. Man sieht: das war die Sendung Rußlands für Goethe, schon
bevor sein «West-östlicher Diwan» entstand, seinen Blick nach
Osten zu richten und ihm in diesem Europa und Asien zugehören-
den Reich die Möglichkeit zu zeigen, Osten und Westen in einer
höheren Einheit zu verbinden. Nicht umsonst hat Goethe die beiden
hohen Auszeichnungen, die ihm von Napoleon und dem Kaiser von
Rußland verliehen wurden, gerne nebeneinander getragen. Sie konnten
ihm den westöstlichen Geist, den er selbst mit seinem «Divan» verwirklichen wollte, symbolisch repräsentieren.

Wenn Goethe aber von Rußland her so fruchtbare Anregung für eigene
Tätigkeit erhielt, indem sein Blick nach Osten gewendet wurde, so
konnte er auch umgekehrt, wie schon gesagt, von Uwarow erfahren,
daß er selbst den Blick des russischen Geistes nach Westen lenkte und
an dem Ursprung eines russischen Humanismus nicht unbeteiligt
war. Denn Uwarow widmete ihm 1817 öffentlich seine in deutscher
Sprache gehaltene Schrift über den antiken Dichter Nomos, und dies
wurde für Goethe ein wichtiger Ansporn zu weltliterarischer Bemühung.
Nicht nur, daß dies öffentliche Zeichen der Verehrung, das ihm hier
von Rußland her zuteil wurde, ihm selbst sehr glückliche Augenblicke
bereitete, indem er nun erst, wie er an Uwarow schrieb, da er nach
langen Widerständen und Hindernissen die Wirkung seiner geleisteten
Arbeit hervortreten sah und bemerken konnte, daß die Zeitgenossen
seine Hoffnungen in sich aufnahmen, sie verwirklichten und förderten,
sich mit seinen Zeitgenossen zusammen als ein wahrhaft ganzes und
lebendiges Wesen empfinden konnte. [31] Das «unschätzbare» Beispiel
Uwarows vielmehr wurde von Goethe dem deutschen Volk als er-
wünschtes Evangelium vorgehalten, daß es, anstatt sich in sich selbst
zu beschränken, die Welt in sich aufnehmen müsse, um auf die Welt
zu wirken. Uwarow nämlich hatte in seinem an Goethe gerichteten
Vorwort als Grund dafür, daß er sein Werk über einen antiken Dichter
in deutscher Sprache schrieb, angegeben: die Wiedergeburt des Altertums gehöre den Deutschen an. Es mögen andere Völker wichtige

Vorarbeiten dazu geliefert haben, sollte aber die höhere Philologie sich einst zu einer vollendeten Ganzheit ausbilden, so könnte eine solche Palingenesie wohl nur in Deutschland stattfinden. Aus diesem Grunde ließen sich auch gewisse, neue Ansichten kaum in einer anderen als in der deutschen Sprache ausdrücken. Man sei hoffentlich nunmehr von der verkehrten Idee des politischen Vorranges dieser oder jener Sprache in der Wissenschaft zurückgekommen. Es sei Zeit, daß ein jeder, unbekümmert um das Werkzeug, immer die Sprache wähle, die dem Ideenkreise am nächsten liegt, den er zu betreten im Begriffe ist. Dies Vorwort wurde von Goethe in « Kunst und Altertum » dem deutschen Publikum bekanntgemacht und der « kümmerlichen Beschränkung eines erkältenden Sprachpatriotismus », wie er damals in Deutschland herrschte, öffentlich entgegengehalten. Mögen alle gebildeten Deutschen diese zugleich ehrenvollen und belehrenden Worte sich dankbar einprägen, und geistreiche Jünglinge dadurch angefeuert werden, sich mehrerer Sprachen als beliebiger Lebenswerkzeuge zu bemächtigen. [32]

Im Jahre 1828 erhielt dann Goethe von Nikolaus Borchardt, einem Mitglied des Instituts der Aufklärung und des öffentlichen Unterrichts zu Moskau, einen handschriftlichen Aufsatz: « Goethes Würdigung in Rußland zur Würdigung von Rußland ». Es war die deutsche Fassung eines russischen Artikels über Goethes « Helena », nebst der russischen Übersetzung eines Abschnittes aus ihr, den der Dichter Schewireff im « Moskowitischen Boten » 1827 veröffentlicht hatte. Die Nummer war mit einem Bildnis Goethes erschienen. Borchardt selbst hatte seiner Übersetzung dieses Aufsatzes eine orientierende Einleitung vorangestellt. In dem diese Sendung begleitenden Briefe aber heißt es: er wage es, dem hohen Meister unter den Vorbildern der deutschen Literatur ein Scherflein am Altare der Verehrung Europas niederzulegen. Der einzige Wert dieses Zolls der Verehrung bestehe zwar nur in der Kunde, daß sich nun auch in Rußland eine vollkommene Würdigung Goethes verbreite und er nun auch auf Rutheniens Musenchor einen Einfluß äußere, der die letzte Blume in den Kranz der Unsterblichkeit des deutschen Dichterfürsten winde. Er nennt ihn « unsern » gefeierten Goethe, denn in seiner geistigen Weltbürgerlichkeit gehöre er auch Ruthenien an. In der Einleitung Borchardts zu Schewireffs Aufsatz wird von der Wendung Rußlands, nachdem es bisher unter französischer Geistesherrschaft gestanden hatte, nach England und Deutschland hin berichtet. Dafür habe der « Moskowi-

tische Telegraph » seit 1825, der « Moskowitische Bote » seit 1827 gewirkt. Kein periodisches Blatt, keine Zeitschrift, der größeren Werke
nicht zu denken, in denen nicht mit höchster Achtung und mit Enthusiasmus des großen Sängers Germaniens Erwähnung geschehe. Überall
erschienen Übersetzungen einzelner Gedichte und Fragmente aus
seinen Schöpfungen. Die Kenntnis der deutschen Sprache verbreite
sich immer mehr, und nicht nur der größte Teil der besten, neuen
Dichter Deutschlands werde übertragen, sondern auch die deutsche
Philosophie und Wissenschaft in den Zeitblättern eingeführt. Goethes,
Schillers, Klopstocks Werke werden als Heiligtümer betrachtet. Der
Wunsch Byrons, in deutscher Zunge den hohen Dichterfürsten zu
verstehen, sei dem Russen zum Gesetz geworden. Aber nicht nur
lesen und verstehen, auch deuten und ergründen wollen ihn Rußlands
schönste Geister. Ihn ganz zu besitzen sei ihr höchstes, reinstes Streben.
Zum Beweise dafür folge die Übersetzung einer Deutung und Darstellung der « Helena » von Schewireff.
Auf diese Sendung Borchardts hin schrieb nun Goethe einen Brief
an ihn: « Wenn man viele Lebensjahre ernstlich dazu angewendet
hat, sich selbst auszubilden und die Spuren der Vorschritte seiner
eigenen Denkweise in Schriften zu erhalten, damit auch der Nach-
kommende aufmerksam werde auf das was ihm allenfalls bevorstehen,
was ihn fördern und hindern könnte, und man erfährt sodann in hohen
Jahren, daß ein erst fern scheinender Zweck erreicht, ein kühner
Wunsch erfüllt sei, so kann dies nicht anders als die angenehmste
Empfindung erregen... Wenn wir Westländer nun schon auf mehr als
eine Weise, namentlich auch durch Herrn Bowring mit den Vorzügen
Ihrer Dichter bekannt geworden und wir daher so wie aus andern
edlen Symptomen auf eine hohe ästhetische Kultur in ihrem aus-
gedehnten Sprachkreise zu schließen hatten, so war es mir doch
gewissermaßen unerwartet, in bezug auf mich jene so zarten als
tiefen Gefühle in dem entfernten Osten aufblühen zu sehen, wie sie
kaum holder und anmutiger in den seit Jahrhunderten sich ausbildenden
westlichen Ländern zu finden sein dürften. Das Problem oder vielmehr den Knaul von Problemen, wie meine Helena sie vorlegt, so
entschieden-einsichtig als herzlich-fromm gelöst zu wissen, mußte mich
in Verwunderung setzen, ob ich gleich schon zu erfahren gewohnt bin,
daß die Steigerungen der letzten Zeit nicht nach dem Maß der früheren
berechnet werden können. Wie denn ein höchst erquickliches Verhältnis zu Herrn Schukowskij mir von der zartesten Empfänglichkeit

und rein-wirksamsten Teilnahme schon die Überzeugung gab. In dem Falle, wie Sie sind, mein Wertester, hat man alle Ursache, Ihnen Glück zu wünschen, daß Sie auf die Bildung einer großen Nation einen so schönen und ruhigen Einfluß ausüben... Schon hat sich die alte Kaiserstadt, die wir uns vor kurzem in Trümmern dachten, aus der Asche unbegreiflich wieder hervorgehoben, und da Sie an so merk-würdigem Weltpunkte, an bedeutendster Epoche, verbunden mit würdigen Freunden, teilzunehmen berufen sind, so setzen Sie Ihren Studien keine Grenzen, um desto sicherer dahin zurückzukehren, wo eine edle, reine, einfache Wirkung not tut, damit manches Hindernis beseitigt und viel Glück gefördert werde... Grüßen Sie Ihre werten Freunde, fahren Sie fort, ruhig dahin zu wirken, daß der Mensch mit sich selbst bekannt werde, seinen eignen Wert und Würde fühlen, aber zugleich auch die Stellung erkennen lerne, die ihm gegen die Welt überhaupt, besonders aber in seinem bestimmten Kreis gegeben ist. » [33]

Dieser Brief Goethes wurde von Borchardt im « Moskowitischen Boten » 1828 und zwar im Original und in russischer Übersetzung veröffent-licht und erregte bei den russischen Schriftstellern einen wahren Enthusiasmus. Puschkin schrieb an den Herausgeber, Pagodin, einen Brief: Das Journal müsse die Erwartungen der wahren Literatur-freunde und die Anerkennung des großen Goethe rechtfertigen. Ehre und Ruhm unserm lieben Schewireff ! « Sie haben schön gehandelt, daß Sie den Brief unseres deutschen Patriarchen abgedruckt haben. »

So wurde Goethes «Helena» zu einem geradezu epochemachenden Ereignis in der russischen Literatur. Für Goethe aber wurde dies der Anlaß zu seiner letzten Kundgebung weltliterarischer Vermittlungs-tätigkeit. Denn da fast gleichzeitig mit der Abhandlung Schewireffs auch Ampère im « Globe » (1827) und Carlyle in der « Foreign Review » (1828) Artikel über die «Helena» schrieben, stellte Goethe einen weltliterarischen Vergleich an. Er tat es in Briefen an Carlyle und Zelter, in Gesprächen mit Eckermann und öffentlich in « Kunst und Altertum» (1828): «Helena in Edinburgh, Paris und Moskau». Es ist ein sehr lakonischer, aber unendlich inhaltsreicher Vergleich: Der Schotte sucht das Werk zu durchdringen, der Franzose, es zu ver-stehen, der Russe, sich es anzueignen, und so hätten die Herren Carlyle, Ampère und Schewireff ganz ohne Verabredung die sämt-lichen Kategorien der möglichen Teilnahme an einem Kunst- oder Naturprodukt vollständig durchgeführt. Wobei sich versteht, daß diese drei Arten nicht entschieden getrennt sein können, sondern immer eine jede die andere zu ihren Zwecken zu Hilfe rufen wird. Vielleicht fände sich bei deutschen Lesern alles drei. Mehr wollte Goethe hierüber nicht sagen. Er ersuchte Eckermann, sich ausführlicher darüber mit Rücksicht auf die unter ihnen geführten Gespräche auszusprechen, was Eckermann sich wohl vorbehielt, aber nicht ausgeführt hat.

Nun ist gewiß die « Helena » eine « klassisch-romantische Phantasmagorie », wie Goethe sie selbst bei ihrer ersten Veröffentlichung nannte, bevor noch der zweite Teil des Faust nach seinem Tode erschienen war. Sie ist der Gipfelpunkt und die Erfüllung jener Goetheschen Intention, die beiden Richtungen in Europa zu versöhnen, und das wurde natürlich auch in jenem russischen Aufsatz bemerkt. Schewireff fand die Verbindung besonders darin, daß hier die weibliche Schönheit dargestellt werde, wie sie im Mittelalter geheiligt, vergeistigt, beseelt wurde, und daß Euphorion, der die christliche Poesie repräsentiere, ganz himmlisch-geistig sei, außer seiner Leier und seinem Gewand. Das Problem der Geburt des Romantismus sei in der « Helena » gelöst, denn gleichzeitig mit der Umgestaltung der Schönheit mußte auch die Dichtkunst sich verändern. Wenn es nun aber in diesem Aufsatz heißt, die erste Hälfte der Helenadichtung sei ganz in antikem Geschmack, dessen Geheimnis der unsterbliche Goethe ausschließlich vor allen übrigen Dichtern sich allein angeeignet habe, wofür seine « Iphigenie », « Hermann und Dorothea » und andere Produktionen von ihm treue Belege seien, so ist es ganz deutlich, daß Goethes eigentümliches und einzigartiges Wesen hier in seinem Griechentum gefunden wurde.

Gewiß: Goethe hat auch in Rußland, wie überall, eine romantische Bewegung ins Leben rufen helfen. Denn auch in Rußland brach der Kampf zwischen den Klassikern und Romantikern aus, und Puschkins Jugenddichtung « Ruslan und Ludmila » (1820) verursachte in der russischen Literatur bereits einen grundsätzlichen Streit um die Romantik, der in den zwanziger und dreißiger Jahren weiterdauerte. Goethe konnte diese Wirkung in nächster Nähe beobachten, als nämlich der eigentliche Bahnbrecher der russischen Romantik, der nach russischem Urteil kongeniale Übersetzer Goethescher Gedichte, Schukowskij, ihn in Weimar besuchte, besonders, als er 1827 zu einem längeren Besuche kam. Goethe hatte auch vorher schon Dichtungen von ihm kennengelernt, obwohl er nicht russisch verstand: Als der

Engländer Bowring 1821 eine russische Anthologie in englischer Übersetzung herausgab, «wodurch wir», wie Goethe schrieb, «mit jenen entfernten östlichen Talenten, von denen uns eine weniger verbreitete Sprache scheidet, näher bekannt werden», konnte er darin auch Gedichte Schukowskijs lesen, die ihn besonders darum interessierten, weil dieser junge Dichter schon bei seinem ersten Besuch in Weimar 1821 einen starken Eindruck auf ihn gemacht hatte. Schukowskij hat unter das Goethebild in jener Nummer des «Moskowitischen Boten», die den Helenaaufsatz enthält, ein Gedicht geschrieben:

In der Freiheit fessellosen Regel
Schwebt Er ein alldurchdringender Gedanke über das Weltall hin —
Und alles ward ihm klar in dieser Welt
Und unbezwingbar blieb er immerdar. [34]

Ein anderes Gedicht überreichte er Goethe bei seinem Abschied von Weimar:

Dem guten großen Manne.

Du Schöpfer großer Offenbarungen! Treu werde ich in meiner Seele bewahren den Zauber dieser Augenblicke, die so glücklich in Deiner Nähe dahinschwanden. Nicht vom Untergange spricht Deine herrlich flammende Abendsonne! Du bist ein Jüngling auf der Gotteserde und Dein Geist schaffet noch wie er schaffte. Ich trage in meinem Herzen die Hoffnung, Dir noch einmal hier zu begegnen! Noch lange wird Dein Genius sein der Erde bekanntes Gewand nicht ablegen. In dem entfernten Norden verschönerte Deine Muse mir die Erde! Und mein Genius Goethe gab Leben meinem Leben! O warum vergönnte mir nicht mein Schicksal, Dir in meinem Frühling zu begegnen. Dann hätte meine Seele ihre Flamme auf der Deinigen entzündet! Dann hätte eine ganz andere wunderherrliche Welt sich um mich gestaltet, und dann vielleicht auch von mir wäre eine Kunde zu der Nachwelt gelangt: er war ein Dichter.

Aber nicht nur, daß Goethe selbst dieses Gedicht ziemlich kalt aufnahm, obwohl es ihn prophetisch, orientalisch, tief dünkte, und er Schukowskij den gleichen Vorwurf, wie der ganzen Romantik in Europa machte, nämlich den der romantischen Subjektivität: auch er hätte weit mehr aufs Objekt hingewiesen werden müssen. [35] Sondern die russische Romantik wurde in weit höherem Maße als durch Goethe, durch die deutsche Romantik erweckt, was sonst in den europäischen Literaturen durchaus nicht der Fall war. Die deutsche Romantik hat mit ihrer Forderung und Verwirklichung religiöser und nationaler Poesie die russische Literatur auf ihre eigenen Quellen gewiesen, das heißt in diesem Fall auf das östliche Christentum. Sie stand mit Herder zusammen an der Wiege jener Bewegung in Rußland, die sich dann bis weit ins 19. Jahrhundert hinein erstreckte und sich die slavophile nannte.

Goethes Ahnenschaft dagegen ist bei den sogenannten Westlern zu erkennen. Er war es, der ihnen das bot, was sie der russischen Dichtung geben wollten: mehr Klarheit, Plastik, Ordnung, Form, Gesetz. Für Tolstoi war Goethe nur der kalte, liebelose Olympier, der die Kunst um ihrer selbst willen trieb, der Repräsentant einer Dichtung also, wie sie nicht sein soll. Für Dostojewskij war er der Verkünder der Menschvergottung. Aber gänzlich anders wurde er von demjenigen Dichter Rußlands gesehen, der um der Schönheit seiner Form willen oft der russische Goethe genannt wurde und der russischen Literatur denn auch wirklich die klassische Richtung wies. Es war Alexander Puschkin. Er tat es nicht von Anfang an. Denn er begann noch ganz im Banne Byrons, und diejenige Dichtung, die mit großem Unrecht der russische Faust genannt wird: « Eugen Onegin » ist weit mehr von Byrons Geist durchdrungen. Aber man hat die Wandlung Puschkins oft nicht klar genug erkannt. Es war eine Wandlung, die derjenigen Carlyles verwandt erscheint, denn auch die Bedeutung Puschkins liegt wie die des englischen Schriftstellers nicht in seinem Byronismus, sondern darin, daß er der Überwinder des Byronismus wurde. Es soll nicht behauptet werden, daß Goethe bei dieser Überwindung ebenso Hilfe leistete, wie er es bei Carlyle tat. Aber auf jeden Fall ist auch bei Puschkin Goethe an die Stelle Byrons getreten. In seinen Tagebuchblättern schreibt er einmal: « Goethe hat einen großen Einfluß auf Byron ausgeübt. Der Faust beunruhigte die Phantasie des Schöpfers des ‚Childe Harold'. Einige Male versuchte Byron mit diesem Giganten der romantischen Poesie zu ringen — und ging stets lahm davon, wie Jakob. » Puschkin lehnte einen Vergleich der faustischen Dramen Byrons, des Manfred und der Umgestalteten Mißgestalt mit Goethes Faust ab. Er warf Byron seine Subjektivität und seinen maßlosen Individualismus vor. Der Faust dagegen schien ihm die größte Schöpfung des poetischen Geistes zu sein und die neueste Poesie gerade so zu repräsentieren, wie die Ilias das klassische

Altertum. [36] Er selbst hat einen Anhang zu Goethes Faust, eine Szene zwischen Faust und Mephisto, gedichtet, in der Faust von Mephisto wegen seiner Sehnsucht nach Gretchen verhöhnt wird, weil er ja doch schon im höchsten Augenblick der Leidenschaft den Überdruß empfunden habe. Es ist nicht ganz klar, welche Intention eigentlich dieser Faustszene zugrunde liegt. Sie erinnert so stark an eine Szene in Goethes Faust, daß man fast an den Versuch einer Übersetzung oder Bearbeitung denken könnte. Eine Lücke des Faust wird damit nicht ausgefüllt, eine notwendige Ergänzung nicht gegeben. Vielleicht gehört sie nur zum Plan einer ganzen Faustübersetzung oder Faustbearbeitung und sollte auf diese vorbereiten. Das Gefühl, daß alles so überflüssig und langweilig sei, von dem Puschkins Faust erfüllt ist, entsprach ja auch nicht mehr seiner eigenen Stimmung und Weltanschauung, so wenig wie dem Bilde, das er sich von Goethes Faust machte. Er meinte einmal in seinen Tagebüchern, er habe mit seinem Gedicht « Der Dämon », den Geist der Verneinung oder des Zweifels, den der große Goethe nicht umsonst den ewigen Feind der Menschheit nannte, darstellen wollen, um seinen traurigen Einfluß auf das Zeitalter zu zeigen und ihn zu überwinden. Das Gedicht lautet:

> In jenen Tagen, da neu noch waren
> Die Eindrücke alle des Daseins,
> Der Mädchen Blicke und des Waldes Rauschen
> Und nachts der Nachtigall Gesang,
> Als die erhabenen Gefühle,
> Freiheit, Ruhm und Liebe
> Und die von Eingebungen beseelten Künste
> Das Blut so stark in Wallung brachten,
> Da fing nun an, der Hoffnungen
> Und der Genüsse Stunden jäh beschattend,
> Ein Genius von bösem Wollen
> Mich heimlich zu besuchen.
> Traurig waren unsere Begegnungen.
> Sein Lächeln, sein wundersamer Blick,
> Seine ätzend scharfe Rede
> Gossen in die Seele kaltes Gift.
> Er versuchte die Vorsehung,
> Er nannte das Schöne Traum,
> Er verachtete die Eingebung,
> Er glaubte nicht an Liebe,
> Nicht an Freiheit,
> Mit Spott betrachtete er das Leben
> Und nichts segnete er in der ganzen Natur. [37]

Aus all diesen Gründen wird man vielleicht annehmen dürfen, daß
es bei jener Szene zwischen Faust und Mephisto nicht bleiben sollte.
Er war schon Goethe dafür zu nahe.

Der europäischen Romantik gegenüber nahm Puschkin eine sehr
ähnliche Haltung ein wie Goethe, und es kann wohl sein, daß er bei
seiner Entwicklung zum klassischen Stil, zur Schönheit und Harmonie, zum Ebenmaß und zur Einfachheit, zu jenen Dingen also, um
derentwillen er oft der russische Goethe genannt wurde, wirklich Goethe
zu seinem Bildner und Erzieher hatte, und daß Goethe demnach auch
in der russischen Literatur den Byronismus überwinden half.

Im gleichen Jahre, da Puschkins «Faust» erschien, sandte Goethe
ihm ein Geschenk: seine Schreibfeder mit begleitenden Versen:

> Was ich mich auch sonst erkühnt,
> Jeder würde froh mich lieben,
> Hätt' ich treu und frei geschrieben
> All das Lob, das du verdient.

Ob Goethe von Puschkins «Faust» etwas gewußt hat, ist nicht aus-
zumachen. Es ist wohl möglich, daß Schukowskij ihm davon erzählte,
wie er denn überhaupt durch ihn einen Begriff von Puschkins Dichtungen erhalten haben wird. Vielleicht hat Schukowskij ihm Gedichte
Puschkins übersetzt, und es ist auch an Bowrings Anthologie zu
denken. Das Geschenk Goethes wurde ihm durch Schukowskij über-
bracht, und so hat sich denn auch zwischen diesen größten Dichtern
Rußlands und Deutschlands eine persönliche Beziehung hergestellt,
wobei es der russischen Forschung überlassen bleiben muß, die Frage
nach der bildenden, erzieherischen Wirkung Goethes auf Puschkin
endgültig zu beantworten.

Wie hoch die Verehrung und Wirkung Goethes in Rußland gestiegen
war, dafür können zwei Gedichte auf seinen Tod als Zeugen gelten, [38]
die von zwei bedeutenden russischen Dichtern stammen, und die dadurch für das Goethebild in Rußland besonders aufschlußreich sind,
daß sie auch nicht mit einem Worte der Jugend Goethes gedenken,
die doch sonst auf die europäischen Literaturen — außer auf Carlyle —
den tiefsten und wesentlichsten Einfluß hatte, sondern den reifen,
weisen und ganz vollendeten Goethe feiern. Das eine ist von Boratyn-
skij, den Puschkin als den größten der russischen Elegiker bezeichnete,
einem denkerischen, prophetisch gestimmten Geist. Es verheißt dem
toten Dichter die ewige Dauer über den Tod hinaus, weil er schon in

seiner Lebenszeit die Einheit mit dem All gewonnen und seiner zeitlichen Form schon ewigen Gehalt gegeben habe. So kann er denn als verklärter Geist, von keinem Erdenrest mehr getrübt, zum ewigen Licht entschweben. Die Erinnerung an den Schluß des zweiten Teiles Faust, den aber der Dichter noch nicht kennen konnte, ist hier unausweichlich.

Das zweite Gedicht ist von Tjutschew, einem der größten Lyriker Rußlands, der, von der naturphilosophischen Grundidee Goethes ergriffen, das großartige Bild findet, wie Goethe, dem Blatt, diesem Urphänomen der Pflanze gleich, als einzelner Mensch, als Blatt am Baume der Menschheit, als Urphänomen des Menschen also, reif und unverwelkt von diesem Baum des allgemeinen Menschheitslebens fällt.

Nichts im ganzen Umkreis des europäischen Goethebildes ist dem wahren und tiefsten Wesen Goethes so nah gekommen, wie diese Gedichte es tun.

Die Totenrede auf Goethe in der allgemeinen Sitzung der Kaiserlichen Akademie der Wissenschaften von St. Petersburg, deren Ehrenmitglied er war, wurde von Uwarow gehalten. [39]

* * *

Anders als in Rußland mußte Goethes Wirkung in der polnischen Literatur sein. Denn Polen gehörte durchaus dem westeuropäischen Kulturkreis an, und so wurde Goethe hier wie in den anderen Literaturen Europas nicht als der Erwecker der Antike, der griechische Dichter gefeiert, sondern gehörte zu den wesentlichsten Erregern der polnischen Romantik. Daß seine Wirkung Hand in Hand und ganz unlöslich mit der von Byron erfolgte, daß es in erster Linie Werther und Faust waren, welche zu Ahnen der polnischen Romantik wurden, unterscheidet sie auch nicht von den romantischen Bewegungen der anderen Völker Europas. Aber die polnische Dichtung hat natürlich den von Goethe in sie geworfenen Samen anders und dem eigenen Nationalcharakter angemessen entwickelt. Die deutsche Romantik, wozu eben außerhalb Deutschlands auch Goethe gerechnet wurde, hat alle Literaturen Europas auf ihre eigenen, nationalen Quellen zurückgeführt. Das war ihre wesentlichste Bedeutung für diese, wenn sie auch durchaus nicht ganz in Goethes Sinne war, dessen weltbürgerlicher Geist denn doch erkannte, daß der romantische Nationalismus die europäischen Völker zu trennen drohte. Daß die polnische Romantik ein besonderes Gesicht trug, lag auch daran, daß die Situa-

tion Polens damals eine besondere war. Polen war von Rußland
unterjocht, und seine ganze Sehnsucht zielte auf die Befreiung von
diesem nationalen Martyrium. Das mußte der polnischen Romantik
eine eigene Prägung geben und sie von der Romantik anderer Völker
unterscheiden. Gewiß stand auch die deutsche Romantik in Zusammenhang mit der Napoleonischen Fremdherrschaft. Aber die deutschen
Romantiker flohen aus der leidvollen Wirklichkeit in Traum und
Märchen und Vergangenheit, und auch wenn sie die Sagen und Lieder
ihres Volkes belebten, um das deutsche Nationalbewußtsein zu
erwecken, die deutsche Einheit zu fördern und die Befreiung vorzubereiten, so geschah es doch eben mit rückwärts gewendetem Blick.
Auch die italienische Romantik ist ohne die österreichische Unterdrückung nicht zu verstehen. Aber das gab ihr einen gegenwärtigen,
modernen, aktuellen Geist. In Polen war es anders. Was gab der
polnischen Romantik ihre Eigentümlichkeit? Daß Polens nationales
Martyrium im polnischen Geiste geradezu mit dem Martyrium Christi
zusammenfloß, daß man die nationale Befreiung mit der Befreiung
der Menschheit identifizierte, daß der Traum von einer glücklichen
Zukunft Polens zugleich der Traum von einer glücklicheren Welt
überhaupt war. Mit einem Worte: Die polnische Romantik trägt
messianischen Charakter.

Aber Goethe hat an dieser Bewegung bedeutenden Anteil. Von einem
polnischen Offizier, der ihn 1813 in Weimar besuchte, erfuhr er, daß
fast alle seine Werke ihm bekannt und in Polen verbreitet, daß manche
schon übersetzt und andere im Übersetzen begriffen seien, worauf
Goethe, wie sein Gast berichtet, französisch-kosmopolitischen Cham-
pagner bringen ließ und auf das Wohl der Schriftsteller und der
Literaturen beider Nationen, der deutschen und der polnischen, mit
ihm trank. Der Übersetzer Werthers, Casimir Brodzinski, hat in
seinem epochemachenden Manifest über Klassizismus und Romantik
und den Geist der polnischen Poesie (1818), das am Eingang der
polnischen Romantik steht, Goethe als Repräsentanten romantischer
Poesie gefeiert, deren Wesen er im nationalen, volkstümlichen und
phantastisch-irrationalen Charakter fand. Seitdem wurde auch die
polnische Literatur von dem Kampf zwischen den Klassikern und
Romantikern beherrscht, der überall in Europa ausbrach.

Der Sieg der romantischen Poesie erfolgte durch die 1822 erschienenen
«Balladen und Romanzen» von Adam Mickiewicz, in deren Vorwort
«Über romantische Dichtung» die Absage an den Klassizismus erfolgte

und ebenfalls Goethe als Repräsentant der Romantik hingestellt wird. In dieser Sammlung steht auch ein Gedicht: « Romantik »: Ein Mädchen meint mit ihrem toten Geliebten zu kosen und das Volk glaubt an die Wirklichkeit ihres Erlebnisses. Ein Greis erklärt es für Spuk und Aberglauben. Der Dichter aber tritt für die Wahrheit des Volksglaubens ein. Gefühl und Glaube dünken ihm wahrer als Vernunft und Wissenschaft zu sein. Mickiewicz hatte vorher ganz im Banne Voltaires und des französischen Klassizismus gestanden. Es vollzog sich also in ihm jene typische Wandlung, die man überall in Europa bemerken kann, und typisch ist es auch, daß es Goethe und Byron waren, die sich für den polnischen Dichter als wandelnde Mächte erwiesen, sowie es auch typisch war, daß Goethes Werther und Faust den tiefsten Eindruck auf ihn machten. Von der polnischen Übersetzung des Werther (1820) wurden Tausende von Exemplaren in wenigen Tagen verkauft. Im zweiten und vierten Teil seines Hauptwerkes, der « Totenfeier », die vor den andern Teilen 1823 erschienen, ist die Wirkung des Werther unverkennbar. Der vierte Teil wird oft geradezu der polnische Werther genannt. Ein Selbstmörder aus Liebe erscheint dem Volke als Gespenst und ergeht sich in schmerzlich klagender Erinnerung an das einst genossene und verlorene Liebesglück. Es war ein persönliches Erlebnis des Dichters, aus dem diese Dichtung entstand. Was aber diesem Schatten Werthers seine romantische und nationale Eigentümlichkeit gibt, ist dies, daß er in Verbindung mit dem altpolnischen Volksbrauch der Ahnenfeier gebracht wird, so daß er ein seltsames Gemisch von Volkstradition und moderner Sentimentalität geworden ist. Im Jahre 1827 erschien eine Abhandlung von Mickiewicz: « Goethe und Byron », womit er also auf die zwei wichtigsten Ahnen seiner eigenen Dichtung wies.

Als es dem Dichter, der nach Rußland verschleppt worden war, endlich, 1829, gelang, ins Ausland zu reisen — er sollte seine Heimat niemals mehr wiedersehen — besuchte er Goethe in Weimar. Es hatten sich schon vorher Beziehungen zwischen ihnen hergestellt. Ja, Mickiewicz befand sich im Besitz eines Goetheschen Geschenkes: einer von Goethe angeschriebenen Feder, die er ihm 1828 mit diesen Versen übersandt hatte:

> Dem Dichter widm' ich mich, der sich erprobt
> Und unsre Freundin heiter gründlich lobt.

Mickiewicz war nämlich der Schwiegersohn der polnischen Pianistin Szymanowska, jener Frau, die es vermocht hatte, durch ihr wundervolles Spiel Goethes Liebesschmerz um die junge Ulrike von Levetzow in Tränen zu lösen, wie der letzte Teil seiner « Trilogie der Leidenschaft» es dichterisch verewigt hat. Sie war es, die Goethe zuerst von Mickiewicz erzählte und ihn auch zur Lektüre seines deutsch übersetzten Romans « Conrad Wallenrod » veranlaßte. So eingeführt und empfohlen, war er also kein Fremdling mehr, als er Goethes Haus betrat, und Goethe sagte ihm sofort, er wisse, daß er an der Spitze jener neuen Richtung stehe, der sich die Literatur in ganz Europa zukehre. Auch wisse er aus Erfahrung, was das für eine schwere Sache sei, gegen den Strom zu schwimmen. Worauf Mickiewicz antwortete, daß gerade Goethe beweise, wie große Genien die Strömung nach sich umzulenken vermögen. Mickiewicz konnte auch seinerseits ihm, dem er so viel verdankte, etwas geben, indem er ihm auf Goethes Wunsch den ganzen Gang der polnischen Literatur vorführte, von der Goethe nur wenig wußte, denn er verstand keine slavische Sprache; aber, so sagte er, « l'homme a tant à faire dans cette vie ». Er kannte von der polnischen Literatur, aus der damals noch wenig übersetzt war, nur jenen Roman von Mickiewicz und einen Almanach « Melitela », den Odyniec (der übrigens Mickiewicz bei seinem Besuch in Weimar begleitete) herausgegeben hatte, und welcher Proben von den zeitgenössischen Dichtern Polens enthielt. Besonders lebhaft zeigte sich Goethe für das interessiert, was Mickiewicz ihm von den polnischen Volksliedern berichtete.

Aber im Gespräch zwischen ihnen zeigte sich doch schon eine Verschiedenheit, die auch in ihren Werken kenntlich ist, indem nämlich Goethe behauptete, daß bei dem immer schärfer hervortretenden Streben nach allgemeiner Wahrheit auch die Poesie und überhaupt die Literatur einen immer allgemeineren Charakter annehmen müsse, worauf Mickiewicz die Notwendigkeit vertrat, daß der nationale Charakter der Dichtung nicht verlorengehen dürfe. Es geschah auch in Gegenwart des polnischen Dichters, daß Goethe, als der französische Bildhauer David die Frage der nationalen Sympathien und Antipathien berührte, nachwies, wie die angeborenen Verschiedenheiten der Begriffe und Gefühle, oder, besser gesagt, der Weise zu begreifen und zu fühlen, welche sowohl ganzen Stämmen als einzelnen Menschen eigentümlich und die Folge von Neigungen und Stolz, oder verkehrten Ansichten, oder leidenschaftlichen Überhebungen sind, sich mit der Zeit bei der blinden Menge zu unübersteiglichen Grenzen gestalten, welche die Menschheit so zerteilen, wie Gebirge oder Meere die Landschaften abgrenzen. Daraus gehe nun für die höhergebildeten und besseren Menschen die Pflicht hervor, ebenso mildernd und versöhnend auf die Beziehungen der Völker einzuwirken, wie die Schiffahrt zu erleichtern oder Wege über Gebirge zu bahnen. Der Freihandel der Begriffe und Gefühle steigere ebenso wie der Verkehr in Produkten und Bodenerzeugnissen den Reichtum und das allgemeine Wohl der Menschheit. Daß dies bisher nicht geschehen sei, liege an nichts anderem als daran, daß die internationale Gemeinsamkeit keine festen, moralischen Gesetze und Grundlagen habe, welche doch im Privatverkehre die unzähligen, individuellen Verschiedenheiten zu mildern und in eine mehr oder minder harmonische Ganzheit zu verschmelzen vermögen. Es ist nicht bekannt, ob Mickiewicz hierauf etwas erwiderte. Sicher ist, daß er diese Ideen nicht teilen konnte. Auch über den Faust, den er im Weimarer Theater sah, hüllte er sich dem Freunde gegenüber und auf Goethes Frage in ein seltsames und auffallendes Schweigen. Trug er sich damals schon mit einer an den Faust gemahnenden Dichtung, und kam es ihm damals schon zum Bewußtsein, daß dieser polnische Faust einen sehr anderen Charakter haben müßte als der Goethesche?

Wie sehr aber gerade der polnische Geist bereit war, sich vom Funken des Goetheschen Faust entzünden zu lassen, dafür gibt es mannigfache Zeichen. Ist es vielleicht die Zerrissenheit zwischen dem polnischen Nationalstolz und der völligen Ohnmacht Polens, welche diese Bereitschaft verständlich macht? Ist es die Heimatlosigkeit und der Schmerz um das geknechtete Vaterland? Jedenfalls ist es schon merkwürdig genug, daß die erste Musik zum Faust von dem polnischen Fürsten Radziwill stammt. Es ist jene Musik, die, 1810 entstanden, bei der Aufführung des Faust am Berliner Hof 1819 gespielt wurde und seitdem die ständige Begleitung des Faust auf dem Theater blieb. Das repräsentativste Beispiel aber ist natürlich Mickiewicz. Als der polnische Aufstand 1831 völlig zusammenbrach und sein katholischer Glaube dadurch auf eine schwere Probe gestellt wurde, schuf er den dritten Teil seiner «Totenfeier», der 1833 nach Goethes Tod erschien und oft der polnische Faust genannt wird, sowie man ihren vierten Teil als den polnischen Werther bezeichnet. Aber diese wirklich an Faust gemahnende Dichtung weckt auch die Erinnerung an Byron, und George Sand hat in ihrer Abhandlung über das phantastische Drama Goethes Faust mit Byrons Manfred und dem Conrad von Mickiewicz verglichen. Es geht, so führt sie aus, im Kampfe des Menschen mit Gott bei Goethe um die Wahrheit, bei Byron um Ver-

gessenheit, bei Mickiewicz aber um Freiheit, und damit hat sie in der
Tat den polnischen Charakter dieser faustischen Dichtung getroffen.
Denn die Sehnsucht nach der Befreiung des Vaterlandes ist Ur- und
Grundmotiv der modernen Literatur Polens. Conrad also, ein Dichter,
ein Sänger, der, einem Byron gleich, die Kunst für die Freiheit und das
Glück seiner Heimat und der ganzen Menschheit einzusetzen gewillt
ist, empört sich gegen Gott und fordert Rechenschaft wegen Polens
Schicksal von ihm. Aber Gott gewährt seinem Volke die Freiheit
nicht. Im Augenblick, da der Dichter der Gottheit fluchen will, bricht
er ohnmächtig zusammen. Aber dem gläubigen, demütigen, heiligen
Mönch Peter wird in einer Traumvision die zukünftige Freiheit und
das Glück Polens offenbart, und Conrad wird beim göttlichen Gericht
von Engeln gerettet, weil er aus Liebe zu seinem Volke gesündigt hat.
Hier macht sich schon der zweite Teil des Goetheschen Faust bemerkbar, und Mickiewicz hat denn auch die Gelegenheit nicht ver-
säumt, eine direkte Huldigung an Goethe einzuflechten. Aber es
besteht eben doch ein höchst charakteristischer Unterschied, der
nicht nur in der wenn auch ganz in Mystik getauchten Aktualität, dem
Zeitgehalt, dem gegen Rußland lodernden Zorn des polnischen Faust
zu finden ist, sondern es ist sein durch und durch politischer Geist.
Es geht hier nicht wie im Faust um die Entwicklung der menschlichen
Persönlichkeit, sondern um das Schicksal eines Volkes. Der allgemein
menschliche Gehalt des Faust ist durch die nationale Idee, die faustische Sehnsucht nach unendlicher Geistesfreiheit durch die Sehnsucht
nach politischer Freiheit ersetzt. Auch in der Dichtung von Mickiewicz
ist gewiß der Dichter selbst, so wie im Faust, der Held, und sein Titanentum, seine Auflehnung gegen Gott ist wie dort seelengeschichtliches
Drama. Aber es ist die Seele des polnischen Volkes, sein Martyrium,
seine Freiheitssehnsucht, deren Repräsentant er nur ist. Selbst in dem
modernen Epos von Mickiewicz: «Pan Thaddäus» (1838), das der
Dichter selbst auf die Anregung durch Goethes « Hermann und
Dorothea » zurückführte — die Verwandtschaft ist unverkennbar —
zeigt sich der gleiche Unterschied. Denn nicht nur, daß sich diese
idyllische Darstellung altpolnischen Landlebens durch ihr adliges
Milieu von Goethes bürgerlichem Epos unterscheidet, und nicht nur,
daß es eine vergangene, versunkene Welt gestaltet, während Goethes
Dichtung in seiner eigenen Gegenwart spielt. Viel wesentlicher ist,
daß dieses so idyllisch beginnende Epos weit über das Idyll hinaus-
wächst und zu einem nationalen Epos sich entwickelt, in dem es nicht

mehr um eine Liebesgeschichte, sondern um den Antagonismus zwischen Polen und Rußland geht, während Goethe seinem Idyll wohl einen welthistorischen Hintergrund, den der französischen Revolution, gibt, der aber eben doch nur Hintergrund bleibt, auf dem die ewig menschlichen Gestalten stehen.

Es gibt Berichte, daß Mickiewicz 1832 den Prolog im Himmel übersetzte, ja sogar den ganzen ersten Teil des Faust. Wenn die Berichte stimmen, so ist die Übersetzung jedenfalls verschollen. Aber Mickiewicz trug sich auch mit der Idee, eine polnische Faustgestalt des 16. Jahrhunderts, Pan Twardowski, zum Helden einer Dichtung zu machen. Es ist die Sage von einem Mann, der sich um weltlicher Genüsse willen dem Teufel verschreibt, sich durch Gesang eines Kirchenliedes zu retten vermag, aber bis zum jüngsten Gericht zwischen Himmel und Erde schweben muß. Man wird vielleicht annehmen dürfen, Mickiewicz habe diese Sage dahin abzuwandeln gedacht, daß sein Held für ein höheres, nationales Ziel die Hilfe des Dämons in Anspruch nimmt.

Daß der faustische Geist in der polnischen Literatur gerade in den dreißiger Jahren, erregt durch Mickiewicz, lebendig blieb, dafür ist die « Ungöttliche Komödie » von Krasinski (1834) das repräsentativste Beispiel. Freilich: In dieser faustischen Dichtung geht es nicht um das nationalpolnische Problem. Der jungeuropäische Geist und der Ausbruch der Revolution überall in Europa macht sich darin bemerkbar, daß hier die Frage nach dem allgemeinen Schicksal, der Zukunft der europäischen Gesellschaft überhaupt gestellt wird. Auch in der französischen und englischen Literatur kann man bemerken, daß Goethes Faust sich in den faustischen Dichtungen dahin verwandelt, daß sie das rein menschliche Problem des Faust zum Problem der durch die Revolution aufgewühlten Gesellschaft machen und den sozialen, durch Qual und Läuterung führenden Weg der Menschheit in die Zukunft weisen. Die faustische Frage ist zur sozialen Frage geworden. Der polnische Dichter aber gibt auf diese Frage eine andere Antwort als das junge Europa sonst. Seine infernalische Vision ist die, daß der soziale Kampf zwischen Aristokratie und Volk Europa völlig in den Abgrund, in das reine Nichts führt, über dem sich erst am Ende das Kreuz Christi erhebt. Es ist die Liebelosigkeit der europäischen Welt, die Krasinski auf beiden Seiten erschaut. Der Adel lebt in einem romantischen Traum, in Wahn und Phantasie, was ihn nur an sich selbst, nicht an die Menschen denken läßt, während das Volk über dem Willen zur Gleichheit die Liebe vergißt. So ist doch auch diese faustische Dichtung des polnischen Dichters anders als die von der Idee des Fortschritts getragenen Dichtungen Englands und Frankreichs. Wenn aber Krasinski sich darin wenigstens den westlichen Dichtungen genähert hat, daß er das faustische Problem zu dem sozialen des 19. Jahrhunderts machte, so kehrte er mit seinem « Irydion » (1836) zu jenem Grundmotiv der polnischen Romantik zurück. Der Held dieser Dichtung, ein Sohn Griechenlands und Germaniens, der damit unwiderstehlich die Erinnerung an Euphorion, den Sohn von Faust und Helena, heraufbeschwört, bedient sich des Christentums, um mit seiner Hilfe die Rache an Rom für das von ihm unterjochte Hellas zu nehmen. Von Satan, der in der Gestalt Masinissas sein Berater ist, verführt, vollbringt er im Namen Gottes furchtbare und verbrecherische Taten. Die Schlußvision des Dichters aber zeigt die Rettung des Irydion vor dem himmlischen Gericht. Nur muß er sich nach göttlichem Spruch die Rettung selbst erwerben, dadurch daß er in einem neuen Leben Polen befreien und der Messias seines Volkes werden soll. Damit hat Krasinski wiederum den Grundton der polnischen Literatur angeschlagen. Euphorion, die heilige Poesie, die sich zur kriegerischen Tat verwandeln will, wie Byron es mit seinem Kampf für Griechenlands Befreiung unternahm, muß untergehen. Irydion aber wird den Kampf für die Freiheit Polens führen. Man sieht: Goethes Faust hat sich in dieser polnischen Dichtung ganz verwandelt, und doch bleibt die Erweckung durch ihn deutlich erkennbar, wie eben überhaupt der Faust seine unerschöpfliche Symboltiefe darin offenbart, daß er sich immer neuer Deutung fähig und als eine Form erwies, die mit immer anderem Gehalt und Geist erfüllt durch die Zeiten und Völkern wandern und überall dichterisches Leben wecken konnte. Auch « Die Tragödie des Menschen » von dem Ungarn Madách (1861) gehört in diese Reihe.

Als Goethe auf den Antrag von Brodzinski hin 1830 zum Ehrenmitglied der « Societas Regia Philomatica Varsaviensis » ernannt wurde, dankte er ihr mit den Worten: seiner eigenen Nation einigermaßen genutzt und ihre Aufmerksamkeit verdient zu haben, sei schon ein glücklich erreichtes Ziel; aber auch die Wirkungen seiner Tätigkeit auf auswärtige, durch Stamm und Sprache verschiedene Völker ausgedehnt zu sehen, sei als ein unerwartetes Glück zu schätzen.[40] Der große Dichter Polens, Slowacki, erklärte, in dieser fast einstimmig angenommenen Wahl Goethes habe sich der Sieg der Romantik vollzogen.

Weltpoesie

Goethes Bemühungen um die Weltpoesie bilden gleichsam den gemeinsamen Boden, auf dem seine empfangenen und zeugenden Wirkungen sich untrennbar vermischten. Denn wenn die Weltpoesie sein Leben und Dichten tief befruchtet hat, so hat er für ihre Erweckung und Fruchtbarmachung als Vermittlungsweg zwischen den Völkern mehr getan als irgend jemand sonst.

Der Unterschied zwischen Weltliteratur und Weltpoesie im Goetheschen Sprachgebrauch wurde bereits im ersten Teil dieses Buches dargelegt. Weltliteratur ist die zwischen den Nationen vermittelnde, sie miteinander bekanntmachende Literatur, der geistige Raum, in dem sich die Völker begegnen und ihre geistigen Güter zum Austausch bringen. Weltpoesie ist die allgemein menschliche, allen Völkern und Zeiten von der Natur verliehene Gabe der Dichtung, die sich ganz unabhängig von Stand und Bildung überall hervortun kann und daher besonders klar in dem, was man Volksdichtung nennt, zur Erscheinung kommt. Weltpoesie und Volksdichtung sind gewiß nicht identisch. Die Gabe der Poesie ist unabhängig von Stand und Bildung und daher, wie Goethe einmal sagt, auch dem König und dem Ritter wie dem Volke eigen. Je näher sie aber dem rein natürlichen Lebenszustande steht, desto echter und wahrer tritt sie hervor. Daher ist Volksdichtung die echteste, wahrste und reinste Ausdrucksform der Weltpoesie. Sie ist auch der schlagende Beweis für ihre Existenz, weil sie eben hier ohne Hilfe und Bildung als Naturdichtung blüht. Wenn aber Weltliteratur und Weltpoesie nicht miteinander verwechselt werden dürfen, so stehen doch beide in unlöslicher Verbindung. Die Weltpoesie gehört zu den wesentlichsten und wichtigsten Objekten der Weltliteratur, und das will sagen, daß die Vermittlungtätigkeit zwischen den Nationen, welche die Völker miteinander bekannt machen möchte, in erster Linie mit der Weltpoesie, der Volksdichtung der Völker bekannt machen muß. Denn in ihr tritt der Charakter, die Eigentümlichkeit eines jeden Volkes mit besonderer Deutlichkeit hervor, so daß sich durch sie die Völker wirklich kennenlernen können, und anderseits kann sie zum Bande der Völker werden, indem sie ihnen zum Bewußtsein bringt, daß die poetische Gabe eben allen Völkern gemeinsam ist. Das Goethesche Bild der Volksdichtung war dies, daß sie die unterscheidende Eigentümlichkeit einer jeden Nation zum Ausdruck bringt, weswegen er denn auch häufig von « eigentümlichen Volksdichtungen » oder « Nationalgesängen » spricht, daß aber anderseits diese Eigenart nur die nationale Ausprägung des allgemein und ewig menschlichen, natürlichen und reinen Wesens der Menschheit ist. Volksdichtung ist ebenso nationale wie menschheitliche Dichtung, und es gibt im Grunde nur eine Poesie: die echte. Nur tut sie sich nach Umständen und Zuständen, nach Volk und Zeit verschieden hervor. Daher ist also die Weltpoesie ein allerwichtigstes Objekt der Weltliteratur, zu deren notwendigen Aufgaben es gehört, die Völker mit der Weltpoesie bekanntzumachen.

Daß Goethe seine erste Erkenntnis der Poesie als Welt- und Völkergabe Herder zu danken hat, ist aus « Dichtung und Wahrheit » allgemein bekannt, und diese Offenbarung war von unermeßlicher Bedeutung. Stürzte sie doch jeden Kanon in der Kunst und jeden Regelkodex und wurde das erste Fundament Goethescher Humanität. Daß der junge Goethe auf Herders Anregung hin deutsche Volkslieder sammelte, war gewiß noch keine weltliterarische Vermittlung, weil Goethe hiermit schließlich nur das eigene Volk mit sich selbst bekanntzumachen half. Aber es war doch ein Keim seiner weltliterarischen Tätigkeit, der immer blühender aufging. Daß ein Volk mit sich selbst bekannt werde, ist die erste Bedingung und notwendige Voraussetzung dafür, daß es mehr und mehr die anderen Völker kennenlerne, und diese Kenntnis vertieft wiederum durch die Möglichkeit des Vergleichs die Selbsterkenntnis. Als Goethe die ihm gewidmete Volksliedersammlung Arnims und Brentanos, « Des Knaben Wunderhorn », höchst anerkennend 1806 besprach, da rief er denn auch die Herausgeber auf, nun auch, was fremde Nationen, Engländer am meisten, Franzosen weniger, Spanier in einem anderen Sinn, Italiener fast gar nicht von solchen Liedern besitzen, auszusuchen und sie im Original und nach vorhandenen oder erst zu leistenden Übersetzungen darzulegen. Man darf hier auch daran denken, daß Herders erste Volksliedersammlung nur germanische, nämlich deutsche, englische und nordische Lieder enthielt, seine zweite Sammlung sich über Europa verbreitete, und erst die nach seinem Tode veröffentlichte Sammlung die unter dem (nicht von ihm selbst gegebenen) Titel « Stimmen der Völker in Liedern » berühmt wurde, wirklich die Welt umfaßt.

Daß überall, nicht nur in Deutschland, sondern in der gesamten
Romantik Europas, die nationalen Volkslieder gesammelt, und
die Völker durch sie miteinander bekanntgemacht wurden, das
ist zu einem guten Teil nächst Herder Goethescher Anregung zu
verdanken. Er selbst rechnete sich zu denen, die ein auf Vorliebe für
eigentümliche Volksdichtungen gegründetes Studium unablässig selbst
fortsetzten und auf alle Weise zu verbreiten und zu fördern suchten. [41]
Daß er selbst durch eigenes Beispiel sowie durch stetige Aufforderung
und Ermunterung nach allen Seiten hin am Aufblühen der Volksliedersammlungen in den europäischen Nationen wesentlich beteiligt
war, das konnte er schon daraus entnehmen, daß seine Liebe zu den
Volksliedern ständig und in zunehmendem Maße durch reiche Mitteilungen von allen Seiten her genährt und gesteigert wurde, daß man
ihm Sammlungen, bevor sie noch im Druck erschienen, im Manuskript
vorlegte, und er sie mit Rat und Tat zu fördern vermochte. Das hat
zur Entwicklung seiner Weltliteraturidee bedeutend beigetragen, und
man kann bemerken, daß die Idee und die Wortformulierung « Weltpoesie » der von « Weltliteratur » vorausgeht. Die Formulierung findet
sich zuerst in dem 1826 geschriebenen Aufsatz über « Serbische
Gedichte ». Daß sie hier zu finden ist, beruht auf keinem Zufall.
Denn die serbischen Volkslieder waren es in erster Linie, wenn auch
gewiß nicht allein, die seine alte, von Herder gewonnene Überzeugung
bestärkten, daß es eine allgemeine Weltpoesie gebe, die sich nach
Umständen hervortue. « Weder Gehalt noch Form braucht überliefert
zu werden, überall, wo die Sonne hin scheint, ist ihre Entwicklung
gewiß ». Unter den Mitteilungen von Volksliedern, die ihm aus allen
Himmelsrichtungen zukamen, hat Goethe immer besonders diejenigen
hervorgehoben, die von Osten kamen. Die Gesänge reichten « vom
Olympus bis ans baltische Meer und von dieser Linie immer land-
einwärts gegen Nordosten ». Die slavischen Völker spielten dabei
diese Rolle, daß ihm besonders an ihrer Volksdichtung die Existenz
und das Wesen einer Weltpoesie aufging, deren Vermittlung er seitdem zu den wichtigsten Aufgaben seiner weltliterarischen Vermittlungstätigkeit rechnete.
Die Erweckung dieser slavischen Volkslieder ist nun gewiß in erster
Linie auf Herder zurückzuführen, nicht nur auf seine allgemeinen
Bemühungen um die Erweckung des Volksliedes bei allen Nationen,
sondern speziell auf seine Ausführungen über die slavischen Völker
in den « Ideen zur Philosophie der Geschichte der Menschheit », welche

auf die slavischen Literaturen einen tiefen, ja epochalen Eindruck
machten und an der Wiege der slavischen Wiedergeburt stehen: Das
Rad der ändernden Zeit, so heißt es in ihnen, dreht sich unaufhaltsam,
und da diese Nationen größtenteils den schönsten Erdstrich Europas
bewohnen, wenn er ganz bebaut und der Handel daraus eröffnet
würde, da es auch wohl nicht anders zu denken ist, als daß in Europa
die Gesetzgebung und Politik statt des kriegerischen Geistes immer
mehr den stillen Fleiß und den ruhigen Verkehr der Völker untereinander befördern müssen und befördern werden: so werdet auch
ihr, so tief versunkene, einst fleißige und glückliche Völker, endlich
einmal von eurem langen, trägen Schlaf ermuntert, von euren Sklaven-
ketten befreit, eure schönen Gegenden vom adriatischen Meer bis
zum karpathischen Gebirge, vom Don bis zur Mulde als Eigentum
nutzen und eure alten Feste des ruhigen Fleißes und Handels auf
ihnen feiern dürfen. Da wir aus mehreren Gegenden schöne und nutz-
bare Beiträge dieses Volkes haben: so ist zu wünschen, daß auch aus
andern ihre Lücken ergänzt, die immer mehr verschwindenden Reste
ihrer Gebräuche, Lieder und Sagen gesammelt würden, und endlich
eine Geschichte dieses Völkerstammes im ganzen gegeben werde, wie
sie das Gemälde der Menschheit fordert.

Dieser Anruf Herders hat in den slavischen Literaturen ein weites
und lautes Echo gefunden. Aber es ist nicht minder sicher, daß außer
den Bestrebungen der Heidelberger Romantik auch Goethe an der
Erweckung des slavischen Volksgesanges bedeutend beteiligt war.
Besonders bei der Wiedergeburt der serbischen Volkslieder ist Goethes
Wirkung mit Händen zu greifen, und umgekehrt haben diese Lieder
den größten Einfluß auf Goethes Idee der Weltpoesie und seine
Bemühungen um sie gehabt. Er hatte schon in jungen Jahren ein
serbisch « morlakisches » Volkslied, freilich nicht nach dem Original,
sondern nach einer französischen Übersetzung ganz wundervoll
nachgedichtet: den « Klaggesang von der edlen Frauen des Asan Aga »,
der in Herders Volksliedern 1778 erschien und als ein europäisches
Ereignis zu bewerten ist. Goethe hat sich, wie er selbst gestand, keinen
der serbischen Dialekte, unerachtet mehrerer Gelegenheiten, jemals zu eigen gemacht, blieb also « von aller Originalliteratur dieser
großen Völkerschaften » völlig abgeschlossen, ohne jedoch den Wert
dieser Dichtungen, insofern solche zu ihm gelangten, jemals zu verkennen. Aber seine geniale Intuition erlaubte es ihm, bei jener Übersetzung des Klaggesanges ihn mit « Ahnung des Rhythmus und Beach-

tung der Wortstellung des Originals» zu übertragen. Als man
einmal in Wien einige junge Serben aufforderte, etwas von ihren
Nationalgesängen mitzuteilen, schlugen sie es ab, weil sie sich keinen
Begriff machen konnten, wie man ihre kunstlosen, in ihrem Vaterland
von gebildeten Männern verachteten Gesänge hochschätzen könne.
Sie fürchteten vielmehr, man wolle sich über sie aufhalten und ihre
einfache, treue Naturdichtung zu ihrer Erniedrigung mit einer kunst-
gerechten, deutschen Poesie zusammenhalten und dadurch den rohen
Zustand ihrer Nation spöttisch kundtun. Um sie nun zu überzeugen,
daß man ihre Dichtart zu schätzen wisse, legte man ihnen jenen
Goetheschen Klaggesang vor Augen, woran sie Freude hatten, und
worauf sie dies Lied und noch andere Lieder in der Ursprache mit-
teilten. « So wirkt ein treues aus Herz und Sinn hervortretendes Unternehmen eine Weile fort und bringt in der spätesten Zeit die erwünschte-
sten Früchte. » Goethe selbst aber hörte nie auf, sich mit serbischen
Gedichten bekanntzumachen und zwar in Übersetzungen, mit denen
ungarische Freunde ihn auf seine Bitte versahen. Es waren jedoch
immer nur vereinzelte Lieder, aus denen er sich noch kein ganzes
Bild dieser Dichtungsart machen konnte. Auch als er 1814 von Wuk
Stephanowitsch Karadschitsch eine Sammlung von hundert serbischen
Volksliedern mit handschriftlichen Prosaübersetzungen begleitet erhielt,
konnte er noch zu keinem Überblick gelangen. Im Westen hatten sich
die Angelegenheiten verwirrt, und die Entwicklung schien auf neue
Verwirrungen zu deuten. Er hatte sich nach dem fernen Osten geflüch-
tet, da der «West-östliche Divan» ihn zu beschäftigen begann, und
wohnte in glücklicher Abgeschlossenheit eine Zeitlang entfernt von
Westen und Norden. Nun aber enthüllte sich diese langsam reifende
Angelegenheit immer mehr und mehr. Wuk ließ seiner ersten Liedersammlung noch 1814 eine serbische Grammatik, 1818 ein serbisch-
deutsch-lateinisches Wörterbuch mit einer neuen Bearbeitung der
Grammatik folgen. Seit 1823 aber erschien seine große, zu Goethes
Zeit auf drei Bände anwachsende, nach Goethes Tod noch um einen
vierten Band vermehrte Sammlung der serbischen Volkslieder in
den Originalen. Wuk besuchte auch im Oktober 1823 Goethe in
Weimar und schickte ihm im November eine Anzahl von Prosaübersetzungen serbischer Lieder. Von den Wukschen Übersetzungen
erschien « Der Tod des Kralewitsch Marko » in « Kunst und Altertum »
1824. Jetzt bemächtigte sich auch Jakob Grimm der serbischen
Sprache, übersetzte Wuks Grammatik 1824, begabte sie mit einer

Vorrede, die dann den Mitteilungen in Goethes Aufsatz « Serbische
Lieder » 1825 zugrunde gelegt wurde, während die Besprechung der
Wukschen Liedersammlung in den « Göttingischen gelehrten Anzeigen»
1823 wohl nicht, wie man lange meinte, von Jakob Grimm geschrieben
wurde. Aber Grimm übersetzte aus der Sammlung im trochäischen
Silbenmaß der Originale und schickte eine solche, rhythmische Übersetzung an Goethe, der sie in « Kunst und Altertum » 1823 veröffentlichte (« Erbschaftsteilung »). Zu Ende des Jahres 1823 ging nun Goethe
daran, einen ersten Aufsatz über « Serbische Literatur » für « Kunst
und Altertum » zu schreiben, der aber zum größten Teil nur ein Auszug
aus jener Rezension in den « Göttingischen gelehrten Anzeigen » war
und von Goethe dann doch zurückgehalten wurde. Als er aber 1824
die metrischen Übersetzungen der serbischen Volkslieder von Therese
Albertine Luise von Jakob, Talvy genannt, fortlaufend im Manuskript
kennenlernte, da war die Zeit reif geworden, um die entscheidende
Abhandlung « Serbische Lieder » zu verfassen, die 1825 in « Kunst und
Altertum » erschien und ganz Europa auf diese Lieder aufmerksam
machte. Die Übersetzungen von Talvy, die 1825/26 erschienen, waren
zum Dank für Goethes Rat und Mitarbeit, wovon die Briefe Goethes
an sie zeugen, mit einem Widmungsgedicht an ihn versehen:

> Dein Wink rief sie ermutigend ans Licht.
> Vielleicht daß Manchem ihre Rätsel schweigen,
> Daß unverstanden ihre Stimme spricht:
> Dein Beifall gnügt und bürgt, sie offenbare
> So dichtrisch Schönes, wie das menschlich Wahre.

In der Tat: als Talvy 1824 einige Übersetzungen aus Wuks Sammlung
als « Opfer der herzlichsten Huldigung » handschriftlich an Goethe
gesendet hatte, ermunterte er sie zur Erweiterung und Veröffentlichung
und nahm auch mit Rat für Wahl, Übersetzung und Ordnung der
Gedichte an der weiteren Entstehung der Sammlung teil. Der Goethesche Aufsatz endete nach einer allgemeinen Betrachtung über « eigentümliche Volksdichtung » und einer Charakteristik und Geschichte der
serbischen Lieder mit der Ankündigung der damals noch nicht erschienenen Übersetzung Talvys und mit Bemerkungen, welche das weltliterarische Motiv Goethes bei seiner Beschäftigung mit Weltpoesie
eindeutig offenbaren, indem er nämlich die besondere Eignung der
deutschen Sprache für Übersetzungen betont, die es ihr ermöglicht,
sich dem Original in jedem Sinne nahe zu halten. Besonders waren es

die köstlichen Motive dieser serbischen Gedichte, die Goethe bewunderte, und unter ihnen wieder die der Liebe. Die Liebeslieder waren ihm offenbar weit näher als die Heldenlieder, die ihm manchmal zu wild und roh erscheinen mußten. Unter den zarten Liebesliedern aber fand er einige, «die sich dem Hohen Liede an die Seite setzen lassen, und das will etwas heißen». Als sich im Anschluß an diese Abhandlung ein Gespräch mit Riemer und Eckermann über die Motive der serbischen Gedichte entwickelte und Riemer bemerkte, daß solche Motive auch schon von deutscher Seite gebraucht und gebildet worden seien, ohne daß man sie aus den serbischen Liedern gekannt hätte, da antwortete Goethe: Die Welt bleibt immer dieselbe, die Zustände wiederholen sich, das eine Volk lebt, liebt und empfindet wie das andere, warum sollte denn der eine Poet nicht wie der andere dichten? Die Situationen des Lebens sind sich gleich, warum sollten denn die Situationen der Gedichte nicht gleich sein? 1826 kündigte Goethe den zweiten Teil des Talvyschen Werkes (zusammen mit den «lettischen Liedern» von Rhesa und der Übersetzung der «Frithiofs Saga» Tegnèrs von Amalie von Helvig) an und schreibt: « Immer mehr werden wir in den Stand gesetzt einzusehen, was Volks- und Nationalpoesie heißen könne: denn eigentlich gibt es nur eine Dichtung, die echte, sie gehört weder dem Volke noch dem Adel, weder dem König noch dem Bauer; wer sich als wahrer Mensch fühlt, wird sie ausüben; sie tritt unter einem einfachen, ja rohen Volke unwiderstehlich hervor, ist aber auch gebildeten, ja hochgebildeten Nationen nicht versagt. Unsere wichtigste Bemühung bleibt es daher, zur allgemeinsten Übersicht zu gelangen, um das poetische Talent in allen Äußerungen anzuerkennen und es als integranten Teil durch die Geschichte der Menschheit sich durchschlingend zu bemerken.» In dem Aufsatz « Serbische Gedichte» kann Goethe bereits berichten, daß zu den Übersetzungen von Grimm und Talvy, durch welche wir diese Lieder schon als unser deutsches Eigentum ansehen können, noch eine dritte, vortreffliche von Wilhelm Gerhard hinzugetreten sei und eine neue Sammlung unter dem Titel « Wila » bevorstehe. Übersetzungen Gerhards wurden in « Kunst und Altertum » abgedruckt. « Die geselligen Lieder der Serben », die Gerhard übersetzte, überzeugten Goethe durch ihre Ähnlichkeit mit den Liedern der geselligen Franzosen, besonders Bérangers, abermals, daß es eine allgemeine Weltpoesie gebe. Hier fällt das Wort zum erstenmal. Der Aufsatz «Das Neueste Serbischer Literatur », der sich mit dem ganz im Stil der alten Heldenlieder

verfaßten Gedicht « Serbianca » von Simeon Milutinowitsch befaßt (der
Verfasser hatte Goethe den vollständigen Inhalt seiner Dichtung
ausführlich mitgeteilt), fordert Gerhard zur Übersetzung auf und
spricht überhaupt den Wunsch aus, Grimm, Talvy und Gerhard
möchten nicht nachlassen, diese so wichtige als angenehme Sache,
die serbische Literatur zu vermitteln, unablässig zu fördern. Im
Jahre 1828 hatte Goethe die Freude, nun auch darauf aufmerksam
machen zu können, daß die deutschen Bemühungen um die serbischen
Lieder in den andern Literaturen Europas Echo und Nachfolge fanden.
Er konnte ihre englische Übersetzung ankündigen: « Servian popular
poetry, translated by John Bowring », London 1827: « Wie es uns mit
schönen geliebten Personen ergeht, die uns immer mit neuem Reiz
überraschen, so oft wir sie in einem andern Kleid unvermutet wieder
erblicken, so war es auch mir zumute, als ich die bekannten und anerkannten serbischen Gedichte in englischer Sprache wieder las.
Sie schienen ein neues Verdienst erworben zu haben; es waren die-
selbigen Gestalten, aber wie in einem andern Gewande. » Bowring
hatte schon 1821 eine russische Anthologie herausgegeben, weswegen
denn Goethe jetzt die Gelegenheit wahrnahm, allen denen, welche
ihre Blicke ostwärts wenden, und den Eigentümlichkeiten der slavischen Dichtkunst ihre Aufmerksamkeit schenken, diese beiden Sammlungen angelegentlich zu empfehlen. Im gleichen Jahre zeigte Goethe
die Nachbildungen der serbischen Lieder an, die in Frankreich unter
dem Titel « La Guzla, poésies illyriques » 1827 erschienen waren, sich
als echte, alte Lieder ausgaben, aber von Mérimée gedichtet waren.
« Es ist noch nicht lange her », schreibt Goethe, « daß die Franzosen
mit Lebhaftigkeit und Neigung die Dichtarten der Ausländer ergriffen
und ihnen gewisse Rechte innerhalb des ästhetischen Kreises zugestanden haben. Es ist gleichfalls erst kurze Zeit, daß sie sich in ihren
Produktionen auch ausländischer Formen zu bedienen geneigt werden.
Aber das Allerneueste und Wundersamste möchte denn doch sein,
daß sie sogar unter der Maske fremder Nationen auftreten. » (Von
der tschechischen Übersetzung der serbischen Lieder durch Hanka 1817
hat Goethe wohl nichts gehört.) So war der Samen, den der junge
Goethe einst mit seiner Übersetzung des Klaggesangs gelegt hatte,
in reicher Fülle aufgegangen. Diese « merkwürdigen, für uns nach und
nach grünenden, blühenden, fruchtenden Produktionen unsrer süd-
östlichen Nachbarn » waren zum deutschen und dann zum europäischen
Eigentum geworden. « Der Damm, der uns von der serbischen Literatur

trennte, ist durchbrochen, sie strömt mit vollen Fluten bei uns ein. »
Die serbische Poesie, so konnte Goethe in seinem Aufsatz « Nationelle
Dichtkunst » schreiben, ist in den Literaturen des Westens dergestalt
ausgebreitet, daß sie weiter keiner Empfehlung mehr bedarf.
Hand in Hand mit der fördernden Wirksamkeit für die serbische
Volkspoesie ging Goethes Beschäftigung mit anderen, wenn nicht
slavischen, so doch östlichen Nationalliedern, besonders mit den neugriechischen, die ihr benachbart und nahverwandt waren und wohl
nach Goethes Urteil an poetischem Wert weit hinter jener zurück-
stehen, aber doch auch seine Überzeugung von der Existenz einer
Weltpoesie bedeutend gefestigt haben. Ging ihm doch sofort, wie
man einem Gespräch mit den Mythologen Creuzer und Daub entnehmen kann, auf, daß ihr Geist der nordische und schottische verbunden mit dem südlichen und altmythologischen sei. Er lernte sie
zuerst 1815 durch die Sammlung neugriechischer Lieder in Original
und Übersetzung von Natzmer und Haxthausen, und zwar bereits
im Manuskript kennen. Auch wurden sie ihm im gleichen Jahr von
Haxthausen zum Teil in Wiesbaden vorgelesen, worauf Goethe ihn
zur Herausgabe sehr ermunterte und teilzunehmen versprach. Der
Freiheitskampf Griechenlands gegen das Joch der Türken, für den sich
ganz Europa begeisterte, erhöhte natürlich noch das Interesse an der
neugriechischen Poesie. Der entscheidende Anstoß zu eigener Übersetzung aber ging von Frankreich aus. Buchon schickte ihm nämlich
1822, « als Haupt der neuen poetischen Schule und als neben Thomas
Moore allein in Europa berufen, die neugriechischen Gedichte zu übersetzen », die merkwürdigsten dieser Lieder, die er durch einen Griechen
französisch habe übertragen lassen, und Goethe übersetzte nun wirklich sechs von ihnen und veröffentlichte sie in « Kunst und Altertum »
(1823): « Neugriechisch-epirotische Heldenlieder », dazu aus anderer
Quelle ein siebentes: « Charon », das ihm dichterisch am höchsten von
allen neugriechischen Liedern zu stehen schien, und das er auch den
bildenden Künstlern zur Darstellung empfahl. (Es folgten noch « Neu-
griechische Liebe-Skolien ».) Die Franzosen waren wohl den Deutschen
die « schon seit Jahren daran herumtasten », damit zuvorgekommen,
daß 1824 Fauriels « Chants populaires de la Grèce moderne » erschienen,
eine kommentierende Sammlung der Originale mit französischen
Übersetzungen. Aber Goethe, der sich gewiß der Aufklärung über
diese Gegenstände, die er durch Fauriel empfing, erfreute, durfte doch
erklären, daß der Gewinn sonst nicht groß sei, denn die schönsten,

bedeutendsten Gedichte fänden sich schon unter denen, die er übersetzte. [42] Im Jahre 1828 hatte Goethe mehrfach Gelegenheit, sich
mit der neugriechischen Literatur zu beschäftigen und sich öffentlich
über sie zu äußern. Er besprach die Vorlesungen des Rizo Néroulos
in Genf: « Cours de Littérature grècque moderne » (1827), die von
Christian Müller übersetzt wurden, die 1825 erschienene « Leukothea »
von Iken, eine Sammlung von Briefen eines geborenen Griechen über
Staatswesen, Literatur und Dichtkunst des neueren Griechenlands,
ferner die « Eunomia », Darstellungen und Fragmente neugriechischer
Poesie und Prosa, in Originalen und Übersetzungen, aus englichen
und französischen Werken und aus dem Munde geborener Griechen
entlehnt (1827), und endlich die « Neugriechischen Volkslieder »,
im Original und mit deutscher Übersetzung von K. Th. Kind, die den
dritten Band der « Eunomia » bildeten (1827), « ein sehr willkommenes
brauchbares Büchlein, wodurch wir abermals einen Vorschritt in den
Kenntnissen der Verdienste neugriechischer Nationalpoesie tun.»
« Die östlichen Nationalgedichte », so steht in den Paralipomena zu
dieser Kritik, « von Süden bis Norden sich erstreckend, haben alle
den Charakter entschieden einzelner, beschränkter Zustände; sie sind
daher wie spezifizierte Edelsteine anzusehen, jedes von anderer
Gestalt, Härte, Farbe. »
So hat Goethe, der früher so viel für die Wiedergeburt des griechischen
Altertums getan hatte, in seinen späten Jahren auch zur Renaissance
des m o d e r n e n Griechenland geholfen und seiner Poesie, die so anders
war als die antike, eine weltliterarische, völkerverbindende Sendung
gegeben, während er die Antike zum gemeinsamen Fundament der
europäischen Kultur überhaupt zu machen trachtete.
Zu den serbischen und neugriechischen Volksliedern traten die böhmischen. Seit seinen Badereisen nach Böhmen war Goethes Interesse
für dieses Land lebhaft erwacht. Er bemerkte mit Freude, welche
wissenschaftliche und ästhetische Bildung sich dort zu verbreiten
begann, und welch tätige Teilnahme an der nationalen Vergangenheit
sich regte, wie ja überall in Europa. Entscheidend war besonders für
Goethe die Veröffentlichung der « Königinhofer Handschrift » durch
Hanka 1818, die bald auch in deutscher Übersetzung von Swoboda
erschien. Daß es sich bei diesen sogenannten « altböhmischen » Gedichten um eine Fälschung handelte, merkte auch Goethe damals nicht.
Auch er hielt sie für ganz unschätzbare Reste der ältesten Zeit und
stellte selbst ein Lied daraus « mit poetisch kritischer Kühnheit durch

Umsetzung verstellter Strophen» wieder her: «Das Sträußchen. Alt-
böhmisch», das in «Kunst und Altertum» 1823 erschien. Aber in der
Monatsschrift, welche die «Gesellschaft des vaterländischen Museums
in Böhmen» seit 1827 in deutscher und tschechischer Sprache herausgab, die auch den Austausch und die Wechselwirkung zwischen der
deutschen und böhmischen Poesie durch gegenseitige Übersetzungen
vermitteln wollte, und die von Goethe als ein Tor angesehen wurde,
«wodurch sie zu uns heraus und wir zu ihnen hinein gelangen»,
konnte er viel echte Lieder der slavischen, böhmischen, mährischen,
slowakischen Volkspoesie finden, und nun machte er auch das deutsche
Publikum auf die «böhmische Poesie» und «altböhmische Gedichte»
aufmerksam, wie sie in der Königinhofer Handschrift und jener
Monatsschrift zu finden seien, und ersuchte anderseits die Gesellschaft
dringend, die Mitteilung alter und neuer Gedichte Böhmens fortzusetzen, weil dies das sicherste Mittel sein würde, sich mit dem
größeren, deutschen Publikum zu verbinden. Auch die modernen
Erneuerungen altböhmischer Dichtung von Karl Egon Ebert, sowie
die Sonette des bedeutenden slowakischen Dichters Kollár, der ihn
auch 1817 in Weimar besuchte, und den er zur Sammlung und Übersetzung slowakischer Volkslieder aufforderte, da er viel von ihrem
Reichtum und ihrer Schönheit gehört habe, fanden Goethes fördernde Beurteilung. Er ermunterte auch Gerhard, den Übersetzer
serbischer Gedichte, den slavischen Sprachen überhaupt seine Tätigkeit zu schenken und böhmische Gedichte zu übersetzen. (Die große
Abhandlung «Monatsschrift der Gesellschaft des vaterländischen
Museums in Böhmen», die in den Jahrbüchern für wissenschaftliche
Kritik 1830 erschien, stammt nicht von Goethe selbst, sondern wurde
nach seinen Stichworten von Varnhagen ergänzt und ausgeführt.)
Goethe selbst empfing umgekehrt zum Dank für seine höchst anregende
und fördernde Tätigkeit manche Huldigung aus Böhmen. Er wurde
sofort zum Ehrenmitglied jener Gesellschaft ernannt. In ihrer Monatsschrift steht ein Gedicht «Goethes Genesung» (1823) von Ludwig
Zeitteles. In den Jahrbüchern des böhmischen Museums, die seit 1830
an Stelle der Monatsschrift traten, wurde von «Goethes Stimme über
die böhmische Literatur» mit Stolz und Dankbarkeit berichtet. In
dem jungen Joseph Stanislaus Zauper aber, der dann zum bedeutendsten Pädagogen Böhmens sich entwickelte, fand Goethe einen Jünger
und Verkünder, der ihn selbst verjüngte, und wenn er von Böhmen
her Kenntnisse von Volksdichtung empfing, so hat er umgekehrt in

diesem jungen Freund den Sinn für das griechisch-antike Ideal geweckt. 1822 erhielt Goethe die böhmische Übersetzung seiner Iphigenie von Machácek zugeschickt.

Auch die litauischen Volkslieder wirkten dazu mit, um Goethes Idee der Weltpoesie auszugestalten und in weltliterarischem Geist für sie zu wirken. Er hatte schon in seinem kleinen Drama «Die Fischerin», 1782, einige von Herders Übersetzungen lettischer Volkslieder aufgenommen und sich allmählich eine starke Sammlung solcher wohlverdeutschter Gedichte angelegt, die er, wie so manches sonst, in Hoffnung dessen, was gegenwärtig geschah, im Stillen ruhen ließ. 1825 aber erhielt er die von Rhesa herausgegebene Sammlung «Dainos», litauische Volkslieder, wodurch abermals einer seiner Wünsche erfüllt wurde, und zeigte sie in «Kunst und Altertum» 1828 an. Ein längerer Entwurf zu dieser Ankündigung enthält wiederum eine allgemeine Betrachtung über Weltpoesie: «Es kommt mir, bei stiller Betrachtung, sehr oft wundersam vor, daß man die Volkslieder so sehr anstaunt und sie so hoch erhebt. Es gibt nur eine Poesie, die echte, wahre; alles andere ist nur Annäherung und Schein. Das poetische Talent ist dem Bauer so gut gegeben als dem Ritter, es kommt nur darauf an, ob jeder seinen Zustand ergreift und ihn nach Würden behandelt, und da haben die einfachsten Verhältnisse die größten Vorteile, daher denn auch die höhern, gebildeten Stände meistens wieder, insofern sie sich zur Dichtung wenden, die Natur in ihrer Einfalt aufsuchen. Gibt man doch zu, daß ein König das hohe Lied gedichtet hat. »

Das ist also die Weltpoesie des östlichen Europa, wozu auch noch die Goethesche Übersetzung eines finnischen Liedes kommt. Norden und Süden treten dagegen weit hinter dem Osten zurück. 1811 erhielt Goethe die Übersetzung der dänischen Heldenlieder von Wilhelm Grimm zugeschickt und konnte in seinem Dankbrief erklären, er schätze seit langer Zeit dergleichen Überreste der nordischen Poesie sehr hoch und habe sich an manchem einzelnen Stück derselben schon früher ergötzt. Jetzt aber seien sie zu einem ganzen Körper gebildet, und solche Dinge täten viel bessere Wirkung, wenn man sie beisammen findet. Denn eins stimme uns zu dem Anteil, den wir an dem andern zu nehmen haben, und diese fernen Stimmen würden uns vernehmlicher, wenn sie in Masse klingen. Sehr angenehm sei es auch zu sehen, wie gewisse Gegenstände sich bei mehreren Völkern eine Neigung erworben und von einem jeden nach seiner Art roher oder ausgebildeter behandelt werden. [43]

1821 war Goethe eine spanische Blumenlese höchst erfreulich, er eignete sich daraus zu, was er vermochte, obgleich seine geringe Sprachkenntnis ihn dabei manche Hinderung erfahren ließ. Dieser «spanische Lustgarten» («Floresta de Rimas antiguas Castellanas ordinada per Don Juan Nicolas Pöhl de Faber», Hamburg 1821) regte ihn auf, dieser herrlichen Sprache und Literatur wieder einige Stunden zu widmen. Die spanischen Romanzen, übersetzt von Beauregard Pandin, veranlaßten 1822 allgemeine Betrachtungen über Weltpoesie (ohne daß dies Wort hier schon erscheint) und den Unterschied von Volksliedern und Liedern des Volkes, das heißt Volksliedern, welche aus einer wo nicht rohen, doch ungebildeten Masse hervortreten — denn da das poetische Talent durch die ganze menschliche Natur durchgeht, so kann es sich überall manifestieren und also auch auf der untersten Stufe der Bildung — und Liedern des Volkes, die ein jedes Volk, es sei dieses oder jenes, eigentümlich bezeichnen und wo nicht den ganzen Charakter, doch gewisse Haupt- und Grundzüge desselben glücklich darstellen. Die Lieder Spaniens drücken die Eigentümlichkeit einer Nation aus, welche die Idee unmittelbar im allgemeinen und gemeinsten Leben zu verkörpern geneigt ist. Die Idee aber, wie sie unmittelbar in die Erscheinung, ins Leben, in die Wirklichkeit tritt, erscheint phantastisch und lächerlich. Daher die humoristischen Balladen der Spanier eines Geistes mit dem «Don Quichote» sind. Auf den italienischen Volksgesang hatte Goethe selbst in seiner «Italienischen Reise» aufmerksam gemacht. (Die Besprechung der «Egeria», einer Sammlung italienischer Volkslieder von W. Müller und O. L. B. Wolff in «Kunst und Altertum» 1828 stammt nicht von Goethe selbst.)

So hatte sich die Weltpoesie in allen Himmelsrichtungen vor Goethe aufgetan. Als ihm der Philhellenist Iken 1826 eine handschriftliche Ankündigung und Proben einer mit Kosegarten gemeinsam geplanten Sammlung «Asprospitia» übersandte, da konnte Goethe sie in seinem Dankbrief bereits der großen Harmonie der «dichterischen Anklänge aus allen Zeiten» zuordnen, besonders aber aus dem Osten, wie sie in serbischen, neugriechischen, litauischen und böhmischen Volksliedern tönten. Aber auch das Wenige, was Iken ihm sandte, «wo das Romanische den Osten und Westen verbindet», schien ihm bemerkenswert, denn «jede Zugabe zu diesem großen und allgemeinen poetischen Feste bleibt nur wünschenswert. Es wird sich zeigen, daß Poesie der ganzen Menschheit angehört, daß es überall und in einem

jeden sich regt, nur an einem und dem andern Orte, oder in einer und
der andern besondern Zeit, so dann aber, wie alle spezifische Natur-
gaben, in gewissen Individuen besonders hervortut. Wie diese Ansicht
von dem Publikum geteilt werde, scheint mir auch nicht ganz un-
günstig, indem doch von allen Seiten das Einfach-Wahre geschätzt
wird, ja dieser Sinn sogar bei unsern Nachbarn, den Franzosen, Platz
greift und sich sehr fröhlich entschieden hervortut. » [44]
Überblickt man die gesamten Bemühungen Goethes um die Weltpoesie, so wird als ihr wesentlichster Zug hervortreten, daß sie sich
durch ihren doch immer weltbürgerlichen, die Menschheit im Auge
behaltenden und auf Vermittlung bedachten Geist von der Romantik
abheben, die mit ihrer Wiedergeburt nationaler Volksdichtung die
Völker doch eher trennte als vereinigte. Goethe dagegen wollte sie
zum allgemeinmenschlichen Band der Nationen machen.
Gegen Ende seines Lebens nahm dann freilich die Liebe zu solcher
Volkspoesie bedeutend ab. « Es ist », so sagte er 1828 zu Eckermann,
« in der altdeutschen düstern Zeit ebensowenig für uns zu holen, als
wir aus den serbischen Liedern und ähnlichen barbarischen Volkspoesien
gewonnen haben. Man liest es und interessiert sich wohl eine Zeitlang dafür, aber bloß um es abzutun und sodann hinter sich liegen zu
lassen. Der Mensch wird überhaupt genug durch seine Leidenschaften
und Schicksale verdüstert, als daß er nötig hätte, dieses noch durch
die Dunkelheiten einer barbarischen Vorzeit zu tun. Er bedarf der
Klarheit und der Aufheiterung, und es tut ihm not, daß er sich zu
solchen Kunst- und Literatur-Epochen wende, in denen vorzügliche
Menschen zu vollendeter Bildung gelangten, so daß es ihnen selber
wohl war, und sie die Seligkeit ihrer Kultur wieder auf andere aus-
zugießen imstande sind. » Er nannte es 1830 dem Kanzler von Müller
gegenüber wohl eine schöne Zeit, als die Übersetzung der serbischen
Gedichte zuerst hervortrat und wir so frisch und lebendig in jene
eigentümlichen Zustände hinein versetzt wurden. Aber er fügte hinzu:
« Jetzt liegt mir das ferne, ich mag nichts mehr davon wissen. » Seine
weltliterarischen Bemühungen galten in seinen letzten Jahren denn
auch wirklich nicht mehr der Weltpoesie im Sinne von Volksdichtung,
sondern der hoch gebildeten Literatur und den großen Persönlichkeiten.
Seine zivilisatorische Sendung inmitten eines Europa, das der Romantik verfallen war, nötigte ihn von innen her dazu. Auch war er immer
skeptischer gegen den musischen Geist seines Volkes geworden. Wenn
er ihn, wie ein Eckermannsches Gespräch 1827 es zeigt, mit dem der

alten Griechen, aber auch der modernen Engländer, Franzosen und
Italiener verglich, so mußte er erkennen, um wie viel leichter sich doch
bei ihnen ein Talent entwickeln konnte, weil sie aus einer hohen und
durchgebildeten Volkskultur erwuchsen. Die alten Lieder lebten im
Munde des Volkes, sie wurden ihnen sozusagen bei der Wiege gesungen,
so daß sie darin eine lebendige Basis hatten, worauf sie weiterschreiten
konnten. Anderseits fanden ihre eigenen Lieder in ihrem Volke sogleich
empfängliche Ohren und klangen ihnen im Felde, von Schnittern und
Binderinnen und in der Schenke von heiteren Gesellen entgegen. Was
aber klingt einem deutschen Dichter aus seinem Volk entgegen? Was
lebt in ihm von seinen eigenen Liedern? Im eigentlichen Volk bleibt
alles still. Mit welchen Empfindungen mußte Goethe der Zeit gedenken,
wo italienische Fischer ihm Stellen des Tasso sangen. «Wir Deutschen sind von gestern. Wir haben zwar seit einem Jahrhundert ganz
tüchtig kultiviert; allein es können noch ein paar Jahrhunderte
hingehen, ehe bei unseren Landsleuten so viel Geist und höhere
Kultur eindringe und allgemein werde, daß sie gleich den Griechen
der Schönheit huldigen, daß sie sich für ein hübsches Lied begeistern,
und daß man von ihnen wird sagen können, es sei lange her, daß sie
Barbaren gewesen.» Die schmerzliche Erfahrung, die aus solchen
Worten spricht, und die er selbst am eigenen Leibe, mit seiner eigenen
Dichtung gemacht hatte, sagte ihm zuletzt, daß dieser Zustand nicht
durch die primitive Volkspoesie, sondern durch eine Literatur von
höchster Kultur und Bildung gehoben werden könne.

Ausblick

Man kann sich vielleicht einen Begriff von dem Umfang der Goetheschen Weltliteratur-Interessen in seinen letzten Jahren machen, wenn
man in einem Brief, anschließend an den Bericht von dem Besuch
unzähliger Engländer und Engländerinnen in Weimar, die bei seiner
Schwiegertochter, Ottilie von Pogwisch, gute Aufnahme fanden und
auch von ihm gesehen und gesprochen wurden, so daß ihm gerade
damals (1827) die Darstellung einer Reise nach England von Dupin
sehr gelegen kam, noch folgende Bemerkungen lesen kann: « The
prairies von Cooper führten uns ins westliche Amerika. Die französischen
Werke: ‚Les jours des barricades' und ‚Les états de Blois' (von Vitet)
erinnerten an die verworrensten Zeiten. Ich aber ward durch eine
Sammlung schottischer Romanzen aufgeregt, einige zu übersetzen.
So darf ich denn auch die schwedische Geschichte zu erwähnen nicht
vergessen, welche ein Hauptmann von Ekendahl, jetzt bei uns gegenwärtig, höchst lobenswürdig geschrieben hat.»[45]
Daß die Weltliteratur in Weimar seltsame Auswirkungen hatte, darf
nicht irre machen an ihr. Die Weltliteraturidee Goethes, seine Tätigkeit
in ihrem Interesse, der Besuch so vieler Gäste aus fremden Ländern
(besonders aus England, Schottland und Irland): das alles führte zu
einer höchst merkwürdigen, von Ottilie angeregten, als Manuskript
gedruckten Wochenschrift, die den — nicht unangebrachten — Titel
« Chaos » führt. Zuerst beteiligten sich nur Mitglieder der Weimarischen
Gesellschaft; aber, wie sich Karl von Holtei in seinen Erinnerungen
ausdrückt, bald öffneten sich ihre Spalten allen Zungen aller Nationen,
obgleich die englische vorherrschend blieb, so daß der romantische
Übersetzer Gries folgende Verse aus Jena für das « Chaos » schickte,
in dem sie auch erschienen:

> Britisch, Gallisch und Italisch,
> Daran scheint es nicht zu fehlen.
> Wüßt' ich etwas Kamtschadalisch,
> Möcht' ich wirksam mich empfehlen.

Ach, ich freute mich zu Tode,
Könnt' ich Türkisch radebrechen !
Aber Deutsch ist aus der Mode,
Und ich weiß nur Deutsch zu sprechen.

*

Geduld, verlaß Dich auf mein Wort,
Gar Vieles ändert sich auf Erden;
Und geht's nur so ein Weilchen fort,
Wird bald das Deutsche hier am Ort
Als fremde Sprache Mode werden.

*

Manches läßt die Zeit uns seh'n,
Was uns einst gedeucht als Fabel.
Sonst hieß Weimar Deutsch-Athen,
Jetzo ist's das Deutsche Babel.

Im « Chaos » gab es deutsche, französische, englische, italienische,
spanische, griechische Beiträge, und so ging es wirklich etwas chaotisch
in Weimar zu. Aber in Goethes Geist ordneten sich die Literaturen
und Kulturen der Welt zum Kosmos, und seine Ausstrahlungen in die
Welt waren wie die Farben eines Lichtes, das sich in den romantischen
Bewegungen der verschiedenen Literaturen brach.
Dazwischen aber machten sich schon zu seinen Lebzeiten auch Zeichen
bemerkbar, die auf eine Wandlung des Goethebildes weisen, besonders
bei Carlyle und in Rußland. Denn wenn Goethe sonst mit seinem
Götz und Werther und dem ersten Teil des Faust den europäischen
Literaturen eine romantische Richtung wies, so war es hier nicht mehr
der junge, sondern der damals gegenwärtige, der alte Goethe, der
für junge Autoren Bildner und Führer wurde.
Das ist es nun, was überhaupt die Wandlung des Goethebildes und
der Goetheschen Wirkung in der Welt nach seinem Tod charakte-
risiert: nicht mehr der junge Goethe bereitete den europäischen
Literaturen, indem er den Klassizismus stürzen half, eine romantische
Wiedergeburt, sondern nun hatte sich eine Zeit mit ihm auseinander-
zusetzen, welche die Romantik gerade überwinden wollte. Die zeit-
liche Nähe des Ausbruchs der Revolution: 1830, und des Goetheschen
Todesjahres: 1832 ist von tiefer und wesentlicher Bedeutung. Goethe
wurde von dieser Revolution nicht berührt; jener naturwissenschaftliche Streit zwischen Cuvier und Saint-Hilaire, der zu gleicher Zeit

in der Pariser Akademie ausbrach, war ihm viel wichtiger, und das ist wie ein Symbol dafür, daß die «Kunstperiode» (ein von Heine geprägtes Wort) mit Goethes Ende eben auch zu Ende ging und die moderne Zeit, die moderne Literatur begann, die keineswegs nur durch ihren Realismus, sondern auch durch ihren aktivistischen, tathaften, sozialpolitischen und revolutionären Geist gekennzeichnet ist. Es ist die Literatur des «Jungen Europa», und schon die französische Romantik (Victor Hugo, George Sand), die englische (Byron, Shelley) und auch die italienische (Manzoni) gehört dazu, so daß man diese fortschrittliche Bewegungs- und Emanzipationsliteratur kaum noch im deutschen Sinn als Romantik bezeichnen kann. So hat sich denn auch in dieser neuen Zeit das Goethebild gewandelt. Man dachte kaum noch daran, daß er selbst mit seinem Werther und Faust und Prometheus revolutionierend in die europäische Geschichte eingegriffen hatte. Man sah auch nicht, daß er mit seinen Wanderjahren und dem zweiten Teil des Faust so «modern» war wie nur irgendeiner, daß er den Bogen wie über die Völker so auch über die Zeiten schlug.

Jedenfalls war Goethe nach seinem Tod nicht mehr das geistige Band Europas, indem sich eine Trennung der europäischen Geister in ihrer Stellung zu ihm vollzog. Denn jetzt entstand eine Bewegung, die sich der Politisierung der Literatur, ihrer Unterwerfung unter außerkünstlerische Zwecke entgegenwarf, die Kunst zur Herrscherin über das Leben, zu einer Göttin erheben wollte, in deren Heiligtum der Dichter Priester sei. Das ist die Bewegung, der Gautier den Namen «l'art pour l'art» gegeben hat, und die eine europäische Bewegung wurde. Sie berief sich auf Goethe, natürlich nicht auf den Götz, den Werther, den ersten Teil des Faust, aber auf den zweiten Teil und besonders auf die Helenatragödie, auf den alten Goethe also, auf den «Olympier». Die andere Bewegung dagegen, welche die Literatur in den Dienst des politischen und sozialen Fortschritts stellen wollte, empörte sich gerade gegen das Goethesche Olympiertum. Das gleiche Phänomen wurde mit verschiedenen Augen gesehen und mit verschiedenem Maß gemessen.

Was ist nun dieses Olympiertum, um das der Kampf sich drehte? Von dem Goethebild des jungen Deutschland, wie es sich durch Börne und Heine besonders herausgestaltete, sei hier abgesehen, wenn es auch vielleicht nicht ohne Einfluß auf die fremden Literaturen geblieben ist. Einer der ersten, der in der französischen Literatur Goethe als Olympier sah und kritisierte, war Sainte-Beuve, und nach ihm soll hier dies Bild gezeichnet werden. Es wurde in einer Abhandlung Sainte-Beuves über Goethe und Bettina aufgestellt, wobei man daran denkt, daß auch Börne sein berüchtigtes Goethebild in einer Betrachtung des Briefwechsels zwischen Goethe und Bettina kundtat. Nicht etwa, daß es diesem großen Kenner und Beurteiler der Dichtkunst an Verehrung für Goethe gefehlt hätte. Er sah, wie man seiner Besprechung des Buchs der Frau von Staël « De l'Allemagne » entnehmen kann, das goldne Zeitalter des deutschen Genius mit Goethe entstehen und mit seinem Tode auch die Entartung, den Verfall der deutschen Dichtung eintreten. Er gab diesem Zeitalter den Namen: le siècle de Gœthe. Aber wie sah er den alten Goethe? als den Olympier, der auf kaltem Gipfel hoch über dem Leben und den Menschen mit ihren Freuden und Leiden thronend, ihre Anbetung und ihre Opfer empfing, selbst aber ohne Liebe und ohne Haß, teilnahmslos, leidenschaftslos, mit völliger Objektivität alles verstehend, alles schauend, es in der Wissenschaft ordnete und in der Kunst gestaltete, dem alles gleichermaßen, ohne Unterschied, und ohne daß er sich entschied, zum Stoff seiner Kunst diente, dem Kunst und Wissenschaft zum Sinn des Lebens wurde, der, nach Schönheit verlangend, den Blick von Häßlichkeit, Armut, Elend, den Nachtseiten des Lebens abwendete, wenn es ihm nicht zu künstlerischen Kontrastwirkungen dienen konnte, der Harmonien tönte und allen Dissonanzen sein Ohr verschloß, für den es außerhalb seiner selbst im Grunde nichts gab, der nur sich selbst, sein eigenes Ich vergottete und dem Drama der geschaffenen Welt zuschaute, um sie noch einmal als Künstler zu erschaffen.

Daß Goethe in Wirklichkeit niemals so war, bedarf kaum der Erwähnung und nicht nur darum, weil er als Dichter des Werther und des Faust die Welt nicht nur erschaute und gestaltete, sondern revolutionierte oder doch zum mindesten verwandelte. Der alte Goethe hat wohl persönlich solchen olympischen Eindruck gemacht. Aber man muß eben hinter diese Göttermaske blicken, und man wird — neben manchen sehr unolympischen Zügen — auch dies erkennen, daß er Kunst und Wissenschaft gewiß zu Herrschern des Lebens erhob, jedoch für den Dienst am Leben bestimmte, indem sie ihm eine höhere, humanere Form verleihen sollten. Sainte-Beuve aber erklärte, daß dieser Olympier nicht vom Homerischen Olymp herstamme, weil die Homerischen Götter vom Olymp herniedersteigen, sich in die Schlacht um Ilion mischen, sich entscheiden und ihren Lieblingen helfen.

Was nun besonders merkwürdig erscheint, ist dies, daß Sainte-Beuve das Goethesche Olympiertum als den spezifisch deutschen Dichtertyp auffaßt, dem er den Repräsentanten französischer Geistigkeit, Voltaire, gegenüberstellt, der diese olympische Haltung nicht kennt, sondern als Kämpfer mit dem Wort im Dienst der Aufklärung, des Fortschritts, der Humanität steht. Deutsch: das heißt für einen französischen Schriftsteller jener Zeit romantisch, und das ist eben die Merkwürdigkeit, daß Goethes Olympiertum als die äußerste Konsequenz, der letzte Gipfel der Romantik angesehen wurde und auf diese Weise zwischen jenem Goethe, der zu seinen Lebzeiten als Romantiker betrachtet wurde und als solcher auch ein Erwecker der europäischen Romantik war, und diesem griechisch geschauten Goethe nicht ein Unterschied der Art, sondern nur des Grades bestand, so daß im Grunde das Bild des deutschen Geistes eben doch sich selber gleich, nämlich romantisch blieb. Als Romantik galt dies Olympiertum, weil es ein Leben im Traum, in der Unwirklichkeit der Kunst war, weil es den Dichter und die Dichtung vom Leben der Gemeinschaft ablöste und in Einsamkeit entrückte, weil es der Gipfel des Individualismus, der Isolierung des nur noch an sich selbst denkenden Ich war, und weil es so der Kunst ihre soziale Funktion für das lebendige Leben raubte. Dieser Vorwurf gegen die deutsche Dichtung wurde in der französischen Literatur, und nicht nur in ihr, immer wieder aufgegriffen, mit besonderer Heftigkeit, als nach dem Kriege 1870/71 Barbey d'Aurevilly Goethe beschuldigte, für die impassibilité der Parnassiens — die also nur vom Olymp nach dem Parnaß übergesiedelt waren — das Vorbild gewesen zu sein. Er nannte sie geradezu « Goethisten ». Noch einmal wurde dieser Vorwurf — denn es sollte ein solcher sein — in dem interessanten Buch «La Crise de notre Littérature» von Louis Reynaud erhoben, der die Schuld an der Krise dem deutschen Olympiertum zuschreiben wollte, der Kunst für die Kunst, dem Ästhetizismus, der besonders mit dem zweiten Teil des Faust von Deutschland her nach Frankreich drang. Welch seltsame Wandlung ! Wenn bisher die Eigentümlichkeit der deutschen Dichtung in ihrer Form- und Gestaltlosigkeit gesehen worden war und wieder gesehen werden wird, so soll nun der Kult der reinen Form von der deutschen Literatur gekommen sein. Aber zweifellos liegt dieser Idee eine gewisse Wahrheit zugrunde, und man sollte wirklich einmal dem näher nachgehen, ob nicht im deutschen Idealismus, in der Kantischen und von der Klassik aufgenommenen Idee der Zwecklosigkeit der Kunst, der

Interesselosigkeit der Schönheit, des ästhetischen Spiels bei Schiller
die Quellen der Parnassischen, von Théophile Gautier auf « l'art pour
l'art » getauften Dichtung und Ästhetik zu finden sind. Das war jedenfalls die Anklage, daß auf diese Weise die Kunst ihrer Sendung für die
menschliche Gesellschaft beraubt, vom Leben abgetrennt und in die
Wolken entrückt wurde, während noch Lamartine in seiner Schrift
« De la prétendue décadence de la Littérature en Europe » Goethe mit
seiner unerschöpflichen Fruchtbarkeit diesem behaupteten Verfall
als gewichtigsten Zeugen entgegenhielt. Man dürfe von Verfall nicht
sprechen, wo ein Dichter, den Göttern des Olymps gleichend, dem
schwächenden Alter nicht unterworfen war, der so vergöttlicht wurde,
daß man sein Grab eher unter den Sternen als in Weimar suche. Es ist
sicherlich übertrieben, die Parnassischen Dichter, Leconte de Lisle,
Sully Prudhomme, ihren geistigen Vater Théophile Gautier und auch
Flaubert als Goethisten zu bezeichnen; aber Wege laufen in der Tat
vom Olympus zum Parnaß, von Goethe zu diesen Dichtern, welche die
subjektive Romantik überwinden wollten und mit ihren objektiven,
völlig von sich selber abgelösten Kunstgebilden eine neue Klassik
schufen. Gautier nahm sich den « Olympien de Weimar », « le poète
marmoréen », « le grand plastique » zu seinem Vorbild. Der alte Gautier
wünschte seinem Land das Beispiel eines heiteren, fruchtbaren Dichter-
alters zu geben, das bereits das höhere Leben spiegelt und die Unsterblichkeit vorwegzunehmen scheint, wie Goethe es für Deutschland tat. Es gibt für diese Zeit kaum etwas, das charakteristischer
wäre als dies, wie man den Geschmack für Goethes Altersdichtkunst
fand, während doch bisher der junge Goethe für die Augen Europas
in höherem Lichte stand (Barrès noch hat in seinem Grecobuch seiner
Liebe für jene geheimnisvollen Werke der großen, Greis gewordenen
Künstler wie den zweiten Teil des Faust Ausdruck gegeben).
Gautier jedenfalls kann wirklich als ein Jünger des alten, über den
Stürmen der Zeit thronenden Künstlers Goethe angesehen werden,
und er hat ja an den Anfang seiner berühmtesten Gedichtsammlung
« Emaux et Camées », die schon in ihrem Titel den Wetteifer der
parnassischen Dichtung mit der bildenden Kunst andeutet, und die
als französisches Gegenstück zu Goethes West-östlichem Divan
gedacht war, mit dem sich Goethe den Stürmen Europas entzog,
dieses Sonett gestellt:

Pendant les guerres de l'empire,
Gœthe, au bruit du canon brutal,
Fit *le Divan occidental*,
Fraîche oasis où l'art respire.

Pour Nisami quittant Shakspeare,
Il se parfuma de çantal,
Et sur un mètre oriental
Nota le chant qu'Hudhud soupire.

Comme Gœthe sur son divan
A Weimar s'isolait des choses
Et d'Hafis effeuillait les roses,

Sans prendre garde à l'ouragan
Qui fouettait mes vitres fermées,
Moi, j'ai fait *Emaux et Camées*.

Gautier war es auch, der mit Verwunderung bemerkte, wie der junge Leconte de Lisle bereits die Haltung des alten Goethe zeigte.

Wenn nun aber der Parnaß mit seinen griechisch-klassischen Formgebilden die Erinnerung an Goethe und besonders an die Helena heraufbeschwört (die auch zur Heldin eines Dramas von Leconte de Lisle geworden ist), so muß man sich doch sagen, daß Goethe damit auf die französische Dichtkunst nicht eigentlich eine wandelnde Wirkung übte, weil diese ihrer ganzen Tradition nach ja bereits auf antikem Fundament beruhte. Er hat ihr im Grunde nur die Besinnung auf diese Tradition erweckt. Seine eigentliche Bedeutung dagegen für den in den vierziger und fünfziger Jahren wieder erstehenden Klassizismus liegt vielmehr darin, daß er diesem apollinischen Tempel eine dunkle Krypta unterbaute und ihm damit eine neue Vertiefung gab. Wenn seine Helena die besondere Liebe der Parnassischen Dichter fand, so ist doch auch der faustische Geist, der sich mit dieser Helena vermählt, nicht ohne Spur in ihnen geblieben. Hat doch Sully Prudhomme ein lyrisch-dramatisches Gedicht « Le Bonheur » geschaffen, dessen Held Faustus ist, und neben den « Poèmes antiques » des Leconte de Lisle stehen ja doch seine « Poèmes barbares ». Goethe scheint hier mit Schopenhauer, der jetzt in Frankreich bekannt wird, zusammenzugehen, und die Parnassische « impassibilité », die man vielleicht besser als mit Leidenschaftslosigkeit mit Leidenslosigkeit, ja Willenslosigkeit übersetzen könnte, entsteht als ein Erlösungsweg aus tiefem Pessimismus heraus. Es gibt eben verschiedene Quellen klassischer Kunst. Sie kann, wie die Italiens, aus der heiteren Natur des Südens, seiner Landschaft, seinem klaren Licht und aus dem natürlichen Formgefühl kommen, wie es dem südlichen Menschen eigen ist. Sie kann, wie die deutsche Klassik, die Erfüllung einer ethischen Forderung faustischen Menschentums sein. Sie kann, wie der französische Klassizismus, aus dem Sinn für Ordnung, Symmetrie, Einheit, Klarheit und Regel entstehen. Schopenhauer aber wies noch einen andern Weg, indem er die Kunst als Erlösung von dem ewig ruhelosen, ewig gehetzten Lebenswillen, diesem Urgrund der Welt und dieser Quelle allen Leides verkündigte. Die Erlösung besteht nach ihm darin, daß die Kunst den Willen in reine, ruhende, interesselose, willenlose Anschauung verwandelt, indem sie die Dinge aus ihrer unendlichen Verkettung befreit, sie aus dem reißenden Lebensstrom heraushebt und in sich isoliert. Das Kunstwerk ist selig in sich selbst. Etwas davon, und etwas auch von jener indischen Heiligkeit, die Schopenhauer als letzte Erlösung noch über die Kunst hinaus gefeiert hat, ist in der Parnassischen « impassibilité » enthalten, aber auch Goethes Überwindung faustischen Geistes durch die Serenitas seines Alters und die schöne, plastische Gestaltung dunklen Geheimnisses, wie der zweite Teil des Faust sie zeigt. So erhält die Parnassische Dichtkunst Hintergründe und Untergründe, wie sie bisher in französischer Klassik nicht vorhanden waren. Die Parnassischen Dichter haben mit ihrem Blick in die tragische Tiefe des Griechentums, den Goethe durch den zweiten Teil des Faust ihnen geöffnet hat, Nietzsche geradezu vorweggenommen.

> Heureux les morts ! L'echo lointain des chœurs sacrés
> Flottait à l'horizon de l'antique sagesse;
> La suprême lueur des soleils de la Grèce
> Luttait avec la nuit sur des fronts inspirés.

So steht es in den « Poèmes antiques », in denen ja auch düstere Visionen aus Ossian und der Edda aufsteigen und nach Norden weisen, so wie es in den « Poèmes barbares » und in den « Poèmes antiques » indische Dichtungen gibt, die das Nirvana künden.
Auch Flaubert, der, obwohl kein Parnassien, doch dem Parnaß mit seiner nach höchster Objektivität strebenden Kunst sehr nahe steht, und der von sich selber einmal sagte: « au fond je suis allemand », und er habe sich nur mit größter Mühe und Arbeit von seinen nordischen Nebeln und Wolken befreien können, hat Goethe so hoch verehrt und

ihn und seine Werke dermaßen häufig zitiert, daß man wohl Goethesche
Wirkung auf ihn anzunehmen berechtigt ist. Aber hat er ihm den
Nebel gebracht oder das Licht? Es wird wohl, wie bei den Parnassiens,
beides gewesen sein. Auch Flaubert hat die Gefahren der Romantik,
ihrer Illusionen, Träume und Sehnsüchte erlebt. Seine Madame Bovary
geht an solcher Romantik, die sie ihrer engen, bürgerlichen Welt
entreißt, zugrunde. Der Held seines Bildungsromans, der « Education
sentimentale», ist anderseits ein hochstrebender, junger Mensch, der
die Flugkraft seines Geistes verliert und in dem trägen Fluß des banalen,
bürgerlichen Lebens versinkt. Es ist ganz offenbar, daß der Konflikt
zwischen Traum und Wirklichkeit, dieses Motiv, das seit Goethes
Werther ein Leitmotiv der europäischen Romantik wurde und das
auch den Flaubertschen Werken zugrunde liegt, dem Dichter selber
schwer zu schaffen machte. Das kann wohl die Erklärung für jenen
merkwürdigen Ausspruch geben, daß er im Grunde seines Wesens
deutsch sei. Es mögen die nebelhaften Träume und Sehnsüchte der
deutschen Romantik gewesen sein, die ihn in diesen Konflikt gebracht
haben. Aber Goethe, den er neben Shakespeare wegen seiner hohen,
unromantischen Objektivität so bewunderte, wie es auch die Parnassiens taten, wies ihm den Weg aus diesem Konflikt heraus: den
Weg der reinsten, unpersönlichsten, vom eigenen Ich völlig abgelösten
Gestaltung in der Kunst. Nachdem er noch in seiner Jugend vom
ersten Teile Faust ganz erschüttert worden war, trat schließlich
doch an dessen Stelle der zweite Teil, und sein spätes Werk « La
tentation de St Antoine », das er zu schreiben anfing, nachdem er kurz
vorher den Faust wieder gelesen hatte, legt Zeugnis von der Wirkung
des alten Goethe ab. Wie Faust so lebt Antonius im Anfang dieser
Dichtung weltabgekehrt und einsam. Da tritt die Versuchung durch
verführerische Visionen an ihn heran, in denen die geheimen Sehnsüchte seiner Seele sichtbar werden. Es sind nicht die christlichen,
sondern andere Götterwelten, die vor ihm erstehen und ein schöneres
Leben verheißen. Die griechischen Götter locken, und Satan führt
ihm auf einem Fluge durch die Lüfte die Herrlichkeit der Welt vor
Augen, so wie es Byrons Kain geschah. Der Unterschied vom Faust
ist freilich groß: Antonius bleibt unverführt. Nur in Visionen steigen
die Sehnsüchte seiner Seele ans Licht. Der Schluß ist wie der Anfang:
Antonius bleibt heilig, und die Gnade Christi leuchtet ihm wie zuvor.
Am Anfang wie am Ende steht das Gebet. Faust dagegen, seinem
dunklen Drange folgend, lebt wirklich das verführerische Leben und

kommt erst suchend, irrend, schuldig werdend zur Erlösung. Antonius wird von seinen dunklen Wünschen befreit, indem sie ihm zu Bildern werden. Das ist die ästhetische Lösung des Faustproblems. In dieser Gestalt hat offenbar Flaubert sich selbst gespiegelt. War er ein heiliger, weltabgekehrter Lebensüberwinder? In gewissem Sinne ja. Denn er war der Typ des Künstlers, der auf das Leben verzichtet, um es gestalten zu können, der seinen Lebensdrang in der Kunst befriedigt, in ihrer reinen Form ein höheres, schöneres, erleseneres Leben lebt, das er sich nicht, wie Goethe-Faust, in Wirklichkeit zu schaffen vermag. Welch Unterschied zwischen Goethe und Flaubert! Aber man könnte sich wohl vorstellen, daß Goethe ihm geholfen hat, den Weg aus romantischen Träumen und dem Konflikt von Traum und Wirklichkeit zu finden, indem er ihn zur strengen, objektiven, klassischen Form erzog, so daß er in der Kunst die Sphäre fand, in der er das ersehnte und erträumte Leben, wenn auch der Wirklichkeit entsagend, leben konnte.

Blickt man im Europa jener Zeit umher, so taucht überall dieses Bild des Olympiers Goethe auf, und fällt das Licht jetzt weit mehr auf den zweiten als auf den ersten Teil des Faust.

Selbst im Norden, wo Goethe gerade seines Griechentums wegen einen schweren Stand hatte, zeigt es sich, daß ein Dichter, welcher der Weltliteratur angehört, der Märchendichter Andersen, von dem man es kaum erwarten würde, in seinem Roman « Sein oder Nichtsein » (1857) ein ganzes und zwar zentrales Kapitel « Goethes Faust und Esther » genannt hat, und es handelt sich um den zweiten Teil, den das Mädchen dem geliebten Mann, nachdem ihr Gespräch über Unsterblichkeit ging, vorliest, sowie umgekehrt in der vorher erschienenen Novelle « Faust » von Turgenjew es der Mann ist, welcher der von ihm geliebten Frau den Faust vorliest. Bei Turgenjew aber bringt Faust, und zwar der erste Teil, etwas in der Frau ans Licht, was besser im Dunkel verborgen geblieben wäre, und beschwört damit die Katastrophe herauf. Bei Andersen konnte die Vorlesung schon darum nicht solch katastrophale Wirkung hervorrufen, weil es um den zweiten Teil ging. Für Andersen gehörte Goethe der antiken Schönheitswelt an, als eine Gestalt des Olymp, bestrahlt von der Sonne des Christentums. Als der Held des Romans, der wohl den ersten Teil des Faust verstanden hatte, den Zusammenhang des zweiten Teiles nicht zu begreifen vermag, entwickelt ihm Esther (mit einem für die damalige Zeit erstaunlichen Tiefblick) die unlösliche Ganzheit und organische Einheit der Dichtung, in welcher jeder Teil seine notwendige Funktion besitzt, und so wird diese Stunde ihm ein bedeutendes Ereignis seiner Lebensgeschichte, das ihm Klarheit über sich selber bringt.

Als Andersen zum erstenmal nach Deutschland kam, war Goethe noch am Leben. Aber er hatte von dessen stolzer Haltung gehört. Auch war noch nichts von Andersen übersetzt, und er besaß keine Empfehlung an Goethe. Er wollte ihn erst besuchen, wenn sein Name in Deutschland bekannt sein würde. Aber dies geschah erst nach Goethes Tod. Trotzdem hat Andersen noch Weimar besucht, von wo so viel Licht auf die Welt ausgestrahlt war und so viel Sonnenschein in sein Dichterleben strömte. So steht es im « Märchen meines Lebens ». Es war also doch gelungen, dem Olympier Goethe den Eingang zum Norden, den Grundvig ihm als dem Feind des nordischen Geistes und Kierkegaard als dem Feind des Christentums verwehren wollte, zu verschaffen. Die Schönheit des zweiten Teiles Faust, für die ein Dichter sich so tief empfänglich zeigte, hat dies vollbracht.

In Rußland aber setzte schon früh der Widerstand gegen die « l'art pour l'art »-Bewegung und alles dichterische Olympiertum ein, und zwar bei den Slavophilen wie auch den Westlern, die sich sonst so heftig bekämpften. Natürlich geschah es auf beiden Seiten aus verschiedenen Gründen. Für einen zum Slavophilentum gewandelten Kritiker wie Kirejewskij bedeutete es den Verrat an der einzigen Wahrheit des Christentums, wenn der westeuropäische Geist in der Schönheit der Kunst, die doch nur ein Traum und eine Illusion ist, die höchste Wahrheit finden wollte. Auch wurde besonders das Ende des zweiten Teiles Faust auf dieser Seite verworfen, weil Sümpfetrocknen und Kanälebauen, also die rein zivilisatorische Tat, keine Lösung des europäischen Problemes und kein Grund zur Erlösung der Seele sei.

Die Westler dagegen lehnten aus einem anderen Grunde die olympisch-parnassische Dichtkunst ab. Denn sie wollten die Literatur in den Dienst der europäischen Zivilisierung, der Aufklärung, der Humanität, der Gerechtigkeit, der Menschenwürde stellen. Das Leben soll nicht dazu dienen, die Formen der Kunst zu füllen, sondern die Kunst hat eine soziale Funktion im Leben der menschlichen Gesellschaft auszuüben. Goethe wurde auch von den Westlern als der olympische Künstler gesehen und blieb darum von dem Vorwurf des Ästhetizismus, der Abgelöstheit von der Gesellschaft, der Ichsucht nicht verschont. Da aber solch klassische Vollendung doch gerade für den russischen Zivilisationsprozeß unendlich viel bedeuten konnte, so suchte man ihn diesem Prozeß einzugliedern und dafür fruchtbar zu machen. Belinskij, der größte und einflußreichste Kritiker der westlichen Partei, der sich entschieden gegen alle Kunst für die Kunst und jedes Artistentum wendete, weil es der modernen Zeit nicht angemessen sei und auch die größte Formkraft nur für kurze Zeit zu blenden vermöge, wenn sie sich auf den Vogelsang beschränkt und sich einbildet, daß die Erde ihrer nicht würdig sondern ihr Platz in den Wolken sei, daß die menschlichen Leiden und Hoffnungen ihre geheimnisvollen Hellsehereien und poetischen Anschauungen nicht stören dürfen, hat doch in seiner Abhandlung « Über die Kritik » (1842) Goethe von solcher Verurteilung ausgenommen. Freilich, so heißt es hier, könnte Goethe wegen seiner allzu deutschen Natur und seiner resignierten Weltanschauung noch am ehesten dem Ideal eines Dichters entsprechen, welcher singt, wie der Vogel singt, für sich, ohne irgendwelche Aufmerksamkeit zu verlangen. Aber auch er konnte nicht umhin, dem Geist der Zeit seinen Tribut zu zollen: Sein Werther ist ja doch nichts anderes als ein Schrei der Epoche; sein Faust wirft alle ethischen Fragen auf, die je in der Brust eines modernen Menschen entstehen konnten. Sein Prometheus atmet den herrschenden Geist der Zeit, und viele seiner lyrischen Gedichte drücken philosophische Ideen aus.[46] Belinskij hat auch einmal Goethe gegen dessen deutschen Angreifer, Wolfgang Menzel, verteidigt, wie es zu Goethes Lebzeiten bereits einmal von französischer Seite geschehen war, was Goethe damals für ein Zeichen der sich bildenden Weltliteratur nahm.

Pissarew hat in seiner großen Schrift « Realisten » (1864) Goethe noch viel olympischer gesehen als Belinskij es tat und machte einen schärferen Unterschied zwischen ihm und Dichtern wie Béranger, Leopardi, Giusti und Shelley, die nicht nur Dichter, sondern auch liebende Menschen waren und mit ihrer Dichtung den Menschen helfen wollten. Goethe habe niemanden geliebt außer sich selbst und seine Kunst nie in den Dienst der menschlichen Gemeinschaft gestellt. Trotzdem könne er mit gutem Recht ein « nützlicher » Dichter genannt werden, denn er habe der menschlichen Gemeinschaft, der gegenüber er so gleichgültig war, doch viel Nutzen gebracht und werde es auch weiterhin tun. Die großen, schöpferischen Geister helfen selbst dort, wo sie irren. Goethe wird niemals der Lieblingsdichter der Massen werden und deshalb auch niemals auf ihr geistiges Leben wirken, weil nur der dies vermag, der die Massen liebt. Aber die Erzieher und Führer der Massen brauchen oft selbst geistige Hilfe und Erneuerung. Denn diese Menschen sind wohl denkende und aufgeklärte Arbeiter, aber keineswegs Weltgenies. Sie sind wohl fähig, Goethe zu verstehen, aber sie hätten es nie vermocht, das hervorzubringen, was er kraft seines Genius hervorgebracht hat. Für sie sind seine Werke eine gewaltige, galvanische Batterie, die ihnen neue Kräfte zuführt. Sie lesen Goethe, und was sie von ihm empfangen, strömt weiter in jenes lebendige Meer, welches die Masse genannt wird, und in das schließlich alle unsere Gedanken und Bestrebungen münden. Der kühle Geheimrat und Patrizier von Goethe wirkt auf diese Weise mit Hilfe der Ideen und Empfindungen, die er mit seinen Werken im engen Kreise seiner auserwählten und hochgebildeten Leser hervorgerufen hat, zum Nutzen seiner armen und einfachen Mitmenschen.[47]

Dieser geistvolle Versuch, Goethe bei aller Wahrung seiner aristokratischen Persönlichkeit und erlesenen Künstlerschaft mit der modernen Massenbewegung zu versöhnen, ja in ihren Dienst zu stellen, scheint für die russische Mentalität höchst charakteristisch zu sein, während Turgenjew, der große Verehrer Goethes, sich mehr als ein westlicher Künstler erweist, dadurch nämlich, daß Goethe für ihn ein Erzieher zur klassisch-künstlerischen Form geworden ist. Er hat besonders in einer Abhandlung über die erste, vollständige Faustübersetzung Rußlands (von Wrontschenko) seine eigenen Gedanken über Goethe und den Faust niedergelegt (1845), aus denen hervorgeht, wie sehr hier Goethe als der Künstler gesehen wird, der alle Widersprüche in seiner klassisch ruhigen Seele löste und als Dichter Harmonien tönte. Der Faust scheint nur die Entzückung seiner Jugend gebildet zu haben. Damals gab es, wenn man Worte aus seiner Faustnovelle auf ihn selber deuten darf, eine Zeit, wo er den ersten Teil des Faust Wort für Wort auswendig kannte und sich nicht satt daran lesen konnte. Er übersetzte auch 1844 die Kerkerszene (in Paris las er Übersetzungen des «Prometheus» und «Satyros» vor). Dagegen kann man wohl der Faustnovelle (1855), in der Goethes Dichtung eine so katastrophale Wirkung auslöst, entnehmen, daß es nicht mehr der faustische Geist war, von dem der spätere Turgenjew sich hingerissen fühlte. Es war vielmehr die klassische und epische Formkunst Goethes, die ihm vorbildlich wurde.

Das war sein großer Gegensatz zu Tolstoi, der ja Goethe gerade als olympischen Dichter, als Repräsentanten der «Kunst für die Kunst» und damit der kapitalistischen Welt verwarf und mit allem zusammen-

warf, was nicht religiöse, soziale und volkstümliche Dichtung war.
Man darf freilich nicht vergessen, daß der jüngere Tolstoi, als er sich
noch als Künstler fühlte und gerade damals, als er an seinem großen
Epos: «Krieg und Frieden» schuf, neben Homer auch Goethe gelesen
und dazu vermerkt hat: «Goethe: ‚Hermann und Dorothea'... sehr
großer Einfluß». Im Faust sah er damals die Dichtung des Ge-
dankens, Dichtung, die auszudrücken vermag, was keiner anderen
Kunst möglich ist. Aber «Hermann und Dorothea» war gerade seines
homerisch-epischen Charakters wegen das Werk, aus dem er für seine
eigene, epische Kunst bildenden Gewinn ziehen konnte. Er besuchte
auch im Jahre 1861 Weimar und das Goethehaus. Dann aber, als
die große Wandlung in ihm geschah, stürzte mit allen seinen Göttern
auch Goethe und wurde ein Opfer seiner neuen Überzeugung vom
Wesen dessen, was Kunst ist.

Wenn es aber in diesem Fall das episch-klassische Werk Goethes war,
das einen russischen Dichter so tief beeinflußte, so hat doch auch der
Faust in der russischen Literatur des 19. Jahrhunderts und noch
darüber hinaus seine unerschöpfliche Symbolkraft bewiesen. Wenn
in Odojewskijs «Russischen Nächten» freilich eine der Haupt-
gestalten und wichtigen Gesprächspartner, zu dem die jungen Russen
gehen, sobald sie über geistige Probleme diskutieren wollen, den
Namen Faust trägt, so hat das mit dem Goetheschen Faust kaum noch
etwas zu schaffen und zeugt nur von der russischen Neigung zu
gedanklichen Auseinandersetzungen, die natürlich im Gespräch mit
einem so philosophischen, aber vieldeutig schillernden Geist wie
Faust sich reichlich entfalten konnte.

Dagegen hat es der moderne, revolutionäre Geist Rußlands vermocht,
einmal ganz unmittelbar an das Ende des zweiten Teiles Faust
anzuknüpfen und jenen sozialen Versuch, den Faust auf der letzten
Stufe seiner irdischen Laufbahn unternimmt, dem Meere Siedlungsland für Millionen Menschen abzugewinnen, bis in seine letzten
Konsequenzen weiterzudenken. Es ist das Drama «Faust und die
Stadt» von Lunatscharskij, das aus der Zeit des ersten Weltkrieges
stammt. Was den russischen Dichter am Ende Fausts so problematisch
dünkte, daß es ihn zur Fortsetzung reizte, war das Verhältnis eines
sozialen Werkes zu seinem genialen Schöpfer, der sich selbst zum
absolutistischen, wenn auch aufgeklärten Herrscher einer doch an sich
demokratischen Gemeinschaft macht. Hier also knüpft er an. Sein
Faust hat eine Stadt erbaut, die er dem Meere abgerungen hat und ist

der Herzog dieser blühenden Gemeinschaft. Da versucht sein eigener
Sohn, von Mephisto aufgestachelt, ihn abzusetzen und selbst den
Thron zu besteigen. Aber die Arbeiter ergreifen die Macht, Faust
verzichtet freiwillig auf die Herrschaft und tritt als Gleicher unter
Gleichen in die Gemeinschaft ein. Den Schluß bildet ein Gesang der
Arbeiter, der ein Hymnus auf die Arbeit ist.

So hat sich selbst zwischen dem revolutionären Rußland und Goethe
ein Band geschlungen. Die soziale Schöpfung, die in Goethes Faust
als geniale Tat einer großen Persönlichkeit entstand und nur so entstehen konnte, löst sich in diesem russischen Faust von ihrem Schöpfer
ab und entwickelt sich als freie Gemeinschaft durch die gemeinsame
Arbeit aller fort.

Im Sinne der früheren, slavophilen Dichter wäre dies gewiß keine
Lösung des Problems gewesen. Aber auch zwischen der slavophilen
Richtung in Rußland und der klassischen Geistigkeit Goethes ist die
Kluft nicht so unüberbrückbar, wie es zunächst scheinen könnte.
Dostojewskij hat einmal den wesentlichsten Zug des deutschen Volkes
in seinem ewigen Protestantentum gefunden. Deutschland, so sagt
er, ist der ewige Protest gegen Rom und die römische Idee, gegen die
altheidnische wie gegen die katholische, gegen Roms Weltidee, den
Menschen auf der ganzen Erde zu beherrschen. Es protestierte mit
der Schlacht im Teutoburger Wald gegen das römische Imperium und
die Idee einer europäischen Menschheit. Es protestierte mit Luthers
Reformation gegen das neue Ideal einer universalen Verwirklichung
des Christentums im Weltreich der römischen Kirche. Aber in seiner
ganzen Geschichte hat Deutschland nichts anderes getan als eben
nur protestiert. Es hat sein eigenes, neues Wort der Welt noch nicht
gesagt, es hat nur der Verneinung seines Feindes gelebt. So kann es
vielleicht in Zukunft geschehen, daß, wenn Deutschland einmal alles
zerstört haben wird, wogegen es neunzehn Jahrhunderte lang protestierte, es plötzlich geistig selbst wird sterben müssen, unmittelbar
nach seinem Feinde, einfach weil es dann keinen Grund mehr haben
wird, zu leben, denn es wird ja dann nichts mehr geben, wogegen es
protestieren kann. Während dessen aber ist im Osten eine dritte
Weltidee großartig aufgegangen, die slavische Idee von morgen, die
dritte Möglichkeit einer Entscheidung über das Schicksal Europas
und der Menschheit. Diese slavische Idee aber wird von dem deutschen
Volke ganz ebenso verachtet wie die römische und die katholische.

Ein ewiger Protest: die Formel Dostojewskijs für den deutschen Geist

ist gar nicht schlecht, denn wirklich: er protestierte nach allen Seiten
hin, nach Ost und West. Nur hat Dostojewskij nicht gehört, daß der
deutsche Geist sein eigenes, neues Wort bereits in Goethe ausgesprochen hatte, ja daß es eigentlich schon in diesem Protest enthalten ist,
und dieses Wort heißt: Mitte! Mitte zwischen östlicher Seelenhaftig-
keit und westlicher Vernunft, zwischen dem faustischen Drang des
Nordens und der Schönheit südlicher Form. Der deutsche Geist,
in Goethe verkörpert, protestiert gegen den Westen wie den Osten,
weil sein Wort, das aus der Mitte und dem Herzen Europas kommt,
die Idee eines universalen Menschentums ist. Jenes russische Wort
aber, jene slavische Idee, die Dostojewskij als die dritte und kommende
Weltidee verkündet, wurde von ihm mit aller Deutlichkeit in seiner
berühmten Rede auf Puschkin formuliert. Es ist wahr, so heißt es
hier, daß die europäische Literatur gewaltige Genien aufzuweisen hat —
Goethe wird unter ihnen nicht genannt — aber man nenne doch nur
einen, der eine solche Fähigkeit, das Wesen fremder Nationalitäten
wiederzugeben, besessen hätte, wie unser Puschkin. Gerade diese Fähigkeit aber, die Hauptfähigkeit unserer Nationalität, teilt Puschkin mit
unserem ganzen Volk, und gerade sie macht ihn zu unserem nationalen
Dichter. Selbst die größten Genien Europas haben es niemals vermocht,
den Geist und das Wesen eines fremden Volkes, ja nicht einmal eines
blutsverwandten Nachbarvolkes, die verborgene Tiefe seiner Seele
und das, wozu ein jedes Volk berufen ist, mit solcher persönlichen
Schöpferkraft aus sich selbst heraus zu gestalten, wie es Puschkin
gelang. Die europäischen Genies haben im Gegenteil, wenn sie sich
anderen Völkern zuwandten, die fremde Nationalität in ihre eigene
verwandelt und nach den Begriffen ihrer Nation aufgefaßt. Nur Puschkin besitzt vor allen Dichtern der Welt die Fähigkeit, sich vollständig
in den Geist einer fremden Nation zu versetzen und zu verwandeln,
und gerade darin äußert sich die Volkstümlichkeit seiner Dichtung,
das nationale Moment unserer Zukunft, das in der Gegenwart noch
nicht an den Tag getreten ist und sich in ihm zum erstenmal prophetisch ausspricht. Denn wo läge sonst die Kraft des russischen Volks-
geistes, wenn nicht in seinem Drang nach Universalität und All-
menschlichkeit. Ja, die Bestimmung des russischen Menschen ist eine
universale. Ein echter, ganzer Russe werden, heißt nur: ein Bruder
aller Menschen werden, ein Allmensch, wenn man will. Die ganze
Spaltung Rußlands in Slavophile und Westler ist nur ein großes
Mißverständnis, denn einem echten Russen ist Europa ganz ebenso

teuer wie Rußland selbst, eben weil unsere Bestimmung die Verwirklichung der allmenschlichen Einheit ist. Ein echter Russe sein, heißt sich bemühen, die europäischen Widersprüche in sich endgültig zu versöhnen, der europäischen Sehnsucht in der allmenschlichen und allvereinenden Seele des russischen Menschen den Ausweg zu zeigen, in dieser Seele sie alle in brüderlicher Liebe aufzunehmen und so vielleicht das letzte Wort der großen, allgemeinen Harmonie und Brüderschaft der Völker nach dem evangelischen Gesetze Christi auszusprechen. Diese universale Einheit wird nicht durch das Schwert errungen werden und keine politische Einheit sein, wie Cäsar und Napoleon es wollten, und sie wird auch nicht durch die weltliche Macht der römischen Kirche kommen, sondern einzig aus der brüderlichen Liebe und auf der Basis der Alldienstbarkeit. Sie wird die geistige Vereinigung der Völker in Christo sein.

Das also ist das russische Wort, die slavische Idee, die Dostojewskij verkündete und in Puschkin schon prophetisch vernahm. Man horcht auf: Ist das denn nicht zum mindesten ein Anklang an die Goethesche Idee? Ist denn nicht Goethe gerade der allumfassende Dichter, der universale Mensch, und seine Idee einer Weltliteratur, in der die Völker zueinander sprechen, sich hören und verstehen, dulden und achten lernen und sich gebend und empfangend gegenseitig zur menschlichen Vollendung helfen: was will sie anders als ein geistiges Europa, eine geistige Versöhnung der Völker. Freilich: die Goethesche Idee entstammt einem andern Mittelpunkt als die von Dostojewskij. Es ist bei dem östlichen Menschen das christliche Gefühl der Liebe und Brüderlichkeit, das ihn befähigt und bestimmt, sich selbst zu opfern und sich in den Geist der fremden Völker zu verlieren, zu verwandeln. Aus dieser Eigenschaft ist es vielleicht zu verstehen, daß es in der russischen Literatur, wie man wenigstens in Rußland sagt, nicht minder vollendete Übersetzungen aus fremden Literaturen gibt, wie in der deutschen. (Nach russischem Urteil sind etwa die Übersetzungen Goethescher Gedichte von Schukowskij und besonders Lermontows Übertragung von Wanderers Nachtlied unübertroffene Meisterstücke der Übersetzungskunst.) Es ist bei Goethe sein allmenschlicher Vollendungsdrang, der ihn befähigt und bestimmt, alles, was menschlich ist, in sich selbst zu umfassen und zu vereinen. Es ist im Osten die Idee der Gotteskindschaft aller Völker, aller Menschen. Es ist im Westen die Idee eines Urphänomens Mensch, eines ewigen Menschentums, das sich durch alle Farbigkeit und Mannigfaltigkeit der Völker

und Menschen hindurchzieht. Es ist bei den Russen der Wille zur
Alldienstbarkeit. Es ist bei Goethe der Wille zur Allgewinnung. Aber
ob Goethescher Allumfassungsdrang, ob christliche Brüderlichkeit:
Das Ziel ist eines, und die Dichtung ist es hier wie dort, die es erreichen
will. Gewiß, das Goethesche Ideal war das antike Griechenland. Aber
dieses Ideal hörte in ihm auf, ein Gegensatz zum Christentum zu
sein. Er fand die höhere Einheit über Griechentum und Christentum,
das dritte Reich, in welchem beides sich versöhnt, und dieses heißt:
Humanität. Wer will von Iphigenie sagen, ob sie Griechin oder
Christin ist. In ihrem reinen Menschentum, das Segen zu verbreiten,
Barbarei in Kultur zu verwandeln, von Fluch zu erlösen und Schuld
zu entsühnen vermag, hat solche Unterscheidung ihre Gültigkeit
verloren. Mit einem Wort: In Goethe stellt sich die heilige Mitte
zwischen Osten und Westen dar.

Wenn Dostojewskij den Bogen des Friedens von Osten nach Westen
schlug, so tat es Goethe von West nach Ost. Gewiß, als Goethe sich
aus Europa nach Osten wendete, tauchte er nicht in das östliche
Christentum Rußlands ein, sondern in die Dichtungen und Religionen
des Fernen Ostens. Auch in seiner westöstlichen Zeit bewahrte er sein
europäisches Menschentum. Wenn er auf seiner geistigen Reise in
den Osten den Drang empfand, die allzufest geschlossene Form seiner
Persönlichkeit zu sprengen und zu öffnen, so tat er es wie sein geliebter
Dichter Hafis: in der Verschwendung seliger Liebe zu Suleika. Wenn er
sich neben Napoleonischem Machtwillen behaupten wollte, so tat er
es wie Hafis neben Timur dem Eroberer: als Dichter und als schöpferischer Mensch. Wenn er die Sehnsucht nach Tod und Verbrennung
empfand, so war es jene selige Sehnsucht, welche gerade durch den
Flammentod sich immer neu verwandeln und zu immer neuem Leben
auferstehen möchte. Wenn seine Religion Ergebung hieß, so wollte
sie doch nicht Erniedrigung vor Gott sein, sondern Einordnung in die
göttliche Notwendigkeit.

Aber mag die Verschiedenheit auch noch so groß sein, das Ziel heißt
doch: die Harmonie, der Frieden und die Einheit. Ja, selbst da, wo
Goethes faustischer Drang sich in der europäischen Menschvergottung
fortsetzte und zu Napoleon, Byron und Nietzsche führte, selbst da
noch sind nicht alle Brücken nach dem Osten abgebrochen. Denn alles
kommt doch aus dem Drang, den Materialismus und Rationalismus
des 19. Jahrhunderts zu überwinden. Ein höherer Lebenswille flammt
im Osten wie im Westen auf, ob nun aus apollinischer oder aus christ-

licher Gesinnung, und ob das Ziel nun Menschgott oder Gottmensch heißt, es ist doch hier wie dort eine neue Sehnsucht des Menschen nach dem Göttlichen. Gehen doch die verschiedensten Ströme dem einen Meere zu. Die Weltliteratur aber, wie Goethe sie erfaßte, hat ja eben diese Sendung: die Gegensätze auszugleichen, die Bogen und Brücken zu spannen. Man kann oft hören, daß zwischen Goethe und Dostojewskij die unbedingte Entscheidung nötig sei. Das ist jedoch nicht der Fall. Sie können miteinander bestehen und tun es ja auch. Denn wie mancher Geist hat sich von beiden bilden und führen lassen.

Als einmal nach dem ersten Weltkrieg geistige Repräsentanten der verschiedenen Völker in Pontigny zusammenkamen, um eine geistige Versöhnung zu versuchen, sprachen sie über die Frage, ob man sich wohl darüber einigen könne, welche Geister am stärksten auf das junge Europa gewirkt hätten. Man einigte sich auf die Namen: Whitman, Nietzsche und Dostojewskij, und als André Gide noch den Name Goethe hinzugefügt wissen wollte, wurde auch dieses angenommen. Gewiß: einstimmige Resolutionen entscheiden in diesen Fragen noch nichts. Aber eine solche Einigung ist doch als ein Symbol von höchster Bedeutung zu werten, und wie so oft steigt auch bei dieser Gelegenheit die Erinnerung an Goethes Divangedicht auf:

>   Gottes ist der Orient !
>   Gottes ist der Occident !
>   Nord- und südliches Gelände
>   Ruht im Frieden seiner Hände.

Goethe selbst vermochte es, den Bogen des Friedens nach fernen Erdteilen zu schlagen. Er konnte auch ein geistiges Band zwischen dem alten Europa und der neuen Welt, Amerika, bilden. Nachdem bereits einige seiner amerikanischen Besucher von ihren Eindrücken in amerikanischen Zeitschriften berichtet hatten [48] und Longfellow die ersten Vorlesungen über den Faust, die überhaupt über ihn gehalten wurden (1838), an der Harvard-Universität gehalten und Übersetzungen Goethescher Gedichte veröffentlicht hatte, unter denen die von « Wanderers Nachtlied » besonders hervorragt, wurde das für Amerika lange gültig bleibende Goethebild von Emerson errichtet. Man könnte vielleicht annehmen, daß Goethe, der selbst im Anblick der Neuen Welt eine Befreiung von den Lasten der europäischen Kultur empfand, nun seinerseits diese Kultur an jene Welt vermittelt hätte, die sich erst alles zu gewinnen hatte. Indessen sieht das Goethebild

Emersons weit moderner aus. Es galt zunächst den Widerstand, den
der amerikanische Puritanismus dem Eintritt Goethes in das amerikanische Geistesleben leistete und der auch noch in Emerson stark war,
zu überwinden. Aber es gelang Carlyle, gerade Emerson, der sich
heftig eben aus puritanischen Gründen gegen Goethe gesträubt hatte,
den Weg zu ihm zu öffnen, so daß Emerson in seinem weltliterarisch
gültigen Werk «Vertreter der Menschheit» (1850) das Kapitel über
Goethe zu schreiben vermochte, welches Carlyle in seinem Buch
«Helden und Heldenverehrung» nicht geschrieben hat. Es heißt
«Goethe oder der Schriftsteller» und stellt ihn neben Plato den
Philosophen, Swedenborg den Mystiker, Montaigne den Skeptiker
und Shakespeare den Dichter. Zwar ist der Puritanismus auch hier
noch erkennbar, wenn Emerson erklärt, Goethe habe nicht die höchsten Höhen erklommen, von denen aus der Genius der Menschheit
gesprochen hat, er sei unfähig gewesen, sich dem moralischen Gefühl
hinzugeben, und es gebe edlere Klänge in der Poesie. Schriftsteller von
ärmerer Begabung hätten in reineren Tönen gesungen, die mehr zum
Herzen dringen. Goethe könne niemals ein Liebling der Menschen
sein. Selbst wenn er sich der Wahrheit geweiht habe, so diente er nicht
einmal der Wahrheit um ihrer selbst willen, sondern als Mittel der
Kultur und zwar der Selbstkultur, denn er bewertete alles danach,
was er selber davon lernen könne. Religion und Sittlichkeit waren es,
die Emerson in seinem Werk und Menschentum vermißte. Ja, er
hielt diesen Liebhaber aller Künste und Wissenschaften eher für
einen Artisten und Gesetzgeber der Kunst als für einen Künstler.
Aber es gab eben andere Seiten an Goethe, die der amerikanische
Geist an ihm bewunderte und die einen dauernden Eindruck auf ihn
hinterließen. Es ist ja von vornherein sehr auffallend, daß Goethe
für Emerson unter den Menschheitstypen den Schriftsteller und nicht
den Dichter repräsentiert, jene geistige Art also, welche nicht eigentlich schöpferisch ist, sondern den Zusammenhang der Dinge zu erschauen und zu beschreiben vermag. Das ist doch ein wesentlich anderes
Bild des Schriftstellers als das von Carlyle, der unter ihm die moderne
Erscheinungsform des Sehers, des Propheten, des Verkünders göttlicher
Weisheit verstand. Auch für Emerson ist, wie damals für ganz Europa,
neben dem Wilhelm Meister der zweite Teil des Faust, nicht
mehr der erste und nicht der Werther, der Gipfel des Goetheschen
Lebenswerkes. Aber was sieht er in ihm? Eine in poetische Form
gefaßte Philosophie der Literatur, das Werk eines Mannes, der sich

Meister aller Historien, Mythologien, Philosophien, Wissenschaften und Nationalliteraturen weiß, eine gewaltige Enzyklopädie. In ihm hat Goethe die Ergebnisse 80jähriger Beobachtung niedergelegt, und diese reflektierende und kritische Weisheit macht das Gedicht zur vollendetsten Blüte seiner Zeit und gibt ihm seine epochale Bedeutung. Goethe ist nach Emerson gewiß auch ein Poet im wahren Sinne des Wortes und hat unter dieser Qual mikroskopischer Scharfsichtigkeit — denn er scheint mit jeder Pore seiner Haut zu sehen — gelitten. Das Wunder dieser Dichtung aber ist die überlegene Intelligenz. Goethes Geist umfaßte so weite Räume, daß er die ungeheuren, aber atomistischen Stoffmassen der modernen Forschung unterbringen, ordnen und einen konnte. Er hat dem modernen Leben überhaupt das Gewand der Dichtung gegeben, die Zeit mit ihrer ganzen Vielfältigkeit umspannt. Der Wilhelm Meister ist übervoll an Weisheit, Welterfahrung und Kenntnis der Lebensgesetze. Was Goethe in den Augen französischer und englischer Leser besonders auszeichnet, ist eine Eigenschaft, die er mit seinem ganzen Volk gemeinsam hat: eine unbewußte und gewohnheitsmäßige Achtung vor innerer Wahrheit. In England und Amerika achtet man das Talent, in Frankreich den Glanz der geistigen Gaben. Dem deutschen Geist fehlt die französische Lebhaftigkeit, das praktische Verständnis des Engländers, der amerikanische Abenteurergeist. Goethe aber ist eine Ehrlichkeit eigen, die sich nie mit dem oberflächlichen Schein der Dinge zufrieden gibt. Das deutsche Publikum verlangt eine solche, alles prüfende Wahrhaftigkeit. Talent allein kann hier keinen Schriftsteller machen. Es muß ein Mann hinter dem Buche stehen, eine Persönlichkeit, welche aus innerem Drang die Last der Wahrheit tragen muß. Emerson sieht in Goethe das Haupt und die Verkörperung seines Volkes, nicht deshalb, weil er ein talentvoller Schriftsteller ist, sondern weil aus seinen Worten leuchtend die Wahrheit hervorbricht. Der alte, ewige, weltschöpferische Geist hat sich diesem Mann mehr anvertraut als irgendeinem anderen. Seine Selbstbiographie, Dichtung und Wahrheit, hat einen Gedanken in die Welt gebracht, der ihr jetzt vertraut ist, damals aber, als das Buch erschien, für Altengland wie für Neuengland eine Neuheit war: daß nämlich der Mensch um der Kultur willen da ist, nicht für das, was er leisten kann, sondern für das, was sich durch ihn leisten läßt. Goethe kam in eine überzivilisierte Zeit und in ein überzivilisiertes Land, wo ein ursprüngliches Talent unter der Last von Büchern, mechanischen Hilfsmitteln und der verwirrenden Mannigfaltigkeit der Bestrebungen zu Boden gedrückt wurde. Da war er es, der die Menschen lehrte, mit diesem berghohen Wirrwarr fertig zu werden und ihn sich sogar dienstbar zu machen. Er ist darin Napoleon an die Seite zu stellen. Sie beide sind Vertreter der Ungeduld und der Auflehnung der Natur gegen die Macht der konventionellen Sitten, zwei Realisten, die, jeder an seinem Platz, die Axt an die Wurzel des Baumes der Heuchelei und des hohlen Scheines gelegt haben, für jetzt und alle Zeiten. Goethe lehrt uns Mut und zeigt uns, daß auch unsere Zeit allen anderen Zeiten nicht nachsteht. Die Nachteile einer Epoche sind nur für die vorhanden, die schwachen Herzens sind. Die Welt ist immer jung.

Dies also ist das Goethebild, das sich in Amerika klassische Geltung gewonnen hat. Es sieht anders aus als das europäische und trägt unverkennbar ein amerikanisches Gepräge an sich. Was zunächst so auffällt, ist dies, daß der junge Goethe, der in Europa die romantische Bewegung auszulösen half, hier sozusagen ganz aus dem Spiel gelassen worden ist, daß er aber auch keineswegs, wie es in Europa nach seinem Tode geschah, als der Olympier und der Vertreter der « Kunst für die Kunst » gesehen wurde. Das war dem amerikanischen Geist nicht angemessen und hätte Goethe den Eintritt in die Neue Welt nur erschwert. Es war gewiß, wie in Europa, der alte Goethe, der nun sein Bild für die junge Welt bestimmte. Aber nicht der Dichter und der Künstler, sondern der forschende, sammelnde, ordnende, der weise und erfahrene Goethe, der jedoch, weil er die in Europa durch eine lange, alte Zivilisation aufgehäuften Stoffmassen aus einem atomistischen Chaos zu einer organischen Einheit zusammenfügte, auf diese Weise zeigte, wie man damit fertig werden konnte, und so den Weg in eine freie Zukunft öffnete. Es war im Grunde also doch der junge und pionierhafte Geist Amerikas, der sich dieses Bild erschuf und damit Goethe zu seinem Wegbereiter und Helfer machte. Der alte Goethe, der Schöpfer des zweiten Teiles Faust, als einer jener Repräsentanten der Menschheit, welche ihre ewige Verjüngung gewährleisten und ihr den Mut geben, durch die Bewältigung der Vergangenheit unbelastet der Zukunft entgegenzuschreiten !

Das unterscheidet das angelsächsische Goethebild von dem, das sich in Frankreich nach Goethes Tod herauskristallisierte und das doch weniger das des Propheten und Sehers wie bei Carlyle und das des pionierhaften, zukunftschaffenden Forschergeistes wie bei Emerson war, sondern vielmehr das des klassischen, olympischen Künstlers.

Aber eine gewisse Einheit stellte sich doch dadurch her, daß auch hier
seiner klassischen Kunst bald eine zivilisatorische Sendung zugesprochen
wurde und sie damit den parnassischen Charakter der « Kunst für
die Kunst » verlor. Iphigenie ist es nun, die den Blick auf sich zieht.
Jetzt wird Goethe nicht mehr als der Romantiker, aber auch nicht
mehr als der einsam thronende Olympier gesehen. Das, was ihm mit
Frankreich, mit der lateinischen Welt gemeinsam ist, die schöne
und edle Form, die Klarheit des Geistes, die Humanität der Empfindung, wird nun als sein Wesen erkannt. Er wird in den lateinischen
Kulturkreis als würdiges und ebenbürtiges Glied aufgenommen, was
einem deutschen Dichter zum erstenmal geschah. Er hat damit natürlich an wandelnder Weltwirkung eher verloren, weil er jetzt an Frankreich gleichsam nur zurückgab, was er von dorther an klassischer
Bildung empfangen hatte. Er ist nicht mehr der befreiende, Fesseln
sprengende, Formen auflösende Erneuerer, zu dem die europäische
Romantik aufblickte, aber er rückt dafür in die Reihe der großen,
der größten Weltbildner ein. In dem Buch von Paul de Saint-Victor:
« Les Femmes de Gœthe » steht nicht mehr Gretchen und Klärchen,
sondern Iphigenie in vollstem Licht, und Hippolyte Taine stellt in seinem
Essay: « Sainte Odile et Iphigénie » dar, wie ihm angesichts des
Klosters der heiligen Ottilie mythische Visionen der griechischen
Götter aufsteigen und ihn an die Nähe und Verbundenheit aller
göttlichen Mächte in dem einen Menschengeist erinnern. Um dafür
die Deutung, die nur ein Dichter geben kann, zu empfangen, schlägt
er Goethes Iphigenie auf, und sie stellt sich ihm als das reinste Bild
des alten Griechenland und das reinste Meisterwerk der modernen
Kunst vor die Seele, eine Griechin, die aber doch gar nicht anders
ist als die christliche Heilige, nur daß ihr die mystischen, krankhaften
und ekstatischen Züge mittelalterlicher Heiligkeit fehlen. Sie ist an
Seele und Leib gesund. Die Einheit von Antike und Christentum, von
Seele und Leib, von diesseitiger und jenseitiger Religiosität, von allem,
was im Laufe der Jahrhunderte auseinander gegangen war, stellt
sich in ihr wieder her, und nach den großen Künstlern der Renaissance
ist es nur einem einzigen Dichter, Goethe eben, gelungen, ein solches
Bild menschlicher Einheit in den modernen Zeiten zu schaffen, und auch
ihm nur dies eine Mal.
Es ist nicht ohne die Erinnerung an diese Tainesche Beschwörung der
Iphigenie geschehen, daß in Maurice Barrès auf seiner Reise nach
Sparta auch angesichts eines Klosters, an dessen Platz einst ein

Tempel der Artemis stand, das Bild von Goethes Iphigenie auftaucht
und er seine Liebe zu diesem «germanisierten Griechenland» bekennt.
Auch erzählt er, wie er in Italien auf Goethes Spuren der Entwicklung
seiner Iphigenie nachging. Er nennt sie «une pièce civilisatrice»,
und dies ist wohl im Munde eines französischen Schriftstellers das
höchste Lob, das einer Dichtung gespendet werden kann.

Um nun die Reihe der für die Bewahrung der französischen Latinität besorgten und für sie zugleich besonders repräsentativen Geister
fortzusetzen, welche Goethe das volle Bürgerrecht in ihrem klassischen
Kulturkreis zugestanden, seien hier die beiden großen Namen Anatole
France und André Gide genannt.

Anatole France hat 1876 nach Goethes Ballade «Die Braut von
Korinth» eine dramatische Dichtung «Les Noces Corinthiennes»
geschaffen, wozu er selber schreibt, er habe sich an Goethe angeschlossen, dessen Genius über alles, was er erforschte, Licht verbreitete
und der die Finsternis des spätantiken Buches wunderbarer Dinge
(dem er den Stoff seiner Ballade entnahm), erleuchtete. Er machte in
diesem durch ihre Eltern getrennten und durch eine geheimnisvolle
Macht wieder vereinten Liebespaar zwei Opfer des Götterkampfes,
der die Welt von Nero bis Konstantin aufrührte, offenbar. Er schuf
die Braut von Korinth. Es ist sehr charakteristisch für die lateinische
Geistigkeit von Anatole France, daß er gerade aus diesem Gedichte
Goethes, das den Untergang der antiken Götter durch das Christentum zum tragischen Schicksal eines liebenden Paares werden läßt,
ein Drama gestaltete. Aber noch charakteristischer ist es für ihn,
daß er auch noch das letzte, an Romantik erinnernde Dunkel der
Goetheschen Ballade tilgte, indem er die Braut nicht als nächtliches
Gespenst und tötenden Vampyr erscheinen läßt, sondern sich alles
im Licht einer natürlichen Begebenheit abspielt. Anatole France hat
einmal vom zweiten Teil des Faust gesagt, er leide grausam darunter, daß Helena in einer germanischen Burg eingeschlossen sei. Denn
Faust sei ein Barbar. Helena aber gehöre den Lateinern, den Franzosen. Die deutsche Literatur könnte ohne Griechenland bestehen, die
französische Kultur dagegen sei notwendigerweise lateinischen Geistes,
und nicht Deutschland, sondern Frankreich sei schicksalhaft zur
Vollendung, Ordnung und Harmonie bestimmt. Er gönnte also Helena
dem faustischen Geiste nicht. Aber er billigte es doch Goethe —
freilich nur ihm, diesem Glücksfall im deutschen Geistesleben — zu,
daß er sich wirklich Helena zu seinem Besitz gewonnen habe.

André Gide endlich hat auf eine Umfrage nach dem Einfluß des deutschen Geisteslebens in Frankreich die Antwort gegeben, daß Nietzsche
wohl Spuren hinterlassen habe, wobei es aber schwer zu sagen sei, ob
man sie gut heißen soll. Man muß die Schäden gegen die Vorteile
halten, und die Waage senkt sich beängstigend zugunsten der Schäden.
Dagegen Goethe! Bei ihm bedauert Gide, daß er nicht größeren Einfluß gewonnen habe, denn es gebe in der ganzen Weltliteratur kein
Äquivalent für ihn. Er sei die einzige literarische Persönlichkeit, die
wir in ihrer weisen Überlegenheit gewissen Exzessen des geistigen
Lebens entgegenstellen können. Ein völlig rationeller Einfluß zwar,
der aber in nichts das dichterische Element beeinträchtigt. Der einzige,
den Frankreich von sich aus Goethe an die Seite stellen könnte, wäre
Montaigne, der berühmte Humanist und das größte ethische Tem-
perament Frankreichs, und doch: wie unendlich wichtiger ist Goethe.
Freilich: Goethes Einwirkungen auf Frankreich beschränkten sich fast
ausschließlich auf das Gebiet der Moral, sie seien im Bereich der
Kunst gleich null, oder besser gesagt, die künstlerischen Einwirkungen
des großen deutschen Klassikers münden in den Strom des graeco-
lateinischen Kulturkreises, werden mit ihm zu einer vollkommenen
Einheit, die freilich für Frankreich von nicht abzusehender Bedeutung
war und ist.[49]
Das also waren die französischen Schriftsteller, welche Goethe ihrem
eigenen, graeco-lateinischen Kulturkreis eingliederten, wozu auch noch
Moréas zu rechnen ist, für den Goethe der größte Künstler Deutschlands
war, und der die bedeutende Bemerkung machte, daß der alte Goethe
es schmerzlich empfand, an der Zerstörung des griechischen Tempels
mitgeholfen zu haben, und ihn wieder aufzubauen versuchte.
Gewiß wurden auch Stimmen in Frankreich laut, daß Goethes Griechentum im Grunde gar nicht echt sei. Es ist wie eine französische Revanche
dafür, daß Lessing und Schlegel den französischen Klassizismus als
eine falsche, mißverstandene und nur äußerliche Nachahmung der
Antike hinstellten. Wenn Schlegel die Phädra des Racine mit der des
Euripides verglichen hatte, vergleicht Souvestre in seinen « Causeries »
den Prometheus von Goethe und Äschylus und findet, daß Goethe doch
nur eine antike Maske vorgenommen habe, hinter der sich Faust
versteckt. Seine Kenntnis des Altertums sei nur scheinbar, und er habe
nur die äußere Form der antiken Dichtung begriffen, ohne darunter
und dahinter gesehen zu haben. Wenn nach dem Kriege 1870/71, der
die geistigen Beziehungen zwischen Deutschland und Frankreich

überhaupt in Frage stellte, Barbey d'Aurevilly den gleichen Zweifel
an Goethes Griechentum vorbrachte, ihm alles Schöpfertum ab-
sprach und ihn nur einen « traducteur » und « imitateur » nannte, so ist
das aus der aufgewühlten nationalen Leidenschaft verständlich.
Wenn aber Paul Claudel, der Goethe zusammen mit Luther und Kant
zu den drei bösen Geistern des deutschen Volkes rechnete, es für
seltsam erklärte, daß Goethe, der Dichter des Faust, dieses Werkes
einer grauenvollen Phantasie, in welchem die Atmosphäre des Unheils,
der Verzweiflung, die Luft des Friedhofs, wenn nicht des Irrenhauses
herrsche, wo man von Gespenstern und schrecklichen Phantomen
umgeben sei, daß dieser Goethe als Vertreter klassischer Schönheit
und Helligkeit gepriesen werde, und wenn er von der Iphigenie, die
Barrès so bewunderte, erklärte, daß sie griechischen Werken doch nur
gleiche, wie eine Kopie dem Originale gleicht,[50] so ist das wohl bei
diesem so bedeutenden Dichter auf seinen Katholizismus zurückzuführen, der sich zwischen ihn und Goethe stellte, so wie er sich, wenn
auch in weit gemäßigterer Weise, zwischen Goethe und Calderon
gestellt hatte. Die Bewegung der lateinischen Renaissance in Frankreich zielte eben nicht nur auf die Wiederherstellung der durch Herkunft, Erbschaft und Wesen geforderten Latinität in der französischen
Literatur, sondern auch auf die des französischen Katholizismus, und
das einende Band zwischen diesen beiden Mächten, Latinität und
Katholizismus, wurde in ihrer gemeinsamen Liebe zur Einheit, Ordnung, Klarheit, festen Fügung, zur gegliederten Struktur und Schönheit der Gestalt gefunden.
Wo dieses Band sich löste und die Intention, den Einstrom der deutschen Romantik in die französische Literatur, der im 19. Jahrhundert so
stark gewesen war, um die Wende der Jahrhunderte auszuschalten, das
Schwergewicht auf die Wiedergeburt des lateinischen, weil des nationalen
Geistes verlegte, konnte Goethe seinen hohen Rang behaupten.
Selbst in einem so kritischen Moment wie dem Jubiläumsjahr der
französischen Romantik, 1927, als man den Sieg von Victor Hugos
« Cromwell » feierte und ein leidenschaftlicher Kampf darum ent-
brannte, ob die Romantik Segen oder Fluch für die französische
Literatur gebracht habe, als sich gewichtige Stimmen erhoben, welche
sie beschuldigten, den lateinischen Geist Frankreichs verdorben, die
französische Zivilisation bedroht zu haben, als sich die gefährliche
Frage stellte, was eigentlich die deutsche Romantik, der die Frau von
Staël die Tore Frankreichs geöffnet hatte, und was der deutsche Ein-

fluß vom Werther und Faust angefangen bis Wagner, Schopenhauer und Nietzsche für Konsequenzen hatte, und als man diese Frage damit beantwortete, er habe Chaos für Ordnung gebracht, Dunkel und verschwommene Metaphysik für Klarheit und Vernunft, historischen Relativismus für sichere Werte und Maße, Weltschmerz, Nacht- und Todbegeisterung für Lebenswilligkeit und Lebensheiterkeit, Träume und Illusionen für Wirklichkeitsgehalt, Individualismus und nationale Eigensucht für die Majestät der Menschheitsidee, Reaktion für Fortschritt, anarchische Formauflösung für die festgeprägte, schöne Form und Barbarei für Zivilisation, selbst da geschah es, daß Goethe, der doch zu den wesentlichsten Erweckern der französischen Romantik gehörte, und dessen Werther und Faust denn auch natürlich in dies Verdammungsurteil einbezogen wurde, in seiner Ganzheit kraft der Humanität seines Geistes und der Schönheit seiner Form — wenn auch als deutsches Wunder — standhielt.

Der zweite Moment der Gefahr für Goethes Weltgeltung war mit dem ersten Weltkrieg gekommen, der bei der gegenseitigen Beurteilung der Völker auf allen Seiten die seltsamsten Blüten trieb. Kriege sind natürlich immer auch für die geistigen Beziehungen zwischen den Völkern von entscheidender Bedeutung, und man kann bemerken, daß gerade in solchen Augenblicken die Repräsentanten des Geistes, denen doch in erster Linie die überpolitische und übernationale Bewahrung ewiger Werte in die Hand gegeben ist, nur allzu oft versagen. Es zeigt sich aber auch, daß es einem siegenden Volk leichter wird, den geistigen Leistungen des besiegten Volkes gerecht zu werden, als es umgekehrt der Fall ist. Nach dem Kriege 1870/71 konnte jenes, das Goethebild bis zur Absurdität verzerrende Buch eines an sich doch bedeutenden Schriftstellers wie Barbey d'Aurevilly, erscheinen. Ganz anders stellte sich Frankreich nach dem ersten Weltkrieg zu Goethe, und nachdem die Wogen der Leidenschaft sich gelegt hatten, ragte er wie ein sonnenbestrahlter Gipfel aus den dumpfen Niederungen des Völkerhasses empor und vermochte es wiederum, nach allen Seiten Licht auszusenden. Damals, nach dem ersten Weltkrieg, war gerade die geistige Welt Frankreichs bereit und bemüht, die auseinandergerissenen Nationen durch das Band des einen, europäischen Geistes miteinander zu versöhnen. Die große Idee Europa hat selten die Dichter und Schriftsteller in solchem Ausmaß beschäftigt, und jetzt erkannte man, daß dieses ja mit Goethes tiefster Intention völlig zusammenging, und daß es keinen besseren Führer zu solcher europäischen Einheit geben könne als ihn. Denn wo war ein Geist zu finden, der Europa in seiner Ganzheit sichtbarer vertrat als er, der in der Vermählung Fausts mit Helena, des germanischen und antiken Geistes, nicht nur ein dichterisches Symbol geschaffen, sondern diese Vermählung wirklich in sich selbst, in seinem Menschentum und Dichtertum, verwirklicht hatte.

Als man 1932 die Feier von Goethes hundertstem Todestage beging, erschienen in Frankreich einige hochbedeutsame Goetheschriften, welche ihn als das geistige Band Europas, die Brücke zwischen den europäischen Nationen, den Führer und Erzieher zur europäischen Geisteseinheit feierten. Damals gab André Suarès in seinem Buch « Goethe le grand Européen » die Erklärung ab, daß es für Europa kein anderes Heil als im Geiste Goethes gebe, weil er der Geist Europas selber sei. Damals erschien von Léon Daudet die Schrift « Goethe et la synthèse », in der Goethe als die Synthese von Germanentum, Latinität und griechischer Antike, als ein universaler, weil synthetischer Geist verkündigt wurde.

Aber in diesem Goethejahr 1932 zeigte es sich auch, daß die von Frankreich so betonte Verbindung des germanischen und antiken Elementes den weltumspannenden Geist Goethes noch nicht hinreichend charakterisierte. Denn alle Völker, auch die slavischen, legten damals mit der Stimme ihrer Dichter, Schriftsteller und Forscher ein Bekenntnis zu ihm ab, und selbst das revolutionäre Europa fand wegen der ungeheuren Spannweite dieses Geistes die Möglichkeit, in dem bisher so konservativ gesehenen Goethe seinen Ahnen zu feiern. Dies geschah durch den Mund eines großen Repräsentanten des europäischen Schrifttums, Romain Rolland, der in der Sondernummer, welche die Revue « Europe » zum hundertsten Todestage Goethes herausgab, seinen Beitrag « Meurs et Deviens ! » nannte.

Als Rolland noch nicht nach dem Osten, sondern nach Deutschland hin orientiert war und zwischen deutscher und französischer Kultur die Brücke herzustellen versuchte, war Goethe ihm, dem immer die Musik die Seele der deutschen Kultur bedeutete, das dichterische Gegenbild zu Beethoven. Seitdem er von der östlichen Revolution ergriffen war, erkannte er in Goethe etwas, was bisher noch nie in ihm gesehen worden war: die Verkörperung revolutionärer Geistigkeit, ja, er erklärt, daß dieser Goethe es sei, dem er für seine eigene Wandlung tiefen Dank zu schulden habe. Einfältig dünkte es ihn, von der olympischen Ruhe Goethes zu sprechen. Er hat nicht fertige, sondern erst

entstehende Harmonien getönt. Er ging den Weg der Dissonanzen zu
ihrer vielleicht unerreichbaren, in der Unendlichkeit liegenden Auflösung. Er ist niemals zu fassen, weil er in ewiger Verwandlung begriffen
ist. Es gibt kein Maß für ihn. Denn das Geheimnis dieses Genius liegt
in seinem Worte: « Stirb und Werde ». Jeder wählt sich, wie Rolland
sagt, das in dem unermeßlichen Gedankenfeld des Goetheschen Werkes
und Lebens, was der eigenen Natur verwandt ist. Er wählte dieses
Wort, und dieser immer sterbende und werdende, sich immer
verwandelnde Goethe war der seinige. Das Stirb und Werde aber darf
nicht nur das Lebensgesetz des einzelnen Menschen sein. Es ist auch
das der menschlichen Gesellschaft. Götter und Staaten müssen stürzen,
Erdbeben müssen die Gewissen und die Gesellschaft erschüttern,
wenn die moralische und soziale Welt durch ewige Metamorphose sich
lebendig erhalten will. Faust ist der immer Schreitende und seine
Fahne die der ständigen Verwandlung.

So haben sich in diesem Goethejahr nicht nur alle Nationen, sondern
auch alte und neue Welten in Goethe zusammengefunden.

In diesem Konzert der Völkerstimmen gab es nur einen Mißklang, der
von Spanien kam. Es war die zum hundertsten Todestag Goethes
erschienene Abhandlung von Ortega y Gasset: « Um einen Goethe von
innen bittend ». In der europäischen Krise, so heißt es hier, die eine
Weltkrise ist, offenbart es sich, daß die Erbschaft der Klassiker
nichts helfen kann, ja, daß die Krise selbst zu einer Krise jedes Klassizismus wird. Er versagt für die Gegenwart wie für die Zukunft. Goethe
versagt vor dem Tribunal schiffbrüchiger Menschen, vor dem Gerichts-
hof der Lebensnot. Ja, er ist der fragwürdigste aller Klassiker, weil
er ein Klassiker zweiter Ordnung ist, der seinerseits von den Klassikern als ihr Erbe gelebt hat. Die Goethedarstellungen wurden bisher
im Sinn einer monumentalen Optik geschrieben. Goethe wurde wie
eine Statue von außen gesehen. Jetzt aber ist es nötig, ihn einmal ganz
objektiv von innen her zu sehen, seine Bestimmung zu entdecken und
zu fragen, ob er ihr treu geblieben sei, seine Entelechie verwirklicht
habe. Die Antwort ist, daß er ihr immer untreu war. Er suchte sein
inneres Schicksal, wie Wilhelm Meister und Faust es suchen, und fand
sich selber nie. Sein Leben war eine ständige Fahnenflucht. Er floh
nach Weimar, welches das größte Mißverständnis in der deutschen
Literaturgeschichte wurde. Seine Bestimmung war die eines morgend-
lichen Rufers, seine Sendung die, ein Dichter zu sein, der durch die
deutsche Dichtkunst die Dichtung der Welt aufzurütteln hatte. Wäre

er nicht nach Weimar gegangen, hätte er in Unsicherheit und
Bedrängnis gelebt, welches Glück hätte er für die Menschheit werden
können. Er hätte jene deutsche Literatur geschaffen, die nur er hätte
schaffen können, und in der sich die Vereinigung von Sturm und Maß
vollzogen hätte, vom Sturm des Gefühls und der Phantasie, der den
andern Literaturen Europas abgeht, vom Maß, das Frankreich und
Italien im Übermaß besitzen. Goethe gewann sich in Weimar den
« Iphigenismus », aber warum blieb er dort? Er versteinerte, das Maß
wurde übermächtig in ihm, und Weimar trennte ihn von der Welt
und von sich selbst. Er hat sein Schicksal nicht auf sich genommen,
sich nicht für seine Bestimmung entschieden, sich zu nichts bekannt
und sich nur in ewiger Bereitschaft gehalten.

Dies Goethebild ist nicht eigentlich neu. Man denkt an Kierkegaard,
und da der europäische Krisenzustand ja keineswegs erst mit dem
Weltkrieg begann und sich in der Literatur schon vorher die ganze
Problematik und Zerrissenheit des modernen Geistes aussprach,
begreift man auch, daß ein Dichter wie Strindberg einmal das Bekenntnis ablegte, er wisse wohl, daß es ihm nicht vergönnt sei, auf
den harmonischen Gefilden eines Goethe zu wandeln. Aber dürfe sich
ein Dichter, der ausersehen sei, für die Millionen das Kreuz auf sich
zu nehmen, seiner Bestimmung entziehen? Es sei eine andere Zeit
um ihn, als Goethes Zeit, und die Menschheit habe andere Fragen
gestellt, auf die auch andere Antworten zu geben seien. Goethe sei
ein Dichter der geruhsamen Betrachtung und ein behüteter Mensch
gewesen.[51]

Das ist als persönliches Bekenntnis eines so disharmonischen Geistes,
wie Strindberg es war, wohl zu verstehen, und es werden auch noch
andere Menschen dieser von Problemen aufgewühlten Generation den
Weg zu Goethe nicht gefunden haben. Aber das seltsame, von innen
gesehene Goethebild Ortegas scheint doch höchst anfechtbar zu sein,
und wer gerade in kritischer Zeit, welche die Orientierung am geistigen Sternenhimmel nötiger hat, als eine Zeit der Sicherheit und
Festigkeit, die klassischen Geister abtut, der handelt wie einer, der
mitten im Sturm den Kompaß über Bord wirft, um das schwankende
Boot zu retten, oder wie einer, der die Sterne auslöschen möchte in
der Finsternis.

War denn nicht gerade Goethe der morgendliche Rufer, der die Welt
aufrüttelte, der Erwecker der europäischen Romantik? War das nicht
Sturm? Aber er wußte um die Gefahr des Sturms und um den Segen

des Maßes, und so hat er den Sturm in sich gebändigt und das Maß gewonnen. Nicht daß er nach Weimar ging, war schuld daran, wenn sich die Goethesendung nicht erfüllte, sondern daß die Welt nicht diesem Weg nach Weimar folgte. Nicht er wich seiner Bestimmung aus, sondern die Menschheit tat es. Man bittet um ein Menschheitsbild von innen.

Einmal schien es freilich, als ob die Welt doch noch den Weg nach Weimar finden würde. Das war eben damals, als alle Völker ihre Vertreter zu der großen Goethefeier 1932 nach Weimar schickten, um ihr Bekenntnis zu ihm abzulegen und ihre Dankbarkeit für das, was sie von ihm empfingen, auszudrücken, so daß man das Wehen des Geistes, dem Goethes Weltliteraturidee entsprang, zu spüren, ja seine Verwirklichung bereits nahe zu sehen glaubte. Wer aber bei dieser Feier zugegen war und an ihr mitwirkte, mußte schon damals in Weimar verhängnisvolle Zeichen erleben, welche düstere Ahnungen weckten, und es zeigte sich ja auch bald, daß diese Totenfeier wirklich einem toten Goethe galt. Denn kurz darauf brach die Katastrophe über die Menschheit herein, weil ein Volk Verrat an seinem größten Geiste übte, weil Faust der Verführung seines satanischen Führers bis in den Höllensturz erlag.

Trotzdem darf man am Goethegeist und seiner Weltliteraturidee nicht irre werden, und mehr als je haben die Dichter und Schriftsteller der Nationen die heilige Pflicht, in diesem Geist zu wirken. Nie wird es allein auf politischem Wege und durch Weltorganisation möglich sein, einen Frieden zu sichern, in dem die menschliche Kultur sich höher und höher zu entwickeln vermag. Ohne den Geist, den Goethegeist, wird dieses Ziel für ewig unerreichbar bleiben.

Goethe gibt dem Führer des Weltbundes in Wilhelm Meisters Wanderjahren den Namen: das Band. Möge der Goethegeist Führer und Band einer besseren Welt sein, die sich aus dem Chaos unserer Zeit ans Licht emporringt.

Die zwanzig Stellen aus Goethes Werken, Tagebüchern, Briefen und
Gesprächen, in denen er sich des Wortes «Weltliteratur» bedient

1. Tagebuch 15. Januar 1827: «An Schuchardt diktiert bezüglich
auf französische und Weltliteratur».
2. Über Kunst und Altertum. Sechsten Bandes erstes Heft, 1827 (Le
Tasse, drame par Duval): «Die Mitteilungen, die ich aus französischen
Zeitblättern gebe, haben nicht etwa allein zur Absicht, an mich und
meine Arbeiten zu erinnern, ich bezwecke ein Höheres, worauf ich
vorläufig hindeuten will. Überall hört und liest man von dem Vorschreiten des Menschengeschlechts, von den weiteren Aussichten der
Welt- und Menschenverhältnisse. Wie es auch im Ganzen hiemit
beschaffen sein mag, welches zu untersuchen und näher zu bestimmen
nicht meines Amts ist, will ich doch von meiner Seite meine Freunde
aufmerksam machen, daß ich überzeugt sei, es bilde sich eine allgemeine Weltliteratur, worin uns Deutschen eine ehrenvolle Rolle
vorbehalten ist. Alle Nationen schauen sich nach uns um, sie loben,
sie tadeln, nehmen auf und verwerfen, ahmen nach und entstellen,
verstehen oder mißverstehen uns, eröffnen oder verschließen ihre
Herzen: dies alles müssen wir gleichmütig aufnehmen, indem uns das
Ganze von großem Wert ist.»
3. Brief an Streckfuß, 27. Januar 1827: «Ich bin überzeugt, daß eine
Weltliteratur sich bilde, daß alle Nationen dazu geneigt sind und
deshalb freundliche Schritte tun. Der Deutsche kann und soll hier
am meisten wirken, er wird eine schöne Rolle bei diesem großen
Zusammentreten zu spielen haben».
4. Gespräch mit Eckermann, 31. Januar 1827: «Nationalliteratur will
jetzt nicht viel sagen; die Epoche der Weltliteratur ist an der Zeit, und
jeder muß jetzt dazu wirken, diese Epoche zu beschleunigen».
5. Gespräch mit Eckermann, 15. Juli 1827: «Es ist aber sehr artig, daß
wir jetzt, bei dem engen Verkehr zwischen Franzosen, Engländern
und Deutschen, in den Fall kommen, uns einander zu korrigieren.

Das ist der große Nutzen, der bei einer Weltliteratur herauskommt und der sich immer mehr zeigen wird. Carlyle hat das Leben von Schiller geschrieben und ihn überall so beurteilt, wie ihn nicht leicht ein Deutscher beurteilen wird. Dagegen sind wir über Shakespeare und Byron im Klaren und wissen deren Verdienste vielleicht besser zu schätzen als die Engländer selber. »

6. Brief an Boisserée, 12. Oktober 1827: « Hiebei läßt sich ferner die Bemerkung machen, daß dasjenige was ich Weltliteratur nenne, dadurch vorzüglich entstehen wird, wenn die Differenzen, die innerhalb der einen Nation obwalten, durch Ansicht und Urteil der übrigen ausgeglichen werden. »

7. Brief an Carlyle, 1. Januar 1828: « Nun aber möchte ich von Ihnen wissen, inwiefern dieser Tasso als englisch gelten kann. Sie werden mich höchlich verbinden, wenn Sie mich hierüber aufklären und erleuchten; denn eben diese Bezüge vom Originale zur Übersetzung sind es ja, welche die Verhältnisse von Nation zu Nation am allerdeutlichsten aussprechen und die man zur Förderung der vor- und obwaltenden allgemeinen Weltliteratur vorzüglich zu kennen und zu beurteilen hat. »

8. Über Kunst und Altertum. Sechsten Bandes zweites Heft, 1828 (Bezüge nach außen): « Mein hoffnungsreiches Wort: daß bei der gegenwärtigen, höchst bewegten Epoche und durchaus erleichterter Kommunikation eine Weltliteratur baldigst zu hoffen sei, haben unsre westlichen Nachbarn, welche allerdings hiezu Großes wirken dürften, beifällig aufgenommen und sich folgendermaßen darüber geäußert. »

9. Brief an Zelter, 21. Mai 1828: « Sodann bemerke, daß die von mir angerufene Weltliteratur auf mich, wie auf den Zauberlehrling, zum Ersäufen zuströmt; Schottland und Frankreich ergießen sich fast tagtäglich, in Mailand geben sie ein höchst bedeutendes Tagesblatt heraus, L'Eco betitelt. »

10. Brief an die Herausgeber der Zeitschrift « L'Eco », 31. Mai 1828: « Die ersten siebenundvierzig Blätter Ihrer Zeitschrift, die Sie in Mailand beginnen, haben mich auf das angenehmste überrascht; sie wird gewiß durch ihren Gehalt und durch die freundliche Form, die Sie ihr zu geben wissen, zur allgemeinen Weltliteratur, die sich immer lebhafter verbreitet, auf das freundlichste mitwirken und ich darf Sie meines Anteils gar wohl aufrichtig versichern. »

11. Über Kunst und Altertum. Sechsten Bandes zweites Heft, 1828 (Edinburgh Reviews): « Diese Zeitschriften, wie sie sich nach und

nach ein größeres Publikum gewinnen, werden zu einer gehofften
allgemeinen Weltliteratur auf das wirksamste beitragen; nur wiederholen wir, daß nicht die Rede sein könne, die Nationen sollen überein
denken, sondern sie sollen nur einander gewahr werden, sich begreifen,
und wenn sie sich wechselseitig nicht lieben mögen, sich einander
wenigstens dulden lernen. »

12. Die Zusammenkunft der Naturforscher in Berlin, 1828: « Wenn
wir eine europäische, ja eine allgemeine Weltliteratur zu verkündigen
gewagt haben, so heißt dieses nicht, daß die verschiedenen Nationen
voneinander und ihren Erzeugnissen Kenntnis nehmen, denn in
diesem Sinne existiert sie schon lange, setzt sich fort und erneuert
sich mehr oder weniger. Nein ! hier ist vielmehr davon die Rede, daß
die lebendigen und strebenden Literatoren einander kennenlernen
und durch Neigung und Gemeinsinn sich veranlaßt finden, gesellschaftlich zu wirken. »

13. Aus Makariens Archiv (wohl 1829): « Jetzt, da sich eine Weltliteratur einleitet, hat, genau besehen, der Deutsche am meisten zu
verlieren; er wird wohl tun, dieser Warnung nachzudenken. »

14. Brief an Zelter, 4. März 1829: « Die Übertriebenheiten, wozu die
Theater des großen und weitläufigen Paris genötigt werden, kommen
auch uns zu Schaden, die wir noch lange nicht dahin sind, dies
Bedürfnis zu empfinden. Dies sind aber schon die Folgen der anmarschierenden Weltliteratur, und man kann sich hier ganz allein dadurch
trösten, daß, wenn auch das Allgemeine dabei übel fährt, gewiß Einzelne davon Heil und Segen gewinnen werden; wovon mir sehr schöne
Zeugnisse zu Handen kommen. »

15. Brief an C. F. v. Reinhard, 18. Juni 1829: « Sehr bewegt und
wundersam wirkt freilich die Weltliteratur gegeneinander; wenn ich
nicht sehr irre, so ziehen die Franzosen in Um- und Übersicht die
größten Vorteile davon; auch haben sie schon ein gewisses selbstbewußtes Vorgefühl, daß ihre Literatur, und zwar noch in einem
höheren Sinne, denselben Einfluß auf Europa haben werde, den sie
in der Hälfte des 18. Jahrhunderts sich erworben. »

16. Schema zu Kunst und Altertum. Sechsten Bandes drittes
Heft, 1829: Erste Fassung: « Weltliteratur ». Zweite Fassung: « Europäische, d. h. Welt-Literatur ».

17. Einleitung zu Thomas Carlyle, Leben Schillers, 1830: « Es ist
schon einige Zeit von einer allgemeinen Weltliteratur die Rede, und
zwar nicht mit Unrecht: denn die sämtlichen Nationen, in den fürchter-

lichsten Kriegen durcheinander geschüttelt, sodann wieder auf sich
selbst einzeln zurückgeführt, hatten zu bemerken, daß sie manches
Fremdes gewahr worden, in sich aufgenommen, bisher unbekannte
geistige Bedürfnisse hie und da empfunden. Daraus entstand das
Gefühl nachbarlicher Verhältnisse, und anstatt daß man sich bisher
zugeschlossen hatte, kam der Geist nach und nach zu dem Verlangen,
auch in den mehr oder weniger freien geistigen Handelsverkehr mit
aufgenommen zu werden. »

18. Entwurf für obige Einleitung (vgl. 17): «Wenn nun aber eine
solche Weltliteratur, wie bei der sich immer vermehrenden Schnelligkeit des Verkehrs unausbleiblich ist, sich nächstens bildet, so dürfen
wir nur nicht mehr und nichts anders von ihr erwarten als was sie
leisten kann und leistet. »

19. Entwurf für obige Einleitung (vgl. 17), 5. April 1830: « Aber nicht
allein was solche Männer über uns äußern muß uns von der größten
Wichtigkeit sein, sondern auch ihre übrigen Verhältnisse haben wir
zu beachten, wie sie gegen andere Nationen, gegen Franzosen und
Italiener, stehen. Denn daraus nur kann endlich die allgemeine Weltliteratur entspringen, daß die Nationen die Verhältnisse aller gegen
alle kennen lernen und so wird es nicht fehlen, daß jede in der andern
etwas Annehmliches und etwas Widerwärtiges, etwas Nachahmens-
wertes und etwas zu Meidendes antreffen wird. »

20. Brief an Boisserée, 24. April 1831: «Bei der Übersetzung meiner
letzten botanischen Arbeiten ist es ganz zugegangen wie bei Ihnen.
Ein paar Hauptstellen, welche Freund Soret in meinem Deutsch nicht
verstehen konnte, übersetzt ich in mein Französisch; er übertrug sie
in das seinige, und so glaub ich fest, sie werden in jener Sprache
allgemeiner verständlich sein, als vielleicht im Deutschen. Einer
französischen Dame soll dies Kunststück auch schon eingeleuchtet
haben; sie läßt sich das Deutsche verständlich und ungeschmückt
übersetzen und erteilt ihm alsdann eine Anmut, die ihrer Sprache
und ihrem Geschlechte eigen ist. Dies sind die unmittelbaren Folgen
der allgemeinen Weltliteratur, die Nationen werden sich geschwinder
der wechselseitigen Vorteile bemächtigen können. Mehr sag ich nicht,
denn das ist ein weit auszuführendes Kapitel. »

ANMERKUNGEN

(Goethe wird nach der Weimarer Ausgabe zitiert. **W.** bedeutet: Abteilung Werke; **N.Schr.:** Abteilung Naturwissenschaftliche Schriften; **Tgb.:** Abteilung Tagebücher; **Br.:** Abteilung Briefe.)

ERSTER TEIL

[1] W. Bd. 41², S. 307.
[2] Br. Bd. 43, S. 222.
[3] W. Bd. 42², S. 505.
[4] Br. Bd. 15, S. 149.
[5] N.Schr. Bd. 13, S. 449.
[6] W. Bd. 41², S. 348.
[7] W. Bd. 41², S. 305 ff.
[8] W. Bd. 41², S. 339.
[9] W. Bd. 41², S. 69 ff.
[10] W. Bd. 41², S. 308.
[11] W. Bd. 41², S. 217 f.
[12] N.Schr. Bd. 13, S. 449.
[13] W. Bd. 42², S. 500.
[14] Gespräch mit Eckermann 15. Juli 1827.
[15] Ebenda.
[16] N.Schr. Bd. 6, S. 221.
[17] W. Bd. 41², S. 345.
[18] W. Bd. 41², S. 311.
[19] Brief an Carlyle 15. Juni 1828; vgl. W. Bd. 41², S. 346 f.
[20] W. Bd. 41², S. 304 f.
[21] N.Schr. Bd. 7, S. 165 ff.
[22] W. Bd. 42², S. 502 f.
[23] Br. Bd. 45, S. 187.
[24] W. Bd. 42², S. 202; vgl. Br. Bd. 45, S. 295.
[25] W. Bd. 42², S. 201.
[26] W. Bd. 41², S. 179 f.
[27] W. Bd. 42², S. 500.
[28] W. Bd. 41¹, S. 179.
[29] W. Bd. 42¹, S. 186 ff.
[30] W. Bd. 41², S. 179 f.
[31] Br. Bd. 15, S. 234.
[32] W. Bd. 42², S. 491 f.
[33] W. Bd. 42², S. 497.
[34] W. Bd. 42², S. 500.
[35] W. Bd. 42², S. 501 f.
[36] W. Bd. 41², S. 348; vgl. Br. Bd. 44, S. 108.
[37] W. Bd. 42², S. 91 f.

ZWEITER TEIL

[1] N.Schr. Bd. 12, S. 56.
[2] Br. Bd. 35, S. 281.
[3] Br. Bd. 35, S. 279; Bd. 36, S. 386.
[4] Br. Bd. 35, S. 193.
[5] W. Bd. 41¹, S. 73 ff.
[6] W. Bd. 31, S. 83.
[7] W. Bd. 32, S. 337.
[8] W. Bd. 33, S. 188.
[9] W. Bd. 36, S. 41.
[10] W. Bd. 45, S. 240.
[11] Br. Bd. 23, S. 115.
[12] W. Bd. 45, S. 176 f.
[13] W. Bd. 41¹, S. 352 ff.
[14] Br. Bd. 25, S. 284.
[15] Br. Bd. 20, S. 16.
[16] W. Bd. 40, S. 186.
[17] Br. Bd. 27, S. 33.
[18] Br. Bd. 32, S. 234.
[19] W. Bd. 42², S. 50.
[20] N.Schr. Bd. 13, S. 314.
[21] Br. Bd. 29, S. 383 f.

DRITTER TEIL

[1] Aus Schellings Leben Bd. 1, S. 307 ff.

[2] W. Bd. 28, S. 142 ff.

[3] W. Bd. 35, S. 247.

[4] Br. Bd. 20, S. 170.

[5] Goethe-Jahrbuch Bd. 8, S. 13; 11.

[6] Briefwechsel mit den Gebrüdern von Humboldt S. 51. Humboldt berichtet an dieser Stelle auch, daß Chénier den Werther sogar in eine, aber noch nicht gedruckte Tragödie verwandelt habe.

[7] Goethe-Jahrbuch Bd. 20, S. 115.

[8] Briefwechsel mit den Gebrüdern von Humboldt S. 160 f.

[9] Br. Bd. 23, S. 409.

[10] Br. Bd. 24, S. 160 f.; vgl. S. 185 f.; S. 191; S. 280.

[11] W. Bd. 35, S. 173 f.

[12] W. Bd. 41^2, S. 233 f.; vgl. S. 340.

[13] Br. Bd. 20, S. 227 f.

[14] W. Bd. 41^2, S. 340.

[15] Br. Bd. 44, S. 166; vgl. W. Bd. 42^2, S. 187.

[16] W. Bd. 42^2, S. 493 f.; S. 514.

[17] Br. Bd. 21, S. 364.

[18] N. Schr. Bd. 11, S. 52 f.

[19] N. Schr. Bd. 13, S. 116 f.; Bd. 7, S. 181; S. 214.

[20] N. Schr. Bd. 5^1, S. 421 ff.; vgl. Br. Bd. 45, S. 312.

[21] N. Schr. Bd. 7, S. 169 f.

[22] N. Schr. Bd. 7, S. 188.

[23] Br. Bd. 49, S. 44 f.

[24] Br. Bd. 43, S. 19.

[25] Br. Bd. 44, S. 101.

[26] W. Bd. 42^2, S. 87 ff.

[27] Br. Bd. 36, S. 61.

[28] Tgb. Bd. 10, S. 219.

[29] W. Bd. 42^2, S. 38 f.

[30] Br. Bd. 22, S. 40 f.; S. 43 f.

[31] Br. Bd. 28, S. 40 f.

[32] W. Bd. 41^1, S. 126 f.

[33] Br. Bd. 44, S. 78 f.

[34] Goethe-Jahrbuch 1916, S. 180; andere Uebersetzung: Otto Harnack, Essays und Studien zur Literaturgeschichte, S. 236.

[35] Gespräch mit Kanzler von Müller 7. September 1827.

[36] Puschkin, Aufsätze und Tagebücher, übersetzt von Fega Frisch S. 49.

[37] Handschriftliche Uebersetzung von Fega Frisch. Auch Lermontows spätere Dichtung « Der Dämon », 1838, wird die Erinnerung an Goethes « Faust » wachrufen. Gogol dagegen empfing in seiner Jugend den stärksten Eindruck von Goethes klassischem Epos « Hermann und Dorothea » (wie von Vossens « Luise »), und sein Erstlingswerk « Hans Küchelgarten », 1829, endet denn auch mit einem wahren Hymnus auf Goethe (vgl. Euphorion 1922, S. 629).

[38] Wjatscheslaw Iwanow, Russische Gedichte auf Goethes Tod, Corona Jahr IV, Heft 6.

[39] Notice sur Goethe, lue à la séance générale de l'Académie impériale des sciences de St-Petersbourg 1833.

[40] Br. Bd. 47, S. 35.

[41] W. Bd. 41^2, S. 136.

[42] Br. Bd. 38, S. 194.

[43] Br. Bd. 22, S. 147 f.

[44] Br. Bd. 40, S. 302 f.

[45] Br. Bd. 43, S. 107 f. Unter den vielen Engländern, die Goethe noch in den letzten Jahren seines Lebens besuchten, befand sich auch der junge Thackeray, der 1830 nach Weimar kam. Sein Bericht darüber wurde zuerst von Lewes in seinem Werk „Life and Works of Goethe" Buch 7, Kapitel 7, veröffentlicht.

[46] Russische Kritiker, übersetzt von Fega Frisch, München 1921, S. 43 f.

[47] Ebenda S. 298 ff.

[48] Everett 1817, Bankroft 1824, Ticknor 1830. Die erfolgreichste Vermittlerin Goethes an Amerika wurde Margaret Fuller, die Uebersetzerin des Tasso (1835) und der Gespräche mit Eckermann (1838). Sie war durch Emerson und Carlyle für Goethe gewonnen worden. Zu dem von Goethe selbst als Zeugen für den Segen der Weltliteratur angeführten französischen Kritiker, der ihn gegen die Angriffe des deutschen Schriftstellers Wolfgang Menzel verteidigte, und zu dem russischen Kritiker Belinskij, der das gleiche tat, tritt Margaret Fuller, die ebenfalls, in The Dial 1841, Goethe gegen Menzel verteidigte. Erst ihr ist es gelungen, den aus religiös-puritanischen und moralischen Gründen in Amerika gegen Goethe bestehenden Widerstand zu überwinden. Sie hatte für Amerika eine ähnliche Sendung wie Carlyle für England. Auch nach dem spanischen Lateinamerika ist Goethes « Faust »

gedrungen und hat dort in der sogenannten Gauchodichtung eine interessante Frucht gezeitigt. 1866 nämlich erschien eine Verserzählung « Fausto » von Estanislao del Campo, in der ein Gaucho einem anderen inmitten der Pampas volkstümlich-primitiv den Inhalt von Goethes « Faust » erzählt, den er im Theater von Buenos Aires gesehen hatte. Schon die erste Auflage des Werkes erreichte die Zahl von zwanzigtausend Exemplaren.

[49] Die Literarische Welt, 1. Februar 1929. Es ist für das Nachleben der Antike in der modernen Dichtung Frankreichs und dafür, daß sie von hier aus den Weg zu Goethe fand, bezeichnend, daß selbst ein Verlaine, der Wagnerenthusiast, der Musiker auf dem Instrument der Sprache, sich durch Goethes « Klassische Walpurgisnacht » aus dem zweiten Teil des « Faust » und nicht durch die romantische des ersten Teils zu einem Gedicht « Nuit du Walpurgis Classique » inspirieren ließ, welches beginnt: « C'est plutôt le sabbat du second Faust que l'autre... ».

[50] Paul Claudel, Figures et Paraboles.

[51] Hermann Kesser, Vom Chaos zur Gestaltung, S. 145.

Frühere Arbeiten des Verfassers, die im Zusammenhang mit dem vorliegenden Buche stehen :

1. DIE ROMANTIK ALS EUROPÄISCHE BEWEGUNG. (Festschrift Heinrich Wölfflin 1924.)

2. EUROPA UND DIE DEUTSCHE KLASSIK UND ROMANTIK. (In: Deutsche Klassik und Romantik, 3. Aufl. 1928.)

3. GOETHES IDEE EINER WELTLITERATUR. (In: Dichtung und Zivilisation, 1928.)

4. GOETHE DER WEST-ÖSTLICHE (Ebenda.)

5. GOETHE DER EUROPÄER: Goethe und Napoleon — Goethe und Byron — Goethe und Dostojewskij. (Die Horen 1928/29.)

6. GOETHES EUROPÄISCHE SENDUNG. (Berner Antrittsvorlesung, « Der Bund » 1929.)

7. WELTLITERATUR UND VERGLEICHENDE LITERATURGESCHICHTE. (Philosophie der Literaturwissenschaft, herausgegeben von Ermatinger, 1930.)

8. GOETHE UND DIE WELTLITERATUR. (Jahrbuch der Goethegesellschaft, Bd. XVIII, 1932.)

REGISTER

Cramer S. 146.
Creuzer S. 359.
Cromwell S. 317.
Cusanus S. 72 f.
Cuvier S. 37, **267 ff.**, 367.

Dante S. 14, 21, 79, 92, 96, **130 f.,** 133, 285, 317.
Darwin S. 326.
Daub S. 359.
Daudet, Léon, S. 393.
David S. 95, 262, 346.
Degérando S. 243, 267.
Delacroix S. 94, **240 f.,** 258.
De Lavigne S. 97.
Deschamps S. 95, 261 f.
Diderot S. 51, 74, 86, 88, 102, 112, **156 ff.,** 233.
Dostojewskij S. **330 ff.,** 340, **380 ff.**
Dryden S. 290.
Dubois S. 233.
Dumas, Adolphe, S. 247.
Dupin S. 366.
Dürer S. 134.
Duval S. 93, 249, 397.

Ebert, Karl Egon, S. 361.
Eckermann S. 30, 70, 77, 89, 95, 111, 114, 148, 154 f., 161, 183, 228, 240, 254, 258, 261 f., 267 f., 286, 293, 304f., 309, 322, 324, 337 f., 357, 364, 397, Anm. I, 14, 15, III, 48.
Einsiedel S. 161, 165.
Ekendahl S. 366.
Emerson S. 324, 384 ff., Anm. III, 48.
Enea, Silvio, S. 70.
Euripides S. 152, 390.
Everett S. 189, Anm. III, 48.
Ewald S. 209.

Fauriel S. 285 f., 359.
Fernow S. 143.
Fichte S. 160, 221, 317.
Fielding S. 114, 121.
Firdusi S. 97.
Flaubert S. 371, **373 ff.**
Fontan S. 94.
Foscolo S. 197, 272 f.
France, Anatole, S. 389.
Freiligrath S. 324.
Friedel S. 75.
Friedrich der Große S. 111.
Friedrich II. S. 329.
Frisch, Fega, Anm. III, 36, 37, 46, 47.
Fuller, Margaret, Anm. III, 48.

Gall S. 189.
Gautier, Théophile, S. 208, 241, 247, 253, 368, **371 f.**

Geijer S. 215.
Gellert S. 73.
Gérard de Nerval S. 34, 95, 239 ff., 252, 256 f., 307.
Gerhard, Wilhelm, S. 324, 357 f., 361.
Geßner, Salomon, S. 14, 75, 111, 113, 118, 272.
Gide S. 384, 389, **390.**
Gilbert S. 250.
Giusti S. 377.
Gleim S. 64, 272.
Gogol Anm. III, 37.
Goldsmith S. 114; **117 ff.,** 122.
Gottsched S. 73, 112.
Gounod S. 239, 253.
Gower S. 296.
Gozzi S. 150.
Gray S. 119.
Gries S. 162, 164 f., **366 f.**
Grillparzer S. 153.
Grimm, Fr. Melchior, S. 74.
Grimm, Jakob, S. 222, 355 ff.
Grimm, Wilhelm, S. 362.
Grossi S. 287.
Grundvig S. 221, **222 f.,** 376.
Guerreri S. 288.
Guillemard S. 96.
Guizot S. 63.
Gundolf S. 115.
Günther S. 272.

Hafis S. 49, 108, 165, **167 ff.,** **172,** 174, 176 f., **180 f.,** 372, 383.
Haller, Albrecht von, S. 75, 111, 113.
Hammer S. 167 f., 180.
Hanka S. 358, 360.
Harnack Anm. III, 34.
Hauff S. 284.
Haxthausen S. 359.
Hebbel S. 26, 153.
Heine S. 200, 251 ff., 255, 310, 368.
Heintze S. 324.
Helvetius S. 244.
Helvig S. 221 f., 357.
Hemans S. 249.
Herder S. 17, 24 f., 33, 52, 54, 56, 61, 64, 71, 95, 97, 108, 115, 117, 123, 213, **243 ff.,** 261, 333, 340, **352 ff.,** 362.
Herwegh S. 200, 324.
Herzlieb, Minna, S. 132.
Hettner S. 153.
Hoffmann, E. T. A., S. 242, 260, 293.
Holcroft S. 87.
Hölderlin S. 76.
Holtei S. 366.
Homer S. 14, 97, 117, 135 f., 140, 196, 204, 214, 272, 277, 320, 333, 340, 369, 379.